DIE DEUTSCHEN
Vergangenheit & Gegenwart

DIE DEUTSCHEN

Vergangenheit
& Gegenwart

Wulf Koepke

Rice University

HOLT, RINEHART AND WINSTON

New York   *Toronto*   *London*

Notes on illustrations, including picture credits, appear on page lxxiii.

Library of Congress Catalog Card Number: 69-11762

Printed in the United States of America

ISBN 0-03-081379-4

67   090   98765

Preface

This is a multi-purpose book which can be used for most second and third year programs at college level or the equivalent programs in high school. It provides meaningful material and stimulates interest and discussion on various aspects of German history and present day life.

The chapters are largely independent of each other. Although it is recommended to follow the sequence of the chapters in the book, it is by no means necessary. It is also possible to use the *Gegenwart* part first and the *Vergangenheit* part second. The *Vergangenheit* part consists of 13 chapters and thus can be adapted well into a semester's program at the rate of one chapter per week. The *Gegenwart* part consists of 17 chapters of unequal length. The teacher can, however, organize the program entirely according to his needs and wishes.

The *Vergangenheit* part deals with all aspects of history: political, cultural, economic, religious, geographic, etc., and it tries to keep a middle road between the presentation of facts and anecdotes and the analysis of larger developments. Many of the facts or trends mentioned could serve as a starting point for a more in-depth discussion using additional material. The *Gegenwart* part describes multiple aspects of the life of an individual German. It also provides a brief survey of various cultural aspects pertaining to East Germany, Austria and Switzerland.

The style is simple, but not oversimplified. The vocabulary can serve as introduction to the reading of expository prose in German. No attempt has been made to separate a passive vocabulary from an active one; but the vocabulary used in the exercises definitely belongs to the "active" items.

The *Übungen* consist of grammar drills, content questions, vocabulary exercises and composition exercises. The drills have been developed from the text and stress those aspects of grammar which in the experience of the author need most practice; such as, the use of prepositions, word order, adjective endings, modal auxiliary verbs, etc. The exercises within each chapter are graded, and this pattern is followed throughout the text, except for a few somewhat more extended composition exercises in the latter chapters of each part.

The *Lab Program* offers a set of grammar drills from the text and additional content questions, i.e. an aural comprehension exercise.

The combination of language learning and cultural enrichment is, as we all know, one of the most desirable and most difficult things to achieve. Long years of experimentation have gone into this book, and the actual writing of it took much longer than anticipated. The author wishes to thank the staff of Holt, Rinehart and Winston for their patience, cooperation and kind help.

Any report on how this book is used, and any suggestions for future improvements will be greatly appreciated.

W. K.

Inhalt

Geographie

Deutschlands Lage

Deutschland liegt im nördlichen Mitteleuropa. Der 49. Breitengrad, der die Grenze zwischen den USA und Kanada bildet, geht durch Süddeutschland, etwa bei Stuttgart. Frankfurt am Main liegt auf dem gleichen Breitengrad wie Winnipeg.

Im Westen beginnt Deutschland etwa beim 7. Längengrad. Zwischen New York und Frankfurt sind sechs Stunden Zeitdifferenz. Wenn es in New York 12 Uhr ist, ist es in Frankfurt schon 18 Uhr.

Deutschland liegt in der Mitte Europas. Die Straßen von Skandinavien nach Italien, von Frankreich nach Rußland oder Südosteuropa führen durch Deutschland. Deutschland hat deshalb auch viele Nachbarn. 1933, als Hitler an die Macht kam, grenzte es an folgende Länder: Dänemark, Holland, Belgien, Luxemburg, Frankreich, die Schweiz, Österreich, die Tschechoslowakei, Polen, Danzig, Litauen. So viele Nachbarn haben nur noch so große Länder wie die Sowjetunion oder China.

Die Größe

Nach dem Zweiten Weltkrieg kam kein Friedensvertrag mit Deutschland zustande. Deutschlands Ostgrenzen sind deshalb noch immer umstritten. Vor Hitlers Annektionen war das Deutsche Reich gut 470.000 Quadratkilometer* groß. Das ist so viel wie die beiden Staaten Oregon und Idaho zusammen. Von diesem Gebiet liegt etwa ein Viertel östlich der Flüsse Oder und Lausitzer Neiße und wird von Polen und der Sowjetunion als Teil ihres Staatsgebietes angesehen. Der Rest des früheren deutschen Gebietes besteht aus der Bundesrepublik Deutschland mit etwas weniger also 248.000 Quadratkilometern — einem Gebiet von der Größe von Oregon — und aus der Deutschen Demokratischen Republik, abgekürzt DDR, mit ca. 107.000 Quadratkilometern. Die Bundesrepublik, oder Westdeutschland, umfaßt also etwas mehr als die Hälfte des früheren Deutschen Reiches.

* 1 Quadratmeile = 2,6 Quadratkilometer

Die Bevölkerung

Deutschland ist dicht bevölkert. In der Bundesrepublik leben etwa 600 Menschen auf einer Quadratmeile; das ist etwas weniger als die Bevölkerungsdichte von Massachusetts, aber mehr als zehnmal so viel wie die durchschnittliche Bevölkerungsdichte der USA.

5   In der Bundesrepublik, der DDR und Berlin leben 80 Millionen Menschen, etwa so viel wie in den sechs Staaten New York, Kalifornien, Pennsylvanien, Illinois, Ohio und Texas zusammen. Dabei ist Kalifornien allein größer als Deutschland.

Die Landschaft

Deutschland hat nur im Süden und im Norden natürliche Grenzen. Im
10 Norden wird es von der Nordsee und der Ostsee begrenzt, im Süden läuft die Grenze quer durch die Alpen.

Allgäuer Alpen

Die Westgrenze und die Ostgrenze haben sich in der deutschen Geschichte oft geändert; sie verlaufen quer durch Ebenen und Mittelgebirge. Einen Teil der deutschen Westgrenze bildet heute der Rhein. Es lassen sich in Deutschland mehrere Landschaftsformen unterscheiden: Der Norden ist ein Teil der großen Tiefebene, die sich bis Rußland erstreckt; der mittlere Teil umfaßt eine große 5 Vielfalt von Gebirgszügen, Einzelbergen und kleinen Ebenen, die zusammen Mittelgebirge genannt werden. Nördlich der Alpen erstreckt sich eine Hochebene, das Alpenvorland genannt. Den südlichen Abschluß bildet das Hochgebirge der Alpen.

Die heutige Gestalt der Landschaft ist das Ergebnis der Eiszeit. Die skandi- 10 navischen Gletscher bedeckten damals Norddeutschland; die Gletscher der Alpen lagen auf dem Alpenvorland. So entstanden die Ebenen, die Flüsse und viele Seen.

In Norddeutschland und Bayern gibt es mehrere Seengebiete. Der größte deutsche See, der Bodensee, wird von dem Rhein gebildet. Die Donau, die 15 durch Süddeutschland fließt, hat ihre Quelle im Schwarzwald und fließt nach Osten. Sie berührt noch sechs andere Länder, bevor sie ins Schwarze Meer mündet. Alle anderen großen Flüsse in Deutschland fließen von Südosten nach Nordwesten: der Rhein, die Weser, die Elbe, die Oder.

Nur die Weser hat ihre Quelle und Mündung in Deutschland. Alle 20 anderen Flüsse entspringen in einem anderen Land. Der Rhein, der aus der Schweiz kommt, hat seine Mündung auch im Ausland, und zwar in Holland. Der Rhein ist Deutschlands bekanntester und wirtschaftlich wichtigster Fluß.

Diese großen Flüsse haben größere und kleinere Nebenflüsse. Die bekanntesten Nebenflüsse des Rheins sind: der Neckar, der Main, die Lahn und die 25 Mosel. Die Ruhr ist durch das Industriegebiet, das nach ihr benannt ist, bekannt. Nebenflüsse der Donau sind zum Beispiel der Inn und die Isar, an der München liegt. Bekannte Nebenflüsse der Elbe sind die Saale und die Havel. Die Havel hat ihrerseits einen Nebenfluß, die Spree, an der Berlin liegt.

In den Mittelgebirgen sind die höchsten Gipfel nicht über 1.500 Meter* 30 hoch. Der berühmte Brocken im Harz hat 1.100 Meter, die Wasserkuppe in der Rhön nur 950 Meter, der Feldberg im Schwarzwald, der höchste Berg der Mittelgebirge, hat 1.492 Meter Höhe. Die höchsten Gipfel der Alpen liegen

---

* 1 ft = 0,3048 Meter

nicht in Deutschland. Deutschlands höchster Berg, die Zugspitze, erreicht nicht ganz 3.000 Meter. Die Zugspitze liegt an der österreichischen Grenze.

Das Klima

Deutschland hat ein kühles, gemäßigtes Klima. Die Temperaturunterschiede zwischen Sommer und Winter sind geringer als in Nordamerika.
5 Durch den warmen Golfstrom und die Landschaftsformen ist das Klima wärmer als in den gleichen Breitengraden der USA. Die durchschnittlichen Temperaturen im Sommer sind um 18° Celsius (64° Fahrenheit). Am wärmsten ist es am Rhein, am Main, am Neckar und am Bodensee. Im Januar liegt die Temperatur durchschnittlich bei $-2°$ Celsius (29° Fahrenheit). Am kältesten
10 ist es in den Gebirgen; dort fällt auch der meiste Schnee und Regen. Deutschlands Klima ist vorwiegend maritim, nach Osten wird es kontinental. Im Osten Deutschlands sind also die Sommer wärmer und die Winter kälter.

Die Landwirtschaft

Deutschlands Landschaft ist eine Kulturlandschaft. Wegen der Dichte der Bevölkerung wird nach Möglichkeit jedes Fleckchen Land ausgenutzt. Sämt-
15 licheWälder werden bewirtschaftet, und die Forstwirtschaft ist genau geplant. Die Bedingungen für die Landwirtschaft sind verschieden gut. Weite Flächen und guten Boden gibt es in Ostdeutschland und in Norddeutschland. Hier sind die Felder groß, ebenso die Bauernhöfe und Güter.

Die meisten Bauern haben eine Gemischtwirtschaft, das heißt, sie bauen
20 Getreide an, und sie züchten Vieh. Die wichtigsten Getreidesorten sind Roggen, Weizen, Gerste und Hafer. Außer Getreide werden viele Kartoffeln angebaut, ebenfalls viele Rüben. Zuckerrüben gedeihen in einigen Gegenden, wo sich der Boden dafür eignet. In Süddeutschland wird auch Hopfen angebaut. Mit den Feldern wechseln die Wiesen ab. In einigen Gegenden gibt es nur Wiesen,
25 zum Beispiel an der Nordsee oder in den Alpen. Die Rinderzucht und Milchwirtschaft sind dabei besonders wichtig; an zweiter Stelle steht die Schweinezucht.

In den Mittelgebirgen sind die Voraussetzungen für die Landwirtschaft

oft nicht so gut. Die Felder sind klein und uneben, und das Klima ist rauh. Es ist schwierig und meistens unrentabel, moderne Maschinen einzusetzen. Sehr günstig hingegen ist das Klima in den Flußtälern des Rhein- und Maingebietes. Die Felder sind allerdings sehr klein. So ist hier die Bewirtschaftung besonders intensiv und besteht vorwiegend aus Wein-, Obst- und Gemüsebau. Deutsch- 5
land hat die nördlichsten Weinbaugebiete Europas. Der Wein gedeiht nicht überall in der Ebene, sondern mehr an den Berghängen.

Bodenschätze

Deutschland ist nicht reich an Bodenschätzen. Es hatte vor allem Kohle, und zwar an der belgischen Grenze, im Ruhrgebiet, im Saarland, in Sachsen und in Oberschlesien. Es handelte sich vorwiegend um Steinkohle, bis auf die 10
großen Braunkohlevorkommen in Sachsen und einige Braunkohlelager an der belgischen Grenze. In Oberschlesien findet man nicht weit von der Kohle auch Eisenerz. Außerdem gibt es Eisenvorkommen im Siegener Land südlich des Ruhrgebiets. Heute, wo die Bodenschätze von Oberschlesien nicht mehr verfügbar sind, muß der größte Teil des Eisenerzes aus dem Ausland eingeführt 15
werden. Eisenerz mit geringerem Eisengehalt gibt es im östlichen Niedersachsen. In den Moorgegenden von Nordwestdeutschland findet man etwas Erdöl und Erdgas. Neuerdings wird auch in der Nordsee nach Öl gebohrt. Der größte Teil des Öls wird eingeführt.

In früheren Zeiten hatte Deutschland reiche Vorkommen von Kupfer und 20
Silber. Die Silberproduktion ist seit langem gering; Kupfer wird noch bei Mansfeld in der DDR abgebaut.

Reich ist Deutschland an Salzen; es hat sehr bedeutende Kalisalzlager. In den östlichen Mittelgebirgen gibt es Sand und Gestein, die sich zur Herstellung von Porzellan und zum Glasblasen eignen. 25

6

Die Bergwerksindustrie spielt traditionell in Deutschland eine große Rolle, und der Beruf des Bergmanns ist alt und hoch geschätzt. Die moderne Industrie in Deutschland lebt jedoch hauptsächlich von der Verarbeitung eingeführter Rohstoffe.

Industriegebiete

5 Industrie gibt es in allen Teilen des Landes. Die Gebiete, in denen sie besonders stark konzentriert ist, werden Industriegebiete genannt. Ihre Konzentration und die Art der Industrie ist dabei sehr verschieden.

Das bekannteste deutsche Industriegebiet ist das Ruhrgebiet am rechten Ufer des Niederrheins, zwischen den Flüssen Wupper und Lippe. An der
10 deutsch-französischen Grenze liegt das Saargebiet. Diese beiden Industriegebiete befinden sich in der Nähe von Bergwerken. Die Industrie im Gebiet zwischen Frankfurt am Main und Mannheim, und die Industrie im Neckartal um Stuttgart hat sich ohne diese Rohstoffgrundlage entwickelt. In den letzten dreißig Jahren ist zwischen Hannover und Braunschweig im östlichen Nieder-
15 sachsen ein neues Industriegebiet entstanden, dessen größte Fabrik das Volkswagenwerk in Wolfsburg geworden ist.

In der DDR sind die wichtigsten Industriegebiete in Sachsen und Thüringen. Neuerdings kommen große Industriewerke an der Oder, also an der Ostgrenze des Landes, hinzu.
20 In den Großstädten Deutschlands haben sich ebenfalls Industriezentren entwickelt.

Die Verkehrswege

Deutschland hat als Durchgangsland Europas wichtige Verkehrswege. Dazu gehören die Wasserwege, ganz besonders der Rhein, Europas verkehrsreichster Fluß. Die natürlichen Wasserwege, die Flüsse, werden durch ein
25 Kanalsystem ergänzt. Flüsse und Kanäle werden ständig für die Schiffahrt instand gehalten. Ein Netz von Kanälen verbindet alle großen Flüsse vom Rhein bis zur Oder. Die längst geplante Verbindung vom Rhein über den Main zur Donau ist jetzt im Bau. Die Nordsee und die Ostsee sind durch den Nord-Ostsee-Kanal verbunden, der von der Elbemündung bis nach Kiel geht.

Autobahn, Schwäbische Alb

So sind für die deutsche Wirtschaft die Flußhäfen ebenso wichtig wie die Seehäfen. Die wichtigsten Seehäfen der Bundesrepublik an der Nordsee sind Hamburg und Bremen und an der Ostsee Kiel und Lübeck; der wichtigste der DDR ist Rostock an der Ostsee. Von den Flußhäfen haben Duisburg-Ruhrort und Mannheim-Ludwigshafen am meisten Schiffsverkehr. Bis 1945 5 gehörte auch Berlin zu den wichtigsten Binnenhäfen. Das Eisenbahnnetz war am Ende des 19. Jahrhunderts fertig ausgebaut. Die größten Bahnhöfe sind die von Frankfurt am Main und Leipzig. Berlin hat mehrere Bahnhöfe. Andere wichtige Eisenbahnknotenpunkte sind Hamburg, Köln, Stuttgart, München und Hannover in der Bundesrepublik und Magdeburg in der DDR. Der größte Teil des 10 Eisenbahnnetzes ist staatlich.

Flugplätze haben die Städte Hamburg, Bremen, Hannover, Köln, Düsseldorf, Stuttgart, München und Frankfurt am Main. Der größte davon und der drittgrößte in Europa ist der Rhein-Main-Flughafen in Frankfurt. Flughäfen der DDR sind in Berlin und Leipzig. Wegen der politischen Lage können auf 15 den Flugplätzen West-Berlins nur einige Luftlinien landen. Die wichtigsten Knotenpunkte des Straßensystems sind Frankfurt am Main, Hannover, Hamburg, Köln, Karlsruhe, Nürnberg und München. Deutschland hat ein Netz von Autobahnen, das bereits geplant wurde, als noch nicht mit dem heutigen Verkehr gerechnet werden konnte. Dieses Netz wird ständig weiter 20 ausgebaut. Die wichtigsten Strecken sind die von Lübeck über Hamburg und Frankfurt nach Basel, die vom Ruhrgebiet über Frankfurt und Nürnberg nach München, die von Karlsruhe über Stuttgart und München nach

GEOGRAPHIE

Salzburg, schließlich die vom Ruhrgebiet über Hannover nach Berlin und von München nach Berlin, die als „Interzonenstraßen" benutzt werden. Zu den wichtigsten Strecken in der DDR gehört die von Berlin über Dresden nach Eisenach, die sich in der Bundesrepublik Richtung Gießen fortsetzt. Außer den
5 Autobahnen gibt es natürlich ein Netz von weiteren Straßenverbindungen.

Stadt und Land

In der Bundesrepublik lebt ein Drittel der Menschen in Großstädten. Etwa 45% der Menschen leben in kleineren Städten; ein Fünftel wohnt in Dörfern.

Als Großstadt gilt eine Stadt mit mehr als 100.000 Einwohnern. In der
10 Bundesrepublik befinden sich 53 Großstädte und in der DDR 10. Millionenstädte sind Berlin mit 3,3 Millionen Einwohnern (vor 1945 4,5 Millionen), Hamburg mit 2 Millionen und München mit 1,2 Millionen.

Eine Stadt hat gewöhnlich mindestens 2.000 Einwohner. Einige Orte haben den Titel „Stadt" aus Tradition erhalten, obwohl sie weniger als 2.000
15 Einwohner haben. Es gibt in der Bundesrepublik mehr als 1.300 Städte.

Dörfer sind im allgemeinen üblicher als Einzelhöfe. Manche Dörfer sind sehr alt, sogar älter als Städte. Einige Städte stammen aus der Römerzeit, viele aus dem Mittelalter, besonders aus dem 12. oder 13. Jahrhundert. Ganz moderne Gründungen, wie die Volkswagenstadt Wolfsburg, sind selten.

Rothenburg ob der Tauber

Vergangenheit

1 ꝏ Der Beginn der deutschen Geschichte

Hermannsdenkmal

Germanen und Römer

Im Jahre 98 nach Christus beschrieb der römische Geschichtsschreiber Cornelius Tacitus in einem kleinen Büchlein Land und Leute von Mitteleuropa. Für ihn, den Römer, waren die Kultur und die Sitten dieser Menschen sehr ähnlich, und so beschrieb er sie als ein Volk, als „Germanen". Sein Buch heißt
5 „Germania". Eine politische Einheit bildeten diese Germanen allerdings nicht. Sie lebten in kleinen Gruppen, und sie waren sehr auf ihre Unabhängigkeit bedacht. Es war sehr schwer, sie zu einem gemeinsamen Unternehmen zu überzeugen, und es war noch schwerer, sie zu beherrschen.

Diese Erfahrung hatte der Cheruskerfürst Hermann, oder Arminius,
10 gemacht. Hermann lebte zur Zeit des Kaisers Augustus. Er war in Rom erzogen und ausgebildet worden. Zu seiner Zeit bildete der Rhein die Grenze zwischen dem römischen Reich und den Germanen. Jetzt sollte die Grenze bis an die Elbe vorgeschoben werden. Hermann gelang es, drei römische Legionen — das römische Weltreich hatte insgesamt nur 30 Legionen — in dem Waldgebirge,
15 das heute der Teutoburger Wald heißt, zu vernichten. Dieser Sieg machte ihn keineswegs beliebt; er erweckte nur Mißtrauen gegen ihn, und Hermann war nicht imstande, ein größeres Reich zu gründen. Seine Frau und sein Sohn wurden von den Römern gefangen, er selbst schließlich von einem Verwandten ermordet.

Die Römer verzichteten allerdings darauf, dieses Waldland mit seinen unruhigen Bewohnern erobern zu wollen. Der Rhein und die Donau blieben die Grenze ihres Reiches. Als Verbindung zwischen den beiden Flüssen bauten sie einen Grenzwall, den „Limes".

Der größte Teil Deutschlands blieb also außerhalb der römischen Kultur. 5 Nur südlich der Donau und westlich des Rheins wurden römische Städte angelegt. Solche römischen Gründungen sind Augsburg, Kempten, Worms, Straßburg und vor allem Trier. In Trier sind viele römische Bauten erhalten: ein Stadttor, „Porta Nigra" genannt, eine „Basilika", das heißt, eine Kaiserhalle, die seitdem als Kirche dient, Ruinen des großen Bades und eine Arena. 10 Trier wurde in der spätrömischen Zeit sogar eine der Hauptstädte des Reiches.

Am Rhein und an der Donau bauten die Römer Grenzfestungen. Dazu gehörten die heutigen Städte Köln, Bonn, Koblenz, Mainz, Regensburg und Wien. Die Römer brachten ihre Kultur mit in diese fernen Provinzen. Sie bauten Wasserleitungen und sorgten für fließendes heißes und kaltes Wasser 15 und für Kanalisation in ihren Wohnungen und Bädern. Für den kalten Winter hatten sie die zentrale Warmluftheizung erfunden. Wo das Klima es erlaubte, also am Rhein, an der Mosel, in der Pfalz, am Kaiserstuhl und am Bodensee, pflanzten sie Wein.

Als das römische Weltreich zerfiel, entstanden neue Staaten unter germa- 20 nischer Herrschaft. Germanische Stämme gingen auf die Wanderung und eroberten nach langen Kämpfen Teile des römischen Reiches. Die Goten gelangten bis nach Italien und Spanien, die Wandalen bis nach Nordafrika. Die Angeln und Sachsen ließen sich in England nieder, die Franken und Burgunder in Frankreich, die Alemannen und Bajuwaren im heutigen Süddeutschland, 25 Österreich, Elsaß und der Schweiz. Diese Wanderungen und Kämpfe werden die „Völkerwanderung" genannt. Zu dieser Zeit gelangten die aus Asien stammenden Hunnen nach Europa. Außerdem war es die Epoche, in der sich das Christentum in Europa durchsetzte.

Bei so vielen Kämpfen und Wanderungen war eine festere Organisation 30 der Völker notwendig, und es wurden Könige oder Herzöge gewählt. Die Taten solcher Führer der germanischen Völker leben in den deutschen Heldensagen fort, von denen die Geschichte der Nibelungen am bekanntesten ist. Sie handelt von den Kämpfen der Burgunder gegen die Hunnen. In dieser Sage kommt auch der Ostgotenkönig „Dietrich von Bern" vor, der in der Ge- 35 schichte Theoderich der Große heißt und um das Jahr 500 Italien beherrschte.

14

Das Reich Karls des Großen

Zur Zeit Theoderichs wurde Chlodwig aus dem Hause der Merowinger
König der Franken. Er brachte zuerst die Franken in ein Reich zusammen,
später besiegte er die germanischen Nachbarstämme und unterwarf sie: die
Alemannen, die Burgunder, die Thüringer, die Bajuwaren und die Friesen.
5 Chlodwig war der erste germanische Herrscher, der sich dem Papst in Rom
anschloß und die römisch-katholische Form des Christentums in seinem Lande
einführte. Im heutigen Frankreich, Chlodwigs Stammland, lebten die Franken
auf Einzelhöfen. Außer ihnen waren viele der bisherigen Einwohner dort
geblieben. Die Germanen waren keine Stadtbewohner, sie hatten eine ganz
10 andere Kultur als die Römer. Sie brauchten kein so kompliziertes Wirtschaftssystem, wie es die Römer hatten. Der Handel der Germanen, so weit es ihn
gab, war überwiegend Tauschhandel. Also verfielen die römischen Stadtan-
lagen, und die Verwaltung und die Währung kamen in Unordnung. Lange
Zeit noch wurden die römischen Bauten als Steinbrüche benutzt; die Eisen-
15 klammern an den Mauern haute man heraus, um sich daraus Waffen und
Werkzeuge zu schmieden. Nur die Gebäude blieben stehen, die man als Kirche,
oder, als es wieder Städte gab, als Stadttor benutzen konnte.

Silberdenar Karls des Grossen

Chlodwig übernahm so viel von den römischen Einrichtungen wie nötig war. Er führte eine neue Währung ein. So vereinigten die Franken ihre eigene Kultur mit römischen Einrichtungen. Das geschah nicht nur unter den Merowingern, sondern genauso unter den Karolingern, die die Merowinger im 8. Jahrhundert ablösten. Zugleich begann das neue Rom, nämlich die christliche 5 Kirche, eine wichtige Rolle zu spielen. Neben den Burgen und Herrenhöfen wurden jetzt die Klöster die Mittelpunkte des Landes. Die Mönche konnten lesen und schreiben; sie richteten Schulen ein; sie bemühten sich, dem Volk die Grundbegriffe des christlichen Glaubens zu erklären. Dazu gehörte, daß sie die Begriffe der lateinischen oder griechischen Quelle in die Landessprache 10 übersetzten. Zwar blieb das Latein die Sprache der Mönche, doch ihre Tätigkeit beeinflußte die Entwicklung der deutschen Sprache.

Die Klöster dienten auch als Unterkunft für Reisende und als Zufluchtsstätten in Kriegszeiten. In den Klöstern lernten die Einwohner den Gartenbau, den Hausbau, den Weinbau, das Bierbrauen sowie die Krankenpflege. Die 15 Mönche und Nonnen betrieben viele Handfertigkeiten und Künste: Malen, Schnitzen, Musizieren, Weben, Sticken. Der wichtigste Mönchsorden dieser Jahrhunderte war der Benediktinerorden. Die großen deutschen Klöster waren zu dieser Zeit Benediktinerklöster, zum Beispiel: Fulda, St. Gallen, die Insel Reichenau im Bodensee, St. Emmeran in Regensburg, Tegernsee, Benedikt- 20 beuren und Weißenburg im Elsaß.

Der größte Herrscher aus der Familie der Karolinger war Karl der Große (768–814). Sein Reich umfaßte schließlich das heutige Frankreich, Belgien, Holland, Luxemburg, die Schweiz, Deutschland bis östlich zur Elbe und Saale und Nord- und Mittelitalien — also etwa das, was heute zur Europäischen 25 Wirtschaftsgemeinschaft, der EWG, gehört. Karl unterwarf in jahrzehntelangen Kämpfen die Sachsen im heutigen Westfalen und Niedersachsen und bekehrte sie zum Christentum. In Spanien kämpfte er gegen die Araber. Diese Kämpfe beschäftigten die Phantasie der Völker, und sie erzählten sich Sagen darüber, von denen die Rolandsage am bekanntesten ist. Karl versuchte bewußt, die 30

16

römische und die germanische Tradition zu verbinden. Er ließ germanische
Dichtungen sammeln; gleichzeitig richtete er Lateinschulen ein. Er selbst
lernte noch als Erwachsener Latein.

5 Am Weihnachtsabend des Jahres 800 krönte der Papst in Rom Karl den
Großen zum Kaiser. Damit erkannte er den Frankenherrscher anstelle des
oströmischen Kaisers als seinen Schutzherrn an. Von nun an hatte das Abendland neben dem geistlichen auch einen weltlichen Herrn.

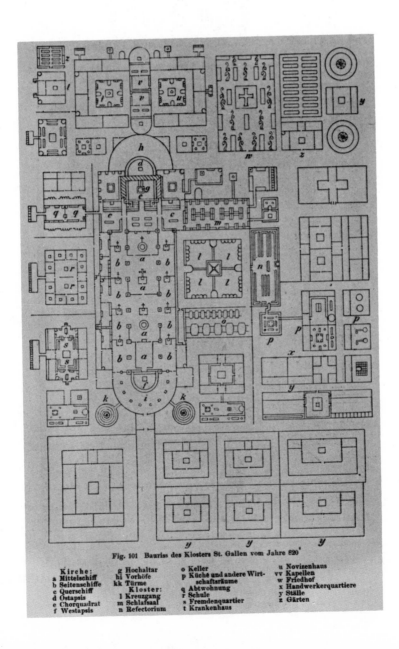

Fig. 101 Bauriss des Klosters St. Gallen vom Jahre 820'

Kirche:	g Hochaltar	o Keller	u Novizenhaus
a Mittelschiff	hi Vorhöfe	p Küche und andere Wirt-	vv Kapellen
b Seitenschiffe	kk Türme	schaftsräume	w Friedhof
c Querschiff	Kloster:	q Abtwohnung	x Handwerkerquartiere
d Ostapsis	l Kreuzgang	r Schule	y Ställe
e Chorquadrat	m Schlafsaal	s Fremdenquartier	z Gärten
f Westapsis	n Refectorium	t Krankenhaus	

17

Ludwig der Fromme

Die Teilung des Reiches

Karl der Große heißt bei den Franzosen Charlemagne und wird von ihnen wie von den Deutschen als eine Gestalt ihrer Geschichte angesehen. Karl der Große war weder Franzose noch Deutscher, er war Franke. Jedoch steht er am Beginn der französischen wie der deutschen Geschichte. Es war schwer, ein so großes Reich zusammenzuhalten. Die Straßen waren schlecht, die 5 Verbindungen schwierig; die Verwaltung beschränkte sich auf das Notwendigste. Der Kaiser mußte viel im Lande umherreisen, um an Ort und Stelle Entscheidungen zu treffen und Streitigkeiten zu beenden. Eine eigentliche Hauptstadt konnte er nicht haben.

18

Bei den Franken bestand außerdem das Gesetz der Erbteilung. Ein Herrscher teilte sein Land unter seine Söhne. Bei den Karolingern hatte es allerdings mehrere Generationen lang nur einen überlebenden Sohn gegeben, so war das alte Gesetz beinahe in Vergessenheit geraten. Die drei Enkel Karls des Großen begannen sich bereits um die Herrschaft zu streiten, als ihr Vater Ludwig, der „Fromme" genannt, noch lebte. Lothar, der älteste, beanspruchte das gesamte Reich; Ludwig, der „Deutsche", wollte den östlichen Teil; Karl, der „Kahle", den westlichen. Ludwig und Karl vereinigten sich gegen ihren Bruder, und diese Abmachung beschworen sie 842 in Straßburg. Dabei schwor jeder Bruder in der Sprache des anderen Landesteils, damit die Gefolgsleute des Bruders es verstehen konnten: Karl also auf Althochdeutsch, Ludwig auf Altfranzösisch. Ein Jahr später kam es zur Dreiteilung des Reiches, 870 nach Lothars Tod zu einer Zweiteilung. Karl III., der „Dicke", beherrschte noch einmal das ganze Reich. Bis dahin fühlten sich die Karolinger als eine Familie. Doch als die Familie Ludwig des Deutschen ausstarb, ging die Herrschaft in Deutschland an andere Familien über, zuerst 911 an den Franken Konrad, 919 an den Sachsenherzog Heinrich I.

So vollzog sich die Spaltung des Frankenreiches in Frankreich und Deutschland allmählich. Man könnte bereits das Jahr 843, die erste Teilung, als Beginn der deutschen Geschichte ansetzen, oder das Jahr 911. Aber gewöhnlich betrachten die Deutschen das Jahr 919 als den Anfang ihres „ersten Reiches".

Zu dieser Zeit bestand Deutschland aus fünf Herzogtümern: Sachsen, Franken, Bayern, Schwaben und Lothringen. Die Ostgrenze verlief an der Elbe und Saale, also etwas weiter im Osten als heute die Grenze zwischen den beiden Teilen Deutschlands. Im Süden gehörten Teile von Österreich und der Schweiz dazu, im Westen Holland und Belgien sowie das Elsaß und Lothringen. Die Sprachgrenze hat sich seitdem geändert, doch schon damals wurde in Teilen von Lothringen französisch gesprochen. Die anderen Gebiete, die zur Erbschaft Lothars gehörten, Burgund und Italien, wurden erst später von den deutschen Kaisern beansprucht. Deutschland war also ein Land mit vielen Verschiedenheiten. Es ist durch die Vereinigung mehrerer Stämme und dann durch die Spaltung eines großen Reiches entstanden. Die Stämme haben in der deutschen Geschichte eine große Rolle gespielt. Die Einwohner Deutschlands im Jahre 900 haben sich als Sachsen, Friesen, Franken, Thüringer, Bayern, Schwaben, Lothringer gefühlt, aber kaum als „Deutsche".

Das Wort „deutsch"

Der schwierige Prozeß, durch den die Deutschen ihre Einheit erreicht haben, zeigt sich auch in der Bedeutung und Geschichte des Wortes „deutsch". Alle diese Stämme, die in Deutschland lebten, sprachen ihre eigenen Sprachen, wenn auch diese Sprachen miteinander verwandt waren. Diese Sprachen leben heute als Mundarten oder Dialekte fort, und wenn die Deutschen nur ihre 5 Mundarten sprächen, hätten sie gewiß Schwierigkeiten, sich miteinander zu verständigen.

Daß die Sprachen der germanischen Stämme etwas Gemeinsames hatten, bemerkten zuerst die Bewohner der deutsch-französischen Sprachgrenze. Im Gegensatz zu den „welsch" sprechenden Menschen bezeichneten sie ihre 10 Sprache als „deutsch" — das heißt eigentlich: „zum Volk oder Stamm gehörig". In dieser Bedeutung ist das Wort aus dem 8. Jahrundert bekannt. Zur Zeit Karls des Großen bezeichnete es nicht nur die Sprache, sondern bereits die Leute, die diese Sprache sprachen, also alle germanisch sprechenden Stämme im Reiche. Als diese Stämme dann ihr eigenes Reich, nämlich Deutsch- 15 land, bildeten, begannen sie, nicht nur Sprache und Volk mit diesem Worte zu bezeichnen, sondern auch das Land, in dem sie lebten. Im Laufe des 10. und 11. Jahrhunderts setzte sich „deutsch" als Bezeichnung für die kulturelle und politische Einheit der Deutschen durch, und ebenfalls als Name für ihr Land, Deutschland. Für die Mönche, deren Schriften wir diese Wortgeschichte 20 entnehmen, hatte „deutsch" noch eine weitere Bedeutung: Es bezeichnete die Sprache des Volkes, im Gegensatz zum Latein der Kirche. Dabei hielten die Mönche „deutsch" für das gleiche Wort wie „teutonisch" — den Namen eines germanischen Volkes, das zwischen 113 und 101 vor Christus das römische Reich bedroht hatte. Für die Mönche war deutsch also auch „barbarisch" 25 im Vergleich zu ihrer christlich-lateinischen Kultur.

Das Wort „deutsch" hat also zuerst eine Sprachgemeinschaft bezeichnet, dann die Menschen, und dann erst ein Land. Längst nicht alle Ausländer nennen die Deutschen bei ihrem eigenen Namen. Die Franzosen nennen sie „Alemannen", die Finnen „Sachsen", die Engländer „Germanen" und die Russen 30 „Ausländer".

20

2 ～ Die Ungarnschlacht

Die Grenzen im Osten und Westen

König Heinrich I. (919–936), genannt der „Vogler", mußte dauernd in den Krieg ziehen. Er hatte Feinde im Osten und im Westen. Schwierig war seine Lage deshalb, weil die Herzöge ihm oft nicht folgen wollten. Sie fühlten sich dem König gleich, ja, sie verbündeten sich manchmal sogar mit einem Gegner. So wollte zum Beispiel der Herzog von Lothringen seine Stellung zwischen Deutschland und Frankreich ausnutzen; aber Heinrich besiegte ihn und schützte die deutsche Westgrenze.

Viel mehr Mühe bereitete es ihm, die deutsche Ostgrenze zu schützen. Er mußte gegen die slawischen Wenden kämpfen und außerdem gegen die Ungarn. Die Ungarn unternahmen damals regelmäßig Raubzüge in andere Länder, darunter auch Deutschland. Heinrich lehrte die Grenzbewohner, wie sie sich dagegen schützen konnten, und 933 wehrte er an der Unstrut ein ungarisches Heer ab.

Heinrichs Sohn und Nachfolger Otto I. (936–973) hatte die gleichen Schwierigkeiten wie sein Vater. Er konnte sich lange nicht gegen die Ungarn wehren, weil er gegen die deutschen Herzöge kämpfen mußte. Er versuchte es damit, daß er die Herzöge absetzte und seine Verwandten zu Herzögen machte; aber auch seine Verwandten blieben ihm nicht treu. Endlich, im Jahre 955, konnte Otto den Ungarn mit einem starken Heer entgegentreten, ohne Verrat befürchten zu müssen. Am 10. August besiegte er die Ungarn auf dem Lechfeld, zwischen den Flüssen Lech und Wertach, nicht weit von Augsburg.

Kaiserpfalz Goslar

22

Jetzt wurden die Deutschen aus Verteidigern zu Angreifern. Der deutsche König bekam eine Vormachtstellung in Europa. Die Deutschen richteten im Osten „Marken" ein, Grenzbezirke, die von jungen Deutschen aus dem Westen besiedelt wurden, um das bisherige Deutschland zu schützen. Die Deutschen brachten das Christentum mit. Die bisherigen Einwohner, vor allem Slawen, wurden an einigen Stellen mit Gewalt verdrängt. An anderen Stellen übernahmen sie das Christentum und die deutsche Kultur und vermischten sich mit den Einwanderern.

Solche Marken waren die „Ostmark" östlich von Bayern, aus der sich Österreich entwickelte; Sachsen an der oberen Elbe; an der mittleren Elbe wurde die Mark Brandenburg der Anfang des späteren Preußens; die Marken an der Ostsee sind heute Schleswig-Holstein und Mecklenburg. Bis ins 14. Jahrundert verschob sich die deutsche Grenze immer weiter nach dem Osten. Erst wurde das Land zwischen der Elbe und der Oder deutsch, dann drangen die Deutschen bis über die Weichsel und ins Baltikum vor. Dieser Vorgang, Kolonisation des Ostens genannt, endete um 1350, als der Widerstand der slawischen Nationalstaaten zu groß wurde, und als die Pest die Bevölkerung Deutschlands so vermindert hatte, daß kein Bedürfnis nach Auswanderung mehr vorhanden war. Von da an blieben die Sprachgrenzen bis ins 20. Jahrhundert im großen und ganzen unverändert.

Das Lehenssystem

Die Schwierigkeiten der deutschen Könige, sich gegen die Herzöge durchzusetzen, sind verständlich. Die Einheit des Reiches beruhte nur auf der gegenseitigen Treue der Fürsten. Besitz und Eigentum bedeutete damals etwas anderes als heute. Das Land gehörte dem König. Der König gab das Land an seine Gefolgsleute. Dafür verpflichteten sie sich, ihm Gefolgschaft zu leisten. Das wurde ein Lehen genannt. Die Herzöge wurden also mit ihrem Lande belehnt. Wenn sie dem König nicht die Treue hielten, konnte er ihnen das Lehen entziehen.

Die Herzöge belehnten ihre Gefolgsleute mit Teilen ihres Landes. Das ging so weiter bis zu dem Adeligen, der auf seiner Burg lebte und Herr über das nächste Dorf war. Wenn der König rief, mußten alle freien Männer in den Krieg ziehen. Manche Bauern vertauschten diese Pflicht gegen einen Tribut.

Sie zahlten ein Zehntel der Ernte, den „Zehnten", als Abgabe. Ein weiteres Zehntel ging an die Kirche. So wurden die Pflichten geteilt, und auf diese Weise entstanden mehrere Stände: der Adel, die Geistlichen, die Bauern. Später kam das Bürgertum hinzu.

Da der Handel und der Geldumlauf sehr gering war, bestanden die Steuern aus Diensten und Naturallieferungen. Die meisten Entscheidungen traf der König persönlich und in mündlichen Verhandlungen. Der König reiste also im Lande umher, und er wohnte in „Pfalzen", in Königsburgen. Eine eigentliche Hauptstadt hatte er nicht. Noch immer fühlten sich die Gefolgsleute dem Herzog mehr verpflichtet als dem König. So hatte der König nur Gewalt, wenn er gleichzeitig auch Herzog eines Landesteils war.

Eine große Hilfe waren für den König die Geistlichen. Die Geistlichen hatten weniger persönliche Interessen als weltliche Fürsten; sie hatten den Frieden lieber als den Krieg; sie konnten lesen und schreiben und waren deshalb unersetzlich in der Verwaltung. Otto I. begann deshalb damit, den Bischöfen größere Lehen zu geben. Sie wurden damit zu Reichsfürsten, und die Kirche war noch enger an das Reich gebunden. Das Lehenssystem oder Feudalsystem war für diese Epoche der Naturalwirtschaft notwendig. Es beruhte darauf, daß sich beide Partner, König und Adel, Adel und Bauern, gegenseitig verpflichteten, einander zu helfen und zu schützen. Wer ein Vorrecht, ein Privileg, bekam, bekam damit auch zugleich eine Pflicht, eine Verpflichtung. Es war jedoch oft schwer, jemanden zu Diensten zu zwingen, die er nicht freiwillig leisten wollte. Dadurch wurde die Einheit des Deutschen Reiches immer wieder bedroht.

Italien

Als Otto I. in Deutschland Ruhe geschaffen hatte, zog er nach Italien. 962 wurde er in Rom vom Papst zum Kaiser gekrönt. Der oströmische Kaiser in Konstantinopel erkannte ihn als Kaiser an; als Zeichen dafür wurde Ottos Sohn Otto II. mit der griechischen Prinzessin Theophano verheiratet. Damit entstand das „Heilige Römische Reich", dessen weltlicher Herrscher der deutsche König war. Der Papst geriet dabei in Abhängigkeit von dem Kaiser.

Italien lockte die deutschen Könige nicht nur deshalb an, weil sie dort Kaiser werden und damit mehr Autorität gewinnen konnten. Italien war auch

24

ein Teil der karolingischen Erbschaft, und Italien war außerdem wirtschaftlich viel weiter entwickelt als Deutschland. Der Kaiser konnte dort viel mehr Steuern erhalten als in Deutschland.

Die Autorität des Kaisers erreichte ihren höchsten Punkt im 11. Jahrhundert, als die fränkische Familie der Salier regierte. Konrad II. gewann Burgund und das „Arelat", die heutige Provence, für das Reich zurück; sein Sohn Heinrich III. machte Böhmen zu einem Teil des Reiches. Die übrigen europäischen Herrscher erkannten ihn als Kaiser an, und er setzte nach Belieben Päpste ein und ab.

Heinrich III. war ein frommer Mann. Er unterstützte eine Reformbewegung in der Kirche, die von dem Kloster Cluny ausging und sich in Lothringen und Burgund verbreitete. Die Reformer wollten das geistliche Leben reinigen. Die Priester sollten wirklich an das Seelenheil denken und nicht an Geld und Besitz. Das Zölibat sollte durchgeführt, die Glaubensregeln streng befolgt werden. Die Simonie, das heißt der Verkauf geistlicher Ämter, sollte verboten werden. Alle diese Vorschläge bedeuteten, daß das geistliche Leben strenger vom weltlichen Leben getrennt wurde. Aber das mußte sich gegen die Autorität des Kaisers richten. Denn der Kaiser war ebenso geistliche wie weltliche Autorität. Als dann die Forderung erhoben wurde, daß kein Geistlicher mehr von einem Laien eingesetzt werden sollte, begann der Kampf zwischen dem Kaiser und dem Papst.

Der erste Papst, der diese Auffassungen durchsetzen wollte, hieß Hildebrand, stammte aus einer toskanischen Bauernfamilie und nannte sich als Papst Gregor VII. Heinrich IV. war erst sechs Jahre alt, als sein Vater Heinrich III. starb. Die deutschen Fürsten wollten ihn nicht anerkennen, und Gregor unterstützte sie. Heinrich versuchte nun, wie es sein Vater getan hatte, den Papst abzusetzen, doch der Papst belegte ihn mit dem Bann. Nun waren die deutschen Fürsten nicht mehr verpflichtet, ihm zu folgen. Um Macht zu gewinnen, mußte Heinrich den Papst zwingen, ihn vom Bann zu lösen. So zog Heinrich im Winter des Jahres 1077 im Bußgewand vor das Schloß Canossa in Oberitalien und wartete dort, bis der Papst ihn freisprach. Es war eine schwere Demütigung für den Kaiser, und noch heute redet man von einem „Canossa-Gang", wenn man eine schwere Demütigung meint. Politisch jedoch war es ein geschickter Schachzug. Heinrich brachte die Fürsten hinter sich, und er kämpfte weiter gegen den Papst. Später stellte er einen Gegenpapst auf, und Papst Gregor VII. starb im Exil.

2 ◌ DIE UNGARNSCHLACHT

Der letzte Salier, Heinrich V., schloß 1122 in Worms einen Kompromiß mit dem Papst, das Wormser Konkordat. Beide, der Papst und der Kaiser, setzten von nun an zusammen die Bischöfe ein.

Das Rittertum

Für den Adel wurde bei diesen vielen Kriegszügen das Kriegshandwerk zum eigentlichen Beruf. Aus Gutsherren wurden Ritter. Die jungen Ritter 5 wurden von Kind auf in der Kriegskunst ausgebildet. Die Ritter verbrachten ihre freie Zeit auf der Jagd; ihre Feste wurden zu Kriegsspielen, zu Turnieren.

Weingartner Liederbuch

Sie gewannen mehr Selbstbewußtsein, und sie entwickelten ihre eigene Lebensanschauung und Kultur. Auch diese Kultur war tiefreligiös, wie die der
Mönche; aber die Ritter lebten in der Welt und nicht im Kloster, so mußte
ihre Kultur weltlich sein. Sie dichteten Liebeslieder, eigentlich Lieder der
Frauenverehrung, die im geselligen Kreis vorgetragen wurden, und die wir
„Minnelieder" nennen. Die deutschen Ritter lernten die neuen Kunstformen
von den provenzalischen, burgundischen und italienischen Rittern, die ja
auch zum Deutschen Reich gehörten. Die Ritter dichteten nicht mehr in
lateinischer Sprache, sondern in ihrer Nationalsprache. Die deutsche Sprache
dieser Epoche wird Mittelhochdeutsch genannt; sie steht dem heutigen Deutsch
schon viel näher als das Althochdeutsche aus der Zeit Karls des Großen.

Außer mit den Liedern unterhielten sich die Ritter auch mit langen
Versepen, in denen das Leben der Ritter beschrieben wird. In diesen Epen
werden Regeln und Beispiele gegeben, wie ein richtiger Ritter sich verhalten
und nicht verhalten soll: Er muß tapfer im Kampf sein, aber die Regeln des
Kampfes einhalten und den Gegner fair behandeln; er soll den Schwachen
helfen, die Armen beschenken; er soll freigiebig zu seinen Gästen sein; er
beschützt und verehrt die Frauen; er ist fromm und kämpft für seinen Glauben.
Er folgt den gesellschaftlichen Regeln und lernt Selbstbeherrschung. Ehre,
Treue, Bescheidenheit, Mut, Selbstbeherrschung sind seine höchsten Tugenden.
Wir nennen diese Haltung heute noch „ritterlich" — sie ist ein Teil der
abendländischen Kultur geworden.

Seine größte Aufgabe bekam das Rittertum, als im Jahre 1095 Papst
Urban II. zu einem Kreuzzug nach Palästina aufrief, um die christlichen Pilger
in Jerusalem vor den Arabern zu schützen. Palästina wurde erobert und ging
wieder verloren; aber in Palästina kamen die Ritter und Kaufleute in Berührung
mit einer fremden, reichen Kultur und ihren Vorzügen und Gefahren. In
Palästina entstanden die Ritterorden, darunter der Deutsche Ritterorden, der
vom 13. Jahrundert an Ostpreußen und die baltischen Länder beherrschte.

In Deutschland erreichte das Rittertum seinen Höhepunkt um das Jahr
1200, unter den Kaisern aus dem Hause der Hohenstaufen.

3 ~ *Barbarossa*

Der Kyffhäuser

Der Kyffhäuser ist ein kleiner Bergrücken in Thüringen, vom Harz durch die „Goldene Au" getrennt. Sein höchster Gipfel ist 477 Meter hoch, und in seinem Inneren hat man Höhlen entdeckt. In einer dieser Höhlen soll, so geht die Sage, der Kaiser Barbarossa sitzen und schlafen, die Krone auf dem
5 Kopf, das Schwert an der Seite. Der Kopf ist auf die Steinplatte des Tisches vor ihm gesunken, der lange Bart schon durch diese Tischplatte gewachsen. Eines Tages, wenn das Reich in Not ist, wird Barbarossa aufwachen; er wird erscheinen und das Reich erneuern und ihm den Frieden geben.

Barbarossa war schon im Mittelalter eine Sagenfigur. Für die Deutschen
10 war die Zeit zwischen 1150 und 1250, die Zeit der Hohenstaufen, der Höhepunkt ihrer politischen Geschichte. Von den drei Kaisern, die in dieser Glanzzeit herrschten, hießen zwei Friedrich. Beide hatten einen rotblonden Bart und wurden deshalb von den Italienern „Barbarossa" = Rotbart genannt. Das Mittelalter erzählte sich vor allem Geschichten über den zweiten Friedrich.
15 Nach 1500 versetzte die Phantasie des deutschen Volkes den ersten Friedrich in das „grüne Herz Deutschlands", nach Thüringen, und ließ ihn hier auf das neue deutsche Reich warten. Als die Deutschen in 19. Jahrhundert um ihre nationale Einheit kämpften, erinnerten sie sich daran, und Barbarossa wurde in Gedichten gefeiert.

Die Kultur der Stauferzeit

20 In der Stauferzeit erreichte die ritterliche Kultur ihren Höhepunkt. Die deutschen Dichter gestalteten nach dem Beispiel der Franzosen die keltischen Sagenstoffe. Einer von ihnen war Wolfram von Eschenbach aus der Nähe von Ansbach in Franken, der den „Parzival" neu gestaltete; Gottfried von Straßburg dichtete „Tristan und Isolde". Nicht die Ritter, aber unbekannte
25 Spielleute gestalteten germanische Sagen neu. Das bekannteste dieser Epen ist das Nibelungenlied. Neben den Epikern standen die Minnesänger, die Lieder-dichter. Sie waren wirklich „Sänger", denn sie komponierten Melodien zu ihren Gedichten, und sie trugen diese Lieder einem Publikum von Rittern vor. Walther von der Vogelweide, der größte der deutschen Minnesänger, hatte ein
30 besonders abenteuerliches Schicksal: Er ist wahrscheinlich in Tirol geboren,

zog in vielen Teilen Europas umher, nahm mit politischen Liedern aktiv an den politischen Kämpfen seiner Zeit teil und war froh, als er sich endlich auf einem kleinen Lehen bei Würzburg zur Ruhe setzen konnte.

Manchmal trafen mehrere Sänger zu einem Sängerwettkampf zusammen. Richard Wagners Oper „Tannhäuser" handelt von einem solchen Sängerkrieg, der auf der Wartburg, der Stammburg des Landgrafen von Thüringen, stattgefunden haben soll. An diesem Wettkampf sollen auch Walther von der Vogelweide und Wolfram von Eschenbach teilgenommen haben.

Hohenems-Lassbergische Handschrift des Nibelungenliedes, um 1210

Romanische Bogenfenster, Kaiserpfalz Wimpfen am Berg

Von der kaiserlichen Macht zeugen die großen romanischen Dome, die Ende des 12. Jahrhunderts gebaut worden sind, zum Beispiel in Mainz, Worms, Speyer, Bamberg und Braunschweig. Die deutsche Baukunst war eigentlich „rückständig", denn in Westeuropa hatte sich bereits der neue gotische Baustil
5 durchgesetzt. Aber in diesen alten Formen erreichten die Deutschen zu dieser Zeit Vollendung, nicht nur in den Bauten, sondern auch in den Kirchenskulpturen, wie den Stifterfiguren in Naumburg oder dem Reiter im Bamberger Dom, die aus dem frühen 13. Jahrhundert stammen. Vollendet sind die Buchmalerei, die Elfenbeinschnitzerei und die Goldschmiedekunst dieser Epoche.

3 ∽ BARBAROSSA   31

Hildesheimer Brevier, silberbeschlagener Rückendeckel, um 1220

Die Hohenstaufen und ihre Feinde

Die Mischung des Alten und des Neuen kennzeichnet auch die Politik. Die Hohenstaufen kämpften darum, die Macht des Kaisers zu bewahren, wie sie zur Zeit der Salier gewesen war. Sie waren also in ihren Anschauungen konservativ, sie kämpften für die Tradition und gegen die neuen Anschauungen. Und gerade in diesem vergeblichen Kampf gegen die neue Zeit gaben die 5 deutschen Kaiser dem Reich noch einmal einen hellen Glanz.

Der große Feind des Kaisers war der Papst. Das Wormser Konkordat konnte nicht lange Ruhe bringen. Der Papst wollte nicht mehr dulden, daß der Kaiser in der Kirche mitbestimmen konnte. Aber so lange das Reich wirklich das „Heilige Römische Reich" war, stand dieses Recht dem Kaiser
5 zu. Und nicht nur der Papst wollte unabhängig vom Kaiser sein, sondern auch die anderen europäischen Könige, vor allem der König von Frankreich. Daher unterstützte der französische König den Papst.

Gleichzeitig gab es in Deutschland die alten Schwierigkeiten mit den Herzögen. Zwei Familien rivalisierten miteinander: die Hohenstaufen und die
10 Welfen. Beide Familien stammten aus Schwaben. Die Welfen waren im 12. Jahrhundert Herzöge von Sachsen und Bayern geworden, und sie hatten große Besitzungen in Italien. Sie strebten ebenso wie die Hohenstaufen nach der Kaiserkrone. 1152, als der erste Hohenstaufen-Kaiser Konrad III. starb, hatte dieser Streit das Reich in Unordnung gebracht. Der Hohenstaufe Friedrich I.,
15 der jetzt zum König gewählt wurde, war ein Kompromißkandidat. Seine Mutter Judith war eine Welfin. Der Welfenherzog Heinrich, genannt der Löwe, war sein Vetter und sein Freund. Friedrich erreichte, was man von ihm erwartete: Er schlichtete die Streitigkeiten im Reich. Der wichtigste Streitpunkt war Bayern, das außer den Welfen auch die Babenberger beanspruchten.
20 Friedrich gab Bayern den Welfen; aber er trennte Österreich von Bayern ab und belehnte die Babenberger damit.

Friedrichs Herrschaft

Die Kämpfe gegen den Papst spielten sich in Italien ab. Die Bevölkerung Italiens war dabei in zwei Parteien gespalten: Der Landadel unterstützte den Kaiser. Es gab jedoch bereits reiche und mächtige Handelsstädte, die unab-
25 hängig vom Adel sein wollten und die deshalb gegen den Kaiser kämpften. Auch die Normannen, die sich in Unteritalien niedergelassen hatten, unterstützten den Papst.

Friedrich mußte immer wieder nach Italien ziehen. Zwar errang er viele Siege, aber es gab keine Ruhe im Lande. Er griff sogar zu radikalen Mitteln:
30 1162 ließ er Mailand, die größte der Handelsstädte in Oberitalien, vollständig zerstören und die Bewohner umsiedeln. Aber vier Jahre später mußte er bereits wieder mit einem Heer nach Italien ziehen. Dieses Heer war in Rom,

als die Pest ausbrach. Die meisten Ritter starben, darunter der Kanzler des Kaisers, Rainald von Dassel, der Erzbischof von Köln.

Die deutschen Fürsten hatten schließlich keine Lust mehr, so oft für den Kaiser nach Italien zu ziehen. Sie hatten ihre eigenen Interessen in Deutschland, und da der Kaiser oft nicht in Deutschland war, kam es zu manchen 5 Streitigkeiten. Heinrich der Löwe trieb in Norddeutschland seine eigene Politik. Er eroberte neues Land im Osten, und er betrachtete die anderen deutschen Fürsten als seine Gefolgsleute. Er setzte sogar Bischöfe ein, was eigentlich nur der Kaiser tun konnte. Der Erzbischof von Magdeburg beklagte sich beim Kaiser. Aber der Kaiser unterstützte seinen Freund. Schließlich mußte Friedrich 10 wieder einmal nach Italien ziehen. Heinrich der Löwe weigerte sich, ihn zu begleiten. Friedrich wußte, daß er ohne Heinrich nicht stark genug sein würde — er bat seinen Freund auf den Knien. Heinrich blieb bei seiner Weigerung. Friedrich wurde 1176 in der entscheidenden Schlacht bei Legnano besiegt und mußte nun dem Papst nachgeben. 15

Als Friedrich darauf nach Deutschland zurückkehrte, besiegte er den Welfenherzog in einem kurzen Bürgerkrieg. Sachsen wurde aufgeteilt; Bayern erhielt Otto von Wittelsbach, dessen Familie dort bis 1918 regieren sollte.

Am Ende seines Lebens zog Friedrich Barbarossa mit einem großen Heer nach Palästina. Zusammen mit dem englischen König Richard Löwenherz und 20 dem französischen König Philipp August wollte er Jerusalem von Sultan Saladdin zurückerobern. Kaiser Friedrich ertrank beim Baden im Flusse Saleph in der Türkei. Sein Sohn, Herzog Friedrich von Schwaben, führte seinen Sarg nach Palästina mit. Auch er starb dort, und niemand weiß, wo Barbarossa begraben liegt. So haben ihn die Deutschen in den Kyffhäuser 25 versetzt.

Die späteren Staufer

Friedrichs Sohn Heinrich VI., war mit der Normannin Constanze, Erbin des Reiches in Süditalien, verheiratet. Er scheute keine Mittel, weder Grausamkeit noch List, um mit seinen Gegnern fertig zu werden, und so beherrschte er bald den Papst und ganz Europa. Er war gefürchtet, aber er 30 wurde nicht geachtet oder gar geliebt, wie sein Vater. Als er mit 33 Jahren, kurz vor dem Aufbruch zu einem Kreuzzug starb, sprach man von Gift. Seine

34

Anhänger wandten sich von seiner Familie ab, und das Reich brach auseinander.

In Deutschland begann erneut der Kampf zwischen den Hohenstaufen und den Welfen. Die Welfen waren mit den englischen Königen verwandt. So hörten die Kriege nicht auf. Erst als Heinrichs Sohn, Friedrich II., alt genug war, um selbst die Herrschaft zu übernehmen, kehrte wieder Ruhe in Deutschland ein.

Dieser zweite Friedrich war kein Deutscher mehr. Er war in Sizilien aufgewachsen, dichtete italienische Kanzonen, interessierte sich für jüdische und arabische Philosophie und die Naturwissenschaften und baute in Sizilien eine zentralisierte moderne Staatsverwaltung auf. Er kam nur zweimal nach Deutschland, und er schaffte sich Ruhe im Reich, indem er den Fürsten und Freien Städten mehr Privilegien gab. Ebenso geschickt arrangierte er sich mit dem Sultan, als er endlich 1228 den lange versprochenen Kreuzzug nach Palästina unternahm. Auch sein großer Gegner war der Papst, der bei den italienischen Gegnern der Staufer und bei den Franzosen Hilfe suchte. Die letzten zehn Regierungsjahre des Kaisers waren ein einziger Kampf gegen den Papst. Der Papst versuchte ihn abzusetzen, doch die Gegenkönige, die in Deutschland aufgestellt wurden, gewannen keine Macht.

Erst nach Friedrichs Tod, 1250, blieb der Papst siegreich. Friedrichs legitime und illegitime Söhne konnten sich nicht mehr als Herrscher behaupten. Sein Enkel Konrad, genannt Konradin, wurde schließlich 1268 in Neapel öffentlich enthauptet, und damit endete dieses heroische Geschlecht und die Rolle des deutschen Königs und Kaisers als Herrscher des Abendlandes. Aus dem „Heiligen Römischen Reich" wurde das „Heilige Römische Reich deutscher Nation". Für Europa begann die Zeit der Nationalstaaten. Das Deutsche Reich hatte aber nicht die Verfassung eines Nationalstaates. Seine Verfassung erleichterte es den Fürsten, ihre Macht innerhalb Deutschland zu vergrößern; aber sie erschwerte es den Kaisern, Deutschland zu einem zentral regierten Einheitsstaat zu entwickeln, wie das in Frankreich, England und Spanien geschah. Unter den Teilstaaten Deutschlands begannen jetzt, vom 13. Jahrhundert an, die östlichen, auf „Kolonialboden" gegründeten Länder eine führende Rolle zu spielen: Böhmen, Österreich, Sachsen und schließlich auch Brandenburg-Preußen.

4 ∼ Der Totentanz

r Carthaeuser.	der Tod	der Bürgermeister.	der Tod	der Domherr.	der T
strenger Orden schreibt, tausend Regeln für weist der Tod mich an, witst: folge mir! n, ich bin bereit, Kloster zu verlassen, ich die Regel nur verba kund kann lassen	Ihr Bürger, zürnet nicht, wen durch das Höchsten Schluss, Der Bürgermeister selbst mit an den Reigen muss. Dem, der zu eurem Heil das Recht so oft gesprochen, Wird ihch durch meine Faust zuletzt der Stab gebrochen.	Ich hab für's Vaterland, mein Leben abgemütet, Den Ruhstand dieser Stadt und Bürgerrecht beschützt. Ich fürchte nicht den Tod, den weil ich hier erhalte, So weiss ich, dass ich dort das Bürgerrecht erhalte	Ihr habet an dem Dom doch nicht ein bleibend Haus, Und mirst auf einem Wink mit Leib und Seel hinaus, So werdet ihr zwar hier, dort aber nie vertrieben, Wenn euch der Himel bleibt als Eigenthum verschriben	Den Jonam warf ein Fisch, doch lebend an den Strand, Mich wirft der Todes Storx in jenes Vaterland, Ihr Menschen, bauet doch die Häuser nicht so feste Dort seid ihr erst daheim, hier aber fremde Gäste.	Was hilft es m die manches W Wen man dies nach deinom Dem Jäger wie seinem H Den jenes Storx o durch den l

Entwicklung der Städte

Zu den hartnäckigsten Gegnern Barbarossas in Italien hatten die oberitalienischen Städte unter Führung von Mailand gehört. Die Gesellschaft bestand nicht mehr allein aus Adel, Geistlichkeit und Bauern, jetzt kamen die Bürger hinzu. Die Bürger in den Städten wollten sich nicht mehr dem Adel unterwerfen; sie wollten unabhängig sein. 5

In Italien, wo die römische Stadtkultur erhalten geblieben war, konnte das Bürgertum schneller Bedeutung erlangen als in Deutschland. In Deutschland begann sich im 11. Jahrhundert die Stadtkultur von Westen her auszubreiten. Aachen war schon lange wegen seiner Heilquellen berühmt; Köln war zur Zeit Barbarossas eine bedeutende Handelsstadt. Die sächsischen und 10

VERGANGENHEIT

Detail: Der Totentanz von Lübeck

salischen Kaiser hatten auch Bergwerksorte gefördert, wie Goslar im Harz,
oder Städte, von denen die Kolonisierung und Christianisierung des Ostens
und Nordens ausging: Bremen, Magdeburg, Bamberg sind dafür Beispiele.
Die Fürsten entdeckten, daß die Städte Geld brachten und außerdem ein gutes
5 Gegengewicht gegen den Landadel bildeten, so gründeten oder förderten
sie weitere Städte. Heinrich der Löwe kümmerte sich um die Entwicklung von
Braunschweig und Lübeck; er entriß mit Barbarossas Hilfe dem Erzbischof
Otto von Freising das gerade gegründete München und die Brücke über die
Isar. Allerdings mußte Heinrich dem Bischof ein Drittel der Zölle von den
10 Salztransporten, die auf dem Weg von Salzburg nach Augsburg durch

4 ⌒ DER TOTENTANZ

München kamen, abgeben. Frankfurt erhielt eine Burg und wurde als Stadt angelegt. So wurden ältere Siedlungen zu Städten entwickelt, und neue Städte wurden gegründet. Die Städte lagen an den großen Verkehrswegen, vor allem an Flußübergängen; sie entwickelten sich im Schutze von Kaiserpfalzen und Burgen.

Aber die Bürger waren tatkräftige Leute. Sie befestigten ihre Städte, und so brauchten sie nicht mehr den Schutz der Burg. Sie wollten ihre Städte selbst verwalten und nicht von einem Fürsten oder Bischof abhängig sein. Im 13. und 14. Jahrhundert kam es zu vielen Kämpfen zwischen den Bürgern und ihren Oberherren. Der Kaiser unterstützte meistens die Städte; denn sie halfen ihm gegen die Fürsten. Friedrich II. begann damit, den Städten die „Reichsfreiheit" zu geben: Eine Freie Stadt regierte sich allein und war nur dem Kaiser verantwortlich. Die Städte richteten ihre Regierung nach dem Vorbild von Rom ein. Sie wählten ein Parlament, die Bürgerschaft, und sie wählten ihre Regierung, den Senat. In Lübeck am Holstentor steht noch heute die Formel Roms: „SPQL"; die Übersetzung dieser lateinischen Formel bedeutet: „Senat und Volk von Lübeck".

Holstentor, Lübeck

VERGANGENHEIT

Als Demokratien im heutigen Sinne dürfen wir uns diese mittelalterlichen Stadtrepubliken nicht vorstellen. Die Bevölkerung teilte sich in zwei Klassen: die Patrizier, das heißt die reicheren Bürger, die Kaufleute, Bankiers oder später Industrielle waren, und die ärmeren Bürger: Handwerker, Bauern, Arbeiter. In Italien sind solche Patrizierfamilien manchmal Fürsten geworden, wie die Medici. In Deutschland war das nicht der Fall; aber manche Patrizier hatten mehr Geld und Macht als viele Fürsten. Die reichsten Bürger gab es in den süddeutschen Städten, vor allem in Nürnberg und in Augsburg, wo die Fugger und die Welser zu großem Reichtum kamen. Die Bürger wurden besonders mächtig, als sich die Städte zu Städtebünden zusammenschlossen. Der norddeutsche Städtebund der Hanse, dessen wichtigste Stadt Lübeck war, vereinigte über 70 Städte. Die Hanse hatte eigene Niederlassungen in London, Bergen, Nowgorod; sie führte Kriege gegen Dänemark und hatte großen Einfluß auf die Politik in Skandinavien.

In den meisten Städten regierten die Patrizier. Die Handwerker wollten jedoch auch mitbestimmen, und so kam es überall zu inneren Kämpfen, kaum daß die Städte unabhängig waren. Das Ergebnis dieser Kämpfe war an jedem Ort verschieden: An vielen Orten regierten die Patrizier weiter, an einigen übernahmen die Handwerker die Regierung; in den meisten Städten kam es zu einem Kompromiß.

Das wirtschaftliche Leben im Mittelalter

Durch die Städte entwickelte sich der Handel und die Geldwirtschaft. Das wirtschaftliche Leben war im Mittelalter genau durch Privilegien, durch Vorrechte, geregelt. Wenn eine Stadt das Marktrecht bekam, so wurden darin Märkte abgehalten; wenn die Stadt das Stapelrecht hatte, so mußte jeder durchreisende Kaufmann seine Ware zum Verkauf anbieten, bevor er weiterziehen durfte. Das Münzrecht bedeutete, daß die Stadt Münzen prägen durfte.

Die meisten Handelsverträge wurden mündlich abgeschlossen. Zwar richteten die Städte ihre eigenen Lateinschulen ein, aber nicht alle Leute konnten gut lesen und schreiben, und die Rechenkunst war auch nicht sehr hoch entwickelt. Dabei gehörte Ehrlichkeit zum Geschäft. Die Maße und Gewichte wurden genau beachtet. Die Menschen konnten Vertrauen zueinander haben.

Auch das Leben der Handwerker hatte seine festen Regeln. Sie waren in Berufsgruppen, in Zünfte, eingeteilt, und wer ein Handwerk ausüben wollte, mußte es vorher viele Jahre lang gelernt haben. Der Handwerker begann als Lehrling. Nach mehreren Jahren, wenn er genug gelernt hatte, wurde er Geselle. Ein Geselle mußte „wandern": Er mußte eine Zeitlang an 5 anderen Orten arbeiten, um auch andere Methoden kennenzulernen.—Wenn ein Geselle lange genug tätig gewesen war, konnte er Meister werden. Doch die Zahl der Meister war für jede Stadt beschränkt, und so wurde gewöhnlich der Sohn oder der Schwiegersohn des Meisters sein Nachfolger. Viele Gesellen konnten also nie Meister werden. Die Handwerker des gleichen Gewerbes 10 wohnten oft in der gleichen Straße zusammen. Das zeigen heute noch die Straßennamen in älteren Städten, wie Bäckerstraße, Schuhmacherstraße, Böttcherstraße oder Gerberstraße — die letztere liegt gewöhnlich am Wasser, wo die Gerber die Häute einweichten. Vielfach stellten die Handwerker ihre Arbeiten zusammen aus. Die Preise waren festgelegt, ebenso die Zahl der 15 Gesellen und Lehrlinge, die ein Meister nehmen konnte. Die Konkurrenz war also nicht groß.

Auch die Kaufleute hatten ihre Gruppen, ebenso die Seeleute. Die Gruppen hatten ihre eigenen Gasthöfe; sie hatten ihre eigenen Kirchenstühle, ja, wenn sie reich waren, ihre eigenen Kirchen. 20

Der Transport war in dieser Zeit schwierig und gefährlich. Die Schiffe waren klein; auf dem Lande dauerte es lange, und an allen Grenzen, bei allen Flußübergängen und Städten mußte man Zoll bezahlen. Die Waren mußten also sehr wertvoll sein, wenn es sich lohnen sollte, sie zu transportieren. Waffen gehörten zum Handelsgut, Pelze, Schmuck, kostbare Stoffe und Spitzen. 25 Ebenso wichtig waren die Gewürze. Salz machte eine Stadt wie Salzburg reich, und von dem Salztransport profitierten alle Städte, die an der Salz-straße von Salzburg durch Oberbayern nach Augsburg lagen. Der Pfeffer, der aus dem Orient eingeführt wurde, war so wichtig, daß die Kaufleute von ihm ihren Spitznamen bekamen: Sie hießen nämlich „Pfeffersäcke". Die 30 Speisen im Mittelalter waren für den heutigen Geschmack sehr scharf gewürzt. Vielleicht liebten die Menschen diesen kräftigen Geschmack, vielleicht sollten die Gewürze halb verdorbene Speisen verbessern. Da scharfe Gewürze Durst machen, waren auch die Getränke wichtig. Es wurde viel Wein gehandelt, später auch Bier. Es wurde viel Fleisch gegessen. Zur Fastenzeit brauchte man 35 dafür Ersatz, und so wurden getrocknete oder gesalzene Fische gehandelt.

7. Gesell.   Leerjung.

Ich will trewlich der Werckstat pflegen/
So thut mir auch mein Lohn zulegen.

Ich will mit guttem vleis mich vben/
Darumb wird mich mein Herrschafft lieb

In jeder Gesell oder Knecht/
  Der seinen stand wil brauchen recht.
Es sey mit Arbeit oder wandlen/
  Was dan sein Herrschafft hat zu handlen.
Darinn soll er sich brauchen schon/
  Wie er wolt das man im solt thon.
Dann wie einer dienet auff Erden/
  So wird im auch gedienet werden.
Gedenck wenn ich zu Ehren kom/
  Dient man mir also wiederumb.

In Jung oder ein Lehrknab/
  Was dienst der immer vor im hab.
Soll seinen Meister oder Herren/
  Frawen vnd Hausgsind fleissig ehren.
Seiner sach warten im Haus/
  Schwetz nichts darein oder daraus.
Sonder thu wie er billich soll/
  Der Herrschafft nutz betrachten woll.
Gut achtung auff die lehrnung hab/
  Das ist ein frommer Lehrknab.

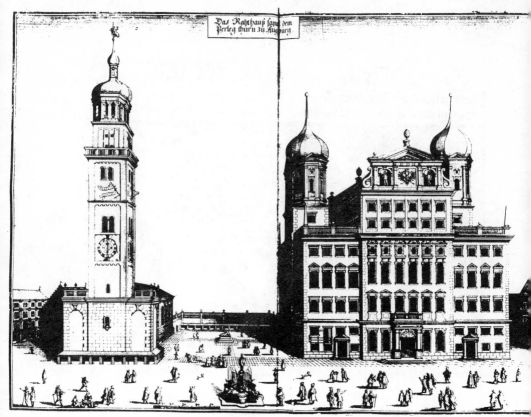

Augsburg, Mathias Merian, Kupferstich

Im 14. und 15. Jahrhundert stieg der Wohlstand in den deutschen Städten. Mit dem Wohlstand stiegen die Ansprüche. Die Möbel, die vorher einfach waren, sollten jetzt schöner und bequemer sein. Die Bürger schmückten die Wände mit Gemälden. Die Kleidung wurde reicher. Bücher waren noch sehr selten; denn Bücher waren künstlerisch gestaltete Pergamenthandschriften 5 mit schönen Illustrationen, gewöhnlich das Werk von Mönchen und Nonnen.

Adel und Bürgertum

Je mehr die Bürger zu Wohlstand kamen, desto schlechter ging es den adeligen Herren. Sie mußten immer höhere Preise für Waffen und Textilien

VERGANGENHEIT

zahlen; aber für ihre landwirtschaftlichen Produkte bekamen sie nur wenig. Militärisch war die Zeit der Ritterheere vorbei. Die Schweizer Bauern siegten im 14. Jahrhundert gegen die österreichischen Ritter, im 15. gegen die burgundischen. Die Stellung der Ritter in der Gesellschaft wurde unsicher. Manche
5 Ritter zogen in die Stadt und wurden Bürger. Andere wurden zu „Raubrittern": Sie überfielen Kaufleute, die unterwegs waren und nahmen ihnen ihre Waren oder Lösegeld ab. Auf diese Weise entstand ein dauernder Kleinkrieg: Das „Faustrecht" regierte. Einer dieser Raubritter hat diese Zustände in seiner Autobiographie sehr lebendig geschildert. Er lebte um 1500 und
10 hieß Götz von Berlichingen. Seine Burg Jagsthausen zwischen Heilbronn und Würzburg steht noch heute. Goethe hat nach dieser Autobiographie sein Drama „Götz von Berlichingen" geschrieben.

Heilsspiegel aus Dortmund, 15. Jahrhundert

Unter diesen Umständen mußten die Bürger zu Feinden der Ritter werden. Sie machten sich auch über die Kultur der Ritter, das Minnelied
15 oder das Epos, lustig, und sie verfaßten Parodien. Viele Dichtungen des späteren Mittelalters üben Kritik an der Zeit: Fabeln, Satiren oder Dramen. Die Dramen wurden von den Bürgern zu den kirchlichen Feiertagen öffentlich aufgeführt. Zuerst wurde die Bibel dargestellt, vor allem die Passion Christi; doch bald kamen andere Stoffe hinzu.

4 ∽ DER TOTENTANZ

Ulmer Münster

So wie die Dichtung, so wandte sich auch die bildende Kunst dem wirklichen Leben zu. Der Stil wurde immer realistischer. Die großen Maler um 1500, Albrecht Dürer, Hans Holbein, Lukas Cranach und Matthias Grünewald, malten Porträts, Landschaften und Tiere, sie stellten die biblischen Geschichten
5 in ihrer eigenen Umgebung dar und nahmen Menschen ihrer Zeit als Modelle für die Heiligen. Ebenso realistisch verfuhren die Holzschnitzer, unter denen Tillman Riemenschneider am bekanntesten ist.

Die meisten Künstler arbeiteten für die Kirche. Die großen Dome wurden im späteren Mittelalter nicht mehr vom Kaiser gebaut, sondern von den
10 Bürgern selbst; und ihnen verdanken wir die Bauten der gotischen Kunst in Deutschland: die Dome und Münster in Köln, Straßburg, Ulm, Freiburg, Nürnberg, Lübeck, die Frauenkirche in München, die Marienkirche in Danzig — um nur einige zu nennen. Ebenso prächtig waren die Rathäuser der Städte. Für die Ausstattung der Kirchen stifteten die Bürger Geld und gaben den
15 Künstlern Gelegenheit zu ihren Schöpfungen.

Der Kaiser konnte seine Autorität nicht behaupten. Deutschland zerfiel in viele kleine Territorien, die sich gegenseitig bekämpften. Das Leben wurde ein dauernder Streit. Furchtbare Krankheitsepidemien traten auf, vor allem die „Schwarze Pest" in der Mitte des 14. Jahrhunderts. Die Menschen bekamen
20 Angst vor dem Tode. Überall am Hauptportal der Kathedralen finden wir furchterregende Darstellungen des Jüngsten Gerichtes. Die Verdammten werden von den Teufeln in den Höllenrachen hinabgestoßen, während die Geretteten in den Himmel emporsteigen. Gott der Richter steht majestätisch im Mittelpunkt. Noch deutlicher machen die „Totentänze" das Lebensgefühl
25 der Zeit sichtbar. Es sind Wandmalereien oder Tafelmalereien in der Kirche, auf denen zu sehen ist, wie der Tod alle Menschen bei der Hand führt: den Papst, den Kaiser, die Fürsten, den Adel, den Bürger, den Bauern, Mann, Frau, ja das kleine Kind in der Wiege. Die Menschen waren eben, wie die Satire sagte, nur Narren. Die einzigen ewigen Werte schienen innen zu liegen,
30 in der Seele selbst, wie es die Mystiker sagten. Die Unordnung des Reiches und der Zweifel an den Autoritäten trug daher zur Beschäftigung mit der Religion bei und zur großen Veränderung Deutschlands durch die Reformation.

45

5 ⌁ Die Reformation

Martin Luther

Die Reformation Martin Luthers ist eines der wichtigsten Ereignisse der deutschen Geschichte; ganz gleich, ob man mehr die positiven oder die negativen Folgen der Kirchenspaltung ins Auge faßt. Martin Luther hatte dabei eigentlich gar nicht die Absicht, sich von der katholischen Kirche zu trennen und eine eigene Kirche zu gründen. Er schlug nur am 31. Oktober 5 1517 an der Schloßkirche in Wittenberg an der Elbe 95 Thesen über den Ablaßhandel an. Er folgte dabei dem akademischen Brauch seiner Zeit, indem er mit diesen lateinisch geschriebenen Thesen zu einer akademischen Disputation über ein umstrittenes Thema aufforderte. Und ohne es zu wollen, wurde Luther durch diese Thesen eine weltgeschichtliche Persönlichkeit. 10

Luther wurde am 10. November 1483 in Eisleben am östlichen Rand des Harzes geboren. Eisleben, eine Stadt von heute etwa 35.000 Einwohnern, liegt in einer wirtschaftlich wichtigen Gegend. Der gute Lößboden schafft vorteilhafte Bedingungen für die Landwirtschaft. Die Kupfervorkommen werden immer noch abgebaut. Luthers Vater, der aus Thüringen stammte, hatte sich hier vom Bauernsohn zum Mitbesitzer von Kupferbergwerken, also zu einigem Wohlstand, emporgearbeitet. Er konnte daher seinen hochbegabten Sohn Martin auf gute Schulen in Magdeburg und Eisenach schicken, und dann auf die Universität Erfurt.

Universitäten gab es in Deutschland erst seit dem 14. Jahrhundert. Bis dahin konnten die Deutschen in Italien studieren, was zum Deutschen Reich gehörte. Zu Luthers Zeit war der Einfluß der Humanisten an den deutschen Universitäten groß. Die Humanisten waren Lehrer der antiken Sprachen und der literarischen Bildung. Sie lehrten das klassische Latein im Gegensatz zum Latein der mittelalterlichen Mönche. Sie lehrten auch antike Philosophie und Moral. Manche von ihnen waren sehr angesehen, wie Erasmus von Rotterdam

Eisleben

oder Luthers Freund Philipp Melanchthon; andere zogen als Abenteurer umher, wie Dr. Faust, das Vorbild zur Faustsage. In Erfurt hatten die Humanisten zu Luthers Zeit viel Einfluß, und sie verschafften der Universität für kurze Zeit einen großen Ruf.

Luther erwarb hier, wie es damals üblich war, seinen B.A. und seinen 5 M.A. Er sollte dann Jura studieren, denn Juristen hatten die besten beruflichen Aussichten. Ein Dr. jur. wurde oft einem Adelstitel gleichgesetzt. Auf diese Weise sollte Luther den sozialen Aufstieg seiner Familie vollenden.

Der junge Martin wurde jedoch, wie viele Menschen in dieser unruhigen Zeit, von starken Glaubenszweifeln gequält. Er wußte keine Antwort auf die 10 Frage: Wie kann der Mensch wirklich ein Leben führen, das Gott wohlgefällig ist? Nun geschah etwas, das wie eine Legende klingt, aber historisch bezeugt ist: Auf einer Fahrt von Mansfeld nach Erfurt geriet Luther in ein heftiges Gewitter; da gelobte er: „Hilf, heilige Anna, ich will ein Mönch werden!" Die heilige Anna, die Mutter Marias, wurde damals allgemein 15 verehrt, besonders als Schutzpatronin der Bergleute und Kaufleute.

Luther trat alsbald ins Augustinerkloster in Erfurt ein. Er war ein eifriger Mönch und befolgte genau die strengen Regeln. Man ließ ihn Theologie studieren, und er wurde zum Priester geweiht. Der Orden gebrauchte ihn bei wichtigen Verhandlungen und schickte ihn 1510–11 als Abgesandten nach 20 Rom. Aber Rom wurde eine große Enttäuschung für Luther. Er suchte Frömmigkeit, und er fand große Pracht und ein sehr weltliches Leben.

Als Professor für Exegese, Bibelauslegung, an der Universität Wittenberg vertiefte sich Luther weiter in die Glaubenslehren und in die Bücher spätmittelalterlicher Mystiker. Er kam dabei zu einigen Auffassungen, die den 25 Dogmen der Kirche widersprachen. Er glaubte, daß der Mensch nicht von sich aus durch gute Werke und die Vermittlung der Kirche die Erbsünde abschütteln könne. Nur Gott allein durch seine Gnade könne dem Menschen Erlösung geben. Das ist eine harte Lehre. Sie nimmt alle Mittelspersonen zwischen Gott und dem einzelnen Menschen fort. Kein Priester, kein Papst, kein Konzil 30 kann die Autorität sein, nur Gott selbst kann dem Menschen helfen, und nur sein eigenes Gewissen kann den Menschen leiten.

Bei alledem dachte Luther keineswegs an eine Trennung von der Kirche und noch weniger an die Gründung einer eigenen Kirche. Es war damals eine allgemein verbreitete Ansicht, daß eine Reform der katholischen Kirche 35 notwendig sei, und es hatten bereits mehrere Reformkonzilien stattgefunden.

Doch etwas Entscheidendes war nicht geschehen. Der Anlaß, der den Zusammenstoß des Mönchs und Theologieprofessors mit den kirchlichen Autoritäten brachte, schien ziemlich geringfügig zu sein. Der Papst brauchte Geld für seine großen Bauten, besonders die Peterskirche in Rom. Eine seiner Einnah-
5 mequellen war der Ablaßhandel: Man konnte sich die Befreiung von seinen Sünden erkaufen. Menschen mit einem so innerlichen Glauben wie Luther mußte das empören. Daß Luther keineswegs der einzige Mensch war, den der Ablaßhandel störte, zeigte der völlig unerwartete Erfolg seiner Thesen. Sie wurden — von einem Unbekannten — ins Deutsche übersetzt, gedruckt und
10 als Flugblatt in ganz Deutschland verbreitet. Die Disputation wurde ganz und gar unakademisch.

Zeitalter des Umbruchs

Die Kirche griff erst ein, als es nicht mehr zu vermeiden war. Sie behandelte Luther nicht als Reformator, sondern als Rebellen gegen die kirchliche Autorität. Ihr Ziel war: Er sollte widerrufen. Luther wurde verhört, man disputierte
15 mit ihm. Man war milde und entgegenkommend genug, ihn nicht einmal nach Rom vorzuladen. Der päpstliche Kämmerer von Miltitz und Luthers Landesherr, der mächtige und reiche Kurfürst Friedrich der Weise, versuchten zu vermitteln. Doch Luther beharrte auf seinen Lehren, und die Gegensätze verschärften sich. Als der Papst seine Autorität mit Gewalt behauptete und
20 in einer päpstlichen Bulle Luther den Bann androhte, falls er nicht widerrufen würde, verbrannte Luther öffentlich die päpstliche Bulle und trennte sich damit von der Kirche.

Jetzt mußte der Kaiser eingreifen. Seit Mitte des 15. Jahrhunderts war die Krone bei der Familie der Habsburger geblieben. Kaiser Maximilian I.,
25 genannt „der letzte Ritter", bemühte sich um eine Reform des Reiches. Deutschland war ja nichts als eine Anhäufung von weltlichen und geistlichen Fürstentümern, von Freien Städten und kleinen Ländern von Reichsrittern. Das Reich brauchte eine einheitlichere Verwaltung; es brauchte eine eigene

Kaiser Karl V.

Armee, inneren Frieden, bessere Gesetze und Gerichte und vor allem einen starken und mächtigen Kaiser. Doch wie war das möglich, wenn der Kaiser von den Fürsten abhängig war? Jeder Kaiser wurde gewählt, und zwar von sieben Fürsten, die dieses Wahlamt bekommen hatten und die deshalb Kurfürsten hießen. Sie stellten natürlich jedesmal Bedingungen für ihre Zustimmung zur Wahl.

Ganz besonders schlimm wurde dieser Handel bei der Wahl des Nachfolgers von Maximilian, als er 1519 gestorben war. Mit ihm starb nämlich der deutsche Zweig der Habsburger Familie aus. Einige deutsche Fürsten wollten den französischen König wählen, andere Maximilians Enkel, den spanischen König Karl. Besonders einflußreich in der „spanischen Partei" war Luthers Landesherr, Kurfürst Friedrich der Weise von Sachsen. Karl wurde gewählt.

Zu den Angelegenheiten, die Kaiser Karl V. 1521 auf seinem ersten Reichstag in Worms erledigen wollte, gehörte auch der Streit zwischen Luther und der Kirche. Luther war in großer Gefahr, als er nach Worms fuhr. Hundert Jahre vorher hatte Kaiser Sigismund den tschechischen Reformator Johann Hus nach Konstanz zum Konzil vorgeladen und hatte ihm freies Geleit versprochen. Trotzdem wurde Hus verurteilt und verbrannt. Luther fuhr jedoch nach Worms und hielt eine mutige Rede. Der Schluß dieser Rede: „Hier stehe ich, ich kann nicht anders. Gott helfe mir. Amen." ist in Deutschland ein „geflügeltes Wort" geworden. Kaiser Karl war auf der Seite der Kirche. Er belegte Luther mit der Reichsacht.

50

Kurfürst Friedrich der Weise schützte Luther. Er ließ ihn auf die Wartburg in Thüringen bringen, und dort lebte Luther verkleidet als „Junker Jörg". Er benutzte die erzwungene Ruhepause, um seine Bibelübersetzung zu beginnen. Seine Übersetzung des Neuen Testaments wurde schnell gedruckt und noch schneller verkauft. Es war ein großer Vorteil für Luther, daß Johann Gutenberg in Mainz kurz vorher den Buchdruck erfunden hatte. Bücher wurden dadurch billiger, und es konnten schneller Exemplare hergestellt werden. Noch mehr als Bücher wurden in den Kampfesjahren der Reformation Flugblätter gedruckt und überall gelesen.

Um sich verständlich zu machen, mußte Luther eine einheitliche deutsche Sprache schaffen. Die Sprache der mittelhochdeutschen Dichtung der Stauferzeit war eine reine Literatursprache gewesen. Im späteren Mittelalter wurde eine deutsche Verwaltungssprache nötig; aber auch diese wurde nicht die Umgangssprache im Alltagsleben. Die Menschen sprachen und schrieben ihren Dialekt. Luther nahm sich die Verwaltungssprache in den Formen zum Vorbild. Wittenberg, wo er lebte, ist eine Gegend mit mitteldeutschen Sprachformen. Eisleben, sein Geburtsort, lag jedoch noch im niederdeutschen Sprachgebiet. So nahm Luther seinen Wortschatz nicht nur aus einem Teil des deutschen Sprachgebietes, sondern aus mehreren. Seine Sprache war leicht verständlich, und sie wurde das Muster für die hochdeutsche Einheitssprache.

Luther schrieb eine ganze Reihe von Streitschriften. Seine Sprache ist nicht elegant und gar nicht prüde, aber außerordentlich bilderreich, kräftig und lebendig. Seine Gegner mußten diese Sprache annehmen, wenn sie ihn bekämpfen wollten. Allerdings — ein Mißtrauen gegen diese Sprache des Ketzers und Rebellen Luther blieb bei den Katholiken zurück. Es hat bis zur Mitte des 18. Jahrhunderts gedauert, bis die Deutschen sich endgültig über die Form ihrer Sprache einig waren.

Der Buchdruck war längst nicht die einzige Erfindung dieses Zeitalters. Die Menschen suchten damals die Geheimnisse der Natur zu enträtseln und 20 neue Länder der Erde zu entdecken. Es war das Zeitalter der Entdeckungen und Erfindungen. Vasco da Gama fand den Seeweg nach Indien um Afrika herum, Kolumbus entdeckte Amerika. Kopernikus in Thorn beschrieb, wie sich die Erde um die Sonne dreht. Das naturwissenschaftliche und technische Wissen wurde auch in der Wirtschaft angewendet, und es half den reichen 25 Leuten, wie den Fuggern, noch reicher zu werden. Die armen Leute jedoch blieben arm. Die Ritter hatten keinen Einfluß mehr auf die Gesellschaft. Der letzte von ihnen, der eine Rolle spielen wollte, war Franz von Sickingen, der einen Ritterbund gegen den Erzbischof von Trier führte. Er unterlag. Noch schlimmer stand es mit dem Volk, den Handwerkern und vor allem mit den 30 Bauern.

Luthers Lehre wurde sofort als Evangelium des Kleinen Mannes aufgefaßt. Wer die Gesellschaft verändern wollte, hoffte auf Luther. Luther dachte nur an die Religion, aber die Bauern und Handwerker verstanden ihn anders. So führte die Reformation mit zu dem großen Bauernkrieg, der 1524 ausbrach. 35 Luther ermahnte die Fürsten und Adeligen, den Bauern bessere Lebensbedin-

Bauernkrieg, Schweizerchronik, Zürich 1548

gungen zu geben. Währenddessen verbreitete sich der Krieg durch ganz
Franken und Schwaben; denn jetzt wollten sich die Bauern mit Gewalt nehmen,
was man ihnen nicht geben wollte. Ihre Führer waren in ihren Forderungen
gemäßigt; allerdings gab es unter ihnen auch radikale Sozialrevolutionäre,
5 die als „Wiedertäufer" eine eigene Sekte gründeten und eine Wirtschaftsordnung mit gemeinsamem Eigentum einführten.

Die Gewalttaten, die Unordnung und solche revolutionären Ideen
erschreckten nicht nur die Adeligen, sondern auch die Bürger. Luther trat auf
die Seite der Fürsten und wandte sich gegen die Bauern. Die Bauern wurden
10 völlig besiegt und gewaltsam unterdrückt. Luthers Kirche wurde aus einer
revolutionären Volkskirche jetzt eine Landeskirche unter dem Schutz der
Landesfürsten. „Gebet dem Kaiser, was des Kaisers ist, und Gott, was Gottes ist",
war ihr Grundsatz. Luther brauchte Zeit, um seine neue Kirche aufzubauen,
und die Fürsten waren die einzigen, die ihn gegen Papst und Kaiser schützen
15 konnten. Damit wurden die Landesherren zum Oberhaupt der Kirche.

Bauernkrieg, Federzeichnung des Abtes Jakob Murer

Der alte und der neue Glaube

Kaiser Karl V. beherrschte ein Weltreich. Es gehörten nicht nur große Teile Europas dazu, sondern auch die neuen Besitzungen in Mittel- und Südamerika, so daß er sagen konnte: „In meinem Reich geht die Sonne nicht unter." Sein Rivale in Europa war der französische König Franz I. In diesem Konkurrenzkampf waren die deutschen Angelegenheiten ziemlich unwichtig. 5 Karl brauchte jedoch die Unterstützung der deutschen Fürsten bei seinen Kriegen, und er wollte Ruhe in Deutschland. Beides war schwer zu haben. Die deutschen Fürsten fanden in der Kirchenspaltung eine neue Möglichkeit zu größerer Macht und Unabhängigkeit. Im Todesjahr Luthers, 1546, begann der erste Krieg zwischen den protestantischen und katholischen Fürsten, der 10 „Schmalkaldische Krieg" genannt. Der Kaiser und seine katholischen Verbündeten siegten sehr schnell. Das aber paßte Moritz von Sachsen nicht. Er war Protestant, aber er unterstützte den Kaiser, um den Kurfürstentitel seines Vetters Friedrich zu bekommen. Als Moritz Kurfürst war, wandte er sich gegen den Kaiser und erzwang einen Kompromiß zugunsten der Protestanten. Karl V. 15 verzweifelte an der Welt und zog sich 1556 in ein spanisches Kloster zurück.

VERGANGENHEIT

Der Religionsfriede wurde 1555 in Augsburg geschlossen. Die katholische und die lutherische Kirche waren von jetzt ab in Deutschland gleichberechtigt, nicht jedoch die kalvinistische Kirche. Der Grundsatz des Augsburger Friedens hieß „Cuius regio, eius religio", das heißt übersetzt: Wessen Land, dessen
5 Religion; und das bedeutete: Wenn der Fürst katholisch war, blieben alle Untertanen katholisch. Die Untertanen eines protestantischen Herrschers mußten protestantisch werden. Nur in den geistlichen Fürstentümern war die Wahl der Konfession frei, da ja ein Bischof nicht gut Protestant werden konnte. So konnte jeder Fürst, jeder Reichsritter und jede Freie Stadt entscheiden,
10 zu welchem Glauben sie gehören wollten.

Luthers Lehre fand viele Anhänger. Die meisten Deutschen bekannten sich zu ihr. Sogar ein Kaiser aus dem Hause Habsburg, Maximilian II. (1564–1576) dachte an den Übertritt. Jetzt aber bestimmte die katholische Kirche in dem großen Reformkonzil in Trient die Glaubenslehren neu und sie festigte
15 die Organisation der Kirche. Sie begann, verlorene oder strittige Gebiete wieder für sich zu gewinnen. Dieser Vorgang heißt in Deutschland die „Gegenreformation".

Der wichtigste Träger der Gegenreformation war der neugegründete Orden der Jesuiten. Die Jesuiten bekamen Einfluß auf viele Fürsten; sie über-
20 nahmen die katholischen Universitäten, und sie hatten ausgezeichnete Schulen, in denen sie die Elite der Länder erzogen. Außerdem arbeiteten sie mit Massenveranstaltungen, wozu ihre Theateraufführungen gehörten, die sehr wirkungsvoll waren. Besonders erfolgreich arbeiteten sie mit Lichteffekten, die den Glanz des Himmels auf die Erde zu bringen schienen. Viele indifferente Katholiken
25 wurden von ihnen zur Frömmigkeit und viele Protestanten zum katholischen Glauben bekehrt.

Die Entdeckung Amerikas und die Glaubenskriege hatten eine negative Wirkung auf die deutsche Wirtschaft. Der Handel verlagerte sich nach Spanien und Portugal, und dann nach England und Holland. Die deutschen
30 Länder hatten keine Kolonien; die deutsche Industrie blieb zurück; die Silberbergwerke in Ungarn und Böhmen waren längst nicht so reich wie die amerikanischen. Der Kirchenkonflikt stand im Mittelpunkt des Interesses. Trotz des Augsburger Friedens wollten die Streitigkeiten nicht enden. Sie führten schließlich zu einer der schrecklichsten Perioden der deutschen
35 Geschichte, zum Dreißigjährigen Krieg.

6 ‿ Der Fenstersturz von Prag

Der Dreißigjährige Krieg

Die Habsburger gehörten zu den Fürsten, die besonders eifrig versuchten, ihr Land wieder ganz katholisch zu machen. In Böhmen gehörten viele Adelige einer Kirche an, die den Protestanten nahestand. Sie hatten das Recht bekommen, eigene Kirchen zu bauen, doch das wollte der Kaiser ihnen entziehen. Als im Mai 1618 in der Prager Burg darüber verhandelt wurde, wurden in der 5 Leidenschaft des Streits zwei Statthalter und ein Geheimschreiber des Kaisers aus dem Fenster geworfen. Obwohl alle drei unverletzt blieben, war diese Tat eine Majestätsbeleidigung und wurde der Anlaß für den Dreißigjährigen Krieg. 1619 wurde nicht Kaiser Ferdinand II. zum König von Böhmen gewählt, sondern der Kalvinist Kurfürst Friedrich V. von der Pfalz. Friedrich V. wird 10 der „Winterkönig" genannt, denn bereits im Jahr 1620 war seine Herrschaft zuende, als die kaiserlichen Truppen ihn in der entscheidenden Schlacht bei Prag besiegten. Damit begann der eigentliche Krieg. Nacheinander beteiligten sich Dänemark, Schweden und Frankreich auf der protestantischen Seite daran, und Spanien auf der katholischen Seite. Ganz Europa war also an 15 dem Krieg beteiligt, doch er spielte sich vorwiegend auf deutschem Boden ab. Die Zivilbevölkerung war ebenso davon betroffen wie die Soldaten. Der Krieg wurde sehr grausam geführt. Städte und Dörfer wurden zerstört, Menschen gefoltert und getötet. In weiten Gegenden kam die Hälfte der Bevölkerung um. 20

Der bekannteste Heerführer bei den Protestanten war der schwedische König Gustav Adolf, der 1632 in der Schlacht bei Lützen gegen die kaiser-

Kupferstich aus Theatrum Europaeum, Mathias Merian

lichen Truppen fiel; bei den Katholiken war es Albrecht von Wallenstein aus
Böhmen, später Herzog von Friedland. Wallenstein wurde 1634 in Eger
ermordet, als er dabei war, sich mit den Schweden gegen den Kaiser zu verbünden. Friedrich Schiller hat das Ende Wallensteins in einer Dramentrilogie
5 dargestellt.

1644 wurden die Friedensverhandlungen in Münster und Osnabrück
eingeleitet. Es dauerte jedoch vier Jahre, bis der Friedensschluß zustande kam
und der Dreißigjährige Krieg durch den Westfälischen Frieden beendet
wurde. Die Menschen atmeten auf, denn die Heere zogen durch das Land und
10 plünderten; überall herrschte Armut, niemand war seines Lebens sicher. Endlich,
nach dreißig Jahren, sollte man wieder ruhig leben können.

6 ∽ DER FENSTERSTURZ VON PRAG   57

Deutschland im 17. Jahrhundert

Der Friedensschluß war sehr nachteilig für das Deutsche Reich. Die Landesfürsten erhielten volle Souveränität, so war das Reich kaum mehr als ein Name. Holland und die Schweiz, seit langem praktisch unabhängig, lösten sich jetzt auch staatsrechtlich vom Reich. Schweden und Frankreich erzielten bedeutende Gewinne; auch einige deutsche Landesfürsten kamen gut 5 dabei weg, vor allem Sachsen, Bayern und Brandenburg. In Brandenburg regierte seit 1640 Friedrich Wilhelm I., der Große Kurfürst. Dieser energische Hohenzoller richtete eine moderne Verwaltung ein, setzte die Macht des Fürsten gegen Adel und Bürger durch, erwarb Hinterpommern und Magdeburg, besiegte sogar die Schweden und entwickelte sein kleines Land zu einem 10 Machtfaktor in der europäischen Politik.

Die konfessionellen Verhältnisse waren 1648 im wesentlichen die gleichen wie 1618. Manche Fürsten, wie Ludwig XIV. von Frankreich oder der Erzbischof von Salzburg, verfolgten auch später noch Protestanten; und die Mitglieder von Sekten hatten ein unsicheres Leben, aber die Zeit der großen 15 Religionskriege war vorbei. Es begann die Zeit der Staatsräson. Der Fürst beachtete die alten Priviligien und Traditionen nur noch wenig; er regierte absolut. Der Adel wurde zum Hofadel und damit vom Fürsten abhängig.

Der Dreißigjährige Krieg führte in der europäischen Politik zu einem 20 Gleichgewicht der Mächte. Zu den Großmächten gehörten England, Holland, Frankreich, Spanien, Schweden, während Deutschland als Ganzes keine Rolle mehr spielte. Seine größeren Länder Österreich, Bayern, Hannover, Sachsen und Brandenburg traten selbständig auf — für oder gegen das Reich, wie es der Vorteil verlangte. Nur bei einer Gelegenheit demonstrierte das Reich seine 25 Einheit: als die Türken 1683 zum letzten Mal Wien belagerten. Den Österreichern kam außer dem polnischen Heer auch die Reichsarmee zu Hilfe, und es gelang, nicht nur Wien zu befreien, sondern auch Ungarn endgültig den Türken zu entreißen. Weniger einig waren sich die deutschen Fürsten bei den dauernden Kriegen gegen Frankreich. Während der letzten großen 30 Auseinandersetzung, dem Spanischen Erbfolgekrieg, der von 1701 bis 1714 dauerte, stand Bayern auf der Seite Frankreichs gegen den Kaiser.

58

Der Tod war der ständige Gedanke vieler Menschen des 17. Jahrhunderts. Ihr Leben war von der Idee erfüllt, daß alles vergeht und nichts auf dieser Erde bleiben kann. Während der Mensch vergänglich ist, ist Gott jedoch ewig; und Gott hat der Welt eine feste Ordnung gegeben. Für die Gesellschaft war der Fürst Gott; er regierte absolut; er stand im Mittelpunkt. Die Kunst des 17. Jahrhundert, deren Stil Barockstil genannt wird, zeigt die Ordnung und die Spannungen der Gesellschaft. Es ist ein festlicher Stil, der den Glanz Gottes oder des Fürsten zeigen soll. Die Macht des Fürsten zeigt sich in den Stadtplänen der damals gegründeten Residenzstädte. Sie sind regelmäßig angelegt, und in ihrem Mittelpunkt steht das Schloß. Deutsche Beispiele sind Mannheim, Karlsruhe, Erlangen oder Ludwigsburg. Ebenso regelmäßig und prunkvoll waren die Schlösser, die die deutschen Fürsten anlegten: Schönbrunn bei Wien, Nymphenburg bei München und der Zwinger in Dresden sind die bekanntesten. Ihr Vorbild war das Schloß des französischen Königs in Versailles. Ludwig XIV. von Frankreich, der „Sonnenkönig", gab in seiner Lebensweise das Beispiel, das von allen deutschen Fürsten im 17. Jahrhundert nachgeahmt wurde.

Nicht nur die Fürsten bauten sich festliche Gebäude, auch Gott wurden große festliche Dome gebaut, wie der Salzburger Dom, die Frauenkirche in Dresden oder die Theatinerkirche in München. Und die älteren Kirchen wurden, so weit es ging, im Innern barock umgestaltet.

Die Musik und die Dichtung sollte gleichfalls der Verherrlichung des Fürsten oder dem Lob Gottes dienen. Höhepunkt fürstlicher Feste waren Aufführungen von Balletten oder von Opern. Heinrich Schütz (1585–1672), der als Komponist von Kirchenmusik bekannt ist, komponierte 1627 die Musik zur ersten deutschen Oper „Daphne". Der Textdichter war Martin Opitz (1597–1639) — allerdings war sein Text eine Übersetzung aus dem Italienischen. Martin Opitz gewann großen Einfluß auf die deutsche Literatur, denn seine Lehren und seine Übersetzungen zeigten den deutschen Dichtern eine neue Richtung, die zum Anschluß an die europäische Tradition führte. Die deutsche Dichtung des 16. Jahrhunderts war volkstümlich, doch literarisch nicht allzu bedeutend gewesen. Sie gehörte dem niedrigen Stil an, während

Plan von Karlsruhe

die Dichtungen im höheren Stil auf Latein abgefaßt wurden. In Italien, Frankreich und England dichteten auch die gebildeten Humanisten in der Landessprache. Martin Opitz stammte aus Schlesien. Schlesien gehörte zu Österreich, doch ursprünglich hatte es aus mehreren Ländern bestanden. Die Bevölkerung war konfessionell gemischt; es gab sogar Anhänger verschiedener Sekten. Es hatte einen mächtigen Adel und in den Städten ein selbstbewußtes Bürgertum, denn es war wirtschaftlich wichtig. Da es an der deutsch-polnischen und deutsch-tschechischen Sprachgrenze lag, bestand viel kultureller Austausch und eigenes Kulturbewußtsein. Die österreichische Regierung versuchte die Protestanten zu verdrängen oder zu bekehren. Sie hatten zum Beispiel keine eigene Universität im Lande; also waren sie gezwungen, im Ausland zu studieren. Wer genug Geld hatte, studierte an der Universität Leiden in Holland, wo die modernen Naturwissenschaften gelehrt wurden und wo religiöse Toleranz herrschte. Martin Opitz lernte durch diese Kontakte die europäische

60

Literatur kennen. Sein Werk besteht vorwiegend aus Übersetzungen. Damit gab er das Vorbild für eine neue Dichtung in rein deutscher Sprache für ein gebildetes Publikum.

Die späteren schlesischen Dichter blieben auf dieser Bahn. Der bedeutendste unter ihnen ist Andreas Gryphius (1616–1664), der auch in Leiden studierte, dort sogar Dozent für Naturwissenschaften wurde, dann aber nach längeren Reisen durch Frankreich und Italien in seine Heimatstadt Glogau zurückkehrte, um als Syndikus der Stände für die Protestanten zu kämpfen. Gryphius' wichtigstes Thema ist die Vergänglichkeit, viele seiner Dichtungen handeln davon.

In der Tradition der volkstümlichen Literatur steht die größte Dichtung des 17. Jahrhunderts: der Roman „Simplicius Simplicissimus" von Hans Jacob Christoph von Grimmelshausen, in dem das Leben während des Dreißigjährigen Krieges beschrieben wird. Der Roman handelt von einem Jungen, der bei Bauern und Einsiedlern aufwächst, dann als Soldat den grausamen Krieg erlebt, bis er sich am Ende von der Welt zurückzieht und schließlich als frommer Robinson auf einer Insel bei Ostafrika sein Leben beschließt.

Grimmelshausen hatte viel Erfolg mit diesem Roman und schrieb daher noch mehrere derartige Geschichten, darunter die „Mutter Courage", die Bert Brecht zur Hauptfigur eines Dramas über den Dreißigjährigen Krieg gemacht hat.

7 ⌁ *Die Staatsräson*

Die Aufklärung

Mit dem 18. Jahrhundert fängt die moderne Zeit an. Die Menschen wollten nicht mehr so leben und denken wie ihre Vorfahren; sie wollten die Welt verändern und das Leben verbessern. Das Selbstbewußtsein der Menschen wuchs. Sie fühlten sich nicht mehr als reuige Sünder, sondern als Höhepunkt von Gottes großartiger Schöpfung. Diese Würde ist allen Menschen gemeinsam, dem König wie dem Bettler.

Die Tendenzen der Kultur des 18. Jahrhunderts werden gewöhnlich unter dem Begriff „Aufklärung" zusammengefaßt. Das Symbol der Aufklärung war die aufgehende Sonne. Die Vernunft gibt dem Menschen seine Würde, und das Licht der Vernunft sollte möglichst vielen Menschen gebracht werden. Die Menschen sollten gebildet, aufgeklärt werden; sie sollten lernen, ihren eigenen Verstand zu gebrauchen und sich nicht mehr auf Autoritäten zu verlassen. Die Menschen waren überzeugt, daß Gott in seiner Güte und Weisheit den Menschen gut geschaffen hat. Der Mensch ist von Natur gut, nur muß er seine Vorurteile überwinden. Wenn alle Menschen vernünftig handeln, kann ein Paradies auf der Erde entstehen.

In England, Holland und Frankreich stand hinter dieser Säkularisierung und Emanzipationsbewegung ein wohlhabendes und mächtiges Bürgertum, das dabei war, die Methoden der modernen Industrie zu entwickeln. Es dachte rational und wollte die Naturwissenschaften für die Wirtschaft ausnutzen. Um sich weiterentwickeln zu können, brauchte es wirtschaftliche und politische Freiheit. In Frankreich, wo am wenigsten von dieser Freiheit vorhanden war, waren die Ideen am radikalsten. Jean Jacques Rousseau gewann großen Einfluß durch seine Kulturkritik. Schließlich befreiten sich die Franzosen 1789 durch eine Revolution und proklamierten den Grundsatz, daß alle Menschen frei und gleich sind und Brüder sein sollen.

Das deutsche Bürgertum

In Deutschland lagen die Verhältnisse anders. Das Reich war in über 300 Einzelstaaten zersplittert. Viele mittelalterliche Lebensformen hatten sich erhalten. Das Bürgertum war weder wohlhabend noch mächtig. Die Industrialisierung hat in Deutschland erst im 19. Jahrhundert stattgefunden. Politische Freiheit gab es nicht. Nicht einmal eine wirkliche Hauptstadt, wie Paris oder London, war vorhanden.

Um 1700 war die französische Kultur in Deutschland vorherrschend. An den Höfen wurde nur Französisch gesprochen. Es wurde in Frage gestellt, ob die deutsche Sprache zu einer bedeutenden Literatur geeignet sei. Die Sprache der Universitäten war das Latein. Christian Thomasius (1655–1728) erregte großen Unwillen, als er 1687 in Leipzig eine öffentliche Vorlesung in deutscher Sprache abhielt. Er verließ Leipzig und ging an die neugegründete Universität in Halle, wo er seine neuen Ideen leichter durchsetzen konnte.

Der größte deutsche Wissenschaftler und Philosoph dieses Zeitalters, Gottfried Wilhelm Leibniz, (1646–1716) schrieb ein gutes Deutsch und setzte sich für den Gebrauch der deutschen Sprache ein; aber auch er mußte seine Hauptwerke auf Latein und Französisch abfassen. Leibniz war ein Mensch, der alle Wissensgebiete beherrschte: Er war Philosoph, Mathematiker, Sprach- 5 wissenschaftler, Naturwissenschaftler, Historiker, Jurist und Theologe. Er war als Diplomat tätig, und er gründete 1700 die Akademie der Wissenschaften in Berlin, um das wissenschaftliche Leben in Deutschland zu entwickeln.

Da der deutsche Adel an der deutschen Kultur nicht interessiert war, 10 mußten die Bemühungen darum vom Bürgertum ausgehen. Das deutsche Bürgertum konnte zwar nicht daran denken, die Gesellschaft zu verändern, aber es konnte doch versuchen, die deutsche Kultur zu entwickeln und um geistige Freiheit zu kämpfen. Das geschah besonders in Sachsen, wo die Stadt Leipzig den kulturellen Mittelpunkt bildete. Leipzig hatte eine wichtige 15 Universität. Es war nicht nur die Stadt der Pelze und der Mode, sondern auch die Stadt des Buchhandels, wo zweimal im Jahr die Buchmessen stattfanden. An der Universität Leipzig lehrte Johann Christoph Gottsched (1700–1766), der sich bemühte, die deutsche Sprache und Literatur der westeuropäischen Tradition anzupassen. Die französische Dichtung war sein Vorbild. 20 Er schrieb Lehrbücher für die Grammatik, die Redekunst und die Dichtung, und er versuchte, selbst Muster für die neue Dichtung zu geben. Er befaßte sich mit dem Theater und versuchte es zu verbessern. Dabei verjagte er die lustige Figur, den Hanswurst, von der Bühne.

Gottfried Wilhelm Leibniz

So sehr Gottscheds Lehren und Regeln Eindruck machten, so wenig überzeugten seine eigenen Dichtungen. Sehr beliebt wurde hingegen ein anderer Leipziger Professor, Christian Fürchtegott Gellert (1715–1769), durch seine Fabeln, Erzählungen und Gedichte und durch seine praktische Moral.
5 Er wußte lebendig zu schreiben, und er zeigte an einfachen Beispielen, wie der Mensch sich im Leben verhalten soll.

Solche Beispiele, wie die von Gottsched und Gellert, halfen, die deutsche Sprache zu bereichern und sie wieder zur Literatursprache zu entwickeln. Der Fortschritt und die neuen Ideen kamen dabei zuerst in den protestantischen
10 Teilen Deutschlands auf. Dabei spielten die Pfarrhäuser eine wichtige Rolle. Der Pfarrer im Dorf oder in der Kleinstadt war gewöhnlich der einzige Mensch, der Bücher kaufte und las. Seine geistliche Autorität gab ihm einige geistige Freiheit. Er war zwar selten wohlhabend, hatte aber genug Zeit, sich mit wissenschaftlichen oder literarischen Fragen zu beschäftigen. Theologie war
15 das einzige Fach, für das die begabten Söhne armer Eltern Stipendien bekommen konnten. So gab es unter den Pfarrern viele lebendige und fortschrittliche Geister.

Allerdings war es nicht leicht, Pfarrer zu werden. Ein Theologe verließ die Universität als „Kandidat". Gewöhnlich begann er sein Berufsleben als
20 Lehrer. Die Dorfschulen und die Gymnasien standen damals unter der Aufsicht der Kirche, und viele Gymnasiallehrer strebten eine Pfarrstelle an. Wer nicht in einer öffentlichen Schule unterrichtete, wurde meistens Hofmeister. Die Adeligen ließen nämlich ihre Kinder nicht auf öffentliche Schulen gehen, sondern privat durch Hauslehrer, Hofmeister genannt, erziehen. Da die
25 Pfarrstellen auf dem Lande von den Gutsherren vergeben wurden, hatte ein Hofmeister gute Aussichten, eine Stelle zu bekommen. Allerdings mußte er dafür hinnehmen, daß er so lange als Bedienter behandelt wurde. Das war für das Selbstbewußtsein der intelligenten, unabhängig denkenden jungen Theologen sehr hart, und so verließen manche dieser Hauslehrer ihre Stellen.
30 Obwohl die protestantische Kirche im 18. Jahrhundert viel Diskussion gestattete, konnten manche der jungen Leute nicht mehr mit ihren Lehren übereinstimmen. Sie gaben den Pfarrberuf ganz auf. Allerdings waren die beruflichen Möglichkeiten nicht sehr groß. Sie konnten freie Schriftsteller werden, Übersetzer, Journalisten, Buchhändler, Lehrer oder Universitätsdozenten. Das
35 waren alles unsichere Berufe, und manche dieser Theologen endeten als Schauspieler oder als Soldaten — beides gleich verachtete Berufe.

Wenn die Aufklärung also dem Menschen helfen sollte, sich geistig zu befreien, so wurde die Bildung des Menschen entscheidend wichtig. Die Aufklärer wollten nicht mehr die Vorrechte des Geburtsadels anerkennen. Sie wollten die Gesellschaft in „Gebildete" und „Ungebildete" einteilen, also einen neuen Adel des Geistes schaffen. 5

Österreich und Preußen

Unter den deutschen Staaten war Österreich die einzige europäische Großmacht. Wien war die einzige Großstadt im Deutschen Reich. Andere deutsche Fürsten mußten ins Ausland gehen, um größere Macht zu gewinnen. Der Kurfürst von Hannover wurde König von England, der Kurfürst von Sachsen König von Polen. Der Kurfürst von Brandenburg wollte nicht 10 zurückbleiben, und er machte sich 1701 selbst zum König von Preußen. Ostpreußen gehörte zwar zu Brandenburg, aber es lag außerhalb des Deutschen Reiches, und so brauchte der Kurfürst von Brandenburg nicht die Zustimmung des Kaisers zu seiner neuen Würde. Es war das Zeitalter der Staatsräson, in dem die Wünsche der Untertanen wenig galten. Auch von einem nationalen 15 Interesse war nicht die Rede, nur von dem Interesse des Fürsten und seines Staates. Die Großmächte bildeten in Europa ein Gleichgewicht, und sie achteten darauf, daß keine Macht zu stark wurde. Im Spanischen Erbfolgekrieg von 1701 bis 1714 sorgten Österreich und England dafür, daß Frankreich nicht die Vorherrschaft in Europa bekam. Obwohl Frankreich militärisch besiegt 20 war, endete der Krieg mit einem Kompromiß: Auch Österreich sollte nicht zu stark werden.

Der Held dieses Krieges war außer dem englischen Herzog von Marlborough der österreichische Heerführer Prinz Eugen von Savoyen. Prinz Eugen hatte als Nachbar Frankreichs zuerst in die französische Armee eintreten 25 wollen, aber weil er sehr klein, fast verwachsen war, wurde er in Versailles nicht ernst genommen. So ging er nach Österreich, und er war es dann, der bei Höchstadt, Ourdenarde und Malplaquet die Franzosen schlug. Später führte er die österreichische Armee auch gegen die Türken, wobei ihm die Eroberung von Belgrad gelang. In seinem letzten Krieg führte er 1738 am 30 Oberrhein den späteren Preußenkönig Friedrich II. in die Kriegskunst ein.

Prinz Eugen baute sich in Wien das Belvedere, eines der schönsten Schlösser Österreichs. Er war an den neuen Ideen seiner Zeit interessiert; Leibniz zum Beispiel schrieb seine „Monadologie" auf, um dem Prinzen Eugen eine kurze Zusammenfassung seiner Philosophie zu geben. Auf seinen
5 Gütern versuchte Prinz Eugen neue Methoden in der Landwirtschaft zu entwickeln.

Friedrich II.

Zwei große Veränderungen fanden während des 18. Jahrhunderts im europäischen Staatensystem statt: Im Nordischen Krieg am Anfang des Jahrhunderts schied Schweden als Großmacht aus, und an seine Stelle trat Rußland.
10 Die zweite Veränderung betrifft Deutschland. Während der Regierungszeit des Königs Friedrich II. von Preußen (1740–1786) wurde Preußen eine europäische Großmacht. Preußen war 1740 noch ein eher kleiner und vor allem armer Staat. Friedrichs Vater, Friedrich Wilhelm I., hatte eine wirksame und pflichttreue Verwaltung eingeführt. Er hatte eine große Armee aufgebaut und
15 durch fanatische Sparsamkeit viel Geld in der Staatskasse gesammelt. Friedrich Wilhelm I. war ein ungebildeter, naiv gläubiger, dabei brutaler und herrschsüchtiger Mann. Sein Sohn Friedrich hingegen war sehr musikalisch; er wurde ein ausgezeichneter Flötenspieler und ein guter Komponist. Er sprach und schrieb sehr gut Französisch, ja er hatte großen Ehrgeiz als Schriftsteller.
20 Das Militär schien ihn überhaupt nicht zu interessieren und die Verwaltung nicht viel mehr. Dem einfachen Christenglauben seines Vaters stand er sehr früh mit rationalistischer Skepsis gegenüber. Vater und Sohn verstanden sich gar nicht, und es kam zu Konflikten, als Friedrich sich gegen den Willen des Vaters mit einer englischen Prinzessin verheiraten wollte. Schließlich versuchte
25 er aus Preußen zu fliehen. Die Flucht mißlang ihm, und er wurde gefangen gesetzt, sein Begleiter Katte sogar hingerichtet.

Jetzt gab der Prinz äußerlich nach. Er arbeitete in der Verwaltung mit, und er akzeptierte die vorgeschlagene Heirat. Der Vater gab ihm die Freiheit wieder, und der Prinz konnte im Schloß Rheinsberg in der Mark ungezwungen
30 seinen eigenen Hof halten. In dieser Zeit schrieb er ein Werk über den idealen Herrscher. Er schien der Fürst zu sein, den die Aufklärung erträumte: ein Herrscher, der gebildet ist, Kunst und Wissenschaft fördert, der die Schulen

Park von Sanssousi, Potsdam

verbessert, der die Wirtschaft seines Landes entwickelt, der Freiheit der Meinung und der Religion duldet; kurz, der ein Paradies auf Erden erstrebt — und der keine Kriege führt.

Solch ein Herrscher ist Friedrich nicht geworden. 1740, als er an die Regierung kam, starb auch der Kaiser Karl VI.; und Friedrich gehörte sofort 5 zu denen, die der Kaiserin Maria Theresia Schwierigkeiten bereiteten: Er marschierte in Schlesien ein und eroberte es. Damit erwarb er eine reiche Provinz, die er als Grundlage für eine europäische Politik unbedingt brauchte. Damit wurde Preußen Großmacht, und es entstand in Deutschland der Dualismus der zwei Länder Österreich und Preußen, der mehr als hundert Jahre 10 dauerte, nämlich bis 1866 Österreich aus Deutschland ausschied. Für Österreich war diese Konkurrenz Preußens unerträglich, und deshalb folgten diesem ersten schlesischen Krieg noch zwei weitere. Der letzte dieser Kriege (1756–1763) heißt der Siebenjährige Krieg. Preußen hatte sich gegen Österreich,

68   **VERGANGENHEIT**

Frankreich, Rußland, Sachsen und Schweden zu wehren; nur England war mit ihm verbündet. Es war nicht nur ein europäischer Krieg; denn England und Frankreich kämpften auch um den Besitz von Kanada und von Indien. Friedrich errang bedeutende Siege und erlitt ebenso schwere Niederlagen.

5 Wirtschaftlich konnte er den Krieg nur durchhalten, weil er das reiche Sachsen besetzt hielt und Kriegssteuern erhob. Er wurde dadurch gerettet, daß die russische Zarin Elisabeth starb und Rußland sich vom Kriege zurückzog. Friedrich behielt Schlesien; Preußens Stellung war gesichert.

Nach dem Siebenjährigen Krieg beschäftigte sich Friedrich fast nur noch

10 mit der Verwaltung seines Landes. Diese preußische Verwaltung wurde bald in anderen Staaten nachgeahmt. Die preußische Armee war jetzt berühmt und gefürchtet. Friedrich leitete die Reform der Justiz in Preußen ein; er übte religiöse Toleranz und ließ jeden Untertan „nach seiner Fasson selig werden". Er kümmerte sich um die Preußische Akademie der Wissenschaften; kurzum,

15 Friedrich betrachtete sich als den „ersten Diener seines Staates". Die Meinungsfreiheit hatte in seinem Staat allerdings ihre Grenzen: Nachdem er am Anfang seiner Regierung die Zensur für die Zeitungen aufgehoben hatte, führte er sie bald wieder ein.

Zur Zeit Friedrichs entwickelte sich Berlin zu einem kulturellen Zentrum,

20 in dem Buchhandlungen, Theater und Schulen einen guten Ruf bekamen. Berlin trat damit an die Seite von Leipzig. Friedrichs Leistungen, die Heldentaten der preußischen Armee, die wirtschaftliche Entwicklung Preußens machten das Land zu einem Musterland für das deutsche Bürgertum. Die preußischen Siege wurden als patriotische Taten gefeiert, obwohl Friedrich

Immanuel Kant

69

ja Gegner des Kaisers und damit eigentlich ein Rebell gegen das Reich war, und obwohl durch seine Politik das Reich noch mehr auseinanderfiel. Der Siebenjährige Krieg stärkte das Selbstbewußtsein der Deutschen. Friedrich „der Große" wurde Hauptfigur vieler Anekdoten, die ihn zu dem erträumten idealen Herrscher machten. Dabei stand Friedrich den Deutschen und besonders 5 der deutschen Kultur kritisch gegenüber. Er sprach und schrieb Französisch; sein Vorbild war Voltaire, mit dem er korrespondierte und den er nach Berlin einlud. Eine klassische Dichtung in deutscher Sprache hielt er für unmöglich, wie er noch 1780 in einer französischen Streitschrift schrieb. Gotthold Ephraim Lessing (1729–1781), der aus Sachsen stammte und sich nach dem Studium in 10 Leipzig in Berlin niederließ, fand nie die Unterstützung des Königs, obwohl er während des Siebenjährigen Krieges bei der Militärverwaltung in Schlesien arbeitete. Als die Stelle des Hofbibliothekars in Berlin frei wurde, gab der König sie nicht einem deutschen Gelehrten wie Lessing oder dem Wiederentdecker der griechischen Kunst Johann Joachim Winckelmann, der in Preußen 15 geboren war, sondern einem unbedeutenden Franzosen. Lessing, der in seiner Komödie „Minna von Barnhelm" das Leben zu dieser Zeit darstellte, und der als Literaturkritiker der deutschen Dichtung neue Maßstäbe gab, endete schließlich in dem abseits gelegenen Wolfenbüttel, behindert durch die Zensur, in ständigen Geldschwierigkeiten, resigniert und müde geworden. Lessing 20 glaubte an die Ideale der Aufklärung, und in seinem letzten Drama „Nathan der Weise" gab er ihnen eine großartige Form; aber er war überzeugt, daß seine eigene Zeit noch nicht reif war für diesen Zukunftstraum.

Auch im Reiche Friedrich des Großen mußte sich also die Kultur abseits von der Regierung oder in Opposition zu ihr entwickeln. Ein ebenso deutliches 25 Beispiel wie das Leben von Lessing ist das Leben des Philosophen Immanuel Kant (1724–1804). Kant war in Königsberg geboren, wo er außer einigen Jahren als Hauslehrer sein ganzes Leben verbrachte. Obwohl seine Begabung früh bekannt wurde, mußte er sich mühsam als Privatdozent und Hilfsbibliothekar durchschlagen, bis er endlich eine Professur erhielt, die ihm erlaubte, 30 sich mit der Abfassung seiner Hauptwerke zu beschäftigen. Seine „Kritik der reinen Vernunft", die 1781 veröffentlicht wurde, leitete eine neue Epoche der Philosophie ein.

Trotz der wirtschaftlichen Schwierigkeiten, trotz der mangelnden Hilfe der Fürsten entwickelte sich diese bürgerliche Kultur außerordentlich schnell; 35 sie führte um das Jahr 1800 zu einem Höhepunkt, zur Goethezeit.

8 ◦ *Die Goethezeit*

<u>Goethe</u>

Johann Wolfgang von Goethe, 1782 durch Kaiser Joseph II. geadelt, wurde am 28. August 1749 in Frankfurt am Main geboren. Frankfurt, eine der Freien Städte, war die deutsche Krönungsstadt, und Goethe erlebte als junger Mensch die letzten bedeutenden Zeremonien des Heiligen Römischen Reiches deutscher Nation mit. Frankfurt war ein bedeutendes Zentrum des Handels und der Industrie. Im Gegensatz zu anderen deutschen Dichtern dieser Zeit stammte Goethe nicht aus dem Kleinbürgertum, sondern aus einer wohlhabenden

Familie. Sein Vater hatte Jura studiert und promoviert, und er hatte die Tochter des Frankfurter Schultheißen geheiratet. Allerdings verhinderten sein Charakter und die Umstände eine berufliche Laufbahn; er hatte den Titel eines Kaiserlichen Rates und beschäftigte sich mit der Verwaltung seines Vermögens und der Erziehung seiner Kinder. 5

Der junge Wolfgang erhielt Privatunterricht und wurde bereits mit sechzehn Jahren nach Leipzig auf die Universität geschickt, um Jura zu studieren. Hier lernte er zeichnen, trieb bei Professor Gellert deutsche Stilistik, bemühte sich um gesellschaftliche Eleganz und veröffentlichte seine ersten Gedichte. Als er drei Jahre später krank nach Hause zurückkehren mußte, hatte er nur 10 wenig Jura gelernt. Das wurde auch auf der Universität Straßburg nicht anders, wo Goethe 1770 bis 1771 studierte. Hier begegnete er Johann Gottfried Herder (1744–1803), der aus Ostpreußen stammte, bei Kant studiert hatte, Theologe war, aber sich vor allem als Literaturkritiker und Geschichtsphilosoph einen Namen machte. Herder vermittelte Goethe einen neuen Begriff von der 15 Dichtung, ja vom Leben überhaupt. Goethe begeisterte sich für Homer, Shakespeare, für die dichterischen Vorzüge der Bibel und vertiefte sich in das Zeitalter der Renaissance.

Er beendete sein Studium als Lizentiat der Rechte und begründete nach dem Wunsch seines Vaters in Frankfurt ein Rechtsanwaltsbüro. Doch er hatte 20 nur wenig Interesse an seiner Praxis und der Rechtswissenschaft; auch nicht, als der Vater ihn zur weiteren Ausbildung an das oberste deutsche Gericht, das Reichskammergericht in Wetzlar, schickte. Er dramatisierte die Geschichte des Götz von Berlichingen, und er verfaßte den Briefroman „Die Leiden des jungen Werthers", der ihm europäischen Ruhm brachte. Die berühmten 25 Männer, ja die Fürsten kamen nach Frankfurt, um Goethe zu besuchen. Unter ihnen war der Herzog Carl August von Sachsen-Weimar. Carl August war etwas jünger als Goethe; ein ehrgeiziger, weitdenkender Fürst mit einem kleinen Land von etwa 100.000 Einwohnern, dessen Hauptstadt Weimar etwa 6.000 Einwohner hatte und dessen Universitätsstadt Jena noch kleiner 30 war. Carl Augusts Erzieher war der Schriftsteller Christoph Martin Wieland (1733–1813) gewesen, dessen Verserzählungen und Romane das Beispiel eines vorbildlichen deutschen Stils gegeben hatten. Wieland suchte, wie alle Schriftsteller seiner Zeit, die Hilfe eines Fürsten, um von der Schriftstellerei leben zu können; denn bei den kleinen Auflagen waren die Honorare damals sehr 35 klein. Wie Lessing fand Wieland weder in Preußen noch in Österreich eine

Stellung; nur das kleine unbedeutende Sachsen-Weimar bot ihm eine Lebensmöglichkeit.

Carl August forderte jetzt Goethe auf, nach Weimar zu kommen. Goethe
folgte 1775 diesem Ruf, und damit wurde Weimar zum Mittelpunkt der
5 deutschen Literatur. Goethe bekam bald als Minister Carl Augusts eine wichtige
Stellung im Lande. Er holte Herder nach Weimar und half mit bei Berufungen
an die Universität Jena.

Die deutsche Klassik und Romantik

Nachdem Goethe mehr als zehn Jahre in der Verwaltung des Herzogtums
gearbeitet hatte, brach er im Sommer 1786 heimlich nach Italien auf. Er
10 brauchte eine neue Anregung, und er mußte wieder zur Dichtung zurückkehren.
In Italien erlebte Goethe die Welt der Antike und der Renaissance; er erlebte
die klare Landschaft und die südliche Sonne. Alles das wollte er in der Dichtung
auf den deutschen Boden verpflanzen. Goethe lernte Friedrich von Schiller
(1759–1805) kennen, der damals Professor für Geschichte in Jena war und als
15 Dramatiker und Literaturtheoretiker bekannt wurde. 1794 begann die enge
Freundschaft dieser beiden Männer, die bis zum Tode Schillers im Jahre 1805
dauerte. Gemeinsam versuchten die beiden, den Deutschen klassische Werke zu
geben, in denen echte Menschlichkeit in einer vollendeten Form dargestellt
werden sollte. Zu Schiller Dramen aus dieser Zeit gehören außer „Wallenstein"
20 auch „Maria Stuart", „Die Jungfrau von Orleans" und „Wilhelm Tell".
Goethe veröffentlichte seinen Bildungsroman „Wilhelm Meisters Lehrjahre",
und er beendete den ersten Teil seines Dramas „Faust". Den zweiten Teil
dieses großen Werkes schloß er erst kurz vor seinem Tode im Jahre 1832 ab.

Französischen und englischen Kritikern scheinen „Faust" und „Wilhelm
25 Meister" romantisch zu sein. Tatsächlich waren die deutschen Romantiker
von diesen beiden Werken begeistert. Die deutsche Romantik entwickelte
sich zur gleichen Zeit wie die Klassik und ebenfalls in Jena. Die erste Gruppe
von Romantikern, zu denen Friedrich von Hardenberg, genannt Novalis,
Friedrich Schlegel und August Wilhelm Schlegel gehörten, fand sich in Jena
30 zusammen, wo sie studierten. Sie waren eine Generation jünger als Goethe.
In Jena trafen sie zusammen mit den Philosophen, die dabei waren, die Philosophie Kants zu dem System zu entwickeln, das der „deutsche Idealismus"

genannt wird: Johann Gottlieb Fichte (1762–1814), Friedrich Wilhelm Schelling (1775–1854) und schließlich Georg Friedrich Wilhelm Hegel (1770–1831), der zwar älter war als Schelling, aber erst später seine dialektische Methode und sein idealistisches System entwickelte. Schelling und Hegel hatten zusammen in Tübingen studiert, mit ihnen der Dichter Friedrich Hölderlin (1770– 5 1843), der große Hymnen und Elegien schrieb.

Die Romantik stand im Gegensatz zu dem beschränkten Bürgertum und der Auffassung der Aufklärung, daß der Mensch mit seinem Verstand die Welt begreifen kann. Was der Verstand begreifen kann, ist nicht wichtig zu wissen, argumentierten die Romantiker; gerade was über den Verstand hinaus- 10 geht, ist das Entscheidende. Die Romantiker sahen die ganze Welt im Zusammenhang, in einer fortwährenden Entwicklung. Auch die Menschheit entwickelt sich zu einer höheren Stufe, und die Romantiker träumten von einer Religion und einer Gesellschaft der Zukunft, die sie schaffen wollten. Das waren kühne Ideen und Pläne, von denen sich nicht viel verwirklicht hat, 15 aber die Ideen sind bis heute noch wirksam.

Erstaunlich war, daß sich solche Ideen in so engen Verhältnissen entwickeln konnten. Das fiel besonders der französischen Schriftstellerin Germaine de Staël auf, als sie in den ersten Jahren des 19. Jahrhunderts durch Deutschland reiste und erstaunt diese neue deutsche Kultur entdeckte. Im Vergleich mit 20 Frankreich schien ihr das Land eine friedliche Idylle zu sein. Die Wirtschaft war rückständig; von Militär war — außer in Preußen — nicht viel die Rede; die Städte waren klein und ruhig; die Menschen beschäftigten sich mit Religion, Philosophie und Dichtung. So jedenfalls stellte sie es in ihrem vielgelesenen Buch „Deutschland" dar, in dem sie Deutschland das „Land der Dichter und 25 Denker" nennt.

Das traf schon damals nicht mehr ganz zu, und die Idylle bestand vor allem aus Enge und Armut und wenig politischer Freiheit. Finanzielle Schwierigkeiten waren das tägliche Brot, nicht nur der Bürger, sondern auch der Fürsten. Carl August von Sachsen-Weimar konnte den Professoren in Jena 30 kein ausreichendes Gehalt bezahlen, und so dauerte die Blütezeit der Universität nicht lange. Er gewährte viel Freiheit, und deshalb kamen so viele Dichter und Gelehrte in sein Land. Anderswo war die Zensur streng, und die Regierung duldete keine Meinungsfreiheit. Das Bürgertum war nirgendwo an der Regierung beteiligt. So ist es kein Wunder, daß 1789 viele der gebildeten 35 Deutschen die Französische Revolution begrüßten. Auch sie hatten Voltaire

74

und Rousseau gelesen; ihre Ideale waren denen der Franzosen ähnlich. Allerdings schienen ihnen die Methoden nicht immer richtig zu sein; die Deutschen erhofften sich mehr von friedlichen Reformen als von einer Revolution. Als die Franzosen ihren König Ludwig XVI. verurteilten und hinrichteten, wandten
5 sich in Deutschland die meisten Anhänger der neuen Ideen von der Französischen Revolution ab.

Die strenge Polizei und Zensur in den deutschen Ländern brachte es mit sich, daß sich die Kultur, besonders die Philosophie und Literatur, ganz verschieden entwickelte. Die katholischen Länder setzten der Aufklärung am
10 meisten Widerstand entgegen, und zur Zeit der Klassik und Romantik wurden in Wien erst die Ideen Gottscheds diskutiert. So konnte Wien nicht die kulturelle Hauptstadt Deutschlands werden. Es wurde nur die Hauptstadt der Musik. Hier entwickelte sich die neue Form der Kammermusik, die Sonate, die Symphonie als die herrschende Form der Orchestermusik und die neue Oper.
15 Der erste bekannte Komponist in Wien war Joseph Haydn (1732–1809). Christoph Willibald von Gluck (1714–1787) wurde zum Begründer einer neuen Oper. Das Genie der Wiener Musik wurde der in Salzburg geborene Wolfgang Amadeus Mozart (1756–1791), der in seinem kurzen Leben eine unvorstellbar große Zahl bedeutender Werke schuf, darunter die großen
20 Opern „Die Hochzeit des Figaro", „Don Juan" und „Die Zauberflöte". Nach Wien zog der in Bonn geborene Ludwig van Beethoven (1770–1827), der hier seine neun Symphonien und seine Oper „Fidelio" komponierte. In Wien entstand die musikalische Romantik, besonders mit dem Werk von Franz Schubert (1797–1828), der vor allem durch seine Lieder bekannt ist,
25 aber auch Symphonien und Kammermusik komponiert hat.

Rotkäppchen, Ludwig Richter

Napoleon und die Freiheitskriege

Seit 1789 stand die deutsche Idylle im Gegensatz zu den Kämpfen der Französischen Revolution und Napoleons, und die Ideen der deutschen Klassik und Romantik, ja selbst die Musik der Zeit bilden eine Auseinandersetzung mit diesen Ereignissen. Direkt berührt wurden die Deutschen jedoch erst durch die Kriege Napoleons gegen Österreich, die dazu führten, daß sich das 5 Deutsche Reich auflöste. 1806 dankte der Kaiser ab, und das Heilige Römische Reich deutscher Nation bestand nicht mehr. Das traf die Deutschen jedoch weniger als die Niederlage Preußens in dem Krieg gegen Frankreich 1806/7, wo es die härtesten Friedensbedingungen hinnehmen mußte und auf die Hälfte seines vorigen Umfangs reduziert wurde. Die Deutschen begannen 10 jetzt, unter „Vaterland" mehr zu verstehen als Preußen, Sachsen, Hessen-Nassau oder Schaumburg-Lippe. Sie begannen Deutschland nicht nur kulturell, sondern auch politisch als eine Einheit zu verstehen, und sie begannen auf ein neues Deutsches Reich zu hoffen. Sie besannen sich auf ihre gemeinsame Vergangenheit, und besonders die Romantiker wurden aus Weltbürgern 15 zu deutschen Patrioten, die gegen Frankreich kämpfen wollten. Die Dichter Achim von Arnim und Clemens Brentano sammelten Volkslieder, die sie in der Sammlung „Des Knaben Wunderhorn" veröffentlichten; die Brüder Grimm sammelten Volksmärchen; Sagen wurden gesammelt, und man begann die deutsche Geschichte, besonders das Mittelalter, zu erforschen. 20 Dieser neue Nationalismus des Bürgertums verband sich mit den fortschrittlichen liberalen Ideen, wie sie der Französischen Revolution entsprachen, und so versuchten die Deutschen, eine Verbindung ihrer alten Traditionen mit der modernen Zeit zu schaffen.

Die fortschrittlichen Nationalisten bekamen nach 1807 die Oberhand in 25 Preußen. Der bedeutendste Politiker dieser Richtung war der Reichsfreiherr Karl vom und zum Stein. Er stammte aus Nassau und war der Abkömmling eines Reichsrittergeschlechts mit souveränen Rechten. Er studierte Jura an der englisch beeinflußten Universität Göttingen und trat, angezogen von der großen Persönlichkeit Friedrich II., in den preußischen Staatsdienst ein. Doch 30 auch als preußischer Beamter fühlte er sich als ein freier Deutscher und nicht als ein Untertan des Königs. Freiherr vom Stein zeichnete sich als Finanz- und Wirtschaftsexperte aus. Er verwaltete die preußischen Teile Westfalens und

Johann Wolfgang von Goethe und Fritz von Stein

legte dort den Grund zur späteren Entwicklung des Ruhrgebiets. Er galt als unbequemer Beamter; doch wegen seiner hervorragenden Sachkenntnis wurde er zum Finanzminister ernannt. Bei der Katastrophe Preußens lebte er zurückgezogen in Nassau — seine Anschauungen unterschieden sich zu
5 sehr von denen der anderen Minister. 1807 jedoch war es klar, daß nur radikale Reformen Preußen retten und auf eine spätere Revanche vorbereiten konnten. Freiherr vom Stein wurde zum verantwortlichen Staatsminister berufen, und mit ihm andere vorher kaltgestellte Reformer: Scharnhorst und Gneisenau für die Armee, Wilhelm von Humboldt für das Schulwesen. Stein konnte
10 nur wenig mehr als ein Jahr als Minister tätig sein, da er zu offen gegen Napoleon konspirierte. In diesem einen Jahre leitete er die entscheidenden Reformen ein: Die Erbuntertänigkeit der Bauern wurde aufgehoben; die Städte erhielten Selbstverwaltung; die Verwaltung wurde modernisiert. Dazu kam größere Gewerbefreiheit, bürgerliche Gleichstellung der Juden
15 (1811) und die Reform des Schulwesens. Vorbildlich wurde die 1811 gegründete Universität Berlin, deren erster Rektor Fichte war, und die für eine Elite geplant wurde. Zu ihrem Lehrsystem gehörte die „akademische Freiheit": Freiheit des Forschens, Lehrens und Lernens. Nicht ausgeführt wurde Steins Plan einer Volksvertretung, also eines Parlaments.

Stein war kein Preuße, sondern ein deutscher Patriot. Er hoffte auf einen deutschen Einheitsstaat. Es gab einigen Grund zu dieser Hoffnung, denn viele deutsche Fürsten waren ja Verbündete Napoleons, und nachdem Napoleon 1813 bis 1815 in den Freiheitskriegen besiegt worden war, war zu erwarten, daß sie ihre Länder verlieren würden. Aber es kam anders. Auf dem Wiener Kongreß 1815, wo die europäische Landkarte und gleichfalls die deutsche Landkarte neu gestaltet wurde, wurden die meisten Fürsten wieder in ihre Rechte eingesetzt. Es gab kein Deutsches Reich, sondern nur einen „Deutschen Bund", einen Staatenbund von 39 souveränen Fürstenstaaten und Freien Städten. In diesem Deutschen Bund war Österreich die führende Macht, und der österreichische Staatskanzler Fürst Metternich, auch ein Reichsritter vom Rhein, die beherrschende Gestalt. Freiherr vom Stein schied 1815 aus der Politik aus. Reformer waren nicht mehr erwünscht. Die Fürsten, die vorher eine liberale Verfassung versprochen hatten, wollten sich jetzt nicht mehr daran erinnern. Nur wenige Fürsten hielten ihr Versprechen. Zu ihnen gehörte, außer den Herrschern der süddeutschen Staaten Bayern, Württemberg und Baden, wieder einmal Carl August von Sachsen-Weimar.

Auf die konfliktreiche Zeit der Französischen Revolution und der Befreiungskriege folgte die äußerlich ruhige Epoche der „Restauration". Das europäische Gleichgewicht war wie vor 1789; die Fürsten regierten; die Menschen schienen ruhig. Aber das täuschte. Die moderne Zeit ließ sich nicht aufhalten.

Karl Freiherr vom und zum Stein

VERGANGENHEIT

9 ∽ Der deutsche Nationalstaat

Zug des deutschen Parlaments nach der Paulskirche in Frankfurt a. M. am 18. Mai.

Das Wartburgfest

1817 war die dreihundertjährige Wiederkehr der Reformation Luthers. Luther wurde als Freiheitskämpfer gefeiert, und wenn die Deutschen den Namen „Luther" aussprachen, so dachten sie an die Gegenwart: an die Fürsten, die keine Verfassung geben wollten; an die Polizei, die jede politische Tätigkeit verfolgte; an die Zensur. Sie dachten daran, daß Deutschland immer noch kein einheitliches Reich geworden war. Die Studenten waren in Verbindungen zusammengefaßt, die „Burschenschaften" hießen; hier wurden diese Ideen besonders leidenschaftlich diskutiert. Viele dieser Studenten und ihre Professoren waren schließlich 1813 freiwillig in den Krieg gezogen! Anläßlich des Jubiläums der Reformation wollten die Studenten wenigstens demonstrieren, welche Gesinnung sie hatten. Die Studenten in Jena erhielten von Carl August die Erlaubnis, eine Feier auf der Wartburg zu veranstalten, wo Luther das Neue Testament übersetzt hatte. Nach Abschluß der offiziellen Feier zündeten die Studenten ein Feuer an und verbrannten Gegenstände, die den Militär- und Polizeistaat symbolisierten, und außerdem Bücher, die sie verabscheuten.

Diese Demonstration wurde zum Anlaß genommen, die studentischen Burschenschaften zu verbieten, die Universitäten streng zu beaufsichtigen, die Bücherzensur allgemein einzuführen, ja sogar das Turnen zu verbieten, das der „Turnvater" Ludwig Jahn nach 1807 in Berlin zur Stärkung der Jugend eingeführt hatte.

Bei einer solchen Unterdrückung der öffentlichen Meinung gab es viele Bürger, die sich ganz auf ihr Privatleben zurückzogen. Sie taten ihre Pflicht im Beruf; sie richteten ihre Wohnung schön ein, genossen die Natur, pflegten ihren Garten, gingen ins Wirtshaus und fanden sich mit Freunden in einem Verein zusammen, zum Beispiel in einem Gesangverein, wo Volkslieder und klassische Chorwerke gesungen wurden. Diese Haltung und Kultur wird „Biedermeier" genannt. Der Maler Carl Spitzweg (1808–1885) hat diese Lebensart mit hintergründigem Humor erfaßt. Biedermeier-Atmosphäre

Zeichnungen von Carl Spitzweg

haben auch die literarischen Werke der späten Romantik, wie die Novelle „Aus dem Leben eines Taugenichts" von Joseph von Eichendorff (1788–1857) oder die Gedichte von Eduard Mörike (1804–1875) aus Württemberg. Auf der anderen Seite gab es viele Dichter und Wissenschaftler, die sich nicht mit den
5 Zuständen in Deutschland zufrieden geben wollten und die für eine bessere Gesellschaft kämpften. Zu ihnen gehörte der Dramatiker Georg Büchner (1813–1837), der nach einem Revolutionsversuch aus Hessen fliehen mußte und mit 23 Jahren in der Emigration in Zürich starb. Die Schriftsteller dieser Richtung sammelten sich in der Gruppe „Das Junge Deutschland". Ihnen stand
10 Heinrich Heine (1797–1856) nahe. Heine spricht besonders eindrucksvoll das zwiespältige Lebensgefühl seiner Epoche aus. Die Mitglieder seiner Generation fühlten sich als Erben der Klassik und Romantik; aber sie waren sich darüber klar, daß sie nicht bloße Epigonen bleiben konnten, sondern neue Ideen, neue literarische Formen und ein neues Lebensgefühl ausdrücken mußten. Heine
15 fühlte diese „Zerrissenheit" besonders deutlich, da er Jude war und trotz der offiziellen Gleichberechtigung der Juden ein Außenseiter in der bürgerlichen Gesellschaft blieb, und da er später als Emigrant in Paris auch zwischen den Nationen stand. In seinen Gedichten, von denen das „Buch der Lieder" sehr großen Erfolg hatte, drückt Heine die Sehnsucht aus, in den romantischen
20 Gefühlen leben zu können — und die Gewißheit, daß das nicht mehr möglich sei, woraus seine Ironie entsteht. Seine Reisebücher beschreiben das Europa seiner Zeit und nehmen Stellung zu den Tagesfragen. Solche Urteile waren im damaligen Deutschland unerwünscht, so daß Heine emigrieren mußte. In den letzten Jahren seines Lebens, als er krank im Bett lag, entstanden seine be-
25 deutendsten Gedichte.

Industrie und soziale Probleme

1831 starb Hegel, 1832 Goethe. 1835 wurde die erste Eisenbahn in Deutschland, zwischen den Städten Nürnberg und Fürth, eröffnet. Heine sagte voraus, daß nun ein neues Zeitalter beginne. Das neue Zeitalter wurde zuerst in der Wirtschaft spürbar. Für die deutsche Industrie war die Frage der Verkehrswege
30 entscheidend wichtig. So war der Kampf um den Bau von Eisenbahnen ein Kampf um den Fortschritt der Industrie. Einer der Kämpfer für diesen Fortschritt war der Nationalökonom Friedrich List (1789–1846), der wegen seiner

Ideen als Professor in Tübingen abgesetzt wurde, als württembergischer Abgeordneter wegen „staatsfeindlicher Aufreizung" ins Gefängnis kam und nur befreit wurde, weil er versprach, in die USA auszuwandern. In Amerika kam er zu einigem Wohlstand, und 1830 kehrte er als amerikanischer Konsul nach Deutschland zurück, um seine Ideen zu verwirklichen. Er entwarf ein 5 deutsches Eisenbahnnetz, und er kämpfte um den Bau der Linie von Leipzig nach Dresden. Aber er hatte wenig unmittelbare Erfolge, und so nahm er sich selbst das Leben.

Daß eine moderne Wirtschaftspolitik nötig war, wurde von vielen deutschen Ländern eingesehen. Man mußte ja noch Zoll bezahlen, wenn man 10 von einem deutschen Staat in den anderen wollte. So betrieb Preußen ab 1818 eine deutsche Zollunion, die 1833 zum Deutschen Zollverein wurde, dem so wichtige Länder wie Bayern, Württemberg und Sachsen beitraten. Mit der Entwicklung der Industrie entstanden jedoch gleichzeitig soziale Probleme. Wie in anderen Ländern Europas vermehrte sich auch in Deutschland die 15 Bevölkerung während des 19. Jahrhunderts beträchtlich. Aus knapp 30 Millionen Menschen um 1800 wurden 65 Millionen um das Jahr 1900. Dabei ist noch zu berücksichtigen, daß viele Deutsche während des 19. Jahrhunderts auswanderten, weil sie in Deutschland keine Arbeit finden konnten. Die meisten von ihnen gingen in die USA, und es wird geschätzt, daß zwischen 20 1820 und 1930 6,5 Millionen Deutsche in die Vereinigten Staaten gekommen sind.

In Deutschland vergrößerten sich die Städte, denn die Industrie lockte viele Bauernsöhne und Landarbeiter an. Die Umstellung war jedoch sehr schwer. Obwohl die deutsche Industrie sich schnell, ja überstürzt entwickelte, 25 gab es nicht genug Arbeitsplätze. Die Fabrikanten zahlten niedrige Löhne, die Arbeitsstunden waren lang; nicht nur die Männer arbeiteten, auch Frauen und Kinder. Die Konkurrenz der Fabrikwaren, erst aus England, dann aus Deutschland, führte zu einer Krise in der deutschen Hausindustrie. In den gebirgigen Gegenden, wo die Menschen nicht von der Landwirtschaft allein 30 leben konnten, wie zum Beispiel in Schlesien, Thüringen und Württemberg,

82

hatten die Bewohner eine Hausindustrie entwickelt: Sie hatten zu Hause Linnen gesponnen, Stoffe gewebt, Spielzeug gebaut und Holzwaren, wie Kuckucksuhren, Möbel, und Musikinstrumente angefertigt. Die Fabrikwaren waren natürlich billiger, und so mußten sich auch diese Heimarbeiter umstellen und ihre Waren mit moderneren Methoden herstellen.

Die Entwicklung der Industrie führte daher zu Krisen. Die Menschen mußten sich fragen, ob die liberale Idee, daß unbeschränkte Freiheit von selbst zum Fortschritt und Wohlstand führen würde, richtig sei. Dabei kämpfte das liberale Bürgertum immer noch um diese Freiheit; es hatte sie noch nicht erreicht. Jedesmal wenn das Bürgertum in Frankreich einen Umsturz versuchte, versuchte das Bürgertum in Deutschland ihm zu folgen. Das geschah um 1830 und vor allem 1848 in einer unblutigen Revolution, die in allen größeren Orten Deutschlands zugleich begann. Es wurde eine Nationalversammlung nach Frankfurt am Main einberufen, die eine Verfassung ausarbeiten sollte, um ein neues Reich zu gründen. Diese Nationalversammlung, in der sich die geistige Elite Deutschlands zusammenfand, und die deshalb auch „Professorenparlament" genannt wurde, hat zwar 1848 und 1849 eine Verfassung ausgearbeitet, aber keine Macht besessen, sie zu verwirklichen. Die Fürsten waren noch immer zu stark. Die liberalen Regierungen in den Einzelstaaten wurden wieder durch konservative abgelöst, und es gab eine neue „Reaktion". Jedoch hatten sich in Frankfurt bereits Gruppen gebildet, die später zu politischen Parteien wurden: eine liberale Gruppe, eine konservative und eine Gruppe mit katholischen Interessen, die später das „Zentrum" hieß. Die liberale Opposition spielte nach 1848 in den einzelnen Ländern, ganz besonders in Preußen, eine entscheidende Rolle.

1848 waren zum ersten Mal in einem deutschen Land — in Sachsen — mehr Menschen in der Industrie beschäftigt als in der Landwirtschaft. 1848 veröffentlichte Karl Marx zusammen mit seinem Freunde Friedrich Engels „Das Kommunistische Manifest". Die Ungerechtigkeiten in der neuen Industriegesellschaft führten zu einer grundsätzlichen Kritik am liberalistischen Wirtschaftssystem, nämlich zum Sozialismus. Die Arbeiter begannen um ihre Gleichberechtigung zu kämpfen. 1847 gründete Marx in Brüssel als erste politische Organisation der Arbeiter den „Deutschen Arbeiter-Bildungsverein". Aus „Bildungsvereinen" wurden in den darauffolgenden Jahren Gewerkschaften und 1863 der „Allgemeine deutsche Arbeiterverein", die erste sozialistische Partei.

Karl Marx (1818–1883), der entscheidende Theoretiker des Sozialismus, verbrachte den größten Teil seines Lebens in der Emigration. Er stammte aus Trier und war Sohn eines Juristen, der vom Judentum zum Christentum übergetreten war. Marx studierte in Berlin, wo die Schüler Hegels ihn beeinflußten und ihn in die dialektische Methode einführten. Ludwig Feuerbach 5 (1804–1872), ebenfalls Schüler Hegels, beeinflußte ihn durch seinen Materialismus. Marx verwandelte die Philosophie aus einem Denksystem in eine geistige Waffe. Er wollte durch die Gedanken die Welt verändern. Nach seinem Exil in Brüssel und Paris und der Niederlage der Revolution von 1848 ging Marx nach London, wo er sich den Rest seines Lebens mit der Abfassung 10 seines Hauptwerkes „Das Kapital" beschäftigte und ebenso unermüdlich Anteil nahm an dem Aufbau der sozialistischen Parteien.

Der Sozialismus wollte den bürgerlichen Kapitalismus durch eine fortschrittlichere Idee überwinden, die soziale Gerechtigkeit und den Weltfrieden bringen sollte. Es gab jedoch auch konservative Gegner der Industriegesell- 15 schaft. Diese Gegner beklagten die Entwurzelung der Menschen in der Großstadt, wo jeder allein für sich lebt, wo er seine Tracht nicht mehr trägt, die alten Möbel nicht mehr behalten kann, kurz, alle seine Traditionen verliert. Diese Kritik führte zur Gründung von Heimatvereinen und zur Sammlung von Volksdichtung und Volksbräuchen, und sie gab der Landbevölkerung neues 20 Selbstvertrauen; aber sie führte auch zu einem Vorurteil gegen die Großstadt überhaupt. Die Stadt war böse, das Dorf hingegen gut. Die Kritiker dieser Richtung erkannten nicht, daß die Industrie eine Lebensnotwendigkeit für Deutschland war, und daß die Deutschen nicht mehr wie früher in einer landwirtschaftlichen Idylle leben konnten. Dabei spiegelten sich in diesen 25 Anschauungen die Schwierigkeiten, die die Menschen hatten, die vom Lande in die Stadt zogen.

Bismarcks Deutsches Reich

Das Deutsche Reich entstand nicht als Ergebnis einer Revolution, sondern durch die Politik des preußischen Ministerpräsidenten Otto von Bismarck.

Otto von Bismarck, 1815 geboren, aus einem alten Adelsgeschlecht, hatte 30 nach wilden Studentenjahren einsehen müssen, daß er nicht zum Beamten geeignet war. So wurde er Gutsbesitzer in Pommern und begann von hier aus

84

Helmuth von Moltke

Otto von Bismarck

eine Rolle im öffentlichen Leben zu spielen. Er vertrat konservative Ansichten,
trat aber 1848 für einen realpolitisch günstigen Kompromiß ein. Seine diplomatischen Fähigkeiten brachten ihm die Ernennung zum Vertreter Preußens
beim Bundestag in Frankfurt, später die Ernennung zum Gesandten in Rußland
5 und Frankreich. Bei seiner großen Begabung galt Bismarck als schwieriger
Mensch mit extremen Ansichten, und so berief ihn König Wilhelm I. 1862
nur deshalb zum Ministerpräsidenten, weil er keinen Ausweg aus seinem
Konflikt mit der liberalen Opposition sah. Bismarck löste den Konflikt mit
Gewalt, indem er die Verfassung brach. Er gewann sein gewagtes Spiel nur
10 deshalb, weil er entscheidende außenpolitische Erfolge hatte. Bismarck wollte
Deutschland unter Preußens Führung vereinigen. Dazu brauchte Preußen
eine moderne Armee, für die das Parlament nicht das Geld bewilligen wollte.
Die Regierung gab das nicht genehmigte Geld einfach aus, und Preußen
gewann 1864 zusammen mit Österreich den Krieg gegen Dänemark; 1866
15 besiegte es in einer einzigen Schlacht, bei Königgrätz, die österreichische
Armee. Bismarcks Glück war, daß die preußische Armee in ihrem Generalstabschef Helmuth von Moltke einen außergewöhnlichen Strategen hatte.
Bismarcks diplomatische Kunst bestand darin, jeden Kriegsgegner zu isolieren.
1866 trennte sich Österreich von Deutschland. Das Deutsche Reich umfaßte
20 nur „Kleindeutschland", das heißt die deutschen Gebiete ohne Österreich.
Bismarck bot Österreich so günstige Friedensbedingungen an, daß Deutschland

und Österreich sehr bald wieder Freunde werden konnten. Ähnlich verfuhr Bismarck in Deutschland selbst. Preußen annektierte in Norddeutschland und Mitteldeutschland Hannover, Hessen Nassau und die Freie Stadt Frankfurt; die anderen Länder jedoch, die mit Österreich verbündet waren, vor allem Sachsen, Bayern, Württemberg und Baden, schonte Bismarck. So kam es, 5 daß schon vier Jahre später, 1870, alle deutschen Länder zusammen gegen Frankreich in den Krieg zogen, und daß Österreich dabei neutral blieb. Kaiser Napoleon III. von Frankreich wollte verhindern, daß ein preußischer Prinz König von Spanien wurde. Als er das erreicht hatte, stellte er weitere Forderungen an den preußischen König, und Bismarck ließ es zu einer Beleidi- 10 gung kommen, um Grund zum Kriege zu haben. Die Deutschen besiegten Frankreich in einem kurzen Krieg 1870 bis 1871; im französischen Königs- schloß Versailles wurde König Wilhelm von Preußen von den deutschen Fürsten zum deutschen Kaiser ausgerufen. Napoleon III. verlor seinen Thron; Frankreich wurde Republik. Deutschland erhielt im Friedensvertrag Elsaß- 15 Lothringen, und zwar nicht nur die Teile mit deutschsprachiger Bevölkerung, sondern auch militärisch wichtige Orte, vor allem die Festung Metz. Bismarck war anderer Meinung; aber er mußte den Generälen nachgeben. So war also durch militärische Siege und Bismarcks Diplomatie ein neues deutsches Reich entstanden; der Traum der Deutschen war Wirklichkeit geworden. 20

Die verspätete Nation

Deutschland ist sehr viel später zu einem Nationalstaat geworden als die anderen europäischen Staaten. Wie in der Wirtschaft, so hatten die Deut- schen auch in der Politik das Gefühl, sie müßten viel nachholen. Sie fühlten sich selbst als eine „verspätete Nation". So läßt sich ein deutlicher Wechsel des Lebensgefühls aus der Zeit vor 1870 und der Zeit nach 1870 feststellen. 25 Für die Epoche zwischen 1848 und 1870 sind die realistischen Schriftsteller wie Theodor Storm, Wilhelm Raabe oder Theodor Fontane typisch, die den Menschen in seinen Grenzen zeigen und oft in einem Ton der Melancholie oder Resignation enden. Sie liebten die kleineren Formen wie die Novelle und wählten begrenzte Schauplätze. Ihr Stil war genau, sorgfältig, zurück- 30 haltend. Der Schweizer Gottfried Keller gehört auch zu ihnen, mit dem Unter- schied, daß er die Gesellschaft anders beschreibt und beurteilt.

86

Nach 1871 wurde großes Pathos wieder modern. Die Resignation machte dem Optimismus Platz. Es wurden nicht mehr Leiden, sondern Heldentaten der Menschen beschrieben. Nicht immer fragte man, ob dieses Pathos auch echt war. Richard Wagner dichtete und komponierte seine Opern, um ger-
5 manisches Heldentum lebendig zu machen; König Ludwig II. von Bayern wollte in seinen pompösen Schlössern das Bewußtsein der Herrscher des Mittelalters und des 17. Jahrhunderts wiederholen. Das Selbstbewußtsein der Menschen wuchs; sie bekamen Vertrauen in ihre Leistungsfähigkeit, und in der Tat: die Leistungen der deutschen Medizin, Technik und Naturwissen-
10 schaften waren beträchtlich.

Bismarck sah, daß diese neue und so dynamische Großmacht Deutschland das europäische Gleichgewicht erschüttern mußte. Er glaubte an dieses Gleichgewicht, und er sah mit großer Sorge in die Zukunft. Sein ganzes Streben war von jetzt an darauf gerichtet, den Frieden in Europa zu erhalten
15 und Deutschland vor einer Einkreisung, vor einem Zweifrontenkrieg zu bewahren. Er war der Überzeugung, daß Frankreich immer Deutschlands Feind bleiben würde. Deshalb bemühte sich Bismarck, Frankreich zu isolieren, um es an einer Revanche zu hindern. Er schloß Bündnisse mit verschiedenen Staaten, die untereinander keineswegs Freunde waren: mit Österreich, Italien,
20 Rußland, England. Er bemühte sich, die Eifersucht der älteren Großmächte zu vermeiden, indem er keine Kolonien erwarb — es nützte ihm nichts: ab 1884 übernahm das Reich mehrere Gebiete in Afrika und im Pazifik, die deutsche Kaufleute und Forscher erworben hatten. Immerhin gelang es Bismarck, das labile Gleichgewicht der Mächte zu erhalten und bei Konflikten
25 eine Vermittlerrolle zu spielen.

Innenpolitisch wurde Bismarck der Ausgleich schwerer. Obwohl die Mehrheit der Deutschen mit dem Reich einverstanden war, gab es viele Widerstände. Bismarcks Verfassung von 1871 war ein Kompromiß. Der

Bundesrat, das heißt die Versammlung der Fürsten, hatte die eigentliche gesetzgebende Macht. Daneben stand der Reichstag, ein Parlament, dessen Abgeordnete in freien, gleichen und geheimen Wahlen gewählt wurden. Die Reichsregierung war jedoch nicht dem Reichstag verantwortlich, sondern dem Kaiser. Der Reichskanzler wurde vom Kaiser ernannt und nicht vom 5 Parlament. Bismarck gehörte keiner politischen Partei an. Er arbeitete mit verschiedenen Parteien zusammen, am meisten mit den gemäßigten Liberalen und den gemäßigten Konservativen. Die Liberalen unterstützten ihn, als er die wirtschaftliche Freiheit durchsetzte und neue, einheitliche Gesetzbücher einführte; die Konservativen waren für seine Militärpolitik. Starker Wider- 10 stand erhob sich, als Bismarck die enge Verbindung zwischen Kirche und Staat lockern, vor allem die Einrichtungen der katholischen Kirche der Aufsicht des Staates unterstellen wollte. Bismarck führte die Zivilehe ein; er brachte das Schulwesen unter die Aufsicht des Staates; ja er wollte auch die Priesterausbildung beaufsichtigen. Das führte zu einer heftigen Opposition 15 des katholischen Teils Deutschlands und der katholischen Partei, des Zentrums. Der Streit, der „Kulturkampf" genannt wurde, weil es sich dabei um kulturelle Fragen handelte, war sehr bitter und zog sich lange hin. Bismarck mußte verschiedene Gesetze widerrufen und sich mit einem Kompromiß begnügen. Die Industrialisierung brachte ein neues Verhältnis von Adel und Bürgertum. 20 Es fand eine Annäherung, ja Vermischung des höheren Bürgertums mit dem Adel statt, so daß eine neue Oberschicht entstand, die sich mit dem Staat identifizierte. Die Gesellschaft war eine Klassengesellschaft, der deutsche Staat ein Obrigkeitsstaat. Deutschland war eine konstitutionelle Monarchie, in der viel Freiheit, Gerechtigkeit, Wohlstand und Aufstiegsmöglichkeiten vorhanden 25 waren; aber es war keine Demokratie. Der Reichstag hatte eine Opposition; doch diese Opposition konnte nie damit rechnen, selbst zur Regierung zu kommen. Der Reichstag kontrollierte nur die Finanzen, nicht die Politik der Regierung. Die staatlichen Organe begünstigten offen die Parteien, die der Regierung nahestanden, und sie behinderten die Opposition. Die Gegensätze 30 waren also scharf und oft stärker als die Gemeinsamkeiten.

Vor allem die Arbeiterklasse stand sozial und politisch im Gegensatz zum Bürgertum und Adel und damit zur Regierung. Bismarck versuchte, mit Ausnahmegesetzen die Arbeit der Sozialdemokratischen Partei und der Gewerkschaften zu behindern. Als das nichts nützte, versuchte er es mit einer 35 anderen Taktik: Er erfüllte einige Forderungen der Sozialisten, indem er ab

1881 eine Reihe von Sozialgesetzen erließ, Gesetze über Krankenversicherung, Unfallversicherung, Altersversorgung, Sonntagsruhe und Schutz für Frauen und Kinder. Mit diesen Gesetzen, von denen das letzte 1891 verabschiedet wurde, wurde Deutschland der erste Staat mit einer modernen Sozialgesetzgebung. Wenn Bismarck gedacht hatte, die Arbeiter würden jetzt nicht mehr sozialdemokratische Abgeordnete wählen, so hatte er sich getäuscht; aber da die Sozialdemokraten sahen, daß sie innerhalb des parlamentarischen Systems Reformen erreichen konnten, begannen sie ihren revolutionären in einen Reformsozialismus zu verändern.

Bismarck hielt mit seiner mächtigen Persönlichkeit das Reich zusammen. Kaiser Wilhelm I. unterstützte ihn dabei, so lange er lebte. Er starb 1888, und sein Sohn, Kaiser Friedrich III., war todkrank und starb bereits 100 Tage später. Ihm folgte der junge, hochbegabte, aber labile und unreife Wilhelm II. Er wollte selbst entscheiden und nicht mehr dem alten Kanzler folgen. 1890 nahm Bismarck seinen Abschied. „Der Lotse verläßt das Schiff", sagte damals eine weit verbreitete englische Karikatur.

Bismarck, nun zum Fürstenstand erhoben, zog sich auf sein Gut Friedrichsruh bei Hamburg zurück. Jetzt, nachdem er aus dem politischen Kampf ausgeschieden war, wurde er als „eiserner Kanzler" ein wirklicher Volksheld, dessen Bild überall im Wohnzimmer hing, von dem Anekdoten erfunden und erzählt wurden. Ähnlich wie König Friedrich II. wurde er fast eine Sagenfigur. Die Menschen pilgerten nach Friedrichsruh, und als er 1898 starb, herrschte allgemeine Trauer. Sein Reich und sein System des europäischen Gleichgewichts überlebten ihn nur noch 20 Jahre.

Schloss Neuschwanstein

10 ⌒ *Weltpolitik*

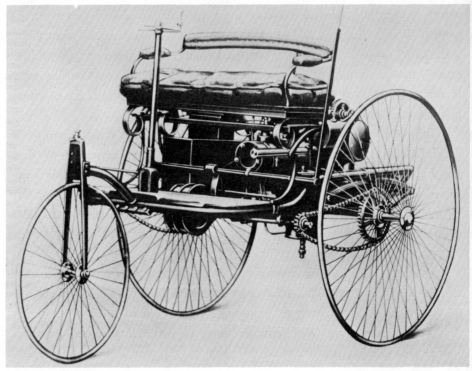

Benz Motorwagen, 1885

Made in Germany

Die 26 Jahre, die Kaiser Wilhelm II. bis zum Ausbruch des Ersten Weltkriegs regierte, gehören äußerlich zu den glanzvollsten Epochen der deutschen Geschichte. Jetzt wirkte sich die Industrie in wachsenden Wohlstand aus. Die Naturwissenschaften und die Technik hatten ihre große Zeit in Deutschland. Das Eisenbahnsystem war voll ausgebaut. Man benutzte Gas und dann Elektrizität 5 für immer neue Zwecke. Werner von Siemens in Berlin hatte viel zur Entwicklung der Elektroindustrie beigetragen. Die Erfinder verstanden es jetzt, ihre Ideen in die Praxis umzusetzen und Fabriken aufzubauen. So zum Beispiel der Handwerksmeister Carl Zeiß in Jena, der mit Hilfe des Professors Ernst Abbe optische Meßinstrumente verbesserte und so die Basis für die deutsche optische 10 Industrie schuf. Die Erfindung künstlicher, d.h. chemischer Farben trug zur

Entwicklung der deutschen chemischen Industrie bei. Carl Benz und Gottlieb Daimler konstruierten, unabhängig voneinander, einen Verbrennungsmotor, und Carl Benz gelang es 1886, mit einem solchen 1 PS-Motor einen Wagen zu bewegen. Dieses erste Auto steht heute im Deutschen Museum in München. Viele andere historische Automobile kann man im Museum der Daimler-Benz AG in Stuttgart besichtigen — die Fabrik, zu der diese Erfindung geführt hatte, baut heute die „Mercedes"-Wagen.

In ihrer Entwicklung mußte die deutsche Industrie eine schwierige Phase durchlaufen. Am Anfang wurden in Deutschland die damals führenden englischen Produkte nachgeahmt, und zwar billiger und schlechter. Das erregte den Zorn der englischen Wirtschaft, die verlangte, daß man ihre soliden Produkte von den deutschen Nachahmungen unterscheiden konnte. Die deutschen Produkte hatten daraufhin die Aufschrift zu tragen: Made in Germany. Jedoch bewies die deutsche Industrie bald, daß man aus einem Schimpfwort einen Ehrennamen machen kann. Nach kurzer Zeit wurde „Made in Germany" ein Zeichen für gute Qualität. In Deutschland zählte jetzt die Leistung, und man war ehrgeizig genug, es besser machen zu wollen als die anderen.

Gesellschaftskritik

Der erfolgreiche deutsche Bürger wurde zu einer beliebten Karikatur, die man heute noch oft genug findet. Der „typische Deutsche" war in dieser Zeit nicht mehr der weltfremde Dichter und Denker, sondern der Neureiche. Dieser Neureiche ißt Wurst und fettes Fleisch mit Sauerkraut, trinkt Unmengen Bier, ist sehr eingebildet, laut, humorlos und taktlos. Im Dienst oder Geschäft ist er stets korrekt gekleidet und handelt ebenso korrekt — bis zur Unmenschlichkeit. Außer Dienst will er nichts als „Gemütlichkeit" in Hemdsärmeln. Er ist sehr devot gegenüber seinem Vorgesetzten, dem Militär (und überhaupt jeder Uniform) und der Staatsgewalt. Seine Untergebenen beherrscht er wie ein Diktator. Widerspruch gibt es nicht. Zu seinen Untergebenen gehören auch Frau und Kinder. Sie haben zu schweigen und zu gehorchen. Als Lehrer beherrscht er ebenso die Schüler: Sie sitzen stramm auf ihrer Bank und reden nur, wenn sie gefragt werden. Dann aber springen sie auf wie der Blitz und reden laut und im ganzen Satz.

Das ist eine Karikatur, also eine Übertreibung. Doch daß jedenfalls um 1900 diese Karikatur der Wirklichkeit nahe kam, beweisen die vielen Satiren und ebenso verschiedene Reformbewegungen. Die Literatur hatte sich in der Richtung des Naturalismus endlich der Großstadt und den Problemen der Arbeiter zugewandt. Die jüngeren Schriftsteller sahen ein, daß das Leben in der Großstadt nicht schön sei, und ihnen wurde Wahrheit wichtiger als Schönheit und Trost. In Deutschland hat der Naturalismus selbst keine großen Werke hervorgebracht, doch er hat neue Ideen und Formen bekannt gemacht. Die bedeutenden Schriftsteller dieser Zeit haben alle vom Naturalismus gelernt. Das gilt besonders für den Dramatiker Gerhart Hauptmann (1862–1946), der die Konflikte von Menschen aus dem Volk ergreifend darzustellen verstand. Auch die Brüder Heinrich und Thomas Mann gingen in ihren Darstellungen des deutschen Bürgertums von den Voraussetzungen des Naturalismus aus. Heinrich Mann schuf mit seinem Roman „Der Untertan" die treffendste Satire der deutschen Gesellschaft um 1900. Oft dargestellt wurden die Verhältnisse an den deutschen Oberschulen. Die Erlebnisse im Gymnasium nehmen in Thomas Manns „Buddenbrooks" breiten Raum ein, und Heinrich Manns „Professor Unrat", später als „Der blaue Engel" verfilmt, machte den Typ des Schultyrannen weltbekannt.

Die Gesellschaft hatte ihre glanzvolle Fassade, einen zur Schau gestellten Optimismus und Reichtum — und dem standen Armut und ungelöste Konflikte gegenüber. Die großen Bauten der Zeit, durchweg in neuromanischem, neugotischem oder nachgeahmtem Renaissancestil, wirken inzwischen unecht und überladen. Die doppelte Moral der herrschenden Schichten wurde nicht nur von den Sozialisten angegriffen. Der Psychiater Siegmund Freud in Wien stellte fest, daß viele der seelischen Konflikte und Krankheiten seiner Patienten mit der bürgerlichen Moral zusammenhingen, die nicht nur unnatürlich war, sondern auch verbot, über viele Themen zu sprechen, so daß die Menschen mit sich selbst unehrlich wurden.

VERGANGENHEIT

Freud stellte ebenfalls fest, daß viele Konflikte aus der Kindheit stammen. Die Erziehung und der Gegensatz der Generationen bildeten ein Hauptthema dieser Zeit. Vielen jungen Leuten war die Lebensweise der Väter unerträglich; sie wollten sich nicht mehr der Diktatur des Vaters beugen, und sie wollten eigene Gruppen bilden. 1899 entstand in Berlin die erste Gruppe von "Wandervögeln", der viele andere folgten. Diese Wanderbewegung der Jugend, die in vielem den Pfadfindern ähnlich war, wird „Jugendbewegung" genannt und hat bis 1933 die junge Generation in Deutschland sehr beeinflußt.

Die jungen Leute wanderten; sie entdeckten die Natur; sie bauten sich Jugendherbergen; sie sangen Volkslieder zur Gitarre; sie fühlten sich als die kommende Elite einer neuen Gesellschaft. Sie hatten klare moralische und pädagogische Ideen; weniger klar waren ihre politischen Vorstellungen, zumal viele Jugendliche mit den bürgerlichen Konventionen und Einrichtungen wie der Bürokratie auch die moderne Welt der Industrie überhaupt ablehnten. Freiheit war die Hauptidee, und so war die Jugendbewegung immer in kleine Gruppen aufgespalten, deren Verbindung untereinander sehr locker war. Selten kam es zu gemeinsamen Aktionen und Demonstrationen; erst kurz vor 1933, als die nationalsozialistische Gefahr akut wurde, entstand eine festere Organisation.

Bedeutenden Einfluß hatte die Jugendbewegung auf die Pädagogik, wo sie mit anderen Reformideen zusammentraf. Die dadurch entstehende Reformpädagogik wollte aus dem Schultyrannen den Freund der Schüler machen; Lehrer und Schüler sollten zusammen eine Lerngemeinschaft bilden. Ein freier, dem einzelnen Schüler angepaßter Lehrplan sollte den Drill ersetzen. Die Schüler sollten nicht mehr auswendig lernen, sondern zu einem Verständnis der Probleme geführt werden. Im staatlichen Schulwesen in Deutschland setzten sich diese Ideen erst nach 1918 allmählich durch, jedoch gibt es private Gründungen aus der Zeit vorher, wie die Odenwaldschule, die die neuen Ideen ausprobierten und die bis heute ihre Anziehungskraft bewahrt haben.

Sehr stark war damals der Einfluß der Philosphie von Friedrich Nietzsche (1844–1900). Nietzsche stammte aus Thüringen. Er wurde sehr jung als Professor für griechische Sprache und Literatur an die Universität Basel berufen. Auch er träumte vom neuen deutschen Reich und nahm 1870 freiwillig als Krankenpfleger am Kriege teil. Aber das Reich Bismarcks entsprach nicht seinen Erwartungen, und seine Kritik an Deutschland wurde immer beißender. Er war ein empfindlicher, kranker Mensch, und er erkannte, wieviel in der Kultur und Lebensform seiner Zeit auf Schwäche, Ressentiment und Krankheit beruhte. Nietzsche pries dagegen die Lebenskraft, und in seinem Werk „Also sprach Zarathustra", das in einem biblischen Stil seine Philosophie enthält, schilderte er den „Übermenschen" der Zukunft; und dieser Über- 5 mensch, die „blonde Bestie", voll Vitalität und Willenskraft, machte großen Eindruck auf die Zeitgenossen. Ebenso beeindruckt waren die Menschen von Nietzsches Ruf „Gott ist tot!" und von seiner Prophezeiung des nihilistischen Zeitalters. Er schrieb in Aphorismen und in Hymnen; so war es leicht, einige Teile seiner Philosophie zu isolieren und für jeden beliebigen Zweck zu benut- 10 zen. Das taten besonders die Rassenideologen und Antisemiten; allen voran Nietzsches Schwester Elisabeth, die seine Werke herausgab und dabei manche judenfreundliche und antideutsche Bemerkung wegließ. Nietzsche fühlte sich mit Heine verwandt und hob die kulturelle Bedeutung der Juden hervor — er wurde dennoch zum Propheten der Antisemiten. Thomas Mann, der sich sein 15 Leben lang mit Nietzsche beschäftigt hat, hat in seinem Roman „Doktor Faustus" 1947 Nietzsche eine tiefe und ergreifende Würdigung gegeben.

Die Moderne

Nach 1900 begann sich der Lebensrhythmus schnell zu ändern. Die Autos traten an die Stelle der Pferdekutschen; das Flugzeug war erfunden. Nach dem Telefon und der Telegrafie wurde jetzt das Radio erfunden. Man begann, 20 Häuser aus Beton zu bauen. Die Entdeckung des Radiums, die Relativitätstheorie von Albert Einstein und die neuen Atomtheorien veränderten die Grundbegriffe der Naturwissenschaften. Bisher ungeahnte Möglichkeiten wurden sichtbar. Zugleich bekamen die Menschen ein Gefühl der Unsicherheit, der Entfremdung, der Bedrohung, ja der Angst. Die neue Zeit war ihnen 25 unheimlich wie ein Ungeheuer.

Die Kunst gestaltete sehr bald dieses neue Lebensgefühl. Nach 1910 stellte die Gruppe des „Blauen Reiters" in München, zu der Franz Marc, Wassily Kandinsky und Paul Klee gehörten, abstrakte Bilder aus. Arnold Schönberg entwickelte seine „Zwölftonmusik". Lyriker wie Georg Trakl und Georg 30 Heym schrieben rätselhafte Gedichte, die den Expressionismus einleiteten, und Franz Kafka schrieb seine ersten Geschichten.

94

Neue Kunstformen begannen aus den technischen Möglichkeiten zu entstehen, vor allem die Fotografie und der Film. Auf Schallplatten konnte man Musik und Stimmen von Menschen aufnehmen und aufbewahren. Die Technik drang also in die Kunst selbst ein.

5 Das Lebensgefühl kam einer Krise gleich. Man spürte die Bedrohung, man fühlte sich machtlos, ja passiv. Die Menschen sehnten sich nach der Möglichkeit der großen befreienden Tat. Die Luft war schwer und drückend; man erhoffte geradezu das gewaltige Unwetter, das die Atmosphäre reinigen sollte. So wirkte der Erste Weltkrieg 1914 zuerst wie eine Befreiung, und viele

10 Menschen zogen jubelnd in den Krieg. Sie opferten sich für ihr Land, ohne auch nur nach dem militärischen Wert des Opfers zu fragen. Erst allmählich wurden sie sich bewußt, daß die Kriegstechnik den Krieg völlig verändert hatte: Nicht mehr der persönliche Heldenmut entschied die Schlachten, sondern die technische Vorbereitung und das Kriegsmaterial.

Die große Krise

Kaiser Wilhelm II. war nicht die Persönlichkeit, die ein Land führen konnte, besonders in einer Zeit der Krise. Er war ein glänzender Redner; er wollte überall bewundert werden. Er trug gern prächtige Uniformen und reiste viel in der Welt herum. Es klingt wie ein Symbol seiner Herrschaft, wenn man daran denkt, daß er einen Geburtsfehler hatte, nämlich einen verkrüppelten 5 Arm, den er bei jedem öffentlichen Auftreten verstecken mußte. Er war sehr launenhaft und sagte viele Dinge, die politisch nicht zu verantworten waren. Da die Verfassung ihm sehr viel Macht gab und er das Staatsoberhaupt war, wurden seine Reden im Ausland ernst genommen und brachten Deutschland oft diplomatische Schwierigkeiten. Wilhelm II. hatte weder die Vorsicht noch 10 die klare außenpolitische Linie Bismarcks; er wollte „Weltpolitik" treiben. Damit verschlechterte er ständig Deutschlands Position in der Welt; das konnte man bei allen politischen Krisen ab 1900 bemerken. Als ab 1911 das Türkische Reich wiederholt besiegt wurde, erst von Italien in Libyen, dann auf dem Balkan, begann das europäische Staatensystem zu schwanken. Zwar hatten sich 15 die Diplomaten bereits an Krisen gewöhnt, und die Ermordung des österreichischen Thronfolgers in Sarajewo schien nichts Schlimmeres als die Kriege auf dem Balkan oder der Kampf um Marokko 1904 und 1911 — wo Deutschland gegenüber Frankreich nachgeben mußte — aber nun wollte niemand nachgeben, und plötzlich war im Sommer 1914 ein Weltkrieg ausgebrochen. 20

Der Weltkrieg enthüllte die Schwäche der russischen und der österreichischen Gesellschaft. Deutschland, Österreichs Verbündeter, schien hingegen siegreich zu bleiben. Die Deutschen drangen weit nach Frankreich vor, und sie siegten gegen die russische Armee. In Frankreich allerdings wurde der Krieg zu einem Stellungskrieg ohne entscheidende Schlachten. Neue Gegner 25 traten auf: Italien, Rumänien und schließlich die Vereinigten Staaten von Amerika. 1917 brach in Rußland die Revolution aus, und der Krieg an der Ostfront endete. Aber die Versuche, durch große Offensiven im Frühjahr 1918 in Frankreich eine Entscheidung zu erzielen, scheiterten. Im Herbst 1918 wurde es deutlich, daß Deutschland den Krieg militärisch nicht gewinnen konnte. 30

Die ganze Zeit während des Krieges hatte es Friedensversuche gegeben. In Deutschland war die öffentliche Meinung geteilt. Die Konservativen verlangten einen „Sieg-Frieden"; sie wollten noch weitere Gebiete Frankreichs annektieren. Die Liberalen und Sozialisten verlangten einen „Verständigungsfrieden", einen Frieden ohne Sieger und Besiegte. Die Opposition konnte sich aber nicht durchsetzen. Ja, nicht einmal die Zivilregierung traf die Entscheidungen, sondern die militärische Führung, besonders ab 1916, als Paul von Hindenburg Oberbefehlshaber wurde und Erich von Ludendorff sein Generalstabschef. Der Kaiser trat in den Hintergrund. Die Regierung näherte sich dem Reichstag, und es wurden die ersten Schritte zu einer Verfassungsreform unternommen, die dem Reichstag mehr Macht geben sollte. Doch die Reformen kamen zu spät. Als 1918 der Krieg verloren war, streikten die Matrosen auf den deutschen Kriegsschiffen. Überall bildeten sich Arbeiter- und Soldatenräte, wie es in Rußland der Fall gewesen war. Der Kaiser mußte abdanken. Der Sozialdemokrat Philipp Scheidemann rief in Berlin die Republik aus. Die Monarchie in Deutschland hatte zu spät an Reformen gedacht und mußte nun verschwinden. Dem Kaiser folgten die Landesfürsten. Unerwartet fiel also plötzlich der Opposition, den Sozialdemokraten vor allem, die Macht in die Hände. Und als der letzte Kanzler des Kaisers, Prinz Max von Baden, am 9. November 1918, dem Vorsitzenden der Sozialdemokratischen Partei, Friedrich Ebert, die Regierung übergab und ihn mit bewegten Worten bat, Deutschland zu erhalten, konnte Ebert antworten, daß er ein ebenso guter Patriot war wie die Fürsten und daß zwei seiner Söhne für Deutschland gefallen waren. Ebert hat sein Versprechen gehalten und die Einheit des Reiches bewahrt.

Paul von Hindenburg

97

Die Nationalversammlung

Die SPD war 1918 nicht mehr die revolutionäre Massenpartei, die sie früher gewesen war. Sie hatte sich in die „Mehrheitssozialisten" unter Eberts Führung, die „Unabhängige Sozialdemokratische Partei Deutschlands" (USPD)
5 und die Kommunistische Partei Deutschlands (KPD) gespalten. Die SPD erstrebte eine neue Gesellschaftsordnung und soziale Reformen; aber sie wollte die parlamentarische Demokratie erhalten und den Willen der Mehrheit des Volkes respektieren. Ebert ließ eine Nationalversammlung wählen, die die Verfassung ausarbeiten sollte. Die Nationalversammlung tagte 1919 in Weimar,
10 und die neue Verfassung des Reiches wurde deshalb oft „Weimarer Verfassung" genannt. „Weimar" bedeutete gleichfalls die geistige Tradition Deutschlands im Sinne Goethes und Schillers; es bedeutete Humanität und Freiheit.

Die Weimarer Verfassung bemühte sich um möglichst viel Freiheit und Gerechtigkeit. Das Wahlsystem war bisher sehr ungerecht gewesen, denn die
15 Wahlkreise waren verschieden groß. So wurde jetzt das Verhältniswahlrecht eingeführt, so daß jede Partei genau die Zahl der Sitze im Parlament bekam, die der Zahl der Stimmen entsprach. Die Regierung war jetzt dem Parlament verantwortlich. Um die Rechte des einzelnen Menschen zu garantieren, enthielt die Verfassung die Grundrechte. Die Macht des Reichspräsidenten,
20 der an die Stelle des Kaisers trat, war zwar begrenzt, aber immer noch sehr groß. Vor allem konnte der Reichspräsident in Notzeiten das Parlament zeitweise ausschalten und mit „Notverordnungen" regieren.

Es war nicht nur die Tradition der deutschen Klassik, die die National-versammlung nach Weimar brachte. Das Land war in Unordnung. Kom-
25 munisten und Rechtsradikale versuchten Aufstände. In Berlin konnte eine Nationalversammlung nicht ruhig und sicher tagen. Die Idee der „Notver-ordnung" entsprach der Zeit, aus der die Verfassung geboren wurde. Um die Ordnung zu erhalten, verbündete sich die Regierung mit der Armee. Die Armee sorgte für die Ordnung in Deutschland; aber sie tat es nicht, weil sie
30 die Republik schützen wollte. Im Gegenteil, die Offiziere und Generäle der Armee dachten in der Mehrzahl monarchistisch. Sie lebten in der militärischen Tradition Preußens, die in der Soldatenstadt Potsdam bei Berlin entstanden war und jetzt mit dem Wort „Potsdam" bezeichnet wurde. So war die Armee geneigt, gegen kommunistische Revolutionäre viel schärfer vorzugehen als

gegen rechtsradikale. Das zeigte sich bei der sinnlosen Ermordung der Kommunistenführer Rosa Luxemburg und Ernst Liebknecht. Das zeigte sich ebenfalls, als 1920 die Armee bei dem rechtsradikalen „Kapp-Putsch" in Berlin nicht eingriff. Die Republik wurde durch einen Generalstreik der Arbeiter und Angestellten gerettet. Das Bündnis der Sozialdemokraten mit 5 der Armee war ein Bündnis ungleicher Partner, und es zeigte, wie viele Menschen und Einrichtungen es in Deutschland gab, die die neue Staatsform grundsätzlich ablehnten.

Gustav Stresemann

Die Inflation

Die Gegner der Republik hatten es nicht schwer, die Schwächen des Systems zu zeigen. Das Verhältniswahlsystem brachte viele kleine Parteien 10 in den Reichstag. Es gab nie klare Mehrheiten, und alle Regierungen von 1919 bis 1933 waren Koalitionsregierungen, die stets in Gefahr waren, wegen kleiner Meinungsverschiedenheiten auseinanderzubrechen. Außerdem hatte Deutschland den Krieg verloren. Die Deutschen setzten große Hoffnungen auf die „14 Punkte" des amerikanischen Präsidenten Wilson. Aber bei den 15 Friedensverhandlungen in Versailles gab es Gleichberechtigung und Selbstbestimmung nur für die Sieger, nicht für die Besiegten. In Osteuropa wurden auf dem Gebiete von Rußland und Österreich neue Staaten gebildet: Estland, Lettland, Litauen, Polen, die Tschechoslowakei, Jugoslawien, Ungarn. Es wurden Abstimmungen abgehalten, welche deutschen Gebiete sich Dänemark 20 oder Polen anschließen wollten, doch Danzig durfte nicht deutsch bleiben, und den Deutsch-Österreichern wurde verboten, sich an Deutschland anzuschließen. Die Deutschen wurden als „schuldig" am Ersten Weltkrieg erklärt, und sie mußten Reparationen zahlen. Die deutschen Kolonien und bisher türkische Gebiete wurden als „Mandate" anderen Staaten, vor allem England 25 und Frankreich, übergeben. Die Friedensbedingungen waren also für Deutschland sehr hart und entwürdigend, und der Versailler Friede hieß in Deutschland nur das „Friedensdiktat". Revanche für Versailles wurde in den rechtsgerichteten Kreisen der erste Programmpunkt.

Die deutsche Armee durfte nicht mehr als 100.000 Mann haben. Schwere 30

100

Waffen, Flugzeuge und große Kriegsschiffe waren verboten. So erprobte die deutsche Armee verbotene Waffen insgeheim in der Sowjetunion, und neben der regulären gab es auch eine „schwarze" Reichswehr. Außerdem zogen „Freikorps" durch das Land, Söldnertruppen, die dort kämpften, wo es Krieg

5 gab: in den baltischen Staaten, an der deutsch-polnischen Grenze, innerhalb Deutschlands gegen die Kommunisten. Diese ehemaligen Soldaten fanden nicht mehr den Weg zurück ins Zivilleben und schon gar nicht in einen demokratischen Staat; so wurden sie militärische Abenteurer, die immer dort waren, wo es Unruhen gab.

10 Schwierigkeiten hatte auch die deutsche Wirtschaft. Sie verlor durch den Frieden alle ihre Patente, und sie wurde auf dem Weltmarkt diskriminiert. Gerade jetzt aber war der Export wichtig; denn Deutschland sollte ja Reparationen bezahlen. Deutschland hatte jedoch viele Rohstoffe verloren, sowohl in den Kolonien als auch in den verlorenen deutschen Provinzen wie Elsaß-

15 Lothringen und Oberschlesien. Industriewaren waren nicht erwünscht, also konnte Deutschland die Reparationen nicht zahlen. Außerdem kam die deutsche Wirtschaft nicht in Gang. Der deutsche Staat konnte weder die Kriegsschulden in Deutschland noch Reparationen zahlen, und so verlor die deutsche Reichsmark an Wert. Die Inflation stieg bis zu grotesken Höhen,

20 als 1923 die Franzosen, die sowieso Westdeutschland bis zum Rhein besetzt hatten, als Sanktion für nicht bezahlte Reparationen das Ruhrgebiet besetzten. Eine „Separatistenbewegung" versuchte das Rheinland vom Reich zu trennen. Die Reichsregierung versuchte die Franzosen durch einen „passiven Widerstand" zum Abzug zu zwingen. Das Geld verlor täglich an Wert; die Menschen

25 rannten in die Läden, um noch Waren zu ergattern. Der deutsche Mittelstand verlor sein Vermögen; viele kleine Firmen gingen zugrunde; nur die Großindustrie hielt sich, ja sie wurde dabei ihre Schulden los.

In der höchsten Not berief Reichspräsident Ebert einen neuen Reichskanzler, den bedeutendsten Politiker dieser Epoche, Gustav Stresemann. Es

30 gelang Stresemann in kurzer Zeit, die wichtigsten Maßnahmen einzuleiten: die Einführung einer neuen Währung, Ruhe und Ordnung, Verständigung mit Frankreich. Am 1. Januar 1924 wurde die deutsche Reichsmark im Verhältnis 1:1 Billion abgewertet. Als neue Währung wurde die „Rentenmark" eingeführt. Jetzt hörte die Zeit der Gewalt und Unordnung, der Revolution

35 und Putschversuche auf; es begann eine zweite Periode der Ruhe und relativer Stabilität.

Locarno

Stresemann blieb bis zu seinem Tod im Jahre 1929 Deutschlands Außenminister. Stresemann bemühte sich um eine Verständigung mit Frankreich.
Er akzeptierte im Westen die in Versailles geschaffenen Tatsachen und erkannte
die neuen Grenzen an. Frankreich hingegen verzichtete auf weitere Gewaltakte,
wie die Besetzung des Ruhrgebiets und zog seine Truppen vorzeitig vom 5
linken Rheinufer zurück. Deutschland wurde als Mitglied in den Völkerbund
aufgenommen, und neue Abmachungen über die Reparationszahlungen
wurden erreicht. Der Höhepunkt dieser Verständigungspolitik war der
Vertrag von Locarno 1926. Jetzt schien eine Epoche der Verständigung, ja der
Freundschaft, anzubrechen. Die Deutschen und Franzosen bemühten sich, ihre 10
Feindschaft zu überwinden.

Die internationale Anerkennung machte Deutschland wieder kreditfähig.
Die deutschen Länder und Gemeinden brauchten viel Geld. Sie wollten nicht
nur nachholen, was seit 1914 liegen geblieben war, sondern viele ehrgeizige
Pläne verwirklichen: neue Straßen für den modernen Verkehr, neue Schulen 15
für die neuen pädagogischen Methoden, Arbeitersiedlungen, Ferienheime,
Altersheime. Sie wollten die alten Städte sanieren und die Industrie unterstützen,
um die Arbeitslosigkeit zu beseitigen.

Das waren große Pläne für ein so armes Land wie Deutschland; doch die
Länder und Gemeinden borgten in ihrem Optimismus viel Geld, besonders 20
aus den USA. Während sich die Sozialdemokraten in der Reichspolitik nur
selten durchsetzen konnten, hatten sie in vielen Ländern und Städten die
Mehrheit und konnten ihre kulturpolitischen und sozialpolitischen Pläne
durchführen. Damit versöhnten sie zwar nicht die Gegner der Politik; aber sie
schafften eine größere Stabilität. Wie wenig Vertrauen die Deutschen zu 25
ihrer Republik hatten, zeigte sich 1925, als Reichspräsident Ebert starb und
Generalfeldmarschall Paul von Hindenburg zu seinem Nachfolger gewählt
wurde. Hindenburg war gewiß kein Demokrat, und er stand der Republik
und der parlamentarischen Regierungsform fern. Jedoch versuchte er mit
preußischer Pflichttreue sein Amt zu verwalten, und damit enttäuschte er 30
vorerst die Gegner der Republik, die gehofft hatten, er würde helfen, die
Monarchie wieder einzuführen. Konnte jedoch ein so alter Mann das richtige
Staatsoberhaupt in einer Krise sein?

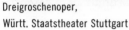

Dreigroschenoper,
Württ. Staatstheater Stuttgart

Die Goldenen Zwanziger Jahre

Kulturell war die Zeit zwischen 1918 und 1933 eine der interessantesten Epochen in Deutschland. Im Rückblick ist deshalb die Bezeichnung „Die Goldenen Zwanziger Jahre" üblich geworden. Bei den vielen politischen und wirtschaftlichen Schwierigkeiten ist die Bezeichnung „golden" eher problema-
5 tisch. Doch die politische Freiheit begünstigte die kühnen und großartigen Experimente, die damals versucht wurden. Im Theater setzte sich die Glanzzeit von vor 1914 fort, ja sie gipfelte jetzt in vielen neuen Ideen im Zeichen des Expressionismus, die auch auf die neue Kunst, den Film, übertragen wurden. Die Theaterkultur kam gleichfalls dem Rundfunk zugute, der ab 1923 ein
10 regelmäßiges Programm sendete und der im Hörspiel eine eigene literarische Form entwickelte. Auch die Schriftsteller experimentierten mit den Formen, mit den Themen, ja mit der Sprache selbst. Sie wollten in ihren Dichtungen das neue Lebensgefühl des Menschen in der Großstadt ausdrücken, und sie wollten Visionen einer besseren Zukunft und eines neuen Menschen geben. In
15 den späteren Zwanziger Jahren wandten sich viele Schriftsteller mehr der Gegenwart zu und nahmen Stellung zu politischen und sozialen Fragen. Alfred Döblin schrieb seinen Roman „Berlin Alexanderplatz"; Thomas Manns „Zauberberg" wurde ein unerwartet großer Erfolg; Bert Brecht gewann durch seine „Dreigroschenoper" Weltruhm. Carl Zuckmayer schrieb in seiner
20 Komödie „Der Hauptmann von Köpenick" eine Satire auf den deutschen Polizeistaat; Erich Kästner schilderte im Roman „Fabian" die moralische Unordnung seiner Zeit und in seinen Gedichten die Lächerlichkeiten des Bürgertums.

Nicht nur die Literatur suchte nach neuen Formen. Die Architektur entdeckte die vielen Möglichkeiten des Betonbaus. Die bildenden Künste fanden einen Mittelpunkt im „Bauhaus", einer Schule für alle bildenden Künste; nicht nur Malerei, Bildhauerei, Architektur, sondern auch Industrieform, Weben, Drucken, Innenarchitektur, Möbelherstellung. Das Bauhaus 5 betonte den Zusammenhang von Handwerk und Kunst; es bemühte sich um klare, funktionelle Formen und bekämpfte alle überflüssigen Dekorationen. Das Bauhaus hatte viele Gegner, bereits in den Zwanziger Jahren, und so mußte es von Weimar nach Dessau umziehen, und schließlich nach Berlin, wo es 1933 aufgelöst wurde. Seine Architekten wie Gropius und Mies van 10 der Rohe emigrierten, ebenso Maler wie Klee und Kandinsky; sie verbreiteten die Ideen und Stilvorstellungen des Bauhauses in der ganzen Welt.

Die Tiefenpsychologie Freuds wurde jetzt angewandt und weiter entwickelt; in der Philosophie begründeten Karl Jaspers und Martin Heidegger mit dem Existenzialismus eine neue Denkrichtung, die erst viel später, auf 15 dem Wege über Frankreich, in das allgemeine Bewußtsein dringen sollte. In der Physik entwickelte Max Planck seine Quantentheorie, und seine Schüler waren auf dem Wege zu entscheidenden Fortschritten in der Atomphysik. Überall war eine starke Dynamik zu spüren.

Als ab 1930 in Deutschland die wirtschaftliche und politische Krise 20 begann, mußten die Künstler und Wissenschaftler Partei ergreifen. Die Mehrzahl von ihnen hat nach 1933 Deutschland verlassen und anderswo, vor allem in den USA, eine neue Heimat gefunden. Man könnte sagen, daß zwischen 1941 und 1945 Los Angeles der eigentliche Mittelpunkt der deutschen Literatur war, wo Heinrich und Thomas Mann, Franz Werfel, Alfred Döblin, 25 Bert Brecht und viele andere Schriftsteller lebten. In den bildenden Künsten, wo die Sprachgrenze nicht entscheidend war, hat die Emigration der Welt viele Anregungen und neue Ideen gebracht. Viel schwerer hatten es die Schriftsteller und Theaterleute. Auch der größte deutsche Regisseur, Max Reinhardt, hat in den USA nur ein begrenztes Tätigkeitsfeld gefunden. 30

Mit dieser Emigration ist in Deutschland eine kulturelle Tradition abgebrochen. Alle Versuche, nach 1945 an die „Goldenen Zwanziger Jahre" wieder anzuknüpfen, waren umsonst. Die heutige deutsche Kultur mußte sich neu und aus anderen Voraussetzungen entwickeln.

Das Ende der Republik

Als die amerikanischen Kredite gekündigt wurden, begann auch in Deutschland eine Wirtschaftskrise. Politisch blieb das Land bis 1930 verhältnismäßig ruhig, da die Parteien eine „große Koalition" gebildet hatten, um eine stärkere Regierung zu bekommen. 1930 fiel diese Koalition auseinander, 5 und es gab keinen Staatsmann, der wie Ebert und Stresemann fähig gewesen wäre, die Krise zu meistern. Bei den Reichstagswahlen von 1930 errangen die radikalen Parteien große Erfolge, und zwar außer den Kommunisten vor allem die Nationalsozialisten, Hitlers Partei, die bis dahin im Reichstag eine unbedeutende Splittergruppe gewesen war. Hitlers Ziel war es, zu zeigen, daß 10 das parlamentarische System schlecht war. Die politischen Auseinandersetzungen wurden zu Straßenkämpfen und Saalschlachten; die Regierung hatte Mühe, sich gegen den Terror von links und rechts durchzusetzen. Die Republik mußte um ihre Existenz kämpfen. Die nationalsozialistische Fraktion im Reichstag stimmte gewöhnlich gegen die Gesetze, aber brachte selbst keine 15 positiven Vorschläge; ähnlich machten es oft die Kommunisten, und so entstanden „negative Mehrheiten", nämlich Mehrheiten, um ein Gesetz abzulehnen, aber ohne eine positive Alternative. Der Reichskanzler Heinrich Brüning von der Zentrumspartei konnte daher nur mit Notverordnungen regieren. Da der Reichspräsident die Notverordnungen erlassen mußte, wurde Hinden- 20 burg zu einer entscheidenden Figur. 1932 war seine Amtszeit zuende, und er schien der einzige, der eine Wahl Hitlers verhindern konnte, also unterstützten alle demokratischen Parteien von den Sozialdemokraten bis zu den Konservativen seine Wiederwahl. Hindenburg wurde in zwei Wahlgängen wiedergewählt.

Die Wirtschaftskrise dauerte immer noch an. Die Wirtschaftsexperten 25 konnten zwar 1932 sehen, daß sich die Lage bessern würde; doch das Volk merkte noch nichts davon. 7 Millionen Arbeitslose saßen untätig herum, die jungen Menschen hatten keinerlei Berufsaussichten. Sie verloren die Hoffnung, und sie verloren das Vertrauen zur Republik. Sie hatten das Gefühl, daß die Gesellschaft geändert werden mußte, und so schlossen sich viele, besonders 30 junge Leute den Kommunisten an, oder aber den Nationalsozialisten; also den Parteien, die eine radikale Änderung versprachen.

Kurz nach seiner Wiederwahl entließ der Reichspräsident seinen Kanzler Brüning. Damit begann das letzte und turbulenteste Jahr der Republik. Hindenburg stützte sich jetzt auf die Konservativen, die seinen Anschauungen am nächsten standen. Aber sie waren noch weniger imstande die Krise zu meistern als Brüning. Es gab mehrere Reichstagswahlen kurz hintereinander. Dabei wurden die Nationalsozialisten zur stärksten Reichstagsfraktion. Hitler hatte nicht nur die unzufriedenen Massen hinter sich; er verstand auch, einen modernen Wahlkampf zu organisieren. Viele der konservativen Politiker und 5 Industriellen, die mit manchen seiner Ideen übereinstimmten, begannen jetzt zu denken, es sei besser, Hitler in die Regierung aufzunehmen, um seine laute Opposition loszuwerden. Nur dann konnte man hoffen, wieder Ruhe und Ordnung im Lande zu bekommen. Außerdem, so hoffte man, würde der wilde Hitler sich beruhigen, wenn er einmal in der Regierung sei und Verant- 10 wortung zu tragen habe. Obendrein wußten die Konservativen die Armee auf ihrer Seite. Gemeinsam, durch ihre Politiker, Industriellen, Generäle und mit der Hilfe des Reichspräsidenten wollten die Konservativen Hitler kontrollieren. Er sollte das tun, was sie nicht konnten, nämlich das Volk beruhigen, und im übrigen ihre Politik ausführen. Diese konservative Richtung, deren Partei die 15 Deutschnationale Volkspartei war, erstrebte einen autoritären Staat mit einer aristokratischen Herrschaft, soweit ihre Anhänger nicht einfach die Monarchie wiederherstellen wollten.

Hitler durchschaute die Ziele seiner konservativen Partner, und er nutzte sie aus. Er merkte, wie wenige der Politiker die Weimarer Republik ernsthaft 20 verteidigten. Er sagte und schrieb ja immer wieder, daß er das parlamentarische System zerstören wollte, und trotzdem suchte man die Koalition mit ihm. So fühlte er sich ermutigt, die Verfassung umzustoßen.

Hindenburg sträubte sich längere Zeit, Hitler als Reichskanzler zu berufen. Endlich jedoch, am 30. Januar 1933, übernahm Hitler als Reichskanzler in einer 25 Koalitionsregierung mit den Deutschnationalen die Regierung. Kaum war er an der Macht, da kümmerte er sich um seine Partner überhaupt nicht mehr. Alfred Hugenberg, der Führer der Deutschnationalen, trat nach wenigen Monaten als Minister zurück; Franz von Papen, der zweite prominente Konservative, verlor schnell alle Macht und wurde als Botschafter kaltgestellt. Die Armee 30 setzte sich nicht gegen Hitler durch. Hindenburg starb bereits 1934. Die Konservativen hatten Hitler zur Macht verholfen; aber sie hatten nicht erwartet, daß er in wenigen Monaten eine Diktatur errichten konnte, in der sie selbst machtlos waren. So mußten die Konservativen den bitteren Weg von der erträumten Macht zur illegalen Opposition gehen. Unter den Verschwörern des 20. Juli 35 1944 waren neben Liberalen, Christen und Sozialisten auch Konservative.

12 ⌐ Der Nationalsozialismus

Adolf Hitler

Adolf Hitler, Deutschlands „Führer", wurde 1889 in Braunau am Inn als Sohn eines österreichischen Zollbeamten geboren. Hitlers Vater war der uneheliche Sohn einer Bauernmagd gewesen; er hatte sich mit bemerkenswerter Energie und Intelligenz zum mittleren Beamten und zu einigem Wohlstand hochgearbeitet. Dabei half ihm, daß er seinen mütterlichen Namen Schickelgruber in den seines vermutlichen Vaters Hitler umändern konnte. Er heiratete dreimal; sein Sohn Adolf stammte aus der letzten Ehe. Adolf war ein guter Schüler, bis er auf das Gymnasium in Linz kam, wo der Vater nach seiner Pensionierung lebte. Hier blieb er in der Schule sitzen und mußte schließlich die Schule verlassen. Inzwischen war sein Vater gestorben, und seine Mutter ließ ihm die Freiheit, nichts zu tun als von gigantischen Opern im Stil Richard Wagners und von gewaltigen Städtebauten zu träumen. Adolf Hitler bewarb sich an der Kunstakademie in Wien; aber er wurde abgewiesen. Er hatte das Ziel, Architekt zu werden, doch dafür fehlte ihm die Schulbildung. Also blieb er in Wien, ohne einen Beruf zu erlernen. Er lebte erst vom Erbteil seiner Familie, dann, als das Geld seiner Mutter und seiner Tante zuende war, geriet er in Not. Er malte Ansichtspostkarten, die von jüdischen Händlern verkauft wurden. Er mußte längere Zeit in einem „Männerheim" wohnen. In seinem Buch „Mein Kampf" hat er später diese Notzeit dramatisch, wenn auch nicht ganz wahrheitsgetreu geschildert.

In seiner Wiener Zeit las Hitler sehr viel, und zwar besonders Broschüren, die damals von politischen Agitatoren verteilt wurden. Zum Beispiel gab es einen Mann, der sich Lanz von Liebenfels nannte, auf einer Burg wohnte und von blonden und blauäugigen Ariern träumte — solche Schriften haben Hitler beeindruckt. Er bildete sich seine eigene Weltanschauung. Alle Kultur, alles Wertvolle und Positive sei von nordischen Ariern geschaffen worden. Der Todfeind der Arier sei das Judentum, das die Weltherrschaft anstrebe und die Arier vernichten wolle. Die Juden seien eine negative, zersetzende Rasse. In der Zukunft werde es einen entscheidenden Kampf zwischen den arischen Lichtmenschen und den jüdischen Untermenschen geben. Die Arier seien heroisch; sie liebten Kampf, Krieg und Tod; sie kämpften um ihre Ehre. Die Arier bildeten Gemeinschaften, die aus Führer und Gefolgschaft bestehen. Die Führer seien Ausnahmemenschen und die Massen, die Gefolgsleute seien

108

verpflichtet, ihnen blind zu folgen. Ihre höchsten Tugenden seien Treue und Gehorsam. Unsere Zeit sei dekadent, und die nordische Rasse habe sich mit anderen Rassen gemischt. Das müsse geändert werden. Die neue Elite der Arier sei bewußt auszuwählen, ja zu züchten. Hitler selbst war keineswegs
5 groß, blond und blauäugig, doch er hielt sich ohne Zweifel für den von der Vorsehung auserwählten Führer, der die Arier zur Weltherrschaft führen und die Juden vernichten sollte.

Hitler wollte dem österreichischen Militärdienst entgehen, und so zog er 1911 nach München. 1914 jedoch, als der Weltkrieg ausbrach, wurde auch
10 Hitler von der großen Begeisterung ergriffen; er wurde als Freiwilliger in ein bayerisches Regiment aufgenommen. Unter den Soldaten war er ein Einzelgänger, verschlossen, humorlos. Er war tapfer und bekam das Eiserne Kreuz 1. Klasse. Führungseigenschaften besaß er wohl nicht, denn er wurde nur Gefreiter, nicht einmal Unteroffizier. Bei Kriegsende lag er, für kurze
15 Zeit erblindet, mit einer Gasvergiftung im Lazarett. Nach seiner Rückkehr nach München beschäftigte ihn die Armee in ihrer politischen Abteilung: Er erstattete Berichte über die vielen politischen Parteien, die damals neu entstanden. Eine solche Partei war die „Deutsche Arbeiterpartei", eine rechtsradikale Splittergruppe, die vorwiegend aus Handwerkern bestand. Hitler trat
20 dieser Partei bei; er wurde in den Vorstand gewählt; er wurde ihr Führer. Er organisierte die Partei um und begann Massenversammlungen abzuhalten, in denen er durch seine wilden Reden und durch die Saalschlachten seiner „Sturm-Abteilungen" (SA) Aufsehen erregte.

Hitlers Aufstieg zur Macht

Hitlers Ziel war es, die parlamentarische Demokratie zu beseitigen. Die
25 Nationalsozialistische Deutsche Arbeiterpartei (NSDAP), wie sie jetzt hieß, war keine Partei, sondern eine „Bewegung". Sie hatte eine „Weltanschauung" und benutzte viele religiöse Zeremonien und Symbole. Ein Parteiprogramm hingegen hatte die NSDAP eigentlich nicht. Ganz zu Anfang wurden einmal „20 Punkte" verkündet, die sehr allgemein und vage waren. Aber Hitler
30 sprach von „Rache für Versailles". Er lockte die Bauern mit der Idee von „Blut und Boden", das heißt, der bäuerliche Grundbesitz sollte geschützt werden. Er sprach von einer neuen nordischen Elite. Den Arbeitern bot er

den Satz an: „Gemeinnutz geht vor Eigennutz"; die „Arbeiter der Stirn und der Faust" sollten eine Gemeinschaft bilden, das heißt, die Klassen der Gesellschaft sollten verschwinden. Außerdem versprach er Ruhe und Ordnung. Er versprach, das „Dritte Reich", das tausend Jahre dauern sollte, herbeizuführen und den Todfeind, die Juden, aus Deutschland zu vertreiben. 5

In der unruhigen Anfangszeit versuchte es auch Hitler mit einem Putsch. Aber sein Putsch vom 9. November 1923 in München, an dem Erich von Ludendorff teilnahm, brach schnell zusammen. Hitler wurde gefangen genommen und verurteilt; jedoch nicht, wie zu erwarten war, als Ausländer ausgewiesen. Hitler ist übrigens erst 1932 deutscher Staatsbürger geworden. 10 1925, als Hitler aus dem Gefängnis kam und die Partei neu organisierte, änderte er die Taktik: Er wollte „legal" an die Macht kommen. Nachdem die Wirtschaftskrise ausgebrochen war, gelang ihm das: Er wurde 1933 vom Reichspräsidenten als Führer der stärksten Partei im Reichstag zum Reichskanzler berufen. Hitler benutzte das demokratische System selbst, um es zu 15 zerstören. In den ersten Monaten seiner Regierung erließ er Gesetze, die der Regierung die Macht gaben, alles zu tun was sie wollte. Er brauchte formell die Weimarer Verfassung nicht aufzuheben. Sie ist auch bis zum Ende von Hitlers Herrschaft in Kraft geblieben, obwohl alle wesentlichen Bestimmungen, die Grundrechte der Bevölkerung und die Teilung der Gewalten, mißachtet 20 wurden.

Die Diktatur

Hitler verbot alle Parteien außer der NSDAP. Er verbot die Gewerkschaften und bildete die „Deutsche Arbeitsfront". Er sorgte dafür, daß alle Länder in Deutschland nationalsozialistische Regierungen bekamen, und er zentralisierte die Verwaltung. Er beschäftigte die Massen durch ständige Veranstal- 25 tungen: Aufmärsche, Demonstrationen, Volksabstimmungen, in denen 99% für die Regierung waren, und seine Reden. Die politischen Gegner wurden durch die Folterungen der „Gestapo" (Geheime Staatspolizei) und durch die Einrichtung von Konzentrationslagern terrorisiert. Im Reichstag waren nur noch Abgeordnete der NSDAP. Sie hörten sich Reden an, stimmten mit 30 „Ja" und sangen zum Schluß die deutsche Nationalhymne, weshalb der Reichstag der „teuerste Gesangverein der Welt" genannt wurde. Um die

Totenehrung der SA

Arbeitslosigkeit zu beseitigen, unternahm die Regierung neue öffentliche
Arbeiten. Deutschland kümmerte sich nicht mehr um das internationale
Währungssystem, so wurde die Finanzierung leichter. Es wurden Moore
entwässert, neue Arbeitersiedlungen gebaut, und Hitler begann mit dem Bau
5 der Autobahnen, die vorher bereits geplant worden waren. Die erste Strecke
zwischen Bonn und Köln war auf Initiative des Oberbürgermeisters von
Köln, Konrad Adenauer, fertiggestellt worden. Für Hitler waren die Autobahnen nicht nur Verkehrswege, sondern auch Transportwege für die neue
Armee. Er kümmerte sich nicht mehr um die Bestimmungen des Versailler
10 Vertrages und begann mit der Wiederaufrüstung Deutschlands. Da Hitler in
vielen technischen Fragen modern und unvoreingenommen dachte, gefiel
ihm auch die Idee des „Volkswagens", eines billigen Autos, das jeder Arbeiter
sich leisten könnte. Für den Bau dieses Autos wurde eine neue Fabrik und für
die Fabrik eine neue Stadt, Wolfsburg, gebaut. Die Leistungen und Hoffnungen
15 während der ersten Jahre von Hitlers Regierung beeindruckten viele Menschen,
besonders weil Hitler und sein Propagandaminister Goebbels es verstanden,
alle Kommunikationsmittel so zu manipulieren, daß die Taten der NSDAP
dauernd gelobt wurden. Selbst viele Ausländer waren beeindruckt, als 1936
in Berlin die Olympischen Spiele abgehalten wurden.

Hitler verstand es, die Schwächen seiner außenpolitischen Gegner ebenso auszunutzen wie die seiner Gegner in Deutschland. In England und Frankreich war das Bewußtsein weit verbreitet, daß der Friedensvertrag von Versailles nicht gerecht gewesen war. So hinderte niemand Hitler daran, gegen die Friedensbestimmungen das entmilitarisierte Rheinland zu besetzen; niemand 5 verhinderte die Aufrüstung, ja nicht einmal den „Anschluß" Österreichs an Deutschland im Jahre 1938, der 1919 verboten worden war. Zu einer ersten Krise kam es, als Deutschland im Herbst 1938 von der Tschechoslowakei die Abtretung der deutschsprachigen Grenzgebiete, des „Sudetenlands", verlangte. Überall in den Ländern Osteuropas und Südosteuropas, besonders im früheren 10 Österreich-Ungarn, gab es deutschsprachige Minderheiten, Volksdeutsche genannt, da sie nicht die deutsche Staatsangehörigkeit besaßen. Auch diese Deutschen waren von Hitlers Versprechungen beeindruckt, denn er verkündete, er wolle Großdeutschland errichten und alle Deutschen „heim ins Reich" holen. Da England und Frankreich der Frieden wichtiger war als die Tschecho- 15 slowakei, erhielt Hitler das Sudetenland. Bis jetzt konnte er behaupten, daß er nur deutschsprachige Gebiete angliedern wollte. Aber im Frühjahr 1939 besetzte er den Rest der Tschechoslowakei, und als er im September 1939 Polen angriff, erklärten Frankreich und England Deutschland den Krieg.

Der Zweite Weltkrieg

Die Deutschen eroberten Polen in einem „Blitzkrieg" von wenigen 20 Wochen. 1940 führten sie weitere Blitzkriege gegen Dänemark, Norwegen, Frankreich, Belgien, Luxemburg und Holland. Es machte Hitler nichts aus, daß alle Länder außer Frankreich neutral gewesen waren. Die Deutschen gewannen jedoch nicht die Luftschlacht über England, und Hitler wagte keine Invasion Englands. 1941 eroberten die Deutschen Jugoslawien und Griechenland, 25 und mit ihren italienischen Verbündeten kämpften deutsche Soldaten in Libyen und Ägypten gegen die Engländer, ohne jedoch ihr Ziel, den Suez-kanal, zu erreichen.

1941 griff Deutschland auch seinen bisherigen Verbündeten, die Sowjet-union, an, und im gleichen Jahr traten die USA nach dem japanischen Angriff 30 auf Pearl Harbor in den Krieg. Jetzt wurde der Krieg zum Weltkrieg, in dem Deutschland und Japan versuchten, ihre Kräfte mit den USA und der

Sowjetunion zu messen. Die Deutschen kamen in Rußland bis kurz vor Moskau und Leningrad, bis an die Wolga und in den Kaukasus. Doch nach der Niederlage von Stalingrad Ende 1942, wo eine deutsche Armee eingeschlossen und dann zur Kapitulation gezwungen wurde, begann der deutsche Rückzug. Auch in Afrika wurden die Deutschen geschlagen, und die Alliierten landeten zuerst in Italien und im Juni 1944 auch in Frankreich.

Der Krieg war nicht nur auf die Fronten beschränkt. Die Deutschen begannen mit Luftangriffen auf englische Städte, um die Zivilbevölkerung zu erschrecken; die Alliierten antworteten mit immer stärkeren Luftangriffen, bis 1945 fast alle größeren deutschen Städte weitgehend zerstört waren.

Je länger das Regime Hitlers dauerte, desto schlimmer wurde die Unterdrückung der innenpolitischen Feinde. Die Judenverfolgungen begannen bereits 1933, aber sie fanden noch einigen Widerstand. Das erste Ziel der Nazis war, die Juden zur Auswanderung zu zwingen. Die „Nürnberger Gesetze" von 1935 verboten Heiraten zwischen Juden und Deutschen. Allmählich wurden den Juden immer mehr berufliche Beschränkungen auferlegt. Der Terror begann mit der Zerstörung von Geschäften und Synagogen in der „Kristallnacht" im November 1938, die wegen des zerbrochenen Glases so genannt wird. 1941 wurden alle Juden gezwungen, einen gelben „Judenstern" zu tragen, und im gleichen Jahr wurde die „Endlösung" beschlossen, alle europäischen Juden umzubringen. In den „Vernichtungslagern" wie Auschwitz wurden dabei Methoden entwickelt, die es möglich machten, in der kurzen Zeit bis 1944 mehr als 6 Millionen Menschen umzubringen. Die Existenz dieser Todeslager und der Vernichtungsmethoden wurde geheim gehalten; bei den Deportationen hieß es offiziell, die Juden würden nach Polen „umgesiedelt". Der Terror und die Angst vor Denunziationen verhinderte, daß über diese schrecklichen Vorgänge geredet wurde. Auch was in den anderen Konzentrationslagern wie Buchenwald, Dachau oder Bergen-Belsen, deren Existenz bekannt war, geschah, wurde nicht verbreitet. Zudem waren viele dieser Vorgänge so unglaublich, daß sich Deutsche weigerten zu glauben, daß ihre Landsleute so etwas tun könnten — bis sie es nach 1945 glauben mußten. In den Konzentrationslagern kamen politische Gegner Hitlers, Juden, religiöse Gegner, Zigeuner und Schwerverbrecher unterschiedslos zusammen. Hier wurden Tausende von Menschen durch Hunger, Folterungen, Hinrichtungen oder diabolische medizinische Experimente umgebracht.

Die deutsche Polizei unterstand dem Reichsführer der SS, Heinrich Himmler. Die SS („Schutz-Staffel") hatte sich nach 1933 aus der Leibwache Hitlers zu einer der mächtigsten Organisationen entwickelt. Sie wollte die neue Elite erziehen. Sie bildete auch eine eigene Armee, die Waffen-SS, die neben der bisherigen Armee bestand. Sie verwaltete die Konzentrationslager. Ihr Terror machte jede Opposition in Deutschland aussichtslos, ja fast unmöglich. Zwar bestanden illegale Gruppen der Kommunisten und Sozialdemokraten, doch ihre Wirksamkeit war sehr begrenzt. Nur die Armee konnte hoffen, die nationalsozialistische Herrschaft zu beseitigen. Im Laufe des Krieges verstärkte sich der Widerstand in der Armee, wie auch die Opposition innerhalb der christlichen Kirchen stärker wurde. Frühere Nationalsozialisten begannen, an ihrer Weltanschauung und an Hitler zu zweifeln. Schließlich fand sich diese Opposition nach mühseligen und gefährlichen Vorbereitungen zu einer Verschwörung zusammen, an der alle politischen Richtungen beteiligt waren. Das Attentat auf Hitler am 20. Juli 1944 mißlang; der größte Teil der Verschwörer wurde gefangen und hingerichtet.

Obwohl der Krieg verloren war, gaben die Nationalsozialisten nicht auf, bis ganz Deutschland von den alliierten Truppen besetzt war. Erst am 8. Mai 1945 wurde die bedingungslose Kapitulation der deutschen Wehrmacht unterzeichnet. Hitler hatte kurz vorher in Berlin Selbstmord begangen. Die Herrschaft Hitlers dauerte zwölf Jahre. Sein Traum von Großdeutschland und der Weltherrschaft brachte den Deutschen die totale militärische Niederlage, die Zerstörung ihres Landes und schließlich das Ende des Deutschen Reiches.

Stuttgart 1946

Monument zur Erinnerung an die Opfer des Konzentrationslagers Dachau

Wie war es möglich?

Als 1945 der Krieg vorbei war, mußte es vielen Menschen scheinen, als
erwachten sie aus einem bösen Traum. Aber die Greueltaten waren Wirklichkeit, und der Haß, den die Deutschen hervorgerufen hatten, richtete sich jetzt
gegen sie. Hitlers Herrschaft hat die Stellung Deutschlands in der Welt völlig
5 verändert. Es ist nicht leicht, stolz darauf zu sein, zum deutschen Volk zu gehören, und es ist noch schwerer die Frage zu beantworten: Wie konnte das
Volk von Luther, Kant, Goethe und Beethoven solche Untaten begehen?

Es sind viele Erklärungen versucht worden, innerhalb und außerhalb
Deutschlands. Das intellektuelle Leben Deutschlands, die Philosophie, Theo-
10 logie, die Publizistik und die Dichtung stehen seitdem im Zeichen der
„Bewältigung der Vergangenheit", auch wenn es nicht überall direkt ausgesprochen wird. Die Deutschen haben seitdem ihr Verhältnis zum Vaterland
und zum Staat geändert. Sie sind pragmatisch und mißtrauisch geworden.
Man kann sie nicht mehr mit großen Worten locken. Sie betonen den Wert
15 des individuellen Glücks und scheuen sich vor zu viel Gemeinschaft. Sie sind
kühler, nüchterner geworden. Die Armee ist nicht mehr ihr Stolz, sondern
ein notwendiges Übel. Gerade deshalb, weil die Antwort auf die Frage: „Wie
war es möglich?" nicht leicht zu finden ist, ist die Auseinandersetzung mit der
Vergangenheit heute noch nicht beendet und damit auch die Veränderung der
20 deutschen Gesellschaft.

13 ❖ Das Wirtschaftswunder

Das Jahr Null

Das Jahr 1945 wird in Deutschland auch „das Jahr Null" genannt, da der Aufbau des Landes in diesem Jahr begann und ebenfalls eine ganz neue Epoche der deutschen Geschichte.

1918, als der Kaiser abdankte, gab es eine Opposition, die die Regierung übernehmen konnte, 1945 lag die Macht allein bei den vier Alliierten USA, 5 Großbritannien, Frankreich und Sowjetunion. Die vier Mächte hatten gemeinsame Ziele: Deutschland sollte daran gehindert werden, jemals wieder eine Gefahr für den Weltfrieden zu werden. So sollte es nicht nur vom Nationalsozialismus „gereinigt" werden, sondern auch vom Militarismus. Außerdem sollte Deutschland nach Möglichkeit die ungeheuren Kriegsschäden bezahlen. 10

links: Stuttgart 1946; rechts: Stuttgart heute

Wie diese Ziele zu erreichen seien, und wie Deutschland verwaltet werden sollte, ja über die Grenzen eines zukünftigen Deutschlands gab es verschiedene Ansichten.

Im Juli und August 1945 trafen die Regierungschefs der USA, Groß
5 britanniens und der Sowjetunion — Frankreich war nicht vertreten — auf Schloß Sanssouci bei Potsdam, dem Rokokoschloß des Königs Friedrich II., zu einer Konferenz zusammen. Sie beschlossen, Deutschland in vier Besatzungszonen aufzuteilen und innerhalb der Besatzungszonen neue Länder zu bilden. Preußen wurde aufgelöst. In Berlin, der Hauptstadt, sollte eine
10 deutsche Zentralverwaltung eingerichtet werden, die die Anordnungen der

gemeinsamen Militärregierung der Alliierten auszuführen hatte. Berlin sollte deshalb gemeinsam von allen vier Alliierten besetzt werden. Die Grenzen der Besatzungszonen entsprachen nicht ganz den Linien, die die einzelnen Armeen erreicht hatten: Die Amerikaner zogen sich aus Sachsen und Thüringen nach Westen zurück.

Die Volksdeutschen in Osteuropa, so wurde beschlossen, sollten nach Deutschland umgesiedelt werden, damit das Minderheitenproblem, das zu Hitlers Zeit viele Probleme schaffte, endgültig gelöst würde. Diese Umsiedlung hat 1945–46, teilweise unter sehr schlechten Bedingungen, stattgefunden, und es sind Millionen Menschen dabei umgekommen oder verschollen. Keine endgültige Einigung erreichte die Konferenz in der Frage der deutschen Ostgrenzen. Rußland hatte 1939 als Verbündeter Deutschlands Ostpolen erhalten, und es wollte nun, daß Polen durch deutsche Ostgebiete entschädigt würde. Schließlich wurde beschlossen, daß alle deutschen Gebiete östlich der Flüsse Oder und Lausitzer Neiße bis zum Abschluß eines Friedensvertrages mit Deutschland von Polen und (das nördliche Ostpreußen) von Rußland verwaltet werden sollten. Auch aus diesen Gebieten wurden die meisten deutschen Bewohner ausgewiesen. Da der Friedensvertrag mit Deutschland noch nicht abgeschlossen worden ist, besteht diese „vorläufige" Regelung seitdem immer noch.

Die Teilung Deutschlands

Die Militärregierung der vier Alliierten konnte keine gemeinsame Politik ausarbeiten, da die Regierungen der vier Länder völlig verschiedene Auffassungen über die Zukunft Deutschlands hatten. Eine deutsche Zentralverwaltung wurde nicht eingerichtet. Neben den Militärgouverneuren bemühten sich die vier Außenminister in vielen Konferenzen um eine Lösung des Deutschland-Problems.

Währenddessen regierte jedes Land seine Besatzungszone nach seinen eigenen Vorstellungen. Viele der noch vorhandenen Industrieanlagen wurden als Reparationsleistungen abmontiert und abtransportiert. Die Wirtschaft in Deutschland entwickelte sich gar nicht. Die Währung, die Reichsmark, besaß kaum noch Wert. Die eigentliche Währung war die des Schwarzen Marktes, die „Zigarettenwährung", denn der Wert einer Ware wurde meistens

nach der Zahl der Zigaretten berechnet, die man dafür geben mußte. Alle Lebensmittel, Textilien und Haushaltswaren waren rationiert und sehr knapp; so entwickelte sich der Tauschhandel, wo alles zu haben war. Die große Not in Deutschland rief im Ausland, vor allem in den USA, das Mitleid wach:
5 Hilfsprogramme und private Sendungen retteten viele Menschen. 1945 wurden in Deutschland demokratische Parteien neu gegründet oder wieder gegründet: die Sozialdemokratische Partei Deutschlands (SPD), die Kommunistische Partei Deutschlands (KPD), die Freie Demokratische Partei (FDP), in der sowjetischen Zone Liberaldemokratische Partei (LDP) genannt, da sie die
10 liberale Tradition fortsetzte, und schließlich die Christlich-Demokratische Union (CDU), eine Partei, die in der Tradition der Zentrumspartei steht, aber nicht rein katholisch ist, sondern mehrere Konfessionen vereinigt und allgemein eine christliche Weltanschauung vertritt. Rechtsparteien gab es zunächst nicht. In jeder Besatzungszone bildete die Besatzungsmacht neue
15 Länder, und sie ließ Wahlen abhalten; zuerst Gemeindewahlen, dann Landtagswahlen. Die große Überraschung bei diesen Wahlen war der Mißerfolg der KPD. Man hatte erwartet, daß sie eine der stärksten Parteien würde. Am meisten Stimmen bekamen jedoch die SPD und die CDU. Das war selbst bei den Gemeindewahlen in der Sowjetzone so, wo die Besatzungsmacht die
20 KPD unterstützte. Da die Russen entschlossen waren, ihre Zone zu einem kommunistischen Staat zu machen, änderten sie das Wahlsystem. Zuerst erzwangen sie die Vereinigung der KPD und SPD zur Sozialistischen Einheitspartei (SED), in der die Kommunisten die Führung hatten. Die Wahlen wurden jetzt nach einer Einheitsliste abgehalten: Es wurde vorher festgelegt,
25 wie viele Kandidaten jeder Partei aufgestellt und gewählt würden, und die Wähler konnten nur „Ja" oder „Nein" zu der Liste sagen. So gibt es jetzt noch in der Volkskammer, dem Parlament der DDR, Abgeordnete der CDU und LPD neben denen der SED; aber die SED hat immer die Mehrheit und bestimmt die Politik.
30   In Berlin, das ja von den vier Alliierten gemeinsam verwaltet wurde, lehnte die SPD die Vereinigung mit der KPD ab, ebenso in den Besatzungszonen der drei Westmächte. Damit endete die Hoffnung der Russen, ganz Deutschland kommunistisch zu machen, am Widerstand der SPD. Zugleich vertiefte sich jedoch die Spaltung Deutschlands; denn nun entwickelte sich
35 die Sowjetzone ganz anders als die drei westlichen Zonen. Die USA und Großbritannien, ungeduldig über den Stillstand der Verhandlungen mit den

Russen und über die katastrophale wirtschaftliche Lage Deutschlands, richteten bereits 1946 eine gemeinsame wirtschaftliche Verwaltung ihrer Zonen ein, die den Deutschen übertragen wurde und allmählich mehr Befugnisse bekam. Schließlich schlossen sich die Franzosen dieser Verwaltung an. Im Juni 1948 wurde eine neue Währung, die „Deutsche Mark", eingeführt. Die Reichsmark 5 wurde 10: 1 abgewertet. Jeder Deutsche bekam 40 DM „Kopfgeld", mit dem er neu anfangen sollte. Der deutsche Wirtschaftsdirektor Ludwig Erhard setzte es durch, daß sofort nach dieser Währungsreform die Rationierungen und Produktionsplanungen aufgehoben wurden; denn er war der Ansicht, nur eine freie, nicht vom Staat gelenkte Wirtschaft könne funktionieren. Das 10 Chaos, das die Experten daraufhin erwarteten, trat nicht ein; es gab weder Inflation noch Hungersnot, sondern im Gegenteil, es begann ein wirtschaftlicher Aufbau, den man bald das „Wirtschaftswunder" nannte.

1948 gaben die westlichen Alliierten auch die Zustimmung, eine Verfassung für einen neuen deutschen Staat auf dem Gebiet ihrer Besatzungszonen aus- 15 zuarbeiten. Und so tagte in der Pädagogischen Akademie in Bonn der „Parlamentarische Rat" unter dem Vorsitz von Konrad Adenauer und verfaßte das „Grundgesetz", das eine provisorische Verfassung für diesen provisorischen Staat bilden sollte. Im Mai 1949 wurde diese Verfassung von den Länderparlamenten angenommen, und so konnten am 14. August 1949 die ersten Wahlen 20 zum Bundestag stattfinden.

Diese Politik der westlichen Alliierten und der westdeutschen Politiker stieß auf hartnäckigen Widerstand im Osten. Berlin, das mitten in der Sowjetzone lag, war am leichtesten anzugreifen. 1948 war ein Jahr der kommunistischen Offensive auf der ganzen Welt; in China, in der Tschechoslowakei, 25 in Griechenland kämpften kommunistische Partisanen — und jetzt kam Berlin hinzu. Berlin hatte eine gemeinsame deutsche Verwaltung für alle vier Sektoren; es hatte ein gemeinsames Stadtparlament. Das Rathaus lag im sowjetischen Sektor der Stadt, und die Kommunisten hatten es leicht, die Arbeit des Parlaments und der Stadtregierung zu behindern. 1948 wurde 30 Ernst Reuter von der SPD zum Oberbürgermeister gewählt; die SED wollte seine Wahl nicht anerkennen, denn Reuter hatte verhindert, daß sich die Berliner SPD der SED anschloß. Schließlich zogen die Abgeordneten außer denen der SED in das Rathaus von Schöneberg in West-Berlin um, und nun gab es zwei Stadtparlamente in Berlin. Ähnlich war es an der Universität. 35 Die Humboldt-Universität liegt im Ostsektor, und als im Sommer 1948 der politische Druck zu stark wurde, zogen Professoren und Studenten aus und gründeten in Dahlem eine neue, die „Freie Universität". Die Währungsreform beantworteten die Russen damit, daß alle Zufahrtsstraßen von Berlin nach Westdeutschland gesperrt wurden. Daraufhin versorgten die Amerikaner und Engländer die Stadt neun Monate lang durch die Luft, und die „Luftbrücke" war so erfolgreich, daß die Russen nachgeben mußten.

Die Russen akzeptierten jetzt West-Berlin und den neuen westdeutschen Staat, die Bundesrepublik. Sie führten ebenfalls eine neue Währung in ihrer Zone ein, die „Deutsche Mark (Ost)", und am 7. Oktober 1949 wurde die „Deutsche Demokratische Republik", abgekürzt DDR, gegründet.

Bundesrepublik und DDR

Seit 1949 gibt es also zwei deutsche Staaten. Die Trennung zwischen diesen beiden Teilen Deutschlands ist immer schärfer geworden. Jeder Teil hat seine eigene Wirtschaft und eine neue Gesellschaftsordnung aufgebaut; jeder Teil hat seine Beziehungen zu anderen Ländern entwickelt. Die beiden Teile Deutschlands erkennen einander nicht als Staaten an. Die Deutschen des anderen Teils gehören zwar nicht zum eigenen Staat, aber sie sind auch keine Ausländer. Das ist eine unnormale Situation. Die Versuche der Wiedervereinigung waren bisher erfolglos. Während Österreich, das 1945 auch in vier Besatzungszonen geteilt wurde, ganz genau wie Deutschland, 1955 seine Wiedervereinigung erreichte, gegen das Versprechen, im Ost-Westkonflikt neutral zu bleiben, hat Deutschland diesen Weg nicht eingeschlagen. 1952 bot Stalin eine solche Lösung an, doch der Westen lehnte ab. Vielleicht war dies seit 1949 die beste Chance zur Wiedervereinigung.

121

Die Politik der Bundesrepublik war darauf gerichtet, Aussöhnung und Gleichberechtigung mit den westlichen Nationen zu erreichen. Das jedenfalls war das Konzept der CDU und ihres Vorsitzenden Konrad Adenauer. Überraschenderweise errang 1949 bei den Bundestagswahlen nicht die SPD, sondern die CDU den Sieg, und Konrad Adenauer wurde Bundeskanzler. Seine Politik 5 der Aussöhnung mit dem Westen war sehr erfolgreich. Bereits 1955 bekam die Bundesrepublik ihre volle Souveränität. Das erreichte sie nur, indem sie sich voll in den Westen integrierte. Sie trat der NATO bei und baute eine neue Armee, die Bundeswehr auf. Adenauers Politik fand die Zustimmung der Bevölkerung, die CDU errang 1953 und 1957 weitere Wahlsiege. Dazu 10 trug neben Adenauers Außenpolitik vor allem die wirtschaftliche Entwicklung bei.

Ludwig Erhard war der CDU beigetreten und wurde Adenauers Wirtschaftsminister. Er galt als „Vater des Wirtschaftswunders". Natürlich war dieses Wunder kein Wunder; es war die Kombination von günstigen Bedin- 15 gungen und guter Wirtschaftspolitik. Die Deutschen warteten ja nur darauf, wieder arbeiten zu können. Fachleute gab es genug; die Firmenchefs, Kaufleute, Ingenieure, Facharbeiter waren vorhanden. Es waren sehr erfahrene Leute, und sie waren gewohnt, unter den schwierigsten Bedingungen zu arbeiten. Seit der Wirtschaftskrise um 1930 war es in Deutschland nie mehr 20 ganz normal zugegangen. Mitten im Kriege, 1944, als so viel in Deutschland zerstört war, hatte die deutsche Produktion einen Höchststand erreicht. So begannen diese Leute, jetzt wieder aufzubauen, und da alles zerstört war, konnten sie die modernsten Anlagen mit den modernsten Maschinen bauen. Das Anfangskapital fehlte, doch dabei halfen die Kredite aus dem Marshall- 25 Plan. Der Markt war ungeheuer aufnahmefähig; denn jeder Deutsche wollte

Konrad Adenauer im Bundestag

Juni 1953

sein Leben neu aufbauen. Er brauchte Kleidung, eine Wohnung, die Wohnungseinrichtung; er wollte Reisen machen, sich ein Auto kaufen und schließlich
etwas Luxus genießen. Der Binnenmarkt war also sehr aufnahmefähig. Da
die Arbeiter so viel Geld brauchten, machten ihnen Überstunden nichts aus,
5 und sie dachten nicht an Streiks und Lohnkämpfe. Schließlich war auch der
Weltmarkt sehr aufnahmefähig, ganz besonders während des Korea-Krieges.
So kam es, daß die deutsche Wirtschaft in wenigen Jahren voll funktionierte,
daß viele Millionen von Flüchtlingen und Vertriebenen integriert werden
konnten, und daß der Staat imstande war, die vielen Schulden aus der Ver-
10 gangenheit zu bezahlen. Die Bundesrepublik wurde ein solider und zuver-
lässiger Partner.

Die DDR hingegen hatte Schwierigkeiten. Ihre wirtschaftlichen Bedingungen waren viel schlechter; die Wirtschaftsplanung funktionierte nicht gut.
Die Russen demontierten viele Fabriken und nahmen sogar Fachleute mit,
15 um die Fabriken in Rußland wieder aufzubauen, und die politische Richtung
fand wenig Zustimmung beim Volk. Natürlich verglichen die Einwohner
der DDR ihr Land mit der Bundesrepublik. Da eine Opposition im demokratischen Sinn nicht erlaubt war, flohen viele Deutsche in die Bundesrepublik.
Die DDR mußte ihre Grenze sichern, Wachttürme errichten, Stacheldraht-
20 zäune bauen und Minenfelder anlegen, um die Bevölkerung an der Flucht zu
hindern. Die Unzufriedenheit kam am 17. Juni 1953 zum Ausbruch, als sich
ein illegaler Streik der Bauarbeiter in Ost-Berlin zu einem Volksaufstand

Die Mauer in Berlin

entwickelte. Der Aufstand wurde von der russischen Armee unterdrückt. Die Flucht aus der DDR ging jedoch immer weiter, vor allem über Berlin, wo die Grenze von Osten nach Westen noch offen war. Am 13. August 1961 sperrte die DDR auch diese Grenze durch eine Mauer mit Stacheldraht, und seitdem ist eine Flucht aus der DDR mit großer Lebensgefahr verbunden. 5

Seit 1961 haben sich die Verhältnisse in der DDR stabilisiert. Die Wirtschaft hat sich gut entwickelt; der Parteichef Walter Ulbricht hat die Macht fest in der Hand; die Bevölkerung hat sich in ihrer Mehrheit mit dem System abgefunden.

Die Bundesrepublik hatte dagegen innenpolitisch erstaunlich ruhige Jahre. 1 Das Grundgesetz zeigt in vielen Bestimmungen das Mißtrauen dagegen, daß die Demokratie selbst angegriffen werden könnte; es ist vorsichtig und pragmatisch, und es funktioniert. Am meisten Befugnisse hat der Bundeskanzler, und Konrad Adenauer war ein starker Bundeskanzler, der die Möglichkeiten der Verfassung gut auszunutzen verstand. Jedoch sind der Regierung Grenzen gezogen. Als die Bundesregierung ein eigenes Fernsehprogramm einrichten wollte, wurde dies vom Gericht verboten; als 1962 die Regierung gegen die Zeitschrift „Der Spiegel" vorging, empörte sich das ganze Land.

Außenpolitisch erreichte Adenauer die freundschaftliche Lösung des Saarproblems; das Saargebiet wurde 1955 wieder deutsch. 1957 wurden in Rom Verträge zu einer Europäischen Wirtschaftsgemeinschaft (EWG) abgeschlossen, an der vorerst Frankreich, Italien, die Niederlande, Belgien, Luxemburg und die Bundesrepublik beteiligt sind. Die wirtschaftliche Zusammenarbeit sollte dabei der erste Schritt zur politischen Vereinigung Europas sein. Dem gleichen Ziel diente der deutsch-französische Freundschaftsvertrag, den Adenauer am Ende seiner Kanzlerschaft im Jahre 1963 mit dem französischen Präsidenten General de Gaulle abschloß.

1963 trat Adenauer als Kanzler zurück; 1967 ist er gestorben. Ludwig Erhard konnte als sein Nachfolger als Bundeskanzler nicht mit den Problemen fertig werden, und er trat 1966 zurück. Der erste Bundespräsident Theodor Heuss ist gestorben. So sind die Persönlichkeiten, denen der Aufstieg der Bundesrepublik zu verdanken ist, nicht mehr in der Politik tätig. Nach 20 Jahren an der Regierung ist 1969 die CDU durch die SPD abgelöst worden. Der provisorische Zustand, in dem die Deutschen seit 1945 leben, erweist sich als dauerhaft, dauerhafter als die Weimarer Republik und als Hitlers „tausendjähriges Reich". Normal kann es jedoch in Deutschland erst werden, wenn den Deutschen erlaubt wird, in einem Lande zusammenzuleben und mit einer Regierungsform, die sie selbst bestimmen.

Ausstellung von Wahlplakaten

Gegenwart

1 ⌒ Die Länder der Bundesrepublik

Die Bundesrepublik besteht aus 10 Ländern und West-Berlin. Die Länder haben verschiedene Größen, verschiedene Traditionen und einen verschiedenartigen Charakter. Sie sollen hier kurz beschrieben werden.

Norddeutschland

Das nördlichste Land der Bundesrepublik ist Schleswig-Holstein. Es grenzt im Norden an Dänemark; im Süden reicht es bis zur Elbe. Im Westen 5 wird es von der Nordsee begrenzt, im Osten von der Ostsee; im Südosten hat es eine Grenze zur DDR, zu Mecklenburg. Der höchste „Berg" des Landes ist etwa 150 Meter hoch; das Land ist also eine Ebene. Ganz flach ist die Landschaft bei der Nordseeküste, Marsch genannt. Man sieht wenig Bäume, fast nur Wiesen mit Kühen und Pferden. Die Marsch wird vor dem 10 Meer durch große Deiche geschützt. Vor der Küste ist das Wattenmeer, das bei Ebbe trocken liegt, aber bei Flut überschwemmt wird. Im Wattenmeer liegen kleinere und größere Inseln. Die kleinen Inseln nennt man Halligen. Die größte Insel, ganz im Norden, heißt Sylt; sie ist eine beliebte Sommerfrische.

Im Innern des Landes kommt man zur Geest mit vielen sandigen Flächen 15 und Nadelwäldern. Entlang der Ostsee findet man Hügel, Seen und schöne Laubwälder. Die größten Städte liegen an der Ostsee: Kiel, die Landeshauptstadt, Universität und Kriegshafen, zugleich ein Zentrum des Schiffsbaus; Lübeck, die traditionsreiche Hansestadt, heute wichtig als kultureller Mittelpunkt, Handelshafen und Industrieort; Flensburg, Hafen und Industriestadt an der dänischen Grenze; dazu kommt im Innern des Landes die Industriestadt Neumünster. Die Industrie ist auf die großen Städte beschränkt; der wichtigste Teil der Wirtschaft ist die Landwirtschaft. Quer durch das Land verläuft

5 der Nord-Ostsee-Kanal; von Süden nach Norden laufen Verbindungsstraßen nach Skandinavien.

Während Lübeck ein Teil von Schleswig-Holstein wurde, haben zwei andere Hansestädte ihre Unabhängigkeit als Stadtstaaten bewahrt: die beiden Nordseehäfen Hamburg und Bremen. Das heutige Land Hamburg ist aus

10 mehreren Städten nördlich und südlich der Elbe entstanden, und zwar aus Hamburg, Harburg, Wandsbek und Altona. Groß-Hamburg erstreckt sich heute, vor allem im Norden, weit über die Landesgrenzen hinaus. Hamburg ist der wichtigste deutsche Seehafen, mit vielen Werften für den Schiffsbau; es beherbergt jedoch noch viele andere Industrien, vor allem Industrien, die

15 importierte Waren verarbeiten, z.B. Gummi oder Tabak. Aus einer Schule für afrikanische und asiatische Sprachen entwickelte sich am Anfang unseres Jahrhunderts die Universität, daneben gibt es wichtige Hochschulen. Hamburg macht den Eindruck einer großzügig angelegten, modernen Stadt; in Bremen ist der mittelalterliche Stadtkern noch vorhanden, besonders das Rathaus mit

20 der Rolandsäule davor. Bremen liegt an der Weser. Zum Land Bremen gehört neben der alten Stadt auch die Stadt Bremerhaven an der Wesermündung, Mittelpunkt der Fischindustrie. Die moderne Hafenanlage Bremens, nach 1945 neu erbaut, zieht sich nördlich der Stadt an der unteren Weser hin. In Bremen ist die deutsche Kaffee- und Baumwollbörse; Bremen war der Hafen, durch den

25 im 19. Jahrhundert die meisten deutschen Auswanderer nach den USA ihre Heimat verließen.

Den größten Teil Nordwestdeutschlands, von der holländischen Grenze bis zur DDR, nimmt heute das Land Niedersachsen ein. Hauptstadt und wirtschaftlicher Mittelpunkt des Landes ist Hannover, heute bekannt durch seine

30 moderne Städteplanung. Andere große Städte im Osten sind Braunschweig, einer der wichtigen Orte im Mittelalter, und die beiden modernen Industriestädte Wolfsburg und Salzgitter; hier ist ein bedeutendes Industriegebiet entstanden. Südlich davon kommt man in den Harz, durch den heute die Grenze mit der DDR läuft. In der Nähe des Harzes liegt die alte Bischofsstadt

35 Hildesheim und die Universitätsstadt Göttingen — seit dem 18. Jahrhundert führend in den Naturwissenschaften. Hildesheim erhält jetzt eine neue Universität.

Im Westen des Landes war früher das Land Oldenburg mit der Hauptstadt gleichen Namens; an der Nordsee liegt die als Kriegshafen gegründete Stadt Wilhelmshaven. Von dort bis zur holländischen Grenze erstrecken sich weite Moore, wo nach Erdöl und Erdgas gebohrt wird. Emden an der Ems, dem Fluß nahe der Grenze mit Holland, hat sich zu einem bedeutenden Hafen 5 entwickelt. Niedersachsen umfaßt vor allem die Tiefebene, doch reicht es auch bis in die Mittelgebirge. Zu Niedersachsen gehört noch die alte Reichsstadt Osnabrück und Hameln an der Weser, die Stadt des Rattenfängers.

Am Rhein

Alle jetzt folgenden Länder, bis auf Bayern, liegen in Mittelgebirgslandschaften. Der Rhein ist nicht nur Deutschlands bekanntester Fluß, sondern 10 seit dem Mittelalter ein wichtiger Wasserweg für den Verkehr, heute Europas verkehrsreichster Fluß. Am Rhein und seinen Nebenflüssen liegen die wichtigsten Industriegebiete der Bundesrepublik. Nordrhein-Westfalen ist die Zusammenfassung von zwei früheren preußischen Provinzen. Zu Westfalen mit seiner Hauptstadt Münster gehört heute auch der Teutoburger Wald und 15 andere Teile des Weserberglandes, bekannt wegen ihrer Kurorte und Heilbäder, aber heute auch durch die Industrie, besonders im Umkreis von Bielefeld. „Nordrhein" enthält vor allem das Ruhrgebiet, das bekannte Industriegebiet, das nach einem Nebenfluß des Rheins benannt ist. Heute hat sich die Industrie teilweise von den Steinkohlenbergwerken entfernt, und so findet man von Köln bis zur Lippe eine Kette von Industriegebieten. Im Kern des Ruhrgebiets sind die Städte zusammengewachsen, und es ist manchmal schwer zu sagen, 5 wo eine Stadt aufhört und die andere anfängt. Während der Kohlebergbau und die Stahlindustrie im Ruhrgebiet sich im 19. Jahrhundert entwickelten, gab es zu beiden Seiten des Rheins schon längst vorher Textilindustrie und Eisenindustrie: um Aachen und Krefeld links des Rheins und an der Wupper und im Siegerland rechts des Rheins. Die größten Städte des Ruhrgebiets 10 sind: Essen, Dortmund, Bochum, Duisburg, Oberhausen und Recklinghausen.

Interessant ist, daß diese Industrie in einer reizvollen Mittelgebirgslandschaft liegt, und daß bald hinter den dichtbesiedelten Industriegegenden die einsamen Wälder des Sauerlands und der Eifel beginnen. Nordrhein-Westfalen ist das Land mit der höchsten Einwohnerzahl und dem größten Einkommen. 15 Auf seinem Gebiet liegt die Bundeshauptstadt Bonn. Der Doppelname des Landes entspricht dem Charakter der Bevölkerung: Die ruhigen Westfalen treffen mit den lebhaften Rheinländern zusammen. Und natürlich hat die Industrie viele Zuwanderer angelockt, besonders aus dem Osten, so daß man im Ruhrgebiet häufig polnische Namen findet. Das Gebiet am Niederrhein 20 gehört schon seit dem frühen Mittelalter zu den wirtschaftlich wichtigsten Deutschlands. Sein traditioneller Mittelpunkt ist Köln, Residenz eines Erzbischofs. Romanische und gotische Dome kontrastieren heute mit modernen Hochhäusern und Fabriken. Nordrhein-Westfalen ist ebenfalls das Land, das sich am meisten um den Ausbau der Universitäten bemüht: Neben den 25 alten Hochschulen Bonn, Köln und Münster sind Aachen, Düsseldorf, Bochum und Bielefeld im Entstehen. Nordrhein-Westfalen grenzt an Holland und Belgien; Handelsbeziehungen und industrielle Verbindungen sind eng.

Südlich von Bonn, wo die „romantische" Strecke des Rheins beginnt, fängt ein neues Land an: Rheinland-Pfalz. Während die Pfalz eine lange 30 Geschichte als eigenes Land hatte, war das Rheinland zuletzt ebenfalls eine preußische Provinz gewesen. Das Land bildete den nördlichen Teil der französischen Zone. Die meisten größeren Städte liegen am Rande des Gebietes: die Soldatenstadt Koblenz am Rhein, Trier, römische Gründung und Residenz eines Erzbischofs, Ludwigshafen am Rhein, Zentrum der chemischen Industrie 35 und die Hauptstadt Mainz, Universitätsstadt, gleichfalls Residenz eines Erzbischofs, gegenüber der Mündung des Mains in den Rhein. Nur die Pfalz hat ein Industriegebiet in der Mitte des Landes mit dem Mittelpunkt Kaiserslautern.

Rheinland-Pfalz vereinigt die meisten berühmten Weinbaugebiete Deutschlands am Rhein, an der Mosel, der Saar, der Nahe, der Ahr und in den Tälern der Pfalz. Die Landschaft besteht aus Mittelgebirgen mit viel Wald und schönen Flußtälern. 5

Das Saarland, früher ein Teil der Pfalz, wurde aus wirtschaftlichen Gründen zu einem politischen Problem. Es hat reiche Steinkohlenvorkommen, und so hat sich ein Industriegebiet entlang der Saar entwickelt, dessen Hauptstadt Saarbrücken ist. Im Gegensatz zum Ruhrgebiet haben sich nur wenige Großstädte gebildet. Viele Arbeiter wohnen in den umliegenden Dörfern und 10 Kleinstädten. Zwischen den Industrieanlagen findet man Landwirtschaft und Weinbau.

Nach dem Ersten Weltkrieg blieb das Saarland wirtschaftlich und politisch eng mit Frankreich verbunden, bis die Bevölkerung sich 1935 in einer Volksabstimmung für die Rückkehr nach Deutschland entschied. Ähnlich geschah 15 es nach dem Zweiten Weltkrieg. Das Saarland wurde autonom; es hatte eine eigene Regierung, bei enger Verbindung mit Frankreich. 1955 lehnte die Bevölkerung das vorgeschlagene Saarstatut ab; 1956 beschloß der Landtag die Angliederung an die Bundesrepublik Deutschland. Trotzdem sind die wirtschaftlichen Beziehungen zum benachbarten Lothringen eng geblieben. 20

Verkehrszentrum und wirtschaftliche Hauptstadt der Bundesrepublik ist Frankfurt am Main, die alte Freie Reichsstadt und jetzt größte Stadt des Landes Hessen. Hessen umfaßt den nördlichen Teil der früheren amerikanischen Zone. Auch Hessen hat vorwiegend eine Landschaft von bewaldeten Mittelgebirgen und Flußtälern. In den Tälern findet man viel Industrie, wie z.B. im 25 Lahntal, ganz besonders aber am unteren Main zwischen Aschaffenburg und Wiesbaden. Der Kurort Wiesbaden ist die Hauptstadt des Landes. Im Norden hat sich um die alte Residenzstadt Kassel ein neues Industriegebiet gebildet, das sich bereits nach Niedersachsen orientiert. Das heutige Hessen ist aus mehreren früheren Kleinstaaten und preußischen Gebieten zusammengesetzt. 30 Es ist, wie die meisten deutschen Länder, auch konfessionell gemischt. Fulda, dessen Kloster Ausgangspunkt der deutschen christlichen Kultur war, und wo der große Missionar, der heilige Bonifatius, begraben liegt, ist noch ein Mittelpunkt des deutschen Katholizismus. Die Universitäten des Landes, Gießen und Marburg an der Lahn — zu denen jetzt noch die Universität in 35 Frankfurt gekommen ist — sind protestantisch.

Hessen grenzt im Osten an die DDR. Seine bekanntesten Gebirge sind der Odenwald südlich des Mains, der Spessart am Main an der Grenze nach Bayern, der Taunus im Norden von Frankfurt, der Vogelsberg und die Rhön südlich von Fulda und der Habichtswald bei Kassel.

Süddeutschland

Seit 1815 bestand Süddeutschland aus drei Ländern: Bayern, Württemberg und Baden. Baden und Württemberg wurden 1945 aufgeteilt, da die Grenze zwischen der amerikanischen und der französischen Besatzungszone quer durch die beiden Länder lief. 1952 wurden diese Teile nach einer Volksabstimmung zu dem Land Baden-Württemberg vereinigt. Die Vereinigung fand vor allem im südlichen Teil Badens Widerspruch.

Baden-Württemberg umfaßt den Schwarzwald, den deutschen Teil der oberrheinischen Tiefebene, die Schwäbische Alb, Teile des Stufenlandes zwischen Stuttgart und Nürnberg und die Hochebene von Oberschwaben zwischen der Donau und dem Bodensee. Im Westen grenzt das Land an Frankreich, im Süden an die Schweiz. Die benachbarten Elsässer und Schweizer gehören gleichfalls zum Stamm der Alemannen und sprechen einen ähnlichen Dialekt. Die Grenze bildet der Rhein und der Bodensee, auch das „schwäbische Meer" genannt. Der größte Nebenfluß des Rheins in Baden-Württemberg ist der Neckar. Am Neckar liegen die Hauptstadt Stuttgart, die Universitätsstädte Tübingen und Heidelberg, die Industriestadt Mannheim und Heilbronn. Andere große Städte liegen in der Nähe des Rheins: Karlsruhe, die frühere Hauptstadt Badens, Sitz des deutschen Bundesverfassungsgerichts und Industriestadt, Offenburg und die Universitätsstadt Freiburg im Breisgau.

Das Bodenseegebiet ist eines der traditionsreichsten Kulturgebiete Deutschlands, mit einem milden Klima, Wein- und Obstbau, alten Kirchen, Burgen und Städten, ja sogar Resten von Pfahlbauten der Menschen aus der Steinzeit. In Konstanz am Bodensee ist eine neue Universität gegründet worden.

Im Schwarzwald entspringt die Donau, die nach Osten fließt. Bei Ulm, der alten Reichsstadt mit dem großen Münster, kommt man an die bayerische Grenze. Baden-Württemberg ist voll von alten Städten und Burgen. Aus Württemberg kamen bekannte Fürstenfamilien, deren Stammburgen man noch finden kann, wie die der Hohenstaufen oder der Hohenzollern. Unter den alten Städten sind den Touristen die an der Grenze von Württemberg und Bayern, nämlich im Frankenlande, am besten bekannt: Nördlingen, Dinkelsbühl und Rothenburg ob der Tauber; doch im Schwabenlande gäbe es genug andere zu entdecken.

Auch Baden-Württemberg hat, wie andere deutsche Länder, ein mildes Klima in den Tälern und ein rauhes im Gebirge. In den Tälern wächst Wein, Obst, Hopfen, in der oberrheinischen Hochebene auch Tabak. Um das Einkommen zu verbessern, haben die Bauern des Schwarzwalds und der Schwäbischen Alb mit Hausindustrie begonnen, die die Grundlage des heutigen Industriegebiets um Stuttgart herum bildet. Charakteristisch ist die Verarbeitungsindustrie, z.B. Uhrenindustrie, Schmuckindustrie, Elektroindustrie, Autoindustrie, Kleineisenindustrie, Musikinstrumente.

Bayern, das Land im Südosten der Bundesrepublik, ist der Fläche nach das größte Bundesland. Es war im Jahre 900 eines der ursprünglichen fünf deutschen Herzogtümer, hat also eine lange Tradition als Staat. Das heutige Bayern umfaßt neben den von Bayern bewohnten Gebieten wesentliche Teile von Franken mit Nürnberg, Würzburg, Bamberg und Bayreuth und die oberschwäbischen Gebiete um Augsburg. Hauptstadt des Landes und Mittelpunkt des eigentlichen Bayern ist München. Es liegt auf der Hochebene, im Alpenvorland, und südlich davon erstrecken sich mehrere Seen, hinter denen die Bayerischen Alpen beginnen. Der größte See in Bayern ist der Chiemsee, und die landschaftlich reizvollsten Seen sind der Königssee bei Berchtesgaden und der Tegernsee. Die Landschaft südlich von München heißt Oberbayern und besteht vorwiegend aus Hochgebirge. Oberbayern ist im Sommer und Winter eines der bevorzugten Fremdenverkehrsgebiete in Deutschland. Nordöstlich von München beginnt Niederbayern, das Alpenvorland zwischen der Isar und dem Inn mit alten Städten wie Freising und Landshut und der Bischofsstadt Passau an der Mündung des Inn in die Donau. Bayern grenzt im

Ramsau, Oberbayern

GEGENWART

Westen an Württemberg, im Süden und Südosten an Österreich, im Osten an die Tschechoslowakei und im Norden an Hessen und an Thüringen in der DDR. An der Grenze zur Tschechoslowakei befinden sich zwei Mittelgebirge: der Bayerische Wald und das Fichtelgebirge. Mittelpunkt des fränkischen Bayerns ist Nürnberg, das heute mit der Nachbarstadt Fürth zu einer Doppelstadt geworden ist. Nördlich von Nürnberg liegt die Universitätsstadt Erlangen, neben München und Würzburg die dritte bayerische Universität. Die vierte entsteht in Regensburg, der bekanntesten Stadt an der Donau. Bamberg und Würzburg sind frühere Bischofsstädte, Ansbach und Bayreuth — bekannt durch die Opernfestspiele von Richard Wagner und seinen Erben — waren Residenzen eines Markgrafen. Nürnberg war eine Freie Reichsstadt, ebenso wie Regensburg und Augsburg. Überall in Bayern findet man bedeutende Kirchen und Schlösser im Barockstil.

Die Industrie Bayerns ist auf die großen Städte konzentriert. Während früher Augsburg der wirtschaftliche Mittelpunkt südlich der Donau war, ist es heute München. Einen Aufschwung für die Wirtschaft wird die Vollendung des Rhein-Main-Donau-Kanals bringen. Im Süden ist die Landwirtschaft vor allem auf Viehzucht und Milchwirtschaft spezialisiert. In Niederbayern wächst viel Korn, außerdem im Alpenvorland und in Franken auch viel Hopfen, der zu dem Bier benötigt wird, für das Bayern so bekannt ist. An der tschechischen Grenze ist seit 1945 eine neue Glas- und Porzellanindustrie entstanden.

Berlin

Berlin ist offiziell seit 1945 unter der Verwaltung der vier Siegermächte des Zweiten Weltkriegs. 1948 begann sich die Verwaltung für die Sektoren der drei westlichen Alliierten, genannt West-Berlin, von dem östlichen Sektor zu trennen. Die Sowjetunion und die DDR bestehen darauf, daß West-Berlin nicht zur Bundesrepublik gehört. West-Berlin hingegen hat sich bemüht, die Verbindung zur Bundesrepublik möglichst eng zu halten. West-Berlin hat Abgeordnete im Bundestag und Bundesrat; doch sie haben kein Stimmrecht. Die Gesetze der Bundesrepublik gelten auch in Berlin, doch das Stadtparlament muß sie noch einmal bestätigen. Westberliner werden nicht zur Bundeswehr eingezogen.

Berlin hatte um 1939 etwa 4,5 Millionen Einwohner. Heute hat es 3,3 Millionen. Davon leben 2,2 Millionen in West-Berlin. Geographisch umfaßt West-Berlin den westlichen Teil der Stadt, und zwar 55% des früheren Stadtgebietes. Die Innenstadt mit der Prachtstraße Unter den Linden gehört zu Ost-Berlin. West-Berlin hat eine Technische Hochschule, mehrere Forschungs- 5 institute und andere Hochschulen; es hat die Freie Universität aufgebaut, und es bietet kulturelle Veranstaltungen von höchstem Niveau. Allerdings ist es nicht mehr der ständige Sitz der Regierung und des Parlaments. Es ist nicht mehr das Zentrum der deutschen Presse, und seine Industrie ist in einer schwierigen Lage. Alle Rohstoffe müssen aus der Bundesrepublik oder aus dem Ausland 10 bezogen werden, genau wie die meisten Lebensmittel. Die Industrieprodukte, die in Berlin hergestellt werden, zum Beispiel Elektroartikel, Medikamente, Kleidung, Maschinen, werden zum großen Teil wieder über die Bundesrepublik ausgeführt. Der Transport geht durch die DDR und ist nur auf drei Strecken erlaubt. Gütertransporte und Reisende müssen dabei hohe Gebühren bezahlen 15 und werden streng kontrolliert. Sie dürfen in der DDR nicht halten, müssen auf der einen Straße bleiben und bestimmte Geschwindigkeiten einhalten.

Die Berliner haben das Gefühl, auf einer Insel zu leben. Ihre Lage ist unnormal. Sie leben wie in einer belagerten Stadt. Die Berufsmöglichkeiten sind begrenzt. Jede Ferienreise verlangt die lange Fahrt durch die DDR. 20 Wirtschaftlich wird Berlin durch Zuschüsse am Leben erhalten. Die Verbindungen nach Ost-Berlin und der DDR sind abgeschnitten. Berlin hat sich zwar auf diese verrückten Verhältnisse eingestellt; aber es hofft auf die Wiedervereinigung.

Europa-Center, Berlin

2 ∾ *Ein Deutscher in der Bundesrepublik*

Wie lebt ein Deutscher heute?

Was sind die Lebensgewohnheiten der Deutschen? Wie ist ihre Zeiteinteilung? Was wünscht, hofft, fürchtet ein Deutscher? Was ist sein Lebensziel? Welche Gruppen bildet er? Wie ist sein Familienleben? Womit verbringt er seine Freizeit? Wohin reist er im Urlaub? Was hält er von der Regierung?

Auf alle diese Fragen gibt es mindestens zwei Antworten. Deutschland ist ein geteiltes Land. Ein Deutscher in der DDR lebt anders als sein Landsmann in der Bundesrepublik. Ein Einwohner von West-Berlin hat den gleichen Lebensstandard wie ein Einwohner Westdeutschlands, aber die „Insellage" Berlins bringt ihre besonderen Probleme mit sich. Und natürlich gibt es große 5 regionale Unterschiede, Unterschiede der Gesellschaftsschicht, der Religion, der politischen Anschauungen. Trotzdem kann man versuchen, die Frage zu beantworten: was ist typisch für das Leben der Deutschen in der Bundesrepublik? Und das soll hier, im letzten Teil dieses Buches, geschehen. Dabei versuchen wir, der Perspektive des einzelnen Deutschen zu folgen. Zum Schluß 10 werfen wir noch einen Blick auf die anderen größeren Gebiete mit Menschen, die deutsch sprechen: einen Blick auf den anderen Teil Deutschlands, die DDR, auf Österreich und auf die Schweiz.

Lebensbedingungen

Ein eiliger Tourist aus den USA wird feststellen, daß ein Deutscher ganz ähnlich lebt wie ein Amerikaner: Die Mode ist ähnlich; die Warenhäuser 15 sehen ähnlich aus; es gibt Supermärkte; die Kinos spielen amerikanische Filme; im Fernsehen laufen sogar bekannte Serien des amerikanischen Fernsehens. Mancher Amerikaner wird dadurch überrascht sein. Er hatte vielleicht gedacht, daß die deutschen Mädchen blond sind, lange Zöpfe haben und Volkstrachten tragen. Das findet man vielleicht in Restaurants, die amerikanische Touristen 20 anziehen wollen. In den „romantischen" alten Städten herrscht ein modernes Tempo. Die Menschen müssen schwer arbeiten, bevor sie sich ausruhen können und gemütlich ihr Bier oder ihren Wein trinken. Karneval und Oktoberfest finden nur einmal im Jahr statt. Die Studenten in Heidelberg haben ebenso schwere Prüfungen wie anderswo. 25

Die Bundesrepublik ist ein Industrieland. Sie hat die Lebensbedingungen und die Probleme aller Industrieländer. Trotzdem gibt es Unterschiede zwischen Deutschland und den USA. Die Bundesrepublik ist ein kleines Land, das sehr dicht bevölkert ist. Land ist knapp. Wer sich ein eigenes Haus kaufen will, muß sehr viel für den Grund und Boden ausgeben. Wer sich einmal ein Haus 30 kauft, hat vor, den Rest seines Lebens darin zu wohnen. Die Entfernungen sind klein, verglichen mit den USA. Mehr also 1000 Kilometer, das sind 600

Meilen, kann man gar nicht in einer Richtung fahren, ohne daß man an eine Grenze kommt. Gewöhnlich kommt man sehr viel früher an eine Grenze. Kein Deutscher wohnt heute mehr als 200 Kilometer, also 120 Meilen, von einer Grenze entfernt. Die Ostgrenze, die Grenze zum anderen Deutschland, ist dabei fest verschlossen. Die anderen Grenzen sind offen. Nur spricht man gewöhnlich auf der anderen Seite der Grenze eine andere Sprache. Die Menschen sind es also gewohnt, über eine Grenze zu fahren und sich mit Menschen anderer Sprachen zu verständigen. Und sie sind es gewohnt, in ihrem Land bald an eine Grenze zu stoßen. Wer „unbegrenzte Möglichkeiten" sucht, muß ins Ausland gehen — zum Beispiel nach Amerika.

Die Deutschen sind also auch heute noch viel mehr an ihren Ort gebunden als die Amerikaner. Und das bedeutet gleichfalls: Sie leben viel mehr in alten Traditionen. Viele Verhältnisse sind so, weil sie lange Zeit so waren, und wer sie ändern will, findet starken Widerstand. Die Gesellschaft in Deutschland ist weniger beweglich; sie ist fester geordnet als die amerikanische Gesellschaft. Theoretisch sind alle Menschen gleich, praktisch gesehen ist es selten, daß ein Kind eines Arbeiters an der Universität studiert. Es gibt viele Aufstiegsmöglichkeiten; aber man hat es schwer, innerhalb einer Generation gleich „nach oben" zu kommen. Man braucht zwei oder drei Generationen dazu.

Nationalcharakter

Man spricht manchmal von einem „Nationalcharakter". Die Frage ist allerdings: Ist dieser Nationalcharakter nur eine Karikatur, die Ausländer erfunden haben, oder umfaßt der Nationalcharakter wirklich die Eigenschaften, die das Volk selbst für wertvoll und positiv hält? Es gibt natürlich viele ausländische Karikaturen und Vorurteile über die Deutschen, denn die Deutschen haben sich in zwei Weltkriegen viele Feinde gemacht. Wie sehen sich die Deutschen selbst?

Sie sehen zuerst ihre eigenen Unterschiede. Ein „Norddeutscher" unterscheidet sich von einem „Süddeutschen". Für einen Hamburger beginnt der Süden allerdings schon im Harz; für den Bayern ist der Main die Grenze zwischen Süden und Norden. Die Deutschen unterscheiden sich nach den alten Stämmen, oder genauer nach den Dialekten. In Bayern leben Bayern, Schwaben und Franken; Badener und Württemberger unterscheiden sich sehr; im

Ruhrgebiet treffen die lebhaften Rheinländer und die schwerfälligen Westfalen zusammen. Die Deutschen der verschiedenen Gegenden sprechen nicht nur verschiedene Dialekte; sie haben auch einen verschiedenen Charakter; ja, ihre Art des Humors ist verschieden. Die Deutschen selbst verspotten einander aus diesem Grund, und sie schreiben dem anderen bestimmte Eigenschaften zu: Die Bayern sind — für die anderen Deutschen — grob und sauflustig; die Schwaben ehrgeizig und (zu) fleißig; die Niedersachsen sind langsam und wortkarg; die Rheinländer leichtsinnig und unzuverlässig. Besonders dort, wo verschiedene Menschentypen zusammenkommen, wie im Ruhrgebiet, ist solcher Spott beliebt.

Dabei vergessen die Deutschen heute bei allem Partikularismus nicht ihre Gemeinsamkeiten. Was ist also „typisch deutsch"?

Der Deutsche liebt ohne Zweifel die Ordnung. Jeder Mensch sollte dort sein, wo er hingehört; jedes Ding hat seinen „richtigen" Platz. Das gilt auch für die Ordnung der Gesellschaft. Jeder Mensch hat seinen Platz in der Gesellschaft, und wer an einem niedrigeren Platz steht, zeigt seinen Respekt in den Umgangsformen.

Das Ziel eines Deutschen in seinem Auftreten und seinen Umgangsformen ist es, „korrekt" zu sein und zu handeln. Er tut seine Pflicht und gibt jedem Menschen, was ihm gebührt. Die Regeln und Vorschriften werden genau eingehalten.

Während das öffentliche Verhalten Korrektheit verlangt, möchte der Deutsche in seinem privaten Kreis ungezwungen sein. Er fühlt sich dann nicht mehr als „Beamter", sondern als „Mensch"; und er sucht dann Gemütlichkeit. Er ist gern mit Freunden zusammen. Er redet frei, achtet nicht zu sehr auf konventionelle Formen und möchte gern Vertrauen zu den anderen Menschen haben können. So bildet er einen Freundeskreis, und Freunde sind für ihn etwas ganz anderes als „Bekannte". Er nennt sie beim Vornamen und duzt sie, und er bespricht offen seine Sorgen mit ihnen. Bekannten gegenüber verhält er sich mit einer gewissen Distanz.

Der Deutsche nimmt seinen Beruf ernst. Er lernt diesen Beruf gründlich, und er unterscheidet ihn von einem bloßen „Job", einem Posten zum Geldverdienen. Zum Beruf gehört, daß man gute Arbeit leisten kann. Man möchte gern etwas Dauerhaftes produzieren, und es soll gut sein. Der Deutsche wird unzufrieden, wenn er nicht gründlich und gut arbeiten kann. Das Gefühl, gut gearbeitet zu haben, ist ihm wichtiger als Geldverdienst und Anerkennung.

Obwohl der Deutsche im konventionellen Umgang sehr formell ist, betrachtet er die Höflichkeit nicht als einen großen Wert. Ehrlichkeit, Wahrhaftigkeit sind ihm viel wichtiger. „Deutsch reden" bedeutet frei seine Meinung sagen, selbst wenn diese Meinung dem anderen Partner unangenehm ist.

5 Der Deutsche hat eine hohe Achtung vor Bildung. Der Universitätsprofessor ist der Beruf mit dem größten Prestige in Deutschland. Ein Abiturient hat ein größeres Prestige als jemand, der nur die Volksschule besucht hat. Bildung ist nicht nur etwas, was Geld einbringen soll, es ist auch ein Lebensstil und ein Sinn für „geistige Werte".

10 Der Deutsche hat ein starkes Heimatgefühl. „Heimat" ist dabei nicht ganz Deutschland, sondern nur ein bestimmter Teil davon, gewöhnlich eine bestimmte Landschaft oder vielleicht nur eine bestimmte Stadt. Leicht ergreift ihn das „Heimweh", wenn er in der Fremde ist. Aber ebenso stark ist in Deutschland die „Wanderlust", das „Fernweh". Ein Deutscher hat das Gefühl, 15 er müßte die Welt kennenlernen. Es gibt genug deutsche Abenteurer, die mit dem Fahrrad oder mit dem Motorrad um die Welt fahren, und die meisten Deutschen reisen und wandern gern. Man kann diese Wanderlust einen Freiheitsdrang nennen. Der Deutsche schätzt die feste Ordnung und die Tradition, aber er liebt ebenso seine Unabhängigkeit. Alle jungen Menschen 20 ergreift einmal die Abenteuerlust. Jedoch erwartet die Gesellschaft in Deutschland von ihnen, daß sie nach ihren „Wanderjahren" zur Heimat zurückkehren und sich dort fest niederlassen.

Die Deutschen haben ein starkes Naturgefühl. Sie lieben und pflegen ihren Garten, besonders ihre Blumen; sie lieben den Wald, und sie empfinden sehr 25 stark die Schönheit der Landschaft. Sie lieben alte Städte und Burgen, aber ganz besonders ihre Lage in der Natur. „Freie", nicht regelmäßige Schönheit ist ihnen lieber als zu genau festgelegte Maße.

Die Deutschen nehmen das Leben ernst. Sie suchen einen Zweck im Leben; sie versuchen ihr Dasein zu rechtfertigen. Sie befassen sich gern mit 30 metaphysischen Problemen; sie versuchen das Leben insgesamt zu erfassen. Bloße empirische Untersuchung scheint ihnen selten genug zu sein; sie erstreben immer eine Synthese. Auch ihr eigenes Leben soll in einem größeren Zusammenhang stehen. Die Deutschen stehen den Kräften des Verstandes skeptisch gegenüber. Sie trauen mehr dem Gefühl als dem Verstand. Das führt zu der deutschen 35 „Innerlichkeit".

Und schließlich: Die Deutschen möchten gern gut Freund mit allen

Menschen sein. Eigentlich lieben sie den Konflikt nicht besonders. Sie versuchen lieber, einen Kompromiß oder eine Synthese zu finden. Im Grunde sind sie nicht besonders kriegerisch. Allerdings haben sie das Bedürfnis, Anerkennung zu finden.

Solche Charakterzüge sind immer sehr allgemein, und man wird bei den 5 einzelnen Deutschen viele davon nicht finden. Doch sie geben ein Bild davon, wie die Deutschen sich selbst sehen oder wie sie sein möchten.

Die Situation Deutschlands

Deutschland ist in einer unnormalen Lage. Ein geteiltes Land hat auch geteilte Gefühle. Die Deutschen sind ein energisches, ein vitales Volk. Die Bundesrepublik ist wirtschaftlich sehr stark. Trotzdem haben die Deutschen 10 das Gefühl, daß ihr Land mehr ein Objekt der Weltpolitik ist, als daß es unabhängig handeln kann. Die Deutschen sind im Osten und im Westen für die Alliierten oft mehr Last als Freude; die Alliierten sind keine Freunde, sondern Verbündete aus politischer Notwendigkeit. Und die Bündnisse mit den USA oder der UdSSR lösen keineswegs das deutsche Problem; sie verschärfen es 15 nur. Muß da nicht ein Mißtrauen gegen diese Verbündeten entstehen? Die Deutschen fragen sich: Werden wir eigentlich nur ausgenutzt, oder werden wir wirklich als Partner anerkannt? Die Deutschen wissen, daß sie ein mächtiges Land wären, wenn sie wiedervereinigt wären, und viele glauben, daß die Weltmächte die Wiedervereinigung nicht wollen. 20

Die Deutschen wissen, daß der Traum von „Großdeutschland" vorbei ist. Sie haben keinen Ehrgeiz, in der Weltpolitik eine große Rolle zu spielen. Sie sind in ihrer Mehrheit gute „Europäer": Sie möchten ein vereinigtes Europa, in dem alle Nationalitäten gleichberechtigt sind. Aber auch dieses politische Ziel wird noch immer nicht verwirklicht. Der einzelne Deutsche fühlt sich 25 daher als Deutscher unsicher und oft unbehaglich. Die Erinnerung an Hitler und die nationalsozialistischen Verbrechen belastet ihn. So lebt er sein privates Leben so gut wie er kann, und er wartet auf den Augenblick, wo sich seine politischen Ziele, die Wiedervereinigung Deutschlands und die Vereinigung Europas, verwirklichen können. Die Bundesrepublik ist ein sehr stabiler Staat, 30 aber sie ist und bleibt provisorisch. Als endgültig kann sie kein Deutscher akzeptieren.

3 ᴄ Die Familie

Groß-Familie und Klein-Familie

Welche Gruppe der Gesellschaft hält in der größten Not zusammen? Wofür lebt ein Mensch weiter, der seine Heimat verlassen muß, der seine Nachbarn nicht mehr kennt, der kein Vertrauen zur Kirche hat, der von Staat und Politik vollkommen enttäuscht worden ist, ja, der nicht mehr weiß, was sein Vaterland ist? 1945 war für die deutschen Soziologen ein „günstiger Augenblick", diese Fragen zu untersuchen. Ihre Antwort war eindeutig: Es ist die Familie.

Allerdings: Was heißt „Familie"? Wir gebrauchen diesen Begriff in verschiedenen Bedeutungen. Wenn wir sagen: Jemand kommt aus einer guten oder alten Familie, so denken wir an Adelsgeschlechter oder bekannte bürgerliche Patrizierfamilien mit einer langen Tradition, deren Name weithin bekannt ist. Wenn ich sage: „Meine Familie", so meine ich die Menschen, mit denen ich verwandt bin: Eltern, Geschwister, Großeltern, Onkel, Tanten, Vettern, Neffen, Nichten, und was es sonst noch an Verwandtschaftsgraden gibt. Diese Verwandtschaft nennen die Soziologen eine „Groß-Familie". Sonst sagte man in Deutschland auch „Sippe" dafür, aber dieses Wort ist nicht nur veraltet, sondern auch von den Nationalsozialisten mißbraucht worden, und so hat es keinen guten Klang mehr. Man kann leicht feststellen, wen ein Deutscher als seinen Verwandten betrachtet: Alle Verwandten duzen sich, auch wenn sie sich selten sehen oder nicht leiden können. Wenn die Schwiegereltern dem zukünftigen Schwiegersohn oder der zukünftigen Schwiegertochter das „Du" anbieten, so heißt das: Jetzt bist du in die Familie aufgenommen und gehörst zu uns.

Die Gruppe, die die Soziologen nach 1945 untersuchten, war aber weder das Adelsgeschlecht noch die „Groß-Familie", sondern die „Klein-Familie": Vater, Mutter und die Kinder, vor allem die unverheirateten Kinder, die im Hause der Eltern leben. Das ist heute die eigentliche Familie. Die Beziehung zu den Großeltern und zu manchen Onkeln und Tanten können sehr eng sein; aber es ist nicht mehr so weit verbreitet, wie es früher war, daß man im gleichen Haus oder in der gleichen Wohnung mit ihnen zusammenlebt. Die Wohnungen sind viel kleiner und teurer; und außerdem möchten sowohl die alten als auch besonders die jungen Leute ihre Unabhängigkeit bewahren.

144

Der Haustyrann

Auch in Deutschland ist „Unabhängigkeit" ein Schlüsselwort geworden. Früher gab es den Haustyrannen, vor dem nicht nur die Kinder zitterten, sondern auch die Ehefrau. Man durfte sein Arbeitszimmer nicht betreten, sein Mittagsschlaf war heilig, und er allein traf die wichtigen Entscheidungen
5 in der Familie — oft genug, ohne der Frau etwas davon zu sagen.

Diesen Tyrannen gibt es nicht mehr, schon deshalb, weil Frauen und Kinder heute nicht mehr wie Sklaven handeln. Allerdings erwartet man vom Vater, daß er das Geld verwaltet, daß er die letzte Entscheidung trifft, daß also die Autorität im Hause bei ihm liegt. Die Verfassungen der Bundes-
10 republik und der DDR stimmen nicht mit dieser allgemeinen Ansicht überein; denn in ihnen wurde festgelegt, daß Mann und Frau gleichberechtigt sind. Diese Bestimmung setzt sich erst allmählich in der Wirklichkeit durch.

Es hat sich bereits vieles auf diesem Gebiet geändert, und zwar vor allem während der Weltkriege. Die Männer waren an der Front, so mußten die
15 Frauen nicht nur zu Hause die Verantwortung und die Erziehung der Kinder übernehmen; sie mußten auch für die Männer ins Büro und in die Fabrik gehen. Noch zu Beginn des 20. Jahrhunderts gab es in den höheren Schichten der Gesellschaft nur wenige Frauen, die einen Beruf lernten und ausübten — heute ist das in allen Schichten der Gesellschaft üblich. Doch auch eine Frau,
20 die in ihrem Beruf erfolgreich ist, möchte heiraten, und sie möchte keinen „Pantoffelhelden" zum Mann. Sie sehnt sich gar nicht danach, zu Hause „die Hosen anzuhaben". Heute ist die am meisten verbreitete Karikatur des Mannes nicht der Haustyrann, sondern der Pantoffelheld.

Der Haustyrann, in dem manche amerikanischen Psychologen eine der
25 Quellen des Nationalsozialismus gesehen haben, ist eine Erscheinungsform der deutschen Industrialisierung nach 1850. In den Märchen der Brüder Grimm, in denen wir die Gesellschaft vor der Industrialisierung kennenlernen, ist der Tyrann viel seltener als die böse Stiefmutter. Stiefmütter gab es viele, denn nicht wenige Frauen starben bei der Geburt eines Kindes. Der Haushalt
30 war damals gewöhnlich ein umfangreicher Wirtschaftsbetrieb. Die Werkstatt, der Bauernhof, ja, meistens sogar das Büro waren mit dem Wohnhaus verbunden. Zur Familie gehörten außer den Kindern und unverheirateten

Verwandten auch die Angestellten: Gesellen, Lehrlinge, Knechte, Bürodiener, Mägde, Kutscher — was es immer an Personal geben mochte. Der Mann war zugleich Hausherr und Chef des Betriebes; er hatte also eine doppelte Autorität. Die Frau bekam die Schlüssel und hatte dadurch eine „geliehene" Autorität. Sie beaufsichtigte die vielen Hausarbeiten. Es wurde ja nicht nur 5 das Essen gekocht, sondern auch die Butter dazu hergestellt, das Brot und der Kuchen gebacken; man kochte sich selbst die Seife, drehte Kerzen. Die Frauen spannen, webten, stickten, nähten, strickten — auch die Hausarbeit war umfangreich; jeder hatte genug zu tun und brauchte nicht um seine Stellung zu kämpfen. 10

In der Großstadt gibt es solche patriarchalischen Verhältnisse nicht mehr. In der Großstadt hatten die Menschen kleine Wohnungen und wenig Dienstboten; sie mußten Lebensmittel und Haushaltswaren im Geschäft kaufen; sie fühlten sich einsam und fremd, und der Vater war selten im Haus. Er arbeitete lange Stunden in der Fabrik oder im Büro. Dort mußte er gehorchen, und so 15 nutzte er seine Freizeit zu Hause zum Befehlen und wurde ein Haustyrann. Die Frauen und die Kinder ließen sich das jedoch nicht sehr lange gefallen. Die Jugendbewegung richtete sich unter anderem gegen die tyrannischen Väter und die Frauenemanzipation gegen die tyrannischen Ehemänner. Nach 1918 hatten diese Bewegungen Erfolg. Die Frauen wollten nicht mehr auf „Kinder, 20 Küche und Kirche" beschränkt bleiben; die Jugend ging frühzeitig ihre eigenen Wege.

Im 19. Jahrhundert hatten die Familien in Deutschland durchweg viele Kinder; das änderte sich mit der Emanzipation des 20. Jahrhunderts. Die Nationalsozialisten, die so gern weite Gebiete Europas mit Deutschen besiedeln 25 wollten, versuchten zum 19. Jahrhundert zurückzukehren: Sie gaben hohe Kinderzulagen, und sie verteilten „Mutterkreuze" an die Mütter mit vier und mehr Kindern. Sie hatten sogar einigen Erfolg. Weniger Erfolg haben heute die Bemühungen der Bundesregierung, die mit Hilfe von Kinderzulagen zu erreichen versucht, daß die Deutschen statt eines oder zwei Kinder wenigstens 30 drei Kinder haben; denn bei den jetzigen Geburtsraten muß die Bevölkerung der Bundesrepublik auf die Dauer abnehmen, sagen die Statistiker voraus.

Eltern und Kinder

Die Deutschen in der Bundesrepublik haben einen beachtlichen Wohlstand erreicht. Warum haben sie nicht mehr Kinder? Ihr Wohlstand hat keineswegs Optimismus mit sich gebracht. Viele Deutsche blicken mit Zweifel und Skepsis in die Zukunft. Sie fragen sich: Wie lange wird dieser Wohlstand
5 dauern? Können wir es verantworten, in dieser unsicheren Welt Kinder großzuziehen?

Außerdem hat sich das Familienleben in Deutschland geändert. Jeder Beruf ist heute anstrengend. Unsere Welt ist kompliziert; sie verlangt Konzentration und Vorsicht. Wenn man nach Hause kommt, dann hat man vor
10 allem einen Wunsch: Ruhe. Man braucht ein Nest, in das man sich verkriechen kann; man braucht eine geschützte Intimsphäre. Das möchte man in der Familie finden. Kinder bringen Unruhe. Schwierigkeiten sind zu besprechen; Entscheidungen werden nötig; ja noch mehr: Kinder verlangen, daß die Eltern ein gutes Beispiel geben, daß sie in ihrer Erziehung konsequent sind. Die
15 bisherige Idee vom Familienleben in Deutschland geht sogar weiter. Die Eltern sollen für ihre Kinder leben, sich selbst Beschränkungen zumuten, damit die Kinder eine bessere Schulbildung und Berufsausbildung bekommen als sie selbst. Allerdings — die Deutschen denken nicht so beweglich wie die Amerikaner. Sie erwarten nicht, daß ein Zeitungsjunge Millionär oder Bundes-
20 kanzler werden kann. Der Vater hofft meistens, daß sein Sohn im gleichen Beruf bleibt, aber einen höheren Rang erreicht. Wenn der Vater Mechaniker ist, so möchte er, daß der Sohn Ingenieur wird; wenn er Studienrat ist, so hofft er, daß sein Sohn zum Universitätsprofessor oder zum Schulrat aufsteigt.

Die Deutschen nehmen also im allgemeinen die Erziehung und das
25 Familienleben ernst. Gerade deshalb gibt es heute manche Schwierigkeiten. Die Väter der heutigen Studentengeneration hatten oft eine verständliche Scheu, zu erklären, was sie während der Hitlerzeit getan haben. Diese nationalsozialistische Epoche, der Zweite Weltkrieg und die schwierigen Jahre bis 1949 haben diesen Vätern und Müttern der heutigen jungen Generation Jahre
30 ihres Lebens weggenommen, in denen sie leiden und arbeiten mußten, nur um zu überleben. Jetzt möchten sie auch einmal ihr Leben genießen. Sie möchten sich nicht mehr für die Kinder opfern. Während früher die Kinder manchmal zu viel Aufmerksamkeit bekamen, so daß die Liebe der Eltern fast tyrannisch wirkte, so bekommen die Kinder heute oft nicht genug Aufmerksamkeit. Die

Geselligkeit im Hause ist nicht mehr vorhanden; jeder geht seine eigenen Wege. Oberflächliche Beobachter behaupten, das sei die Schuld des Fernsehens. Gewiß hat das Fernsehen dazu beigetragen; Schuld daran ist es nicht.

Man kann nicht sagen, daß es eine „Familienkrise" in Deutschland gibt. Sowohl Hitler als auch die kommunistische Regierung der DDR haben versucht, die Kinder dem Einfluß der Eltern zu entziehen, um sie leichter politisch erziehen zu können — bis jetzt sind die Folgen davon geringer als erwartet. Nach 1945 wuchs die Zahl der Ehescheidungen; die militärische Besatzung ließ die Zahl der unehelichen Kinder steigen. Aber gerade damals wurden sich viele Menschen bewußt, welchen Wert die Familie darstellt. Inzwischen sind die Familienstatistiken wieder „normal". Schwierigkeiten treten jedoch bei dem Verhältnis der Eltern und Kinder auf. Es gibt ein „Generationsproblem".

Die Jugend in Deutschland ist dabei nach 1945 nicht „zornig" geworden. Die so unerwartet ruhige junge Generation nach 1945 bekam den Namen die „skeptische Generation". Die jungen Leute waren kühl, mißtrauisch, abwartend; sie waren nicht schnell bereit, sich zu engagieren. Sie hatten ein dringendes Bedürfnis nach Wahrheit und vernünftigen Gesprächen. Wenn sie kein Vertrauen zu ihren Eltern oder Lehrern mehr hatten, so rebellierten sie nicht, sondern gingen den Erwachsenen höflich aus dem Wege und blieben unter sich.

In den letzten Jahren ist das anders geworden. Die Entfremdung wird nicht mehr als höfliche Distanz ausgedrückt. Auch in Deutschland gibt es wieder eine rebellierende Jugend, eine Jugend, die die Welt verändern will. Aktiv sind vor allem die Studenten, während sich die jungen Arbeiter abwartend verhalten. In beiden Fällen ist das Vertrauen zu den Erwachsenen begrenzt. Dabei brauchen junge Menschen ja oft einen Erwachsenen, der ihnen hilft und zu dem sie Vertrauen haben können; sie brauchen einen Freund. Die Deutschen machen einen sehr genauen Unterschied zwischen einem „Freund" und einem „Bekannten" oder zwischen einem „Freund" und einem „Kameraden" oder „Kollegen". Ein Kamerad, z.B. in der Schule oder in der Armee, ein Kollege im Beruf, ein Nachbar in der Straße sind verpflichtet zu praktischer Hilfe und fairem Verhalten. Von einem Freund erwartet man mehr: Man erwartet, daß man mit ihm seine Sorgen teilen kann, daß man seelische Schwierigkeiten besprechen kann, daß man Verständnis, ja Hilfe bekommt, vor allem seelischer Art. Der Psychiater ist nur für Kranke da; andere Menschen haben einen Freund. Das kann der Vater, der Bruder, ein anderer Verwandter sein,

148

Studenten in Heidelberg

ein Altersgenosse oder ein älterer Mensch. Viele Familien haben dieses Vertrauensverhältnis, bei dem die Mitglieder auch „Freunde" sind. Die Gruppen der Jugendbewegung waren auf Freundschaft aufgebaut.

5   Die heutige Jugend zeigt weniger Freundschaftsgefühle, als es frühere Generationen taten. Sie ist kühler, nüchterner — jedenfalls in ihren Äußerungen. Wie bei dem Familienleben, so ändert sich heute bei dem Freundschaftsverhältnis die Form. Die heutige Jugend verabscheut die Lüge und die Konvention. Sie möchte ein ehrliches Leben führen und außerdem ein individualistisches: Jeder Mensch soll seinen eigenen Weg gehen.

10 Die Familie ist als Einrichtung so eng mit dem Leben in Deutschland verknüpft, daß junge Leute sie leicht als bloße Tradition oder Konvention ansehen können. Die Feste, vor allem das Weihnachtsfest, sind in erster Linie Familienfeste. Bei den Familienfesten, bei Geburt, Hochzeit und Begräbnis, tritt die Kirche am deutlichsten im Leben des Menschen hervor, und so ist es

15 natürlich, daß die Kirchen den Wert der Familie ganz besonders hervorheben. Viele Wirtschaftsbetriebe in der Bundesrepublik, kleine, mittlere und große, sind noch „Familienbetriebe", und es ist Ehrensache, daß ein Mitglied der Familie den Betrieb weiterführt, auch wenn es keine Neigung dazu hat. Die meisten Frauen, die heute Leiterin eines Betriebes in Deutschland sind, haben

20 die Leitung als Witwe oder Tochter des Besitzers übernommen, um sie eines Tages dem Sohn oder Bruder zu übergeben. Die Bundesregierung hat ein „Familienministerium". Autorität und Tradition schützen die Stabilität des Familienlebens. Ob diese Stabilität nur äußerlich ist oder auf wirklicher Zuneigung und Vertrauen beruht, muß jede Familie selbst entscheiden. Die

25 Folge der letzten Jahrzehnte ist, daß das Familienleben eine neue Form findet.

3 ⌒ DIE FAMILIE

4 ⌁ Feste im Jahreslauf

Das Weihnachtsfest

Ein Land mit einer so langen Tradition, mit so viel Verschiedenheiten wie Deutschland hat eine große Zahl von Bräuchen, an denen die Menschen gern festhalten. In Deutschland hat es nie eine Trennung von Staat und Kirche gegeben, und das Kirchenjahr spielt im „Festkalender" eine wichtige Rolle. Die Deutschen feiern ihre kirchlichen Feste länger als die Amerikaner; sie 5 haben mehr bezahlte Feiertage. Das Weihnachtsfest beginnt nicht nur in der Reklame der Geschäfte lange vor dem 24. Dezember. Der November ist die Zeit, in der man an die Toten denkt. Die Katholiken schmücken die Gräber der Familie am 1. November, zu Allerheiligen. Für die Protestanten ist der Sonntag vor dem 1. Advent der „Totensonntag". Am Mittwoch vor dem 1. 10 Advent ist ihr „Buß- und Bettag". In diese Zeit fällt gleichfalls der Gedenktag für die Toten der Kriege.

Zum 1. Advent hat jede Familie einen Adventskranz, der auf den Tisch gestellt wird und den vier Kerzen schmücken. Am 1. Advent wird die erste Kerze angezündet und jeden Adventssonntag eine weitere. Die Familie sitzt 15 am Sonntagnachmittag zusammen, singt Advents- und Weihnachtslieder und bereitet sich so auf das kommende Fest vor. Am 6. Dezember ist der Nikolaustag. Der Nikolaus kommt nachts und bringt braven Kindern Geschenke, böse bekommen eine Rute. Die Kinder stellen am Abend vorher ihre Schuhe auf die Fensterbank. Dort wo der Nikolaustag nicht mehr gefeiert wird, wie 20 zum Beispiel in manchen norddeutschen Gegenden, kommt der Nikolaus trotzdem, und zwar an einem Adventssonntag. Weihnachten ist das eigentliche Familienfest in Deutschland. Man bedauert jeden Menschen, der am 24. Dezember, am Heiligen Abend, nicht bei seiner Familie sein kann. Das eigentliche Weihnachtsfest wird an diesem Abend gefeiert. Man schmückt an diesem Tag den Weihnachtsbaum, auch Christbaum genannt. Zur Freude des Festes gehört auch, besonders wenn Kinder im Hause sind, die Überraschung über den schönen Baum. Wenn die Kerzen brennen, öffnen die Eltern die Tür, die Kinder bekommen ihre Geschenke, und man öffnet die Geschenkpakete von Verwandten und Freunden. Draußen ist es ruhig, Geschäfte, Kinos, Restaurants schließen; alle Leute versuchen, bei ihrer Familie zu sein. Die Deutschen haben künstliche Weihnachtsbäume nicht gern; viele Leute mögen nicht einmal elektrische Kerzen, sondern bleiben bei natürlichen Kerzen. Das ist keineswegs verboten, und es gibt auch nur wenige Leute, die Angst vor Feuer haben, obwohl es natürlich immer einige kleine Brände gibt.

Der 25. und 26. Dezember sind volle Feiertage. Am 25. Dezember ißt man seine Weihnachtsgans, seinen Puter oder seinen Weihnachtskarpfen, und man besucht Verwandte und Freunde. Der Karpfen gehört in diese Jahreszeit; wenn er nicht zu Weihnachten auf den Tisch kommt, dann sicherlich zu Silvester oder Neujahr.

Die Tage zwischen Weihnachten und Neujahr sind zwar keine Feiertage, doch wird eigentlich, wenn es geht, nur „mit halber Kraft" gearbeitet. Auf die feierliche Stimmung von Weihnachten folgt die lustige Stimmung von Silvester. Alle Restaurants sind voll. Viele Leute feiern bei sich zu Haus. Man will das alte Jahr hinaustanzen und das neue Jahr mit Prosit und Feuerwerk begrüßen. Man möchte auch prophezeien, was das kommende Jahr bringt. Eine Art Prophezeiung ist das „Bleigießen": Man gießt glühendes, flüssiges Blei in kaltes Wasser und versucht die Formen der Figuren, die dabei entstehen, zu deuten; daraus prophezeit man, ob sich im kommenden Jahr die Wünsche und Hoffnungen erfüllen. Das neue Jahr wird mit Sekt und „Prosit Neujahr" begrüßt.

Die Weihnachtszeit geht bis zum 6. Januar, dem Fest der Heiligen Drei Könige, auch Erscheinungsfest genannt. Früher war es üblich, daß sich die Kinder abends in die Heiligen Drei Könige verkleideten, von Haus zu Haus zogen und um Süßigkeiten baten. Das ist heute nur noch in einigen ländlichen Gegenden der Brauch, besonders in Bayern.

Ostern

Für die Katholiken besteht die Zeit zwischen Weihnachten und Ostern aus zwei Abschnitten: der Zeit bis zum Karneval und der Fastenzeit. Der Karneval wird in Südwestdeutschland Fastnacht und in Bayern Fasching genannt. Die Art, diese Wochen vor der Fastenzeit zu feiern, ist in den verschiedenen Teilen Deutschlands verschieden. In den katholischen Teilen gehört 5 der Karneval zur Tradition; heute allerdings feiern auch gern die Protestanten mit. Den Höhepunkt dieser „tollen" Zeit bilden die großen Umzüge. Am Rhein und in Südwestdeutschland finden sie am Rosenmontag statt, in München am Faschingsdienstag. Die meisten Feste sind Maskenfeste, und bei den Umzügen sind die Masken am wichtigsten. Der Karneval gibt die Gelegenheit, das Leben 10 zu genießen und die anderen Menschen, auch die Politiker und die Regierung, zu verspotten, ohne daß sie es übelnehmen dürfen. Der Dienstag ist zugleich das Ende der fröhlichen Zeit; um Mitternacht beginnt der Aschermittwoch und die traurige Fastenzeit, die bis Ostern dauert.

Zu den Fastnachtsumzügen in Baden und Württemberg gehören ge- 15 wöhnlich auch die Hexen mit ihren Besen. Sie fegen bereits den Winter weg, was sonst erst zu Ostern geschieht. Bei dem Osterfest verbinden sich alte Bräuche im Frühling mit der christlichen Bedeutung. Der Karfreitag wird besonders von den Protestanten als Trauertag und Fastentag angesehen. Das Osterfest selbst ist ein fröhliches Fest, denn der Winter ist nun vorbei. Bei den 20 Katholiken kommt noch hinzu, daß die Fastenzeit jetzt vorüber ist. Auch in Deutschland kommt der Osterhase, der im Garten oder im Wald seine Ostereier legt, die die Kinder suchen müssen. Viele Familien machen einen Spaziergang in den Wald, wenn das Wetter gut genug ist. Auch das Osterfest, ebenso wie das Pfingstfest dauert zwei Tage, denn der Montag zählt als Feiertag. Alle 25 diese Fest sind Familienfeste. Zu Pfingsten, wenn das Wetter wirklich schön wird, unternehmen die Leute gern Ausflüge oder weitere Reisen: wenn sie können, über die Alpen nach Süden, der warmen Sonne entgegen.

Zwischen Ostern und Pfingsten sind noch mehrere Feste, die den Alltag angenehm unterbrechen. Zum Kirchenkalender gehört das Himmelfahrtsfest 10 Tage vor Pfingsten. Der Brauch ist allerdings, daß dieser Tag als „Vatertag" gefeiert wird. Die Männer ziehen allein los und vergnügen sich. Natürlich wird dabei viel getrunken; doch an diesem Tag darf es nicht einmal eine streitsüchtige Ehefrau übelnehmen, wenn der Mann sehr spät und ziemlich schwankend heimkehrt.

Ein bedeutendes katholisches Fest ist Fronleichnam, zehn Tage nach Pfingsten. Mit großen Prozessionen ziehen die Menschen hinaus, um dabei zu sein, wenn die Altäre neu geweiht werden. Die ganze Stadt oder das ganze Dorf sind dabei, mindestens als Zuschauer. Die Fenster und Türen der Häuser werden mit grünen Birkenzweigen geschmückt; auf den Straßen werden schön gestaltete Blumenteppiche ausgelegt. Der Frühling ist die Zeit für mancherlei Bräuche, die manchmal vorchristlichen Ursprung haben. Die Bauern umreiten die Felder; sie pflanzen Maibäume auf; Brunnen werden mit Blumen geschmückt und geweiht. Die Nationalsozialisten haben einige dieser Bräuche benutzt und mit einem politischen Sinn versehen, vor allem das Sonnenwendfeuer, das man am längsten Tag, dem 21. Juni, abends auf Berggipfeln anzuzünden pflegte. Dabei wurden Lieder gesungen, Sprüche gesagt — oft satirische — und schließlich sprangen die jungen Leute über das Feuer. Heute sind diese Sonnenwendfeuer wegen dieses politischen Mißbrauches selten geworden. Im Schwarzwald zündet man sie im Frühling an, um den Winter zu vertreiben.

Fronleichnam

Nationalfeiertage

Die uneinheitliche deutsche Geschichte spiegelt sich darin, daß es keinen richtigen Nationalfeiertag gibt. Bis 1918 feierten die Deutschen den Tag der Reichsgründung, den Sieg bei Sedan gegen die Franzosen 1870 und den Geburtstag des Kaisers. Nach 1918 hatten sie nicht viel zu feiern. Hitler hingegen führte viele Feiertage ein, die mit langen Paraden und Zeremonien gefeiert wurden: der Tag der Machtübernahme, sein Geburtstag, der 1. Mai als „Tag der Arbeit", der 9. November als Tag des Putsches in München, das Erntedankfest, die Sonnenwende — es gab kein Ende. Umso weniger hatten die Deutschen nach 1945 Lust, nationale Feste zu feiern. Der 1. Mai hat sich in Deutschland wie anderswo als Feiertag der Arbeiterbewegung durchgesetzt. In der DDR ist es natürlich ein hoher offizieller Tag mit großen Paraden. In der Bundesrepublik halten die Gewerkschaften Kundgebungen ab.

Der einzige Feiertag, den die Bundesrepublik neu eingeführt hat, ist der 17. Juni, als Gedenktag an den Aufstand in Ost-Berlin und der DDR im Jahre 1953 und an die Teilung Deutschlands. Je länger die Teilung Deutschlands dauert, und je mehr sich die Teile selbständig entwickeln, desto mehr wird die Frage gestellt, ob und wie dieser 17. Juni gefeiert werden soll.

Im Haus und im Büro

Natürlich gibt es viele Feste im Leben des einzelnen Menschen: Geburtstag oder Namenstag, Hochzeit und Hochzeitstag, Taufe, Konfirmation oder

Erstkommunion, Jubiläum. Die meisten Deutschen feiern gern mit viel gutem Essen und viel Alkohol; sie wollen lustig sein, wenn sie feiern. Sie werden laut; sie lachen viel; sie sind informell, ungezwungen. Das nennen sie „Gemütlichkeit", und das ist ihre Idee von einer Feier. Oft gehören Reden und andere
5 Programmpunkte zu einer Festlichkeit, dann gibt es einen „ernsten" und einen „heiteren" Teil. Der heitere Teil fehlt nie. Die öffentlichen Feste, die die Deutschen sich geschaffen haben, sind alle so, daß es dabei laut und gemütlich werden kann. Laut und gemütlich sind die vielen „Volksfeste", die es vor allem im Sommer und im Herbst gibt und die sehr oft mit Erntefesten oder
10 Landwirtschaftsausstellungen verbunden sind. Das bekannteste davon ist das Oktoberfest in München, das im September und Oktober stattfindet und das ziemlich „jung" ist — es wird erst seit dem Beginn des 19. Jahrhunderts gefeiert. Typisch für diesen Geschmack der Deutschen ist auch der „Betriebsausflug". Jede Firma, jede Behörde sogar, unternimmt einmal im Jahr einen
15 gemeinsamen Tagesausflug, den der Betrieb bezahlt. Dieser Ausflug endet am Abend mit einem Trinkfest. Natürlich gibt es richtige Trinkfeste, zum Beispiel die Weinfeste in den Weinbaugegenden, die nach der Weinernte gefeiert werden, oder die Bierfeste, zum Beispiel in München. Jeder Verein hat ein Jahresfest; die Studentenverbindungen haben ihre Stiftungsfeste. Auf allen
20 diesen Festen essen, trinken, tanzen und lachen die Menschen, und wer gern nüchtern ist und Ruhe braucht, wird wenig Geschmack daran finden. Die Deutschen sind richtig ernst, wenn sie ernst sein müssen, besonders bei der Arbeit — vielleicht zu ernst, wie manche Ausländer sagen; wenn sie feiern, wollen sie richtig lustig sein. Dabei gibt es keinen Unterschied mehr zwischen
25 Armen und Reichen, zwischen dem Chef und dem Bürodiener. Schnell ist man auf du und du. Am nächsten Morgen ist jedoch alles wieder „normal", höchstens, daß man seinen „Kater" überwinden muß. Arbeit und Feiern sind zwei streng getrennte Bereiche. „Dienst ist Dienst, und Schnaps ist Schnaps." hieß es in der deutschen Armee. Allerdings — wer nicht richtig feiern, nicht
30 richtig lustig sein kann, erweckt Mißtrauen. Wenn es der Chef ist, so muß er damit rechnen, daß ihn seine Angestellten auch im Dienst nicht ganz akzeptieren und ernst nehmen.

Der Tourist also, der die Deutschen beim Karneval oder beim Oktoberfest trinken und lachen sieht, sieht nur eine Seite von ihnen. Andere Seiten entdeckt
35 er erst, wenn er in eine Familie kommt, oder wenn er die Menschen bei der Arbeit kennenlernt.

5 ⌐ Die Schule

Das Schulsystem

Jedes Land hat sein eigenes Schulsystem, das sich langsam entwickelt hat und das mit den Traditionen des Landes eng zusammenhängt. Das deutsche Schulsystem hat mehrere Eigenheiten, die es von dem System der USA unterscheiden. Es kennt nämlich nicht die Einheitsschule der USA; es hat sehr wenige Privatschulen; die Kirche ist nicht vom Staat getrennt, und schließlich ₅ werden die Schulen von den einzelnen Ländern verwaltet.

Die Bundesregierung in Bonn hat kein Erziehungsministerium. Jedes einzelne Land hat ein Ministerium, das gewöhnlich den Namen trägt: Ministerium für Unterricht und Kultus. Die Schule und die kirchlichen Angelegenheiten werden also vom selben Minister verwaltet, der sich außerdem mit ₁ allen anderen kulturellen Angelegenheiten beschäftigt. Alle Kinder haben die Gelegenheit, in der Schule Religionsunterricht zu erhalten, ihrer Konfession entsprechend. Ein lange dauernder Streit entstand um die Frage, ob die Schüler in den ersten Jahren nach der Konfession getrennt werden sollten. In Bayern war das lange Zeit der Fall: Es gab Klassen für katholische Schüler, Klassen für ₁ Protestanten und schließlich Klassen für Kinder mehrerer Konfessionen, die „Gemeinschaftsschule". Auch in Rheinland-Pfalz und in Niedersachsen gab es Streit um die Konfessionsschule. Die „Gemeinschaftsschule" hingegen setzt sich allmählich durch; in Bayern wurde sie nach einer Volksabstimmung beschlossen. So darf jetzt auch der evangelische Lehrer im Dorf den katholischen ₂ Lehrer vertreten. Es muß nicht mehr der katholische Lehrer aus dem nächsten

156

Dorf zur Vertretung kommen. Die Schulen sind staatlich oder städtisch; der Lehrplan und das Gehalt der Lehrer sind jedoch einheitlich. Die Schulen werden aus den allgemeinen Staatseinnahmen und nicht aus den Gemeindesteuern bezahlt. Es gibt einige Privatschulen; außer Klosterschulen und Schulen der Anthroposophen, Waldorfschulen genannt, sind es vor allem Schulen für Kinder, die nicht zu Hause bei den Eltern wohnen können oder die Schwierigkeiten in den öffentlichen Schulen haben.

Nach den ersten vier Schuljahren müssen die Eltern eine schwerwiegende Entscheidung für ihr Kind treffen: Hier teilt sich nämlich die Schule in die Oberschule, die Mittel- oder Realschule und die Volksschule. Die Volksschule dauert noch vier oder fünf Jahre, die Mittelschule sechs Jahre, und in der Oberschule brauchen die Kinder neun weitere Jahre, bis sie fertig sind.

Jeder Schultyp führt zu einer anderen Laufbahn. Die Oberschule endet mit dem Abitur und führt zum Studium an der Universität. Die Mittelschule bereitet den Schüler auf höhere Positionen im praktischen Leben vor. Die Volksschule vermittelt, was jeder Mensch an Allgemeinbildung haben sollte. Mittel- und Oberschule verlangen ein bestimmtes Niveau; wer schlechte Noten bekommt, bleibt „sitzen", d.h., er muß die Klasse wiederholen, und wer zweimal in der gleichen Klasse sitzen bleibt, muß die Oberschule verlassen. Er kann dann in die Mittelschule oder Volksschule überwechseln. Umgekehrt kann ein sehr begabter Schüler aus der Volks- oder Mittelschule auch später in die Oberschule kommen, aber da der Lehrplan ganz anders ist, ist das ziemlich schwierig. Dieses traditionelle Schulsystem ist in der DDR abgeschafft worden. Die DDR hat eine Einheitsschule für die ersten acht Jahre; und es soll jeder junge Mensch zehn Jahre lang in die Schule gehen. Anschliessend folgt die Berufsausbildung oder die Vorbereitung auf das Abitur.

Die Grundschule

Grundschule wird die Grundstufe der Volksschule genannt. Die Kinder beginnen mit sechs Jahren. Es gibt Kindergärten in Deutschland, aber sie sind unabhängig von der Schule, und die Kinder spielen mehr als daß sie lernen. Die Kindergärten sind vor allem für Mütter gedacht, die arbeiten müssen, und sie nehmen Kinder im Alter von 3 bis 6 Jahren. Es gibt private, kirchliche oder städtische Kindergärten.

Der „Ernst des Lebens" beginnt also erst mit dem ersten Schultag. Die Kinder bekommen zu diesem Anlaß eine große Papptüte mit Süßigkeiten, Schultüte genannt. Ihre Schulsachen tragen sie in einem Ranzen auf dem Rücken. Bis vor einigen Jahren fing das neue Schuljahr nach Ostern an, doch jetzt hat sich die Bundesrepublik den anderen europäischen Ländern 5 angeglichen, und die Schule fängt nach den Sommerferien an. Die Schule ist in den meisten Ländern nur am Vormittag, allerdings sechs Tage in der Woche. Arbeitsgemeinschaften am Nachmittag, besonders für größere Schüler, sind die Ausnahme. Bei den „ABC-Schützen" der ersten Klasse beginnt es sehr bald, ernst zu werden. Sie lernen lesen und schreiben, und sie fangen sofort 10 mit dem Rechnen an. Außerdem haben sie Religionsunterricht, Sport, Zeichnen und Musik. Die deutsche Rechtschreibung ist einigermaßen regelmäßig, so wird von den Kindern erwartet, daß sie nach einem Jahr Schule alle Wörter, die zu ihrem Wortschatz gehören, lesen und schreiben können. In der zweiten Klasse bekommen sie also bereits Lesestücke als Diktate und nicht einzelne 15 Wörter.

In der dritten Klasse lernen die Kinder auch Heimatkunde und etwas Naturkunde. Jede Klasse hat einen Klassenlehrer, und die Kinder haben die meisten Fächer bei ihm.

Die Oberstufe der Volksschulen

Ungefähr 7 von 10 Schülern in der Bundesrepublik bleiben in der Volks- 20 schule. In der Stadt bekommen die Schüler jetzt Unterricht von Fachlehrern, und sie können, wenn sie wollen, eine Fremdsprache lernen, gewöhnlich Englisch. Die Bestimmungen über das neunte Schuljahr sind von Land zu Land verschieden. Viele Schüler bleiben jedoch, freiwillig oder als Pflicht, neun Jahre in der Schule. Damit verkleinert sich der Unterschied zwischen der 25 Volksschule und der Mittelschule.

Die Schulen in den Dörfern sehen teilweise noch anders aus. Früher hatte jedes Dorf seine eigene Schule. In einem kleinen Dorf waren alle Schüler von der ersten bis zur achten Klasse in einem Raum zusammen und wurden von einem Lehrer unterrichtet. Solche „einklassigen" Schulen gibt es auch 30 heute noch, aber sie werden immer seltener. Die Eltern und die Lehrer, auch die Politiker sind inzwischen überzeugt, daß die Kinder in diesen Schulen nicht genug lernen können. So werden die älteren Schüler mit Bussen zu einer „Mittelpunktsschule", die die Schüler mehrerer Dörfer aufnimmt, gefahren. Mit diesem Programm hat zuerst das Land Hessen angefangen, inzwischen verbreitet es sich überall in der Bundesrepublik. Wenn ein Schüler nach acht oder neun Jahren die Schule verläßt, ist seine Schulpflicht noch nicht zuende. Nur muß er jetzt nicht mehr 6 Tage pro Woche auf die Schule gehen, sondern nur noch einen Tag in der Woche neben seiner Berufsausbildung. Auch die Deutschen haben 12 Jahre Schulpflicht; nur die Form der Schule ist anders, wie in Kapitel 7 erklärt werden soll.

Die Mittelschule

Die Mittelschule, auch Hauptschule oder Realschule genannt, war früher für den Mittelstand in der Gesellschaft gedacht. Sie war in den deutschen Gegenden am weitesten entwickelt, wo das Bürgertum dominierte, z.B. in Großstädten oder Industriegegenden.

In der Mittelschule haben die Kinder nur Fachlehrer. Diese Fachlehrer haben entweder auf der Universität studiert, oder es sind Volksschullehrer, die ein besonderes Fachexamen bestanden haben. Die Schüler lernen Englisch und etwas Französisch. In den Naturwissenschaften und in der Mathematik werden die Schüler weniger für eine wissenschaftliche Ausbildung vorbereitet als für die praktische Verwendung ihrer Kenntnisse. Die Allgemeinbildung, die die Mittelschule bietet, soll besser sein als die der Volksschule. Wer die Mittelschule besucht, will später den Handwerksbetrieb oder das Ladengeschäft seines Vaters übernehmen; er will die mittlere Beamtenlaufbahn einschlagen, Kaufmann werden, Ingenieur oder Architekt. Das sind alles Berufe, in denen theoretische und praktische Kenntnisse verlangt werden und die zu Posten mit größerer Verantwortung führen. Die Mittelschule wurde als Schultyp vom aufstrebenden Bürgertum geschaffen.

Grund- und Hauptschule, Marbach/N.

Die Oberschule

Die Oberschule ist eine Eliteschule. Sie endet mit dem Abitur (in Öster-reich Matura genannt), und das Abitur ist der Schlüssel zu jeder höheren Lauf-bahn, zum Studium an einer wissenschaftlichen Hochschule, zu höheren Posten im Staat, in der Armee, selbst in der Industrie.

Wer in eine Oberschule will, muß eine Aufnahmeprüfung bestehen, und 5 die Lehrer an der Grundschule müssen seine Aufnahme empfehlen. Natürlich geht er nur in die Oberschule, wenn die Eltern es wollen. Manche Eltern wollen das nicht. Zwar kostet die Oberschule, ebenso wie die Mittel- und Volksschule, kein Schulgeld; aber es gibt Eltern, die möchten, daß ihre Kinder schon mit 16 Jahren Geld verdienen können und einen praktischen Beruf 1 ergreifen.

Es gibt mehrere Typen von Oberschulen. Die Oberschulen werden auch Höhere Schulen oder Gymnasien genannt; in Österreich heißen sie Mittel-schulen. Ein Typ der Höheren Schule ist das humanistische Gymnasium. Es ist der älteste und traditionsreichste Typ. Manche protestantischen Gymnasien 1 bestehen seit dem 16. Jahrhundert, katholische seit dem Mittelalter. Im humanistischen Gymnasium lernt der Schüler als erste Fremdsprache Latein, als zweite Griechisch, und erst später kommt eine moderne Fremdsprache hinzu. Betont werden weniger die Naturwissenschaften als die alten Sprachen und die Geisteswissenschaften. 2

Neben dem humanistischen Gymnasium gibt es das Realgymnasium. Hier beginnt man gewöhnlich mit Englisch als Fremdsprache, dann kommt Latein hinzu, später noch Französisch. Auf der Oberstufe des Realgymnasiums kann sich der Schüler entscheiden, ob er sich mehr mit Sprachen oder mit Naturwissen-schaften beschäftigen will. Als dritten Typ der Oberschule gibt es die Ober- 2 realschule, die sich aus der Realschule entwickelt hat und die die modernen Sprachen und die Naturwissenschaften betont.

Gewöhnlich sind die Schulen nach der Grundschule für Jungen und Mädchen getrennt. Die Oberschulen für Mädchen werden manchmal auch Lyzeum genannt. Sie entsprechen gewöhnlich dem Typ der Oberrealschule; 3 außerdem gibt es „Frauenschulen", wo man auch hauswirtschaftliche Fächer hat. Gymnasien für Mädchen sind selten, außer in Großstädten. Ein Mädchen, das viel Latein und Griechisch lernen will, muß gewöhnlich in eine Jungen-schule gehen.

Die deutschen Oberschüler haben viele Fächer, und bis zu den letzten Klassen sind alle Fächer Pflichtfächer. Sie haben Deutsch, Geographie, Geschichte, Religion, Mathematik, Sport, Musik, Zeichnen und Kunstgeschichte und Biologie — und die Fremdsprachen. Später kommen noch Physik und Chemie hinzu. Die Schüler sind in Klassen eingeteilt. Sie haben ihren Unterricht immer mit der gleichen Gruppe, und die Klassengemeinschaft spielt für das ganze Leben eine wichtige Rolle. Die Abiturprüfung wird von jeder einzelnen Schule vorgeschlagen, aber vom Ministerium überwacht, so daß das Niveau der Schulen das gleiche ist. Viele Schulen haben alte Traditionen. Aus der früheren Zeit stammen zum Beispiel die lateinischen Bezeichnungen für die Klassen in der Oberschule: Sexta, Quinta, Quarta, Tertia, Sekunda und Prima. Die letzten drei Klassen sind heute geteilt und heißen Unter- und Obertertia, Unter- und Obersekunda, Unter- und Oberprima.

Andere Wege zum Abitur

Wer kein Abitur hat und erst später den Wunsch bekommt zu studieren, hat es nicht leicht. Ein Weg geht über die Berufsausbildung, wovon später die Rede sein wird. Kinder, die künstlerisch sehr begabt sind, können an einigen Orten „musische Gymnasien" besuchen, wo man nicht nur ihr Talent fördert, sondern auch mehr auf ihre Eigenarten Rücksicht nimmt. Für Erwachsene gibt es Abendgymnasien, wo sie abends nach der Berufsarbeit Unterricht erhalten, der sie auf die Abiturprüfung vorbereitet. Die Universitäten selbst haben keine Vorbereitungskurse oder Aufnahmeprüfungen. Nur für ausländische Studenten gibt es jetzt „Studienkollegs", die die Kenntnisse vermitteln, die ein deutscher Student haben soll, wenn er an die Universität kommt.

Die Ausbildung der Lehrer

So verschieden wie die Schulen ist auch die Ausbildung der Lehrer. Alle Lehrer werden theoretisch und praktisch ausgebildet, bevor sie eine feste Anstellung bekommen.

Die Volksschullehrer besuchen eine Pädagogische Hochschule. Ihr Studium dauert drei Jahre — in Zukunft soll es auf vier Jahre erweitert werden — und neben allgemeinen Pflichtfächern wie Deutsch, Psychologie, Pädagogik und Religion studieren die zukünftigen Lehrer besondere Fächer, für die sie sich spezialisieren wollen. Nach der Abschlußprüfung an der Hochschule 5 gehen die Lehrer in die Praxis. Nach drei Jahren müssen sie eine weitere Prüfung bestehen und zeigen, daß sie unterrichten können.

Die Lehrer an den Oberschulen studieren an der Universität. Gewöhnlich haben sie zwei Hauptfächer. Sie schließen das Studium mit einem Staatsexamen ab und werden dann Referendare. Als Referendar hospitieren und unterrichten 1 sie an mehreren Schulen, und außerdem besuchen sie Fachseminare. Nach zwei Jahren kommt die zweite, die pädagogische Staatsprüfung. Aus dem Referendar wird danach der Assessor und schließlich der Studienrat.

Mittelschullehrer wird man auf beiden Wegen, entweder nach einem Universitätsstudium von drei Jahren oder nach der Volksschullehrerausbildung 1 mit einer zusätzlichen Prüfung.

Alle Lehrer, die fest angestellt sind, werden Beamte. Sie können dann nicht mehr entlassen werden; ihr Gehalt ist gesichert, und ebenfalls ihre Pension am Lebensabend. Wer einmal Lehrer ist, bleibt es also gewöhnlich sein Leben lang.

Physik-Unterricht

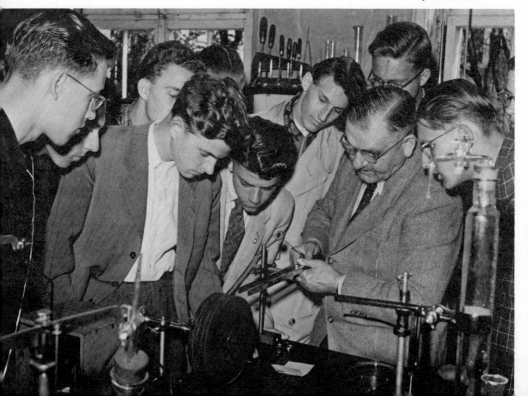

6 ∽ Studium in Deutschland

Schüler und Student

Nur etwa 7% der deutschen Schüler kommen bis zum Abitur; jeder zweite Abiturient erreicht einen akademischen Abschluß. Das sind nicht sehr viele junge Deutsche, doch immer noch zu viele für die Kapazität der Universitäten und Technischen Hochschulen, die überfüllt sind. Jeder, der sein
5 Abitur bestanden hat, wird angenommen, ganz gleich, wie gut sein Abiturzeugnis war.

Zuerst muß sich der Student für eine Universität entscheiden. Diese Entscheidung ist nicht so wichtig wie in den USA. Alle deutschen Universitäten bekommen ihr Geld vom Staat, und zwar von dem Land, in dem sie liegen. Alle haben die gleiche Verfassung, die gleichen Fakultäten. Selbst die Prüfungsanforderungen sind ziemlich ähnlich. Es gibt keine privaten Universitäten. Manche Universitäten gelten als „schwer" oder als „Paukuniversitäten"; andere sollen großzügiger sein. Jedenfalls erzählen das die Studenten einander, 5 aber oft beruht die Ansicht nicht auf Fakten. Alle Universitäten haben das gleiche Niveau. Früher gab es einige „leichte" Universitäten, wo Studenten ihr Examen bestehen konnten, die anderswo durchgefallen waren. Auch das gibt es heute in Deutschland nicht mehr.

Natürlich hat manchmal eine bestimmte Universität in einigen Fächern 10 besonders gute Professoren, und manche Studenten kommen, um diese Professoren zu hören. Die eigentlichen Gründe, weshalb ein Student eine Universität wählt, sind gewöhnlich anderer Art. Ein Student will in der Nähe seiner Heimat bleiben, ein anderer möglichst weit weg sein; einer sucht eine schöne Landschaft, der andere die Großstadt; einer möchte ans Meer, der andere ins 15 Gebirge. Einer sucht eine große Universität, der andere eine mit möglichst wenig Studenten. Manche Studenten fangen dort an, wo ihr Vater studiert hat. Auf alle Fälle ist es üblich, daß ein Student seine Universität wechselt. Vielleicht studiert er an drei verschiedenen Universitäten; vielleicht kehrt er am Schluß dorthin zurück, wo er am Anfang studiert hat. 20

Der Schritt vom Schüler zum Studenten ist sehr groß, und die jungen Menschen brauchen einige Zeit, bis sie sich an das neue Leben gewöhnen. Es ist ja nicht nur der Fall, daß die Studenten gewöhnlich nicht mehr bei den Eltern wohnen und also ein selbständiges Leben führen, auch das Lehrsystem verlangt von ihnen Selbständigkeit. In der Oberschule muß man lernen; man 25 bekommt Aufgaben, schreibt Klassenarbeiten, wird abgefragt und kontrolliert. Man hat Lehrer und sitzt in einer Klasse. Wer fehlt, braucht eine Entschuldigung der Eltern. In der Universität ist das ganz anders. Der Student ist sein eigener Herr; er studiert. Er hört Vorlesungen; er besucht Übungen und Seminare. Diese Kurse wählt er sich selbst. Er schreibt sich nur für die Fakultät ein, 30 nicht einmal für ein Fach. Es gibt nur wenige Übungen, in denen ein Student nach Hausaufgaben gefragt wird. In den Seminaren meldet er sich freiwillig zu Wort; in den Vorlesungen hört er sowieso nur zu. Der Student selbst entscheidet, ob er überhaupt in die Vorlesung geht und ob er pünktlich kommt. Er ganz allein entscheidet, welche Kurse er wählt. Nur bei einigen fortgeschritte- 35 nen Übungen und Seminaren braucht er dazu die Zustimmung des Dozenten.

Universitätsreform

Das heutige Lehrsystem an den deutschen Universitäten hat sich erst während des 19. Jahrhunderts entwickelt. Vorher sah eine deutsche Universität in ihrem Lehrsystem einem amerikanischen College ziemlich ähnlich. Als Preußen 1806/7 von Frankreich besiegt worden war, brauchte man eine neue
5 Universität, und diese neue Universität, die dann 1811 in Berlin gegründet wurde, sollte eine neue Elite heranbilden. Ihr Lehrsystem beruhte auf den Ideen der deutschen Klassik und Romantik. Ihr erster Rektor war der Philosoph Fichte. Zu ihrer Verfassung hatten auch Schiller, der romantische Philosoph Schleiermacher und vor allem Wilhelm von Humboldt, der Sprachwissen-
10 schaftler, Ästhetiker, Diplomat und Kulturpolitiker beigetragen. Humboldt war damals im preußischen Unterrichtsministerium, und so konnte er seine Ideen durchsetzen.

Das System dieser Universität nach den Ideen Humboldts beruht darauf, daß die Universität unabhängig für sich allein arbeiten kann. Der Staat sollte
15 die Universität so wenig wie möglich lenken und kontrollieren. Vor allem sollte sie sich selbst verwalten und ihre eigenen Angelegenheiten allein regeln. Das Lehrsystem beruht auf der Idee der Freiheit. Die Professoren haben die Freiheit der Forschung und der Lehre; sie lehren nicht nach vorgeschriebenen Büchern; sie können selbst die Themen ihrer Kurse frei bestimmen. Die
20 Studenten haben die Freiheit, ihren Studiengang selbst zu bestimmen, und zwar nicht nur die Vorlesungen, die sie besuchen wollen, sondern auch die Zeit, die sie an der Universität verbringen wollen. Es gibt keine Zwischen- prüfungen, nur noch Abschlußprüfungen am Ende des gesamten Studiums; und der Student meldet sich zu diesen Prüfungen, wenn er glaubt, dazu bereit
25 zu sein.

Das Ziel der Universität ist nicht das „Brotstudium", nicht die Ausbildung zu einem bestimmten Beruf, sondern die „Bildung". Die Studenten sollten ihre Persönlichkeit entwickeln, und sie sollten nicht Fakten lernen, sondern selbst zum Forschen und zum kritischen Denken angeleitet werden. Professoren
30 und Studenten bilden also eine freie Lehr- und Lerngemeinschaft; die Univer- sität ist ein Ort der Theorie, der Bildung, der Selbstbesinnung.

Mit der Industrialisierung Deutschlands im 19. Jahrhundert wurde die Nachfrage nach Fachleuten immer größer. Die Zahl der Studenten wuchs, neben den Universitäten entwickelten sich die Technischen Hochschulen; die

Naturwissenschaften spielten eine immer größere Rolle. Die Universitäten waren nicht mehr der Ort für eine kleine Elite. Im 20. Jahrhundert haben sich diese Probleme verschärft. Das Lehrsystem hat sich nur in Einzelheiten verändert; aber offenbar verlangt unsere Zeit einen anderen Begriff von Freiheit. Was nützt dem Studenten die Freiheit, wenn es nicht genug Professoren gibt? Was nützt dem Professor die Freiheit, wenn er keine Zeit mehr zu Forschungen und zu Gesprächen mit seinen Studenten hat? Zu der Freiheit muß die Planung treten, damit die Studenten mehr lernen und schneller fertig werden, und damit die Professoren bessere Arbeitsbedingungen erhalten.

Auch jetzt ist also eine umfassende Universitätsreform nötig geworden. Sie ist durch die politischen Ereignisse des 20. Jahrhunderts lange hinausgezögert worden. Jetzt sind es vor allem die Studenten selbst, die sie verlangen und die mit Protesten und Demonstrationen eine Änderung erzwingen wollen. Sie haben dabei nicht nur das Ziel, Freiheit und Planung zu verbinden; sie wollen auch die Universität demokratischer machen. Die Universität Humboldts beruht auf der Persönlichkeit und Autorität der Professoren. Sie bestimmen den Lehrplan, die Verwaltung, die Politik der Universität. Sie bestimmen außerdem, wer Professor werden darf. Wer Professor werden will, muß nach der Promotion zum Doktor eine zweite wissenschaftliche Arbeit verfassen und sich habilitieren. Die Fakultät, d.h. die Professoren, entscheiden, ob die Arbeit angenommen wird.

Gegen diese Macht der Professoren rebellieren die protestierenden Studenten, mit ihnen manche Assistenten, denen der Weg zum Professor schwer gemacht wird. Die deutsche Universität ist also heute in einer Krise, und sie wird sich verändern. Sie wird nach der Reform wahrscheinlich der englischen oder der amerikanischen Universität ähnlicher sehen als jetzt. Man spricht davon, den Beginn des Studiums strenger zu kontrollieren. Es könnte sogar sein, daß das Abitur seine entscheidende Funktion verliert.

Auf alle Fälle müssen mehr Universitäten gegründet werden. Bisher gab es in der Bundesrepublik nur 18, jetzt sind weitere im Entstehen: Bochum, Konstanz, Regensburg, Düsseldorf, Hildesheim, Bielefeld, Bremen. Man richtet neue Lehrstühle ein; man versucht den akademischen Nachwuchs besser zu fördern als bisher. Die neuen Universitäten versuchen zum Teil, auch neue Wege in ihrer Verfassung und in ihrer Lehrweise zu gehen.

Wenn hier beschrieben wird, wie ein Student in Deutschland lebt und studiert, so muß man hinzusetzen, daß sich manche Einzelheiten seines Studiums sehr bald ändern können.

Der Student hat, wenn er zu seiner Universität kommt, zuerst ein schwie-
5 riges praktisches Problem zu lösen: Er muß sich ein Zimmer besorgen. Studentenwohnheime sind selten; keinesfalls reichen sie für alle Studenten aus. Bisher ist es üblich, daß sich der Student bei einer Familie ein Zimmer mietet. Die Studenten nennen das eine „Bude". In den meisten Universitätsstädten sind diese Zimmer heutzutage rar und teuer; denn die Universitäten sind überfüllt,
10 und die Universitätsstädte sind entweder klein, oder es sind Großstädte wie München, in denen noch Wohnungsnot herrscht.

Wenn der Student der glückliche Besitzer einer Bude ist, immatrikuliert er, d.h., er schreibt sich bei der Universität ein. Er muß sich dabei für eine Fakultät entscheiden. Traditionell hat eine Universität vier Fakultäten: die
15 Theologische, die Juristische, die Medizinische und die Philosophische. Inzwischen hat sich die Naturwissenschaftliche Fakultät von der Philosophischen abgespalten, und aus der Juristischen ist die Sozialwissenschaftliche Fakultät hervorgegangen, die auch Staatswissenschaftliche oder Wirtschaftswissenschaftliche Fakultät genannt wird. An manchen Universitäten gibt es noch
20 „Spezialisten-Fakultäten", wie die forstwissenschaftliche, tierärztliche, usw. Eine Universität in Deutschland muß diese vier traditionellen Fakultäten haben, sonst ist es eine „Hochschule".

Wenn der Student sein Studienbuch und seinen Studentenausweis bekommt, ist er also stud.phil., theol., jur., rer. nat., med. oder med. vet. Jetzt
25 muß er sich in manchen Fakultäten für ein Hauptfach entscheiden. Er muß seinen Stundenplan selbst zusammenstellen, und er muß sich seine Fächer selbst aussuchen. Er muß selbst herausfinden, ob er zwei Hauptfächer braucht oder ein Hauptfach mit zwei Nebenfächern — je nach dem Abschlußexamen, das er vorhat. Das sind schwere Entscheidungen für einen jungen Studenten,
30 der sich noch nicht gut zurechtfindet. Wenn er Glück hat, findet der Student einen älteren Kollegen, der ihm hilft. Sehr oft bekommt er nur den Rat: „Versuchen Sie es, Sie müssen selbst entscheiden." Viele Studenten nehmen in ihrem ersten Semester zu viele Vorlesungen, denn es wird viel geboten, was sie interessiert. Später merken sie, daß sie auswählen müssen. Übrigens können die

Studenten die Vorlesungen „probieren", denn sie brauchen ihre Gebühren erst einige Wochen nach dem Beginn des Semesters bezahlen. Jeder Student kann Vorlesungen von allen Fakultäten hören, wenn er daran interessiert ist. Wer sich entschieden hat, schreibt die Vorlesungen, die er belegen will, in sein Studienbuch und zahlt seine Gebühren. Er zahlt Gebühren für die einzelnen 5 Vorlesungen, Verwaltungsgebühren für die Universität und Sozialabgaben für die Krankenkasse, die Studentenvertretung und die Sporteinrichtungen. Der Professor bekommt die Hörgelder seiner Studenten zusätzlich zu seinem Gehalt.

Jedes Semester wird ein Vorlesungsverzeichnis gedruckt; aber erst am 10 „Schwarzen Brett" erfährt der Student die endgültigen Themen, und ebenso, wo die Vorlesungen sind und wann sie beginnen. Die Vorlesungen beginnen „c.t.", das bedeutet „cum tempore" und heißt eine Viertelstunde nach der vollen Uhrzeit. Man spricht daher in Deutschland von dem „akademischen Viertel", wenn jemand eine Viertelstunde zu spät kommt. Wenn der Professor 15 den Hörsaal betritt, klopfen die Studenten, ebenso am Schluß der Vorlesung. Klopfen bedeutet Beifall; ihr Mißfallen drücken die Studenten aus, indem sie mit den Füßen scharren. In den Vorlesungen gibt es keine Diskussion; der Professor „liest", die Studenten „hören". Diskussion gibt es in den Seminaren, wo auch die Studenten Referate halten. Außerdem gibt es natürlich praktische 20 Kurse, Übungen, wie Laborübungen, Sprachkurse, praktische Demonstrationen und Übungen in der Medizin oder in den Naturwissenschaften. Bei Übungen und Seminaren muß man die Zahl der Studenten meistens begrenzen; bei den Vorlesungen können unbegrenzt viele Studenten teilnehmen. Die Übungen und Seminare folgen meistens aufeinander; es gibt Pro-, Mittel- und Ober- 25 seminare. Bei den Übungen und Seminaren ist die Reihenfolge also nicht ganz frei.

Wie frei der Student sein Programm bestimmen kann, hängt von seinem Fach ab. Die Mediziner, Juristen, Naturwissenschaftler sind an eine bestimmte Reihenfolge gebunden; am meisten Freiheit gibt es in der Philosophischen 30 Fakultät.

Mensa Stuttgart

Freie Universität, Berlin

Der Abschluß

Wie lange ein Student an der Universität bleibt, ist bis jetzt ganz allein ihm selbst überlassen. In jeder Fakultät ist eine Mindestzahl von Semestern festgelegt, die ein Student belegt haben muß. Ein Student an der Philosophischen Fakultät, der mindestens acht Semester braucht, wird heute selten mit
5 weniger als zehn, ja meistens erst nach zwölf Semestern fertig. Das paßt zu der deutschen Tradition. Das deutsche System erlaubt es dem Studenten, zwischendurch ein Semester wenig oder gar nicht zu arbeiten, ein Semester zu „verbummeln". Es gibt sogar Studenten, die ganz „verbummeln", „ewige Studenten" werden und nie zu einem Abschluß kommen. Ein solches verbummeltes
10 Semester kann für die persönliche Entwicklung eines Menschen sehr wichtig, sogar notwendig sein; es schadet dem deutschen Studenten nichts, da ja seine Leistungen am Ende des Studiums zählen. Heutzutage aber, bei der Überfüllung der Universitäten, schaffen diese langen Studienzeiten weitere Probleme. Wenn ein Student so weit ist, meldet er sich zum Abschlußexamen.
15 Die deutschen Universitäten haben Prüfungen zweierlei Art: Staatsexamen und Universitätsgrade. Alle Mediziner und Juristen müssen ein Staatsexamen ablegen; dann können sie außerdem noch den Doktorgrad erwerben. Das tun fast alle Mediziner, jedoch nur wenige Juristen. Ein Student an der Philosophischen Fakultät oder ein Naturwissenschaftler muß sich entscheiden, ob er
20 eine staatliche Stellung anstrebt oder etwa in die Industrie gehen will. In den Naturwissenschaften, wie auch in der Technik, gibt es „Diplome" als Abschluß; man wird Diplomphysiker, Diplomchemiker, Diplomingenieur oder Diplomarchitekt. In den anderen Fächern, etwa Geschichte, Deutsch, Philosophie

oder Anglistik, gab es bis vor kurzem nur die Doktorpromotion als einzigen Universitätsgrad. Während der letzten zehn Jahre haben mehrere Universitäten den Magister, abgekürzt M.A., wieder eingeführt.

Wer ein Staatsexamen ablegt, wird von einer Kommission geprüft, zu der außer Professoren ein Vertreter des Erziehungsministeriums gehört. Von 5 Kandidaten für das Staatsexamen verlangt man auch, daß sie während des Studiums eine bestimmte Zahl von Seminaren besucht haben. Bei der Promotion zum Doktor ist die Hauptsache die Dissertation, die schriftliche Arbeit, die eine eigene Forschung darstellen soll. Wenn die Dissertation von der Fakultät angenommen worden ist, muß der Kandidat noch eine mündliche 10 Prüfung, das „Rigorosum", bestehen. Meistens wird der Kandidat in einem Hauptfach und zwei Nebenfächern geprüft.

Während die Professoren bei den Universitätsprüfungen vor allem das kritische Denken der Studenten, ihre wissenschaftliche Ausbildung und ihre Eignung für selbständige Forschungen prüfen, wird bei den Staatsexamen außer der wissenschaftlichen Vorbildung viel Tatsachenwissen verlangt. 15

Wer selbst Professor werden will, bleibt gewöhnlich als Assistent eines Professors an der Universität, um sich zu habilitieren.

Das Studentenleben

Das deutsche Studentenleben von heute zeigt eine seltsame Mischung von alten Traditionen und neuen Formen und Problemen. Zu den Traditionen gehören besonders die Studentenverbindungen. Verbindungen gibt es seit 20 dem Mittelalter. Es waren gewöhnlich Landsmannschaften, also Gruppen aus dem Heimatland. Da die Studenten einen großen Anteil an der Verwaltung der Universitäten hatten, waren diese Gruppierungen sehr wichtig. Die Studenten wurden sogar nach ihrer „Nation" immatrikuliert. Der Charakter dieser Gruppen änderte sich im Laufe der Zeit. Seit der Französischen Revolu- 25 tion vertraten sie oft bestimmte politische Auffassungen. Die heutigen Formen der Verbindungen entstanden bei dem Kampf gegen Napoleon und den Auseinandersetzungen mit dem Polizeistaat nach 1815. Neben die Landsmann- schaften traten die national und liberal gesinnten „Burschenschaften", die auch zeitweise verboten wurden. Dazu kamen später „Turnerschaften". So 30 gibt es heute Verbindungen ganz verschiedener Art: konservative und sehr

Studenten in Heidelberg

exklusive Gemeinschaften, gewöhnlich „schlagende" Verbindungen — Verbindungen, in denen die rituellen Duelle gefochten werden, mit Gesichtsmaske, so daß niemand gefährlich verletzt werden kann — konfessionelle Gruppen, liberalere Gruppen. Alle Verbindungen haben bestimmte Zeichen, gewöhnlich
5 „Farben", d.h. Mützen und Bänder in bestimmten Farben; alle Verbindungen haben ein sehr genau geregeltes Gemeinschaftsleben. Jedes Mitglied hat seine festen Funktionen, und die gegenseitige Freundschaft und Hilfe ist sehr eng. Nicht nur die Studenten gehören dazu, sondern auch frühere Studenten, „Alte Herren" genannt. Und ein Alter Herr in einer wichtigen Stellung wird
10 gern einem jungen Bruder aus der Verbindung in seiner Laufbahn helfen. Die Verbindungen haben ihre Zeremonien, besonders Trinkzeremonien, und die erscheinen heute oft antiquiert.

Es gibt viele Studenten, die den Schutz und die Hilfe einer Verbindung suchen; denn auf der Universität ist der Student zuerst sehr einsam. Die
15 Studenten sagen „Sie" zueinander und nicht „du", wie es auf der Oberschule unter Schülern üblich ist. Sie nennen einander sogar „Herr Kollege" oder „Herr Kommilitone", so seltsam das klingt. Der Student hat also am Anfang Schwierigkeiten, sich einer Gruppe anzuschließen. Viele Studenten suchen

allerdings eine modernere Form des Gemeinschaftslebens als es die Verbindungen bieten. Sie finden dazu viele Möglichkeiten: Es gibt politische Gruppen, Studentengemeinden der verschiedenen Konfessionen, Sportgruppen oder andere Interessengruppen, wie etwa ein Studententheater oder eine Musikgruppe. Die politischen Gruppen, die lange Zeit kaum an die Öffentlichkeit 5 hervortraten, haben sich in den letzten Jahren als Gemeinschaften neuer Art gezeigt, besonders der Sozialistische Deutsche Studentenbund (SDS). Der SDS war ursprünglich die Studentenorganisation der SPD, trennte sich aber von der Partei, als sie ihren traditionellen Marxismus aufgab, und er versuchte, neue politische Ideen zu entwickeln, die gegen das „Establishment" gerichtet sind. 10

Auch bei den modernen Gruppen kann man beobachten, daß Studenten dazu neigen, kleine Gruppen zu bilden, die auf gegenseitiger Freundschaft und Gleichheit der Meinungen beruhen. In diesen Gruppen ist man schnell auf du und du, und diese Freundschaften sind eines der Erlebnisse, die die Studentenzeit auch heute noch zu einer schönen Epoche im Leben des einzelnen 15 Menschen machen.

Dabei ist im Laufe dieses Jahrhunderts eine wichtige Änderung eingetreten: Die Anzahl der Studentinnen ist ständig gewachsen. Die Verbindungen sind nur für männliche Studenten, und viele Traditionen und Sitten des Universitätslebens sind betont „männlich". Dem entspricht der heutige Zustand nicht 20 mehr, wo männliche und weibliche Studenten als Kollegen nebeneinander sitzen, miteinander arbeiten und diskutieren und also ein sachliches Verhältnis finden sollen. Diese Emanzipation ist heute eine anerkannte Tatsache, aber noch immer gibt es Studienfächer, in denen Studentinnen mit Mißtrauen betrachtet werden. Und noch immer gibt es Teile des studentischen Gemein- 25 schaftslebens, die ganz „männlichen" Charakter tragen.

Neben der Gemeinschaft ist es vor allem die persönliche Freiheit, die das Studentenleben schön macht. Der Student ist unabhängig von Eltern und Lehrern; er braucht sich noch nicht mit seiner Laufbahn zu beschäftigen; er soll nur lernen, neue Eindrücke aufnehmen, neue Menschen kennenlernen, 30 reisen, wandern, ins Theater gehen und sich vergnügen. Trotz aller Schwierigkeiten ist dies immer eine schöne Epoche im Menschenleben, die allerdings viel weniger schön würde, wenn die deutsche Universität ihr Lehrsystem ändern würde.

Während die meisten Studenten während der ersten Studienjahre ziemlich 35 unbekümmert leben, beginnt es spätestens nach drei Jahren viel ernster zu werden. Der Student muß dann zielbewußt auf seinen Abschluß hinarbeiten. Manche Studenten merken zu dieser Zeit, daß sie das falsche Fach gewählt haben; sie hören ganz auf oder fangen in einem anderen Fach neu an. Andere Studenten wechseln die Universität; sie wollen an einem Ort, wo sie wenig Freunde und Ablenkung haben, für ihre Prüfungen arbeiten. Sie besuchen viel weniger Vorlesungen, gewöhnlich nur noch Seminare und Kolloquien für ausgesuchte Teilnehmer; sie bemühen sich um engeren Kontakt mit den Professoren. Der Ernst des Lebens beginnt ...

Die Studenten, die in der ersten Zeit nach dem Zweiten Weltkrieg an die deutschen Universitäten kamen, waren Kriegsteilnehmer: ältere Leute, sehr ernst, sehr interessiert, besonders an ihrem Fachstudium. Viel weniger Interesse hatten sie an dem Gemeinschaftsleben, schon deshalb, weil sie wenig Zeit hatten. Es gab unter ihnen viele „Werkstudenten", Studenten, die sich ihr Studium selbst verdienen mußten. Die Semester an der deutschen Universität gehen von Mai bis Ende Juli und von Anfang November bis Ende Februar; so bleiben 5 Monate Ferien übrig, die man für eigene Arbeit oder zum Geldverdienen verwenden kann. Der Werkstudent blieb lange Zeit eine typische Erscheinung an den deutschen Universitäten. Die Universitäten richteten Stellen ein, die Arbeit vermittelten, um diesen Studenten zu helfen. Politisch waren die Studenten auffallend ruhig. Sie schienen eher daran interessiert, ihr Studium so früh wie möglich zu beenden.

Heute gibt es diese Studenten immer noch. Die Werkstudenten sind viel weniger geworden, seit die Eltern besser verdienen, und seit der Staat alle Kinder von ärmeren Eltern unterstützt. Neben den fleißigen, ruhigen Studenten gibt es jedoch inzwischen die rebellierenden Studenten. Sie verlangen die Reform der Universität; sie verlangen Mitbestimmung und neue Formen von Kursen. Sie wollen weniger Vorlesungen hören und mehr diskutieren. Sie machen aber nicht bei der Universität halt. Die radikalen Studenten, vor allem der SDS und seine Freunde, wollen die Gesellschaft verändern. Vor 1933 gab es unter den Studenten eine starke nationalsozialistische Gruppe. Heute gibt es rechtsradikale Gruppen an den Universitäten nicht mehr; es gibt nur konservative Verbindungen. Hingegen sind es die linksradikalen Gruppen, die sich bemühen, die Universität und durch sie die Gesellschaft zu verändern.

Wie sich die deutsche Universität ändern wird, ist noch nicht sicher. Sicherlich steht sie am Ende der Epoche, die mit Wilhelm v. Humboldt begann, und am Anfang einer neuen Epoche.

7 ❦ Berufsausbildung

Traditionen

Die Deutschen haben einen anderen Begriff von der Berufsausbildung als die Amerikaner. In Deutschland muß man einen Beruf gelernt haben, ein Zeugnis bekommen haben, ehe man eine Stellung erhält. Die Bezahlung richtet sich oft nicht (nur) nach der Leistung, sondern nach der Vorbildung. Eine Berufsausbildung gibt bestimmte Rechte, Schutz und Sicherheit. Jeder 5 Deutsche bemüht sich, einen Beruf zu haben.

Die Berufsausbildung ist theoretisch und praktisch. Wer die Volksschule oder Mittelschule beendet hat, muß also noch weiter ausgebildet werden. Man kann daher nicht sagen, daß es in den USA 12 Jahre Schulzeit gibt und in Deutschland 8 oder 9 Jahre. Nach der Volksschule gehen die jungen Leute in 10 Deutschland auf eine Berufsschule — allerdings nur an einem Tag oder höchstens zwei Tagen in der Woche. Die anderen Tage müssen sie praktisch arbeiten.

Die Berufsausbildung wird in Deutschland sehr ernst genommen. In der Berufsausbildung verbinden sich mittelalterliche Traditionen mit modernen 15 Ideen. Das Mittelalter hatte feste Regeln, wie man einen Beruf erlernen kann. Diese Regeln haben sich geändert, aber feste Regeln gibt es noch heute. Manche passen nicht mehr sehr gut in unsere Zeit, und oft arbeitet jemand später in einem anderen Beruf als dem, den er gelernt hat. Die alten Regeln sind also manchmal ein Hindernis. Auf der anderen Seite hat die gründliche 20 Ausbildung der deutschen Industrie geholfen, ihre tüchtigen Facharbeiter zu bekommen; und von diesen Facharbeitern hängt die Qualtität der Produkte ab.

Die Idee des erlernten Berufs gehört zum Leben in Deutschland. Wer einen Beruf gelernt hat, hat viel mehr Prestige als ein Hilfsarbeiter. Wer nichts gelernt hat, bleibt sein Leben lang Hilfsarbeiter. Jede Karriere beginnt 25 damit, daß man einen Beruf lernt. Wer arbeitslos ist, braucht nicht irgend eine Stellung anzunehmen. Das Arbeitsamt darf ihn nur in seinem eigenen Beruf vermitteln. Er erhält seine Arbeitslosenunterstützung so lange, bis er eine akzeptable Stelle in seinem Beruf findet, unabhängig davon, ob er Mitglied der Gewerkschaft ist oder nicht.

30

174

Lehrling, Geselle und Meister

Die Berufsausbildung beginnt mit der Lehrzeit. Der junge Mensch beginnt als Lehrling. Jedenfalls wird er bei den Handwerkern, den Kaufleuten und in der Industrie so genannt. Auch nach dem Abitur oder nach dem Studium muß man jedoch eine „Lehrzeit" ableisten. Man heißt dann Referendar,
5 Volontär oder Praktikant. Der Zweck ist der gleiche. Der Lehrling kommt in den praktischen Betrieb, und er arbeitet unter der Aufsicht eines Meisters. Nur ein Meister kann Lehrlinge ausbilden. Wenn ein Betrieb keinen Meister hat, darf er keine Lehrlinge anstellen. Größere Firmen haben besondere Lehrlingswerkstätten mit besonders ausgebildeten Meistern, ja sogar ihre eigenen
10 Berufsschulen. In kleineren Firmen wird der Lehrling im normalen Betrieb angelernt.

Die Lehrzeit dauert durchschnittlich drei Jahre. Bei Abiturienten wird sie gewöhnlich auf zwei Jahre verkürzt. Die Lehrlinge bekommen bereits Taschengeld; am Anfang wenig, in jedem Jahr jedoch mehr. Es gibt besondere Jugendschutzgesetze; die Arbeitsstunden sind dadurch festgelegt, ebenso die Urlaubszeiten. Die jungen Leute bekommen mehr Urlaub als die Erwachsenen. Jeder 5 Betrieb ist verpflichtet, die Lehrlinge in die Berufsschule zu schicken und ihnen für diese Zeit Lohn zu zahlen. Das Ziel der Ausbildung ist in einem sogenannten „Berufsbild" festgelegt, nach dem sich der Betrieb und die Berufsschule richten. In der Berufsschule haben die Lehrlinge Deutsch, Mathematik, Staatsbürgerkunde, manchmal eine Fremdsprache und „Berufskunde". 10 Sie lernen, was für ihren Beruf wichtig ist. Das hängt natürlich vom Beruf ab. Es kann mit Elektrizität, Chemie, Volkswirtschaft und Marktforschung oder mit Jura zusammenhängen. Am Ende der Lehrzeit findet eine theoretische und praktische Prüfung vor der Handelskammer beziehungsweise Handwerkskammer statt. Handwerker sollen ein „Gesellenstück", eine selbständige 15 Arbeit, vorweisen; das ist nicht mehr in allen Berufen möglich. Jedenfalls muß der Handwerker beweisen, daß er selbständig arbeiten kann. Wer diese Prüfung besteht, wird Geselle oder Gehilfe.

In früheren Zeiten mußte ein Geselle auf die Wanderschaft gehen. Er sollte lernen, wie man anderswo arbeitete. Jeder Meister seines Faches mußte 20 ihn aufnehmen und ihm wenigstens ein Nachtlager bieten, wenn er keine Arbeit hatte. Heute gibt es diese Tradition nur noch bei den Maurern und Zimmerleuten. Sie verpflichten sich, zwei Jahre auf der Wanderschaft zu bleiben. Es besteht kein Zwang zur Wanderschaft, aber wer sich verpflichtet, muß die Regeln einhalten. Während ihrer Wanderschaft tragen diese Gesellen 25 besondere Trachten. Die Zimmerleute haben schwarze Samtjacken mit schwarzen Hosen; die Maurer haben weiße Hosen. Dazu tragen sie schwarze Hüte.

Nicht jeder Geselle oder Gehilfe hat den Ehrgeiz, Meister zu werden. Meister wird vor allem derjenige, der einen eigenen Betrieb eröffnen will. 30 Ein Meister muß mindestens fünf Jahre als Geselle gearbeitet haben. In manchen Berufen muß er auch eine besondere Schule besuchen. Nach der Meisterprüfung bekommt er einen „Meisterbrief"; und diese Meisterbriefe kann man schön eingerahmt in jedem deutschen Handwerksbetrieb an der Wand hängen sehen. 35

Weiterbildung

Während dieser Laufbahn gibt es viele Möglichkeiten zur Weiterbildung. Das deutsche Schulsystem kennt nicht nur die Berufsschulen für Lehrlinge, sondern noch mehrere andere Typen von Fachschulen. Neben den Berufs- schulen stehen die Berufsfachschulen. Das sind Schulen, in denen man seine gesamte Berufsausbildung erhält. Sie sind vor allem bei „Frauenberufen" üblich. Es gehören nämlich die Handelsschulen dazu, die Sekretärinnen aus- bilden; ebenfalls Haushaltungsschulen. Die meisten dieser Berufsfachschulen sind privat. Lehrlinge im letzten Jahr der Ausbildung und Gesellen oder Gehilfen können neben ihrer Berufstätigkeit abends eine Berufsaufbauschule besuchen, um sich für eine höhere Ausbildung zu qualifizieren.

Schließlich gibt es noch die Fachschulen. Zu den Fachschulen gehören Schulen zur Ausbildung von Meistern, Schulen, auf denen man sich in seinem Beruf spezialisieren kann; und dann werden auch die „Höheren Technischen Lehranstalten" dazu gerechnet, wo Techniker, Ingenieure und Architekten ausgebildet werden. Wer auf eine Fachschule kommt, muß also ein erfahrener Praktiker sein. Es gibt neben den Ingenieuren, die auf diesen Fachschulen ausgebildet werden, natürlich Diplomingenieure, die von den Technischen Hochschulen kommen.

Dieses System von Berufsschulen sieht recht kompliziert aus. Auf diesem Wege jedoch hat jeder Deutsche die Möglichkeit, sich durch Leistungen im Beruf und extra Schulausbildung hochzuarbeiten. Die Möglichkeiten, das Abitur nachzuholen, sind sehr begrenzt; hingegen kann jeder tüchtige Fachar- beiter bis zur Fachschule kommen, manchmal von dort aus sogar bis zur Technischen Hochschule. Das System von Fachschulen hat einen großen Umfang; rund zweieinhalb Millionen Schüler sind in den vier Schultypen zu finden, davon etwa zwei Millionen an den Berufsschulen.

Der Staat übt bei diesen Schulen eine Kontrolle aus; aber die Privat- industrie, Fabriken, Geschäfte und Handwerksbetriebe sorgen dafür, daß das System funktioniert, und außerdem müssen sie viel Geld dabei investieren. Offenbar sind die deutschen Firmen der Ansicht, daß sich diese Ausgaben lohnen.

Es ist bereits gesagt worden, daß auch in den akademischen Berufen auf die theoretische Vorbildung die praktische Ausbildung folgt. Ein Arzt wird nach seinem Examen im Krankenhaus ausgebildet; ein Jurist muß drei Jahre in die Praxis. Beamte werden in den Verwaltungsdienst eingeführt. Nach dem Examen an der Universität kommt gewöhnlich noch ein zweites, das die praktischen Kenntnisse prüft und darüber entscheidet, ob jemand fest angestellt wird. 5

Die Deutschen sind stolz auf ihren erlernten Beruf und versuchen darin zu bleiben. Ihr System ist traditionell. Ebenso traditionell ist es, daß viele Deutsche gern bei einer Firma bleiben und auch dann sich schwer entschließen zu wechseln, wenn man ihnen anderswo bessere Bedingungen anbietet. Wer zu oft wechselt, wird mit Mißtrauen betrachtet. Die heutige Zeit allerdings hat 10 viele Änderungen gebracht. Die Deutschen sprechen jetzt oft vom „Job", und der „Job", den man ausübt, ist eben eine Stellung, wo man Geld verdient, aber nicht allzu sehr an der Arbeit selbst interessiert ist. Das ist eigentlich gegen das Gefühl der meisten Deutschen. Die moderne Industrie jedoch hat viele „Anlernberufe", Berufe, wo man sich nach kurzer Zeit einarbeiten kann, und 15 wo man oft viel Geld verdient. Die vielen politischen Veränderungen haben dazu beigetragen, daß viele Menschen nicht mehr in ihrem Beruf arbeiten konnten. So wächst die Zahl der Menschen, bei denen der ursprüngliche Beruf etwas anderes war als der heutige „Job". Damit ändert sich auch die Einstellung zum Beruf. Ja, es gibt sogar viele Leute, die die lange Lehrlingsausbildung für 20 veraltet halten. Dennoch haben Arbeitgeber lieber Arbeiter, die einen Beruf gelernt haben, auch wenn es ein anderer war. Die Lehrlingszeit bringt nicht nur Fachkenntnisse, sondern auch Allgemeinbildung und vor allem eine bestimmte Entwicklung der Persönlichkeit.

Das deutsche System beruht auf den Idealen der Handwerker: Gründlich- 25 keit, Ehrlichkeit, Fachkenntnis. Gute Arbeit ist wichtiger als schnelle Arbeit oder hohe Profite. Die Industrie hat bisher von diesem System profitiert. Wenn sie es weiter modernisiert, wird sie es gewiß erhalten können.

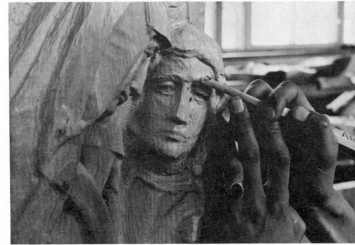

8 ~ Berufstätigkeit

Wie verbringt ein Deutscher seinen Arbeitstag? Hier einige typische Beispiele:

Ein Landwirt

Der „normale" Bauer in der Bundesrepublik betreibt Ackerbau und Viehzucht; das wird auch „Gemischtwirtschaft" genannt. Der Arbeitstag beginnt sehr früh. Die Kühe müssen gemolken, der Stall muß gereinigt 5 werden. Der Bauer hat heute durchweg viele Maschinen zur Verfügung. Seit dem Zweiten Weltkrieg ist die Landwirtschaft stark modernisiert worden, besonders mit Hilfe der „Grünen Pläne" der Bundesregierung in Bonn. Manchmal allerdings braucht der Bauer seine Maschinen nur für eine kurze Zeit, und man muß sich fragen, wie rentabel die Anschaffung war. Das ist 10 besonders bei kleineren Höfen und vor allem im Gebirge der Fall. Maschinen hingegen braucht der Bauer, denn er hat selten genug Arbeitskräfte. Vieles in der Landwirtschaft ist daher heute Gemeinschaftsarbeit und Gemeinschaftsbesitz. Für die Milchwirtschaft gibt es überall Genossenschaften, ebenso für den Weinbau. Die Milch, die der Bauer — elektrisch in den meisten 15 Fällen — gemolken hat, wird abgeholt und zur Genossenschaftsmolkerei gefahren, mit einem Lastwagen oder sogar noch mit dem Frühzug der Eisenbahn. Der Bauer hat gewiß auch Hühner, Gänse und Enten, vielleicht auch Pferde. Pferde werden seltener, denn der Traktor übernimmt viel von ihrer Arbeit. Im Gebirge haben die Bauern oft Ochsen als Arbeitstiere. 20

Vom Frühjahr bis zum späten Herbst ist immer etwas auf dem Feld zu tun. Die Feldarbeit beginnt mit dem Morgengrauen. Manche Bauern haben ihre Felder direkt bei ihrem Haus. Das ist bei Einzelhöfen der Fall, z.B. in Norddeutschland, oder bei größeren Gütern, die allerdings in der Bundesrepublik seltener sind als sie es in Ostdeutschland waren. Die meisten Bauern aber leben in Dörfern. In Teilen von Mitteldeutschland hat es außerdem viele Erbteilungen gegeben, so daß der Landbesitz aus vielen kleinen Feldern bestehen kann, die nicht leicht zu bewirtschaften sind. Schon die Wege allein kosten dann viel Zeit. Das ist nicht nur sehr unpraktisch, sondern der Bauer hat dadurch auch Mühe, bei der scharfen Konkurrenz heute ohne Verluste zu arbeiten. Also versucht man, die Höfe zu „arrondieren", Felder auszutauschen, so daß ein geschlossenes Stück Land entsteht. Wer Bauern kennt, weiß, daß sie am Alten hängen und nicht leicht zu solchen Tauschgeschäften bereit sind; aber die Notwendigkeit zwingt sie dazu. Die Zahl der Bauernhöfe in der Bundesrepublik wird immer kleiner, da nicht wenige Bauern den Kampf gegen die moderne Zeit aufgeben.

Wenn der Bauer genügend große Felder hat und nicht allzu weit fahren muß, kann er mit seinem Traktor (auch Trecker genannt) und seinen anderen Maschinen seine Arbeit einigermaßen schaffen. Gute Arbeitskräfte sind rar. Bei den Deutschen besteht eine „Landflucht" — sie ziehen vom Land in die Stadt. Die vielen Ausländer, die zur Arbeit in die Bundesrepublik kommen, gehen ebenfalls lieber in die Industrie als in die Landwirtschaft, da sie mehr Geld in der Industrie verdienen, obwohl die Löhne in der Landwirtschaft höher geworden sind. Vor allem aber sind die Arbeitsstunden auf dem Lande länger, und dann ist das Leben auf dem Dorfe langweiliger als in der Stadt. Daher hat das Land Hessen „Gemeinschaftshäuser" in den Dörfern eingerichtet, die mehr Abwechslung im kulturellen und gesellschaftlichen Leben bringen sollen.

In der letzten Zeit hat sich das Leben in den Dörfern in der Nähe von Großstädten in Industriegebieten sehr geändert. Die kleineren Höfe bis zu 10 Hektar (knapp 25 acres) werden immer weniger; denn sie sind zu klein, als daß eine Familie von ihrem Ertrag leben kann; als Nebenerwerb sind jedoch nur die ganz kleinen Höfe bis zu 2 Hektar Größe gut geeignet. Davon gibt es immerhin noch eine halbe Million in der Bundesrepublik. Es gibt ganze Dörfer, in denen vielleicht nur noch ein oder zwei Bauernhöfe vorhanden sind, während die anderen Leute in der nächsten Stadt arbeiten und ihr kleines Stück

Land nebenbei bearbeiten. Solche Dörfer werden „Pendlerdörfer" genannt; denn die Männer „pendeln" hin und her zwischen der Stadt und dem Wohnort. Je näher ein Dorf der Stadt ist, desto mehr Städter siedeln sich dort an, die die Ruhe und die gute Luft suchen, und desto mehr wird das Dorf zum Vorort der Stadt.

In der Nähe der Stadt lohnt es sich, Gemüse zu bauen, vor allem Karotten, Bohnen und Erbsen. Aber je intensiver die Landwirtschaft ist, desto mehr Arbeitskräfte sind notwendig. Der Bauer wird auf alle Fälle Kartoffeln anbauen und mehrere Getreidearten. Am häufigsten sind Roggen, Weizen, Hafer und Gerste. Gerste dient zum Bierbrauen; Hafer und Gerste braucht der Bauer auch als Viehfutter, wie auch Futterrüben. Seine Kühe kommen nicht mit dem Gras aus, das sie fressen und dem Heu, das er von den Wiesen erntet. Roggen und Weizen sind die Getreidearten für Brot.

Land ist knapp in Deutschland. Es wird so viel Land ausgenutzt wie nur möglich. Mehr als die Hälfte der Fläche in der Bundesrepublik wird bearbeitet. Der Boden selbst wird daher sehr in Anspruch genommen. Der Bauer braucht viel Kunst- und Naturdünger, und er muß mit dem Anbau in einer bestimmten Reihenfolge wechseln, um die Qualität des Bodens zu erhalten. Brachland kann er sich nicht erlauben. Der Misthaufen in der Nähe des Hauses ist also für den deutschen Bauern notwendig, wenn er gut wirtschaften will.

Der deutsche Bauer hat also eine vielseitige Wirtschaft und einen schweren Beruf. Er muß sehr viel wissen: welche Nährstoffe der Boden braucht, welche Sorten der verschiedenen Pflanzen für seinen Boden am besten sind. Er muß die Marktlage kennen und im voraus kalkulieren können, was Geld bringt; er muß auch mit seinen vielen Maschinen richtig umzugehen wissen und einfache Reparaturen selbst machen können, und schließlich muß er sich mit dem Vieh gut auskennen. Er muß also viel gelernt haben, mehr, als sein Vater ihm bei der Arbeit beibringen kann. Er lernt das auf einer landwirtschaftlichen Fachschule, wenn er nicht auf eine Landwirtschaftliche Hochschule geht und den Grad eines Diplom-Landwirts erwirbt. Er muß aber immer „auf dem Laufenden" sein; also muß er die landwirtschaftlichen Ausstellungen besuchen, neue Geräte und Maschinen begutachten, Fachzeitschriften und Bücher lesen. Und schließlich soll seine Buchhaltung in Ordnung sein, damit er keine Schwierigkeiten mit dem Finanzamt, der Steuerbehörde, bekommt. Es gehört also eine gute Ausbildung und Vielseitigkeit dazu, ein guter und erfolgreicher Landwirt zu sein. Die deutsche Landwirtschaft hat große Konkurrenz aus

GEGENWART

Italien, Frankreich, Holland und Dänemark, wo entweder das Klima besser ist oder die Modernisierung leichter. Auch viele deutsche Bauern stellen sich um, wenn sie nicht einfach ihre Höfe verkaufen. Zum Beispiel spezialisieren sie sich. Spezialisiert sind in Deutschland die Obstbauern, Weinbauern und Hopfenbauern. Manche Bauern spezialisieren sich auf Viehzucht oder auf Gemüsebau. Nicht überall sind jedoch die Bedingungen für eine solche Spezialisierung günstig. Wer sich spezialisiert, braucht auch spezialisierte Arbeitskräfte. Ein „Schweizer", ein Spezialist für Kühe, bekommt mehr Geld als ein gewöhnlicher Landarbeiter; er will außerdem nur die Arbeit machen, die mit den Kühen zusammenhängt. Aber wenn er sein Geschäft versteht, kann es sich lohnen: Die Kühe geben mehr und bessere Milch, und sie sind weniger krank.

Der Arbeitstag des Bauern ist lang. In der Erntezeit im Sommer und Herbst arbeitet er bis zum Dunkelwerden, und wenn es sein muß, auch nachts. Im Winter kann er sich heute auch nicht mehr ausruhen, wenn auch seine Arbeitstage nicht so lang sind. Wieviel verdient er? Das läßt sich nicht immer sagen. Nur wenige Bauernhöfe in der Bundesrepublik arbeiten mit Gewinn. Kosten und Preise ändern sich von Jahr zu Jahr. Viele Bauern lieben ihren Beruf; sie hängen an ihrem Land, das mehrere Generationen, ja manchmal jahrhundertelang im Besitz der Familie war. Sie betrachten ihre Arbeit also nicht rein vom wirtschaftlichen Nutzen her. Rechnen muß jedoch jeder Bauer, und die „Romantik" des Dorflebens gibt es in der Wirklichkeit nicht mehr. Die Industriegesellschaft stellt unserem Bauern viele Arbeitserleichterungen zur Verfügung, aber sie macht seine Existenz auch unsicher.

Ein Fabrikarbeiter

Die Sorgen des Bauern hat der Arbeiter nicht. Er bekommt jede Stunde, die er tätig ist, genau nach Tarif bezahlt, und wenn er Überstunden macht, am Sonntag oder an Feiertagen arbeitet, so bekommt er ebenfalls genau festgelegte Zulagen. Er kann sich genau ausrechnen, wieviel von seinem Verdienst ihm die Steuer wegnimmt, und ob es sich wirklich lohnt, Überstunden zu machen. Arbeiter verbringen viel Zeit mit solchen Rechenaufgaben, und so mancher Arbeiter ärgert sich über die Steuer und arbeitet in seiner freien Zeit „schwarz", nämlich privat und außerhalb der Firma, ohne es dem Finanzamt mitzuteilen. Das ist natürlich verboten.

Vor dem Ersten Weltkrieg hatte der Arbeiter solche Probleme noch nicht. Damals arbeitete man durchschnittlich 12 Stunden am Tag. Die Weimarer Republik nach 1918 setzte den 8-Stunden-Tag mit 48 Arbeitsstunden in der Woche durch. Heute liegt die Arbeitszeit zwischen 40 und 45 Stunden pro Woche. Allerdings wird heute auch intensiver gearbeitet, und in der auto- 5 matisierten Industrie verlangen die meisten Tätigkeiten eine dauernde Aufmerksamkeit, damit die Maschinen laufen. Der Arbeiter ist also vielleicht nach 7 Stunden Arbeit ebenso müde wie vor 50 Jahren nach 12 Stunden Arbeit.

Schichtarbeit ist weit verbreitet. Aus zwei Schichten sind drei oder gar vier Schichten am Tag geworden. Schichtarbeit ist notwendig, wenn man die 1 Maschinen nicht abstellen kann, und Schichtarbeit wird manchmal angesetzt, wenn die Firma viele Aufträge hat. Durch die Schichtarbeit kann sich das Leben des Arbeiters sehr ändern. Wochenlang sieht er seine Freunde nicht, oder höchstens, wenn sie einander am Arbeitsplatz ablösen. Wenn er Spätschicht hat, fallen für ihn alle geselligen und kulturellen Veranstaltungen aus. Auch das 1 Familienleben leidet darunter, wenn der Vater am Tage schlafen muß und seine Kinder selten sieht. In einer Stadt wie Wolfsburg, wo die meisten Arbeiter in Schichten tätig sind, muß sich das ganze Leben darauf umstellen.

Schichtwechsel Volkswagenwerk Wolfsburg

Der Arbeiter bekommt entweder Stundenlohn oder Akkordlohn. Akkordlohn gibt es in vielen Formen: als Entlohnung für die individuelle Leistung, als Entlohnung für die Leistung einer Arbeitsgruppe oder als Entlohnung für die monatliche Produktion. Wenn die Leistung der Gruppe bezahlt wird, paßt natürlich jeder Arbeiter auf, daß seine Kollegen schnell genug arbeiten. Manche Firmen haben auch Gewinnbeteiligung der Angestellten. Solch ein Akkordlohn bringt gewöhnlich höhere Leistungen, ohne daß der Betrieb die Arbeiter kontrollieren muß, und daher sind die Akkordlöhne weit verbreitet.

Die Firma rechnet einmal im Monat mit dem Arbeiter seinen Lohn ab, aber er bekommt jede Woche Lohn ausgezahlt, als „Abschlag". An den Zahltagen, gewöhnlich am Donnerstag oder Freitag, sind die Lokale voll, und vor den Fabriktoren stehen die Händler, die etwas verkaufen wollen, manchmal auch die Ehefrauen, die unbedingt schnell Geld brauchen.

Ebenso wichtig wie der Lohn ist für einen Arbeiter, was er noch bekommt, also die Sozialleistungen. Außer den Steuern zahlt der Arbeiter einen Prozentsatz seines Lohnes, meistens zehn Prozent, für die Krankenversicherung, Unfallversicherung und Altersrente. Der Arbeiter und seine Familie sind voll versichert; sie haben keine Arztkosten und keine Krankenhauskosten, ja sie bekommen sogar eine Kur bezahlt, wenn es nötig ist. Wenn der Arbeiter länger krank ist, bekommt er statt des Lohnes ein „Krankengeld", das 75 bis 85 % seines bisherigen Lohnes beträgt und das sein Arbeitgeber und die Krankenkasse zusammen bezahlen müssen.

Ebenso wichtig sind die freiwilligen Sozialleistungen der einzelnen Firmen. Viele größere Firmen bauen Werkswohnungen, also Mietswohnungen oder Einzelhäuser, die sie für wenig Geld ihren Angestellten und Arbeitern überlassen — so lange sie bei der Firma sind. Das hilft beiden Teilen: Der Arbeiter hat eine billige Wohnung, und die Firma hat einen Arbeiter, der bei dieser Firma bleibt. Die Firmen geben auch besondere Altersrenten für Arbeiter und Angestellte, die lange genug bei ihnen gearbeitet haben. Auch Naturalleistungen sind noch weit verbreitet: Die Firmen geben ihren Angestellten besonderen Rabatt bei ihren eigenen Produkten; sie besorgen auch billig Kohlen, Kartoffeln, Holz und andere Lebensmittel. Manche Sozialleistungen der Firmen, die früher wichtig waren, sind heute wenig gefragt: zum Beispiel die Ferienheime. Die meisten Arbeiter bezahlen lieber selbst ihre Ferienreise, als daß sie umsonst oder für wenig Geld im Ferienheim der Firma wohnen. Sie möchten gern einmal heraus aus dem Bereich der Firma.

Die Firma gibt nämlich meistens den Rahmen für ihr Leben ab. Ihre Freunde und Nachbarn sind Arbeitskollegen. Wenn sie Sport treiben, so tun sie es im Sportklub der Firma, in Sportanlagen, die die Firma bezahlt hat. In der Bundesrepublik sind es nicht die Universitäten, die am meisten Geld für Sport ausgeben, sondern die Industriebetriebe. In den Vereinen wird der Arbeiter gleichfalls Kollegen aus der Firma wiedertreffen.

Viele Arbeiter bleiben bei der gleichen Firma, und sie haben das Gefühl, daß sie „dazu gehören", ganz gleich, ob es sich um einen kleinen Familienbetrieb handelt oder um einen großen Konzern. Die Aufstiegschancen eines Arbeiters sind allerdings beschränkt. Wer als Arbeiter anfängt, bleibt sein Leben lang Arbeiter. Ein gelernter Arbeiter wird vielleicht Vorarbeiter und schließlich Meister, und unter den Meistern gibt es mehrere Stufen. Doch wer Verwaltungsangestellter oder wer Ingenieur werden will, muß mit einer anderen Schulbildung und Ausbildung anfangen. Die Arbeiter haben daher ein Klassenbewußtsein. In einer Firma gibt es für den Arbeiter seine eigene Klasse und „die da oben", nämlich die Ingenieure, die Direktoren, also die Leute, die Anordnungen geben. Der Meister steht in der Mitte. Einmal im Jahr hat die Firma einen Betriebsausflug, bei dem die „Chefs" mit den Arbeitern reden, essen und trinken und lachen. Sonst sind die Beziehungen recht lose. Der Arbeiter glaubt nicht, daß er Entscheidungen der Betriebsleitung beeinflussen kann. Das heißt jedoch nicht, daß die Arbeiter nicht ihre Interessen vertreten. Jeder Betrieb hat einen Betriebsrat, und bei Konflikten unterstützen die Gewerkschaften den Betriebsrat. Die Gewerkschaften sind mächtige Organisationen und haben seit 1948 viele Erfolge bei den Tarifverhandlungen gehabt. Ein Arbeiter muß nicht zur Gewerkschaft gehören; die Gewerkschaft verhandelt auch für Nicht-Mitglieder. Dennoch sind etwa 7 Millionen Arbeiter im Deutschen Gewerkschaftsbund zusammengeschlossen. Streiks sind allerdings selten, meistens kommt es zu Kompromissen. Beide Teile, Firmenleitung und Arbeitnehmer, sehen ihren Vorteil in einer positiven Zusammenarbeit.

Neben der Arbeit ist das Privatleben für den Arbeiter wichtig. Meistens ist es ihm wichtiger als die Arbeit. Ein Arbeiter ist zufrieden, wenn er etwas bauen, etwas Neues schaffen kann. Das können heute aber nur noch wenige Arbeiter. Die meisten bekommen wenig Befriedigung durch ihre Tätigkeit, besonders wenn sie nur einen Knopf drücken müssen und aufpassen, daß die Maschine läuft. Daher ist das Hobby, das Privatinteresse, für den Arbeiter so wichtig.

Gewöhnlich hat er ja einen Beruf gelernt, aber oft genug kann er diesen Beruf nicht ausüben, oder er ist in eine Fabrik gegangen, weil er dort mehr verdient. So beschäftigt er sich in der Freizeit gern mit dem, was er gelernt hat, aus Liebhaberei oder auch für Geld. Ebenso wichtig ist ihm seine Familie. Die Kinder bleiben gewöhnlich im Elternhaus wohnen, bis sie heiraten; auch wenn sie groß sind und einen Beruf haben. Sie bezahlen dann ihren Anteil am gemeinsamen Haushalt. Arbeiter, besonders wenn sie lange an einem Ort wohnen, bilden mit ihren Nachbarn und Arbeitskollegen eine enge Gemeinschaft, bei der man sich hilft und gern zusammen ist, bei der es auch keine Geheimnisse gibt. Das ist besonders in richtigen Arbeitersiedlungen so, und die Beziehungen zur Nachbarschaft sind viel enger als in anderen Schichten der deutschen Gesellschaft, wo man sich weniger um die Nachbarn kümmert als in den USA.

Oft genug treten die Kinder in die gleiche Firma ein, bei der der Vater beschäftigt ist. Sein Ehrgeiz ist dann, daß sie eine höhere Stufe erreichen als er, und dafür ist er bereit, viele Opfer zu bringen. Man findet daher nicht wenige Ingenieure oder Verwaltungschefs in Firmen, die Arbeiterkinder sind.

Ein Beamter

Es gibt in Deutschland viele Arten von Beamten. Man unterscheidet eine untere, eine mittlere, eine „gehobene" und eine höhere Beamtenlaufbahn. Ein höherer Beamter hat gewöhnlich eine akademische Vorbildung. Alle Beamten haben etwas gemeinsam: Der Staat stellt einen Beamten auf Lebenszeit ein. Der Staat, das ist die Bundesrepublik, das Land oder die

Kommunalbehörde. Der Staat gibt dem Beamten Sicherheit. Er kann nicht entlassen werden; er hat mit 65 Jahren eine gute Pension; seine Witwe und seine Kinder sind versorgt, wenn er stirbt. Er hat ein festes Gehalt und hat ein Anrecht auf bestimmte Gehaltserhöhungen. Sein Gehalt besteht aus dem Grundgehalt, Familienzulagen und Wohnungszulagen, so daß man darauf Rücksicht nimmt, wie viele Personen er versorgen muß und wie die Lebenshaltungskosten an seinem Wohnort sind. Der Beamte kann sich ausrechnen, welchen Rang er auf alle Fälle erreichen wird; sein Leben ist also genau geregelt, gesichert und festgelegt. Dafür ist der Beamte dem Staat auch besonders verpflichtet. Er vertritt den Staat; er soll ihm dienen und seine Pflicht tun. Er verdient weniger, als er in einer ähnlichen Stellung in der Privatindustrie verdienen könnte.

Neben den Gehaltsbedingungen ist auch die Tätigkeit festgelegt; ein Beamter hat in einem bestimmten Rang Anspruch auf eine bestimmte Art von Büro und eine bestimmte Art von Tätigkeit.

Dieser deutsche Begriff vom Beamtentum entwickelte sich zuerst in Preußen. Er beruhte auf einem gegenseitigen Vertrauen zwischen Staat und Staatsdiener. Auch der Minister, Kanzler, ja der König oder Kaiser fühlten sich als „Diener ihres Staates". Beamte waren also gleichzeitig Diener der Allgemeinheit und Vertreter der Autorität. Sie fühlten sich als eigene Kaste und hatten ein starkes Berufsbewußtsein. „Als Beamter" waren sie zu manchen Dingen verpflichtet, die sie „als Mensch" nicht gern taten.

Während des 20. Jahrhunderts ist die Politik mehr und mehr in die Verwaltung eingedrungen. 1933 wurden Beamte entlassen, weil sie gegen den Nationalsozialismus waren; 1945 wurde entlassen, wer aktiver Nationalsozialist war. Dabei ging das Vertrauen zum Staat verloren. Heute gibt es Parteipolitiker als Beamte, und ein Beamter kann Abgeordneter werden. Die Beamten fühlen sich weniger dem Staat verpflichtet. Sie stellen Gehaltsforderungen, ja sie drohen mit Streiks, was bis 1914 undenkbar gewesen wäre. Auf der anderen Seite fühlt sich ein Beamter heute mehr als Diener der Allgemeinheit und weniger als Vertreter der Autorität als früher. Aus dem „Obrigkeitsstaat" ist die Demokratie geworden.

Die Deutschen lieben die Sicherheit. Beamte gibt es daher in vielen Berufszweigen. Die Bundespost und die Bundesbahn haben als staatliche Einrichtungen Beamte. Die Richter sind Beamte. In der Verwaltung findet man Beamte. Die Lehrer bis zu den Universitätsprofessoren sind Beamte. Ja, selbst

Musiker und Schauspieler bei staatlichen oder städtischen Theatern können Beamte werden. Neben den staatlichen Einrichtungen gibt es in Deutschland andere öffentliche Einrichtungen, die für die Allgemeinheit arbeiten und nicht für Profite. Dazu gehören zum Beispiel die Rundfunkanstalten. Angehörige dieser Institutionen sind Angestellte. Angestellte im öffentlichen Dienst haben zwar weniger Sicherheit als die Beamten, aber auch sie haben genau festgelegte Rechte und Pflichten, eine Angestelltenrente als Altersversorgung, und je länger sie bei einer Institution beschäftigt sind, desto schwerer ist es, ihnen zu kündigen. Manche Angestellte werden „Angestellte auf Lebenszeit". Große Privatfirmen sehen in dieser Beziehung den öffentlichen Institutionen ähnlich.

Von dem Beamten wird auch heute eine bestimmte Lebensweise erwartet, obwohl sein Privatleben viel freier ist als früher, wo er ein Vorbild für seine Umgebung sein sollte. Aber auch heute gehört dazu, daß ein Beamter pünktlich ist, seine Arbeit gut erledigt, im Dienste die Finanzen gut verwaltet und privat nicht zu viele Schulden hat, daß er unbestechlich ist und daß er bereit ist, auch Überstunden zu machen, wenn es nötig ist. So steht sein Leben immer noch im Zeichen der Pflicht und ist ein Dienst an der Allgemeinheit.

Freie Berufe

„Freie Berufe" heißen selbständige Stellungen ohne ein festes Gehalt. Ein Kaufmann und ein Bauer sind im freien Beruf, wenn sie ihren eigenen Betrieb haben, ebenso ein Arzt, ein Rechtsanwalt, auch ein Schriftsteller oder ein Maler. Der Staat hat allerdings heute seinen Einfluß auch in diesem Bereich. Ein Maler ist vielleicht Professor an einer Kunstakademie und dadurch Beamter; ein Schriftsteller arbeitet bei einer Rundfunkanstalt, also einer öffentlichen Einrichtung mit.

Wenn wir einen Arzt als Beispiel nehmen, so sehen wir diesen Zusammenhang ganz deutlich. Der Arzt macht am Ende seines Medizinstudiums ein Staatsexamen, dann muß er als Assistent in einem Krankenhaus arbeiten. Wenn er Facharzt werden will, muß er noch weitere Jahre der Ausbildung in einem Krankenhaus verbringen. Wenn er dann selbständig sein und eine Praxis eröffnen will, kann er sich als „Facharzt" bezeichnen, sonst ist er „praktischer Arzt". Nun hat dieser Arzt verschiedene Arten von Patienten. Es gibt für die Arbeiter die „Allgemeine Ortskrankenkasse", für bestimmte Angestellte die

„Ersatzkasse" und für Leute mit höherem Gehalt private Krankenkassen. Die privaten Kassen sind für den Arzt am besten; denn der Patient zahlt die Rechnung selbst und bekommt dann das Geld (oder einen Teil des Geldes) von der Krankenkasse ersetzt. Von solchen Privatpatienten hat der Arzt meistens nicht allzu viele. Die anderen „Kassenpatienten" bringen ihm viel weniger Geld, denn die Krankenkassen zahlen nur bestimmte Summen für die Behandlung, ganz gleich, wieviel Zeit der Arzt damit verbringt. Der Arzt braucht also viele Patienten, um genug zu verdienen. Also muß er sehr viel arbeiten. Ein praktischer Arzt verbringt jeden Tag einige Stunden mit Hausbesuchen. Ein Facharzt hat es im allgemeinen besser. Er wird weniger ins Haus gerufen, und er hat, wenn er bekannt ist, mehr Privatpatienten. Ein Arzt braucht also die Kassenpatienten, ganz besonders wenn er anfängt. Die Krankenkassen haben aber nur eine bestimmte Anzahl von Ärzten, die bei ihnen zugelassen sind. Jeder Arzt schreibt an sein Türschild bei welchen Kassen er zugelassen ist.

Natürlich kann ein Arzt auch, wenn er wissenschaftlich begabt ist, an einem Universitätskrankenhaus bleiben, sich habilitieren und Professor werden. Ein Professor kann neben seiner Tätigkeit als Chef des Krankenhauses, als Dozent und bei der Ausbildung der jungen Ärzte auch für teures Geld Privatpatienten behandeln. Er verdient viel Geld dabei, doch für sein Privatleben bleibt ihm kaum Zeit übrig. Ein durchschnittlicher Arzt hat also weniger Verdienstmöglichkeiten als in einem Lande ohne ein solches System der Krankenversicherung. Er muß länger arbeiten, um einen guten Lebensstandard zu erreichen. So sind in Deutschland die Arbeitszeiten für die Arbeiter und Angestellten immer kürzer geworden, für die Freien Berufe oder für die leitenden Beamten und Angestellten hingegen wird der Arbeitstag immer länger und anstrengender. Seit 1945 hat sich die „Managerkrankheit" verbreitet. „Manager" bedeutet im Deutschen nicht nur einfach „Chef" oder „Direktor", sondern der eilige, überlastete und überhastete Chef, in der Wirtschaft, in der Verwaltung, im kulturellen Leben und in der Politik.

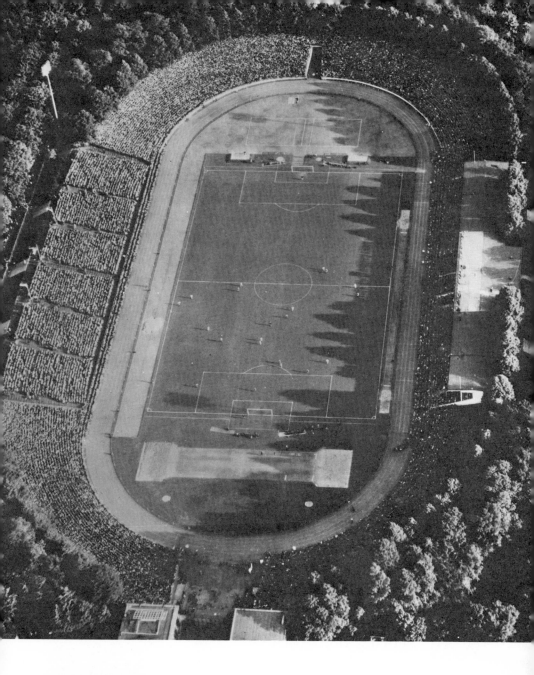

9 ◦ Sport in Deutschland

191

Sportvereine

Es gibt in der Bundesrepublik 32.000 Sportvereine mit mehr als 4 Millionen Mitgliedern. Man sollte meinen, die Deutschen seien ein sportliches Volk. Bei den Befragungen „Was tun Sie am liebsten in Ihrer freien Zeit?" kam der Sport allerdings erst an dritter Stelle, nach „Lesen" und nach „Haus-, Hand- und Gartenarbeit". Etwa jeder sechste Deutsche interessiert sich in der Freizeit für den Sport. Dabei gibt es im deutschen Sport eine ganze Menge Probleme.

Der Sport in Deutschland hat eine lange Tradition. Der „Turnvater" Ludwig Jahn führte in den Jahren nach 1807 in Preußen das Turnen ein, um die jungen Leute körperlich für den Krieg vorzubereiten. Das Turnen und später die anderen Sportarten, wie Leichtathletik und Fußball, entwickelten sich als freiwilliger Amateursport. Heute, im Zeitalter des Berufsports und Leistungssports, haben die Deutschen Schwierigkeiten, sich umzustellen.

Die meisten der 4 Millionen Mitglieder der Sportvereine sind nicht selbst aktiv, es sind „Fans". Sie interessieren sich fast ausschließlich für den Fußball. Fußball ist der Volkssport in Deutschland. Die Kinder spielen auf der Straße Fußball; sie sammeln Bilder und Autogramme der Fußballspieler. Die Fußballspiele haben die größten Zuschauerzahlen; für die Fußballspiele werden die großen Stadien gebaut. Bei sehr wichtigen Fußballspielen müssen auch die Bundestagssitzungen ausfallen. Jeder Ort hat seinen Fußballverein. Es gibt viele kleinere und größere Fußballigen; es gibt Jugendmannschaften und Mannschaften der „Alten Herren". Eines hat der Fußball mit den anderen Sportarten gemein: Überall gibt es Wettkämpfe und Meisterschaften in den kleineren und größeren Bezirken, durchweg mit großer Beteiligung der Bevölkerung. Die Schulen haben Turnunterricht für alle Kinder, hingegen befassen sich die Hochschulen im allgemeinen nicht besonders mit dem Sport. Es sind vor allem die Vereine, die die Talente im Sport fördern.

Berufssportler und Amateure

Die Deutschen haben lange gezögert, bis sie im Fußball den Schritt zum Berufssport machten. Jetzt gibt es mehrere Regionalligen, deren Spieler „Vertragsspieler" sind, die einen anderen Beruf haben, aber etwas Geld als Entschädigung bekommen dürfen, und darüber die Bundesliga mit richtigen

Berufssportlern. Das deutsche System sieht vor, daß in jeder Liga die beiden schlechtesten Vereine in die niedrigere Liga „absteigen", und daß die besten Vereine in die höhere Liga „aufsteigen". Die besten Mannschaften der Regionalligen ermitteln untereinander die beiden besten Mannschaften, die in die Bundesliga kommen. Aber es wird schwierig, wenn eine Bundesligamannschaft absteigt. Was geschieht mit den Berufsspielern? Können sie bei dem Verein bleiben und hoffen, daß die Mannschaft im nächsten Jahr wieder aufsteigt? Es ergeben sich gleichfalls Schwierigkeiten aus der Struktur der Vereine. Die Sportvereine sind „gemeinnützige" Unternehmen; sie arbeiten nicht für Profit; ihre Leitung besteht aus gewählten und ehrenamtlich tätigen Mitgliedern. Solche Mitglieder können jedoch nicht mehr im Nebenberuf einen großen Geschäftsbetrieb leiten, wie es ein Bundesligaverein ist.

Der einzelne Deutsche nimmt zwar an diesen Problemen teil, denn die Zeitungen berichten darüber; aber er ist vor allem daran interessiert, gute Fußballspiele zu sehen, und er möchte im „Fußball-Toto" gewinnen, wo man jede Woche wetten kann, welche Mannschaften gewinnen oder verlieren. Die Fußballspiele finden nur am Sonntag oder an Feiertagen statt, und am Montag werden überall in der Straßenbahn und am Arbeitsplatz die Sportergebnisse heftig diskutiert.

Spiele wie Baseball oder Football gibt es in Deutschland nicht, auch kein Rugby oder Kricket. Eishockey jedoch ist sehr beliebt, besonders in Bayern, und es ist auf dem Wege, Berufssport zu werden; und zwar auch nur in der höchsten Liga, unter der andere Ligen sind.

Zu den Berufssportarten gehören noch Boxen, Ringen, Autorennen, Motorradrennen und der Fahrradsport. Radrundfahrten sind allerdings viel weniger volkstümlich als in Frankreich oder Italien. Hingegen haben die Deutschen eine Vorliebe für Radrennen in der Halle, die sogenannten „Sechstagerennen", die sechs Tage (und Nächte) dauern, bei denen sich die Fahrer ablösen, und wo es außer dem Schlußgewinn viele einzelne Preise gibt.

Leistungssport und Freizeitbeschäftigung

In vielen Sportarten gibt es keine Berufssportler. Bei dem Mannschaftssport gehören vor allem Hockey (im Unterschied zum Eishockey) und Handball dazu, der in Deutschland etwa die Rolle spielt wie Basketball in den USA, aber kein Berufssport ist. Er kann in der Halle und draußen gespielt werden.

Ein reiner Amateursport ist auch die Leichtathletik geblieben. Durch die internationalen Meisterschaften und die Olympischen Spiele hat sich die Leichtathletik zu einem Leistungssport entwickelt, der dem Berufssport nahekommt. In der Bundesrepublik ist die staatliche Unterstützung bisher gering; das Interesse der Öffentlichkeit jedoch groß. Meisterschaften oder Länderkämpfe sind immer gut besucht. Läufer, die bei den Olympiaden Medaillen erringen, werden leicht zu Helden für die Jugend. Ebenso beliebt ist der Reitsport, obwohl nur wenige Deutsche die Gelegenheit haben, selbst zu reiten. Natürlich gibt es Pferderennen mit Wetten, doch die Öffentlichkeit ist mehr an Dressurreiten und Springen interessiert.

Es wird auch sehr viel Wintersport getrieben. Schlittenfahren und Eislaufen ist die Winterbeschäftigung der Jugend, und das Schilaufen ist in den letzten Jahrzehnten sehr beliebt geworden. Die großen Schispringen locken Tausende von Zuschauern herbei. Die Bayern haben einen besonderen Wintersport, das Eisstockschießen.

Im Wassersport hat das Rudern eine besondere Tradition. Es wird bereits an vielen Oberschulen geübt, und es gibt überall Ruderklubs und ebenfalls Segelklubs. Während das Rudern als Leistungssport betrieben wird, betrachten die meisten Segler ihre Segelfahrten nicht als sportliches Ereignis. Ebenso ist es beim Schwimmen: Die Schwimmbäder, vor allem die Freibäder im Sommer sind stark besucht; doch kaum jemand betrachtet das Schwimmen als Leistungssport.

Das trifft auch für die Turner zu. Turnen wird vor allem in den Schulen sehr geübt; bei Erwachsenen ist das Turnen nicht mehr so verbreitet wie früher. Die traditionellen Turnvereine lehnen den modernen Leistungssport bewußt ab; sie haben sogar die Olympischen Spiele boykottiert. Golf sieht man im allgemeinen in Deutschland kaum als Sport an. Es gibt nicht viele Golfplätze. Die Golfklubs sind sehr exklusiv und gelten auch als exklusiv. Sie sind daher gesellschaftlich wichtig, aber kaum sportlich. Anteilnahme an Golfmeisterschaften gibt es wenig, da die meisten Menschen die Regeln nicht kennen. Tennis ist viel weiter verbreitet, aber noch mehr das Tischtennis, das viele Leute zu Hause spielen können, und das auch in den Sportvereinen betrieben wird.

Sport und Wandern

Die Deutschen möchten zwar im Sport international gut abschneiden und sie sehen gern guten Leistungssport; aber sie sind immer noch gegen den Berufssport, besonders gegen Geschäfte mit dem Sport, mißtrauisch. Für sich selbst lehnen sie den Leistungssport ab. Besonders interessiert sind sie an den
5 Sportarten, die mit Bewegung und Wandern verbunden sind. Dazu gehört das Bootfahren, nicht nur das Segeln, sondern auch Bootfahrten mit dem Paddelboot oder Faltboot. Es geht ihnen dabei nicht um die sportliche Leistung, sondern um die Bewegung, die frische Luft und das Naturerlebnis. Das ist genauso beim Schifahren der Fall: Viele Schifahrer unternehmen „Schi-
10 wanderungen". Die Jagdmöglichkeiten sind in Deutschland beschränkt; nur wenige interessieren sich für den Angelsport. Wer in die Ferien fährt, möchte Gelegenheit zum Schwimmen (an einem See oder am Meer) oder zum Wandern haben. Diese Wanderlust führte dazu, daß es überall „Wanderwege" gibt, gewöhnlich mit Wegmarkierungen. Es gibt in den Gebirgen „Hütten", wo
15 die Wanderer übernachten können, und für die Jugend sind Jugendherbergen gebaut worden, wo die jungen Wanderer billig übernachten und abends zusammen lustig sein können. Es gibt auch Wandervereine. Das Bergwandern ist von dem oft sensationellen „Bergsteigen" zu unterscheiden, wo man mit Seil und Pike versucht, die steilsten Felswände hochzukommen. Natürlich ist
20 auch in Deutschland das Wandern heute nicht mehr so verbreitet wie früher, als niemand oder nur wenige Leute ein Auto hatten. Aber die Deutschen gehen gern zu Fuß, wenigstens zu Spaziergängen. Am Sonntag sind die Straßen voll von Fußgängern; so leere Straßen wie in den Vororten der USA findet man nirgendwo. Überall gibt es Fußwege, und die Fremdenverkehrsorte weisen
25 ganz besonders auf die schönen Spazier- und Wanderwege hin, und nicht so sehr auf die Möglichkeiten zum Angeln und Jagen.

10 ~ Urlaubsreisen

Die Tradition

Nicht alle Leute pflegten im Urlaub oder in den Ferien eine Reise zu machen. Wenn sie es taten, so hatten sie folgende Auswahl: Die Familie konnte zur Großmutter oder zu Verwandten aufs Land fahren. Gewöhnlich gab es eine solche Großmutter oder einen Onkel, was heutzutage in Deutschland kaum mehr der Fall ist. 5

Manche Familien, besonders wohlhabendere, hatten ihr Ferienhaus, vor allem am Meer oder in den Bergen. Dort verbrachte man dann den ganzen Urlaub, und die Kinder blieben die ganzen Sommerferien dort. Wer es sich leisten konnte, und kein eigenes Ferienhaus hatte, ging in eine Familienpension. Oder man ging zu Bauern oder anderen Einheimischen, die Sommergäste 10

196

aufnahmen. Schließlich gab es Ferienhäuser, die man mieten konnte. Durchweg war es Sitte, jedes Jahr an den gleichen Ort zu fahren.

Daneben gab es natürlich auch richtige Reisen. Die Jugend begann sich ab 1900 für das Wandern zu interessieren. Man übernachtete bei Bauern, und falls es sie gab, in den Jugendherbergen. Manche Gruppen hatten Zelte bei sich. Dann gingen sie zu einem Bauern und fragten, ob sie nicht auf seiner Wiese übernachten konnten.

Und natürlich unternahmen manche Leute größere Reisen, um etwas von der Welt zu sehen. Die beliebtesten Ziele waren dabei Italien und Frankreich, vor allem Paris, wenn man nicht im eigenen Land blieb, was noch häufiger war. Diese Reisen waren meistens „Bildungsreisen". Man bereitete sich darauf vor; man arbeitete einen Reiseplan aus; man beschäftigte sich mit Geschichte und Kunstgeschichte, und man lernte die Sprache, wenn man ins Ausland fuhr.

Heutzutage unternehmen fast alle Deutschen eine Urlaubsreise. Die Reiseziele und Gewohnheiten haben sich geändert. Wie sieht es jetzt aus?

Das Camping

Sobald es nach dem Zweiten Weltkrieg wieder möglich war, begann die Jugend zu reisen. Sie wollte endlich die Welt sehen. Sie begann mit Zelt und Fahrrad. Dann reichte das Geld zum Motorrad, endlich zum Auto. Um Geld zu sparen, reiste man mit dem Zelt. Da viele Leute kamen, begannen die Bauern Geld zu nehmen, und schließlich entstanden „Camping-Plätze", wo man mit dem Zelt oder mit dem Wohnwagen übernachten kann.

Heute gehen auch Leute, die sich ein Hotel leisten könnten, auf die Campingplätze. Die Plätze liegen gewöhnlich schön; sie sind gut angelegt; sie werden sauber gehalten — und sie sind natürlich nicht teuer. Die meisten Leute reisen lieber mit dem Zelt als mit dem Wohnwagen. Die europäischen Straßen sind nicht immer breit, so daß man mit einem großen Wohnwagen Schwierigkeiten haben kann. Hingegen gibt es bequeme Zelte und alle Campingmöbel.

Heute gibt es nicht nur Campingplätze für Leute, die unterwegs sind. An der Adria in Italien findet man Zeltlager, in denen man seine Ferien verbringen kann, und die meisten Campingreisenden sind unterwegs zu einem Ort, wo sie länger bleiben wollen.

Die Urlaubsziele

Als die Deutschen nach dem Zweiten Weltkrieg wieder ins Ausland reisen konnten, wollten sie zuerst möglichst viel möglichst schnell sehen. Viele Deutsche wurden zu „Kilometerfressern". Sie waren stolz darauf, möglichst viele Kilometer mit ihrem Auto gefahren zu sein.

Inzwischen ist das wieder anders geworden. Die Menschen brauchen 5 ihren Urlaub zur Erholung und Entspannung. Sie fahren also wieder an einen Ort, wo sie dann bleiben. Nur fahren sie meistens nicht mehr zur Großmutter, sondern ins Ausland, und vor allem in den Süden: nach Italien, Jugoslawien, Spanien, Griechenland, Rumänien, Bulgarien, in die Türkei, nach Tunesien — die Ziele werden immer entlegener. Dabei leben die alten 10 Traditionen wieder auf: Wer das Geld hat, kauft sich ein Ferienhaus, nicht mehr an der Ostsee oder in den Alpen, sondern auf Elba oder an der spanischen Mittelmeerküste.

Das Mittelmeer ist besonders beliebt, denn man kann damit rechnen, daß dort die Sonne scheint, und die Deutschen sind „sonnenhungrig". Ob an 15 der deutschen Nordseeküste oder Ostseeküste die Sonne scheint, kann man nicht vorher wissen.

Rumänien und Bulgarien sind seit mehreren Jahren deshalb beliebt, weil dort westliche Touristen besonders willkommen sind; und außerdem können sich hier die Deutschen aus dem Osten und Westen treffen, was sonst nicht 20 so leicht geht.

Neben dem Meer ist das Gebirge immer noch die bevorzugte „Urlaubslandschaft". Die Deutschen fahren besonders gern in die Alpen, vor allem nach Österreich oder Norditalien, nicht so viel in die Schweiz oder nach Frankreich.

Neben dem Sommerurlaub nimmt man gern einen Winterurlaub, den 25 die meisten Deutschen zum Schifahren in den Bergen benutzen, besonders gern wieder in den Alpen.

Gesellschaftsreisen

Wer für zwei oder drei Wochen nach Italien oder Jugoslawien ans Meer will, kann sich nicht darauf vorbereiten wie auf eine Bildungsreise. Er fährt auch meistens in einen unbekannten Ort. Natürlich möchte er keine Schwierigkeiten haben und ein gutes Hotel finden; er möchte sich nicht mit Sprachschwierigkeiten herumschlagen. Daher verläßt er sich gewöhnlich auf ein Reisebüro. Reisebüros vermitteln individuelle Reisen, aber sie helfen auch bei Gesellschaftsreisen. Es gibt in der „Reise-Industrie" richtige Reisegesellschaften, die Gruppenfahrten organisieren. Bei den Ferienreisen macht gewöhnlich eine Gruppe von Menschen die Hin- und Rückfahrt gemeinsam, in Bussen oder in Sonderzügen. Die Gesellschaft garantiert für die Qualität der Unterkunft. Bei Sprachschwierigkeiten findet man Dolmetscher. Der Pauschalpreis dieser Reisen ist niedriger als bei einer individuellen Reise. Kein Wunder, daß diese Gesellschaftsreisen sehr beliebt sind. Sie bringen manchen Deutschen ins Ausland, der ohne diese Hilfe die vielen Schwierigkeiten scheuen würde. Daneben gibt es auch Gesellschaftsfahrten, wo die Gesellschaft ein festes Programm bietet.

Bildungsreisen

Heute wird die Tradition der Bildungsreisen auch in der Form von Gesellschaftsreisen und Gruppenfahrten weitergeführt. Wieviel Bildung die Teilnehmer dabei wirklich erwerben, ist natürlich sehr verschieden. Manche Reisende nehmen die Bildung nur als Vorwand, andere Gruppen meinen es ernst. Dazu gehören zum Beispiel Reisegruppen von Volkshochschulen, die sich gewöhnlich vorher in einem Kurs auf die Reisen vorbereiten. Und es gibt natürlich Studienfahrten von Studentengruppen. Den deutschen Bildungsidealen entsprechend sind die traditionellen Ziele solcher Bildungsreisen vor allem Italien und das klassische Griechenland und an dritter Stelle Frankreich. Anderen Menschen fällt auf, daß diese deutschen Bildungsreisenden es wirklich ernst meinen — manchmal zu ernst; dann vergessen sie vor Kirchen, Tempeln und Museen das Leben der Gegenwart.

Deutschland als Reiseland

Viele Deutsche fahren ins Ausland; aber viele Ausländer kommen nach Deutschland. Die meisten von ihnen allerdings, Skandinavier, Holländer und

Oberammergau

Engländer zum Beispiel, benutzen Deutschland nur als „Durchreiseland", um nach dem Süden zu kommen. Deutschland bietet ja kein besonders angenehmes Klima, aber es bietet schöne Landschaften, alte Städte und Burgen und alte Bräuche. Das gilt im Ausland gewöhnlich als „romantisch", und dazu gehört der Kölner Dom, die Rheinlandschaft mit der Loreley, Heidelberg, Rothenburg ob der Tauber, München und sein Hofbräuhaus, Oberammergau und die Schlösser des Bayernkönigs Ludwig II. im Allgäu. Das sind gewöhnlich Objekte für eilige Touristen, die sich schnell besichtigen und fotografieren lassen.

Deutschland ist also weniger ein Land für Ferienaufenthalte als für Ferienreisen. Wer einen Ferienaufenthalt wünscht, wünscht sich meistens Ruhe dazu, und so suchen sich die Deutschen, wenn sie im Lande bleiben, immer mehr versteckte Winkel, wo sie möglichst wenig andere Touristen treffen.

Diese Hoffnung, etwas Besonderes zu entdecken, hat ein Deutscher auch, wenn er ins Ausland fährt. Die Gesellschaftsreisen sind nur die eine Seite. Wer öfter in das gleiche Land fährt und sich dadurch besser auskennt, versucht, abseits der Orte zu bleiben, wo sich die vielen Touristen ansammeln. Der Stolz des deutschen Reisenden ist nicht so sehr, dort gewesen zu sein, wo alle Leute hinfahren, sondern dort, wo keine anderen Touristen waren.

Europa ist ein kleiner Kontinent mit vielen Ländern und Sprachen. Die Reiseindustrie bringt die Menschen zusammen. Zwar zeigen sich die Touristen in ihrem Urlaub selten von der besten Seite; aber sie lernen doch neue Länder und Menschen kennen, und nicht selten ergeben sich aus diesen Reisen feste Beziehungen. Jedenfalls merkt ein Europäer spätestens im Urlaub, wie eng die Länder Europas zusammengehören, daß es jedoch sehr verschiedene Kulturen gibt, und daß es sich lohnt, Fremdsprachen zu lernen.

200

In einer kleinen Stadt

Nicht nur die Großstädte, auch kleinere Orte haben in Deutschland ein vielseitiges kulturelles Leben. Eine Stadt von 100.000 Einwohnern hat ihr städtisches Symphonieorchester. Die Musiker spielen außer in ihren Konzerten auch in der Oper; denn das Stadttheater bietet neben dem Drama auch Oper und Operette. Regelmäßig finden Kammermusikabende statt mit bekannten 5 Solisten oder Ensembles von auswärts. Die Stadt hat ein heimatgeschichtliches, ein naturkundliches und ein Kunstmuseum. Das Kunstmuseum ist vielleicht nicht groß, und es hat nicht viele Meisterwerke, aber es stärkt das Interesse an Kunst, und es veranstaltet regelmäßig besondere Ausstellungen, vor allem moderner Kunst. Es gibt mehrere Chorvereinigungen, darunter eine große, 10 die mit dem Symphonieorchester Oratorien aufführt. Die Stadt hat auch Kirchenchöre, die Konzerte geben, und in den Kirchen finden Orgelkonzerte statt. Wenn die Stadt keine Hochschule hat, bestehen wenigstens einige wissenschaftliche Gesellschaften: eine naturkundliche Gesellschaft, eine Gesellschaft für Heimatgeschichte, vielleicht eine geographische Gesellschaft. Diese 15 Gesellschaften veranstalten Vorträge und Exkursionen. Daneben gibt es die Volkshochschule, oder Volksbildungswerk genannt, die außer den Kursen auch Vorträge und Bildungsreisen veranstaltet.

Das Angebot ist also vielseitig. Man müßte ja noch die Kinos hinzurechnen und eine Reihe von Amateurveranstaltungen: Schulkonzerte und -aufführun- 20 gen, Volkstheater im Dialekt, Hauskonzerte und die eigentlichen Liebhabervereine. Heute kommt vor allem das Fernsehen dazu, das dem Kino so heftige Konkurrenz macht.

Ein solches Angebot beruht auf einer Tradition. Zur kulturellen Tradition in Deutschland gehört der Föderalismus. Bis um das Jahr 1800 bestand Deutsch- 25 land aus mehr als 300 Staaten, und jeder Staat hatte seinen eigenen kulturellen und politischen Mittelpunkt. Viele kleine Residenzstädte entwickelten ein reiches kulturelles Leben, und manche von ihnen haben diese Tradition

bewahren können: Bayreuth hat heute seine Richard-Wagner-Festspiele; das kleine Donaueschingen hat jedes Jahr seine Tage der modernen Musik; Kassel veranstaltet die „documenta", eine der wichtigsten Ausstellungen für moderne Kunst; eine mittelgroße Stadt wie Darmstadt hat eine Künstlerkolonie und
5 eine beachtliche Theatertradition. Das beste Beispiel ist natürlich Weimar, das es fertigbrachte, Mittelpunkt der literarischen Kultur Deutschlands zu werden. Es waren nicht nur die Fürsten, die sich für die Kultur eingesetzt haben; auch die Bürger haben sich dafür eingesetzt, wie man an der Geschichte von Hamburg oder Nürnberg sehen kann.

10   In der zweiten Hälfte des 18. Jahrhunderts kam das deutsche Bürgertum zu neuer Bedeutung, nachdem es im 17. Jahrhundert verarmt und herabgesunken war. Das Bürgertum von 1750 strebte nach einer deutschen Nationalkultur. Es wollte sich bilden, und es wollte die deutsche Kultur heben. Sein Kampf war erfolgreich: Die deutsche Kultur hatte in der „Goethezeit" vor und
15 nach 1800 einen Höhepunkt, und „Bildung" wurde ein entscheidender Faktor des deutschen Lebens. In der ersten Hälfte des 19. Jahrhunderts wurden Musikvereine gegründet, und die Orchester und Chöre gaben regelmäßige öffentliche Konzerte. Das Theater hatte vorher ein sehr niedriges Niveau gehabt. Jetzt, dank Lessing, Goethe und Schiller gab es klassische Dramen; der Schauspieler-
20 stand wurde gehoben; aus den Wandertruppen wurden feste Theater. Kunstsammlungen wurden öffentlich zugänglich, und so entstanden die Museen. In ihrer freien Zeit trieben viele Bürger Hausmusik. Liederabende waren häufig, ebenso Rezitationen.

   In dieser Zeit, im frühen 19. Jahrhundert, bekamen die Deutschen von
25 den Ausländern, zuerst von Madame de Staël in ihrem Deutschlandbuch, den Namen „das Volk der Dichter und Denker", und darauf waren sie sehr stolz. Die Literatur spielte eine große Rolle, und das kulturelle Leben wurde ernst genommen. Es stand unter dem Zeichen der Bildung. Das hat sich bis heute erhalten. Das kulturelle Leben wird nicht mehr von bürgerlichen
30 Mäzenen finanziert, sondern von den Gemeinden und den Ländern; aber auch heute ist „Bildung" der Grund, wenn eine kleinere Stadt ihrem Stadttheater im Jahr eine Million D-Mark Zuschuß gibt. Als im späteren 19. Jahrhundert die Arbeiter selbstbewußter wurden, bildeten sie „Arbeiterbildungsvereine", aus denen die sozialistischen Parteien hervorgingen. Die „Freie Bühne" in
35 Berlin, ein solcher Bildungsverein, hat den Naturalismus auf dem deutschen Theater durchgesetzt.

Ein Stadttheater

Jede größere Stadt in der Bundesrepublik hat also ein Theater. Die meisten Theater sind städtische Theater. Es gibt einige „Staatstheater" in den Großstädten, die vom Land finanziert werden, und natürlich gibt es Privattheater, und zwar von zweierlei Art: entweder Theater für „leichte Unterhaltung", also Operetten und Musicals oder Komödien, mit bekannten Schauspielern und 5 Sängern, oder kleine Avantgarde-Theater, meistens „Kellertheater", die selten mehr als hundert Plätze haben. Während die berühmten Schauspieler nur in den Hauptstädten auftreten, gibt es Kellertheater oder Zimmertheater auch in kleineren Orten, vor allem in Universitätsstädten.

Was aber bringt ein Stadttheater? Nur in Städten wie München, Stuttgart, 10 Düsseldorf oder Hamburg sind Schauspiel, Oper und Operette getrennt. Sonst bietet ein Stadttheater einen gemischten Spielplan. Auch in jeder Abteilung versucht es eine Mischung, oder einen Querschnitt, zu bringen. Es bringt ernste und heitere Stücke, Klassiker und moderne Autoren, Deutsche und Ausländer. Das Publikum ist sehr verschieden. Das Theater gibt nämlich Abonne- 15 ments aus. Solche Abonnements werden auch von den Gewerkschaften als „Volksbühne" verkauft. Manche Firmen besorgen Abonnements für ihre Angestellten, und in manchen Gegenden werden Theaterfahrten für die Bauern organisiert. Schüler und Studenten bekommen verbilligte Karten. Nicht jeder geht immer aus Interesse ins Theater, sondern weil er nun einmal die Abonne- 20 mentkarte hat, oder weil er sich verpflichtet fühlt, sich zu bilden. Das Publikum nimmt es in Kauf, sich manchmal zu langweilen, wenn das der Bildung dient; allerdings neigt es zu einem konservativen Geschmack und begegnet der Moderne abwartend. Der Intendant des Theaters muß also Kompromisse machen. Das Publikum zögert bei Beckett und Peter Weiss; der Kritiker der 25 lokalen Zeitung verlangt, daß das Theater modern ist und möglichst auch Uraufführungen bietet. Immerhin hat jedermann dadurch die Möglichkeit, sowohl regelmäßig Klassiker zu sehen als auch moderne Stücke. Zu den Klassikern gehört in Deutschland außer Lessing, Goethe und Schiller vor allem auch Shakespeare, der bestimmt jedes Jahr im Spielplan erscheint. Das Theater 30 hat ein festes Ensemble. Ein Schauspieler muß also im Jahr sehr viele verschiedene Rollen spielen. Der Intendant muß seinen Spielplan danach einrichten, welche Stücke er einigermaßen gut besetzen kann. In Deutschland bringt auch das Fernsehen regelmäßig Theaterstücke, wodurch der Zuschauer die Leistungen der Schauspieler in seinem Stadttheater besser vergleichen kann, und das Theater kann sich keine schlechten Aufführungen leisten. Außerdem kommen auch Kritiker der großen Zeitungen und berichten über die kleineren Theater.

5 Wenn ein Stadttheater moderner sein möchte, als es der größere Teil seines Publikums will, richtet es eine „Studiobühne" ein. Es hat gewöhnlich neben der großen Bühne noch ein „kleines Haus", das sich für solche Versuche eignet.

Ein Deutscher, der ins Theater geht, bereitet sich vor. Manche Leute
10 lesen vorher das Theaterstück. Die größeren Opernhäuser haben besondere Sitzplätze mit kleinen Lampen, so daß man die Partitur mitlesen kann. Auch in den Konzerten findet man Hörer mit Partituren. Für das Theater und das Konzert zieht man sich gut an und gibt den Mantel an der Garderobe ab. Man ist also in einer besonderen Stimmung.

 Das Pantoffelkino

15 Das Kino ist in Deutschland nie zu einer „Bildungseinrichtung" geworden. Im Kino braucht man nicht den Mantel abzugeben, und man geht in Alltagskleidung dorthin. Als sich in Deutschland das Fernsehen ausbreitete, gingen die Leute weiter ins Theater und ins Konzert; aber sie gingen viel weniger ins Kino. Für den Deutschen besteht ein großer Unterschied zwischen „Kino"
20 und „Theater", und obwohl sich Kinos gern „Filmtheater" nennen, würde es einem Deutschen nie einfallen zu sagen, „ich gehe ins Theater", wenn er das Kino meint. Das Fernsehen verursachte ein „Kinosterben"; viele Vorstadtkinos mußten schließen. Nur die Kinos, die Erstaufführungen bringen, und die meistens im Stadtzentrum liegen, haben genug Publikum. So hat denn das
25 Fernsehen den Spitznamen „Pantoffelkino" bekommen, weil man sich einen Film in Hausschuhen ansehen kann.

Das Fernsehen bringt allerdings nicht nur Filme, keineswegs. Die Rundfunkanstalten sind in der Bundesrepublik keine Privatfirmen. Es sind aber auch keine staatlichen Einrichtungen. Es sind „Anstalten des öffentlichen
30 Rechts". Die meisten Länder haben ihre eigene Rundfunkanstalt. Die Rundfunkanstalt arbeitet selbständig und im öffentlichen Interesse. Sie ist also unabhängig von der Regierung, aber sie macht keine Profite. Jeder Radiohörer

und Fernsehbesitzer zahlt eine monatliche Gebühr. Dadurch ist der Rundfunk finanziell unabhängig. Er bringt zwar auch Reklame, doch er ist finanziell nicht auf sie angewiesen. Jede Rundfunkanstalt hat Aufsichtsgremien, in denen die Öffentlichkeit vertreten ist: Neben den politischen Parteien haben auch die Kirchen, die Gewerkschaften und andere Interessengruppen ihre Vertreter 5 darin. Die deutschen Rundfunkanstalten betreiben zwei Fernsehprogramme gemeinsam. Das „1. Programm" hat außer einigen lokalen Sendungen abwechselnd Sendungen von den verschiedenen Stationen: Hamburg, Köln, München, Berlin u.a. Das „2. Programm" wird von allen Rundfunkanstalten gemeinsam finanziert, hat aber eigene Studios und eine eigene Verwaltung in 10 Mainz. Außerdem haben die einzelnen Stationen als „3. Programm" jede für sich ein Bildungsfernsehen entwickelt. Das Programm beginnt im allgemeinen erst am Nachmittag und endet vor Mitternacht. Es enthält außer Sendungen, wie sie das amerikanische Fernsehen kennt, auch regelmäßig Opern, Theaterstücke, Fernsehspiele und Vorträge. Die Reklame kommt nie 15 innerhalb der einzelnen Sendungen, sondern in bestimmten Reklamesendungen, die eine Viertelstunde dauern. Wer keine Reklame sehen will, kann abschalten, ohne etwas anderes zu verpassen. Die meisten Zuschauer schalten ihr Fernsehgerät nur an, um bestimmte Sendungen anzusehen.

Der Rundfunk als Mäzen

Bevor es Fernsehen gab, erweckten die Rundfunkprogramme, vor allem 20 abends zwischen 8 und 10 Uhr, große Aufmerksamkeit. Heute hören weniger Leute Rundfunk. Dadurch sind die Rundfunkanstalten freier in ihren Programmen, ohne weniger Geld zu haben. Den Rundfunkanstalten ist es deshalb möglich, eine wichtige kulturelle Rolle zu spielen. Der Rundfunk zahlt gute Gehälter, so haben die Rundfunkanstalten besonders gute Musikgruppen: 25 Symphonieorchester, Unterhaltungsorchester und Tanzorchester, ja Jazzbands. Die Rundfunkanstalten haben durchweg zwei, manchmal sogar drei Programme; bei neun Rundfunkanstalten muß also viel Zeit gefüllt werden, denn die Rundfunkprogramme laufen den ganzen Tag. Wenn eine Musikaufnahme wiederholt wird, bekommt der Komponist (wenn es ein modernes Stück ist) 30 und die ausführenden Musiker Tantiemen. Hörspiele, die für den Rundfunk geschrieben sind, werden gut bezahlt. Auch andere literarische Sendungen,

Lesungen, Vorträge, Kritiken bringen Geld, und so verdanken nicht wenige deutsche Schriftsteller dem Rundfunk einen wesentlichen Teil ihres Einkommens. Schauspieler können als Sprecher Geld verdienen. Auch Professoren halten Vorträge. Es werden zum Beispiel regelmäßig Sendereihen mit bestimm-
5 ten Themen geplant, die gewöhnlich später als Buch erscheinen.

Der Rundfunk belebt also das musikalische und das literarische Leben außerordentlich; aber seine Wirkung geht noch weiter. Da die Rundfunkanstalten keinen Profit machen dürfen, verwenden sie ihre jährlichen Überschüsse für bestimmte Zwecke. Sie helfen notleidenden Menschen, vor allem
10 aber unterstützen sie kulturelle Einrichtungen: Avantgardetheater, Maler und Bildhauer, Musikgruppen, Museen. An die Stelle des Millionärs ist also bei dem Mäzenatentum die Öffentlichkeit selbst getreten; denn der Rundfunk, wie erwähnt, lebt von den Gebühren seiner Hörer.

Musik

Ein Regisseur und ein Schauspieler können sich manchmal darüber
15 ärgern, daß ihr Publikum nicht sehr sachverständig ist. Bei der Musik ist das anders. Jedes Symphoniekonzert, jede Kammermusik, jede Opernaufführung, findet ein Publikum mit Kennern. Man merkt das bei der Oper. Das Publikum einer Großstadt, z.B. München, nimmt ein mittelmäßiges Bühnenbild und eine mittelmäßige Inszenierung hin, aber nicht mittelmäßige
20 Sänger und ein schlechtes Orchester. Auch die moderne Musik wird weithin akzeptiert, wenigstens diskutiert. Dabei findet Musik aus allen Zeitaltern ihre Hörer und Liebhaber.

Auffallend ist die Vorliebe der Deutschen für Kammerorchester und Kammermusik. Das Streichquartett ist nicht nur im Konzertsaal beliebt,
25 sondern auch als Hausmusik. Allerdings haben Rundfunk und Schallplatten die Hausmusik in Deutschland erheblich reduziert; aber immer noch gibt es das „stillvergnügte Streichquartett" von Dilettanten; und Kammermusik ist der Traum jedes Orchestermusikers.

Das Chorsingen ist bis jetzt weniger von der modernen Zeit beeinträchtigt
30 als die Kammermusik. Alle Chöre, bis auf die Knabenchöre, sind Liebhabervereinigungen. Die Männerchöre, die so typisch für das 19. Jahrhundert waren, sind inzwischen weniger geworden; man zieht die gemischten Chöre vor.

Nicht leicht hatte es der Jazz, sich in Deutschland durchzusetzen. Die deutsche Unterhaltungsmusik, Schlager und Tanzmusik, neigt gewöhnlich zur Sentimentalität, und so ist sie vom Jazz ziemlich weit entfernt. Immerhin hat sich in Deutschland eine eigene Schule des Jazz herausgebildet. Rock und Soul sind international.

Und wie steht es mit dem Volkslied? Wer Volkslieder kennt, hat sie auf der Schule oder in einem Gesangverein gelernt. In einigen Gegenden, zum Beispiel in Bayern, gibt es auch Volksmusikgruppen, die die Tradition des Volksliedes fortsetzen.

Die Buchhandlung

Ein Buch kauft man in Deutschland nicht in der Drogerie und im Lebensmittelgeschäft, sondern in der Buchhandlung. Buchläden gibt es überall. Wer Buchhändler werden will, muß den Beruf lernen; er ist drei Jahre Lehrling in einer Buchhandlung, anschließend geht er auf die Buchhändlerschule, um sich für die Prüfung vorzubereiten. Jedes Jahr im Herbst findet in Frankfurt/ Main (früher in Leipzig) die Buchmesse statt, wo die Buchhändler die Neuerscheinungen sehen und bestellen können. Durch die große Zahl der Buchhändler in Deutschland ist diese Buchmesse eine international wichtige Angelegenheit geworden.

Eine Buchhandlung ist nicht nur ein Geschäft, sondern auch eine kulturelle Einrichtung. Ein Buchhändler soll imstande sein, seine Kunden zu beraten; er soll versuchen, den Geschmack seiner Kunden zu beeinflussen, sie auf Neuerscheinungen aufmerksam zu machen. Es gibt viele große Buchhandlungen, die Vorträge und Dichterlesungen veranstalten, ja einzelne sogar Konzerte. Buchhandlungen haben gewöhnlich ein großes Lager; sie bieten etwas aus allen Gebieten und für jeden Geschmack — vielleicht nicht für den ganz bescheidenen Geschmack; dafür gibt es vor allem die Bahnhofsbuchhandlungen und manchmal die Warenhäuser.

Zwar haben auch in Deutschland fast die Hälfte der Einwohner keine Bücher zu Hause; andererseits sagen 30%, daß sie in ihrer Freizeit am liebsten lesen. Sie lesen gewiß nicht nur Zeitungen und Zeitschriften, sondern auch Bücher. Die Buchhändler erfüllen also eine wichtige Funktion.

Viele Leute bestellen ihre Bücher nicht in der Buchhandlung. Sie sind Mitglied einer Buchgemeinschaft. Es gibt Buchgemeinschaften für jeden

Geschmack; die meisten Mitglieder, weit über eine Million, hat der Bertelsmann-Lesering, der gute Unterhaltung und leichtfaßliche Literatur bietet und durch seine hohen Auflagen sehr billig sein kann.

Denkmäler und Ausstellungen

Moderne Kunst wird in der Bundesrepublik viel gefördert. Ein junger
5 Maler hat es natürlich nicht ganz leicht, sich durchzusetzen. Er wird daher meistens versuchen, eine feste Stelle zu bekommen: als Lehrer in einer Oberschule, als Dozent an einer Kunstschule oder Kunsthochschule — oder er versucht es mit der „angewandten" Kunst, der „Gebrauchsgraphik". Er arbeitet dann für die Reklame; er entwirft Plakate; er zeichnet Buchillustrationen.
10 Vielleicht kann er auch eine private Galerie dafür interessieren, eine Ausstellung von seinen Bildern zu veranstalten. Wenigstens möchte er mit einigen Bildern in Sammelausstellungen vertreten sein, und er versucht, einen Preis für junge Künstler zu gewinnen, der ihm nicht nur Geld bringt, sondern der ihn auch bekannt macht. Dann kommt vielleicht die Zeit, wo ein städtisches
15 Museum eine Ausstellung von ihm veranstaltet, und wo nicht nur Privatleute, sondern auch Museen Bilder von ihm kaufen.

Für einen Bildhauer ist das nicht ganz so einfach. Seine Plastiken sind größere und teurere Objekte, und eine Ausstellung bekommt er nicht so schnell. Hingegen hat ein Bildhauer die Möglichkeit, daß seine Werke in
20 Innenhöfen von Gebäuden, vor einem öffentlichen Gebäude oder auf einem Platz und in einem Park aufgestellt werden. Auf Plätzen stehen meistens Denkmäler, und es gibt Bildhauer, die vor allem Denkmäler geschaffen haben. Eine Gemeinde, eine Kirche oder ein Verein, die Denkmäler aufstellen, möchten sich nicht gern lächerlich machen und gegen den herrschenden Geschmack
25 verstoßen. Dieser Geschmack ist seit 1945 schon ziemlich modern geworden.

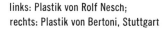

links: Plastik von Rolf Nesch;
rechts: Plastik von Bertoni, Stuttgart

209

Besonders wichtige Auftraggeber für die bildende Kunst sind immer noch die Kirchen. Seit 1945 hat sich nicht nur eine moderne Kirchenarchitektur in Deutschland entwickelt, sondern auch eine neue Art der Ausstattung dieser Kirchen: moderne Glasmalerei, moderne Fresken und moderne Skulpturen vor allem.

Der Geschmack der Künstler ist nicht nur auf die Kunst im engeren Sinn beschränkt. Als in der 2. Hälfte des 19. Jahrhunderts sich die Industrie so rasch entwickelte, waren ihre Produkte billig, aber meist häßlich. Das führte zu einer Reformbewegung, die versuchte, auch Industrieformen schön aussehen zu lassen. Diese Bewegung gipfelte im „Bauhaus", der Kunstschule nach 1918, wo nicht nur Malerei, Skulptur und Architektur betrieben wurde, sondern wo neue Möbelformen und neue Formen für Gebrauchsgegenstände entwickelt wurden. Nach 1945 hat die „Hochschule für Gestaltung" in Ulm einen gewissen Einfluß gehabt. Jedenfalls versucht die Industrie, nicht nur praktische Gegenstände herzustellen, sondern ihnen auch schöne und moderne Formen zu geben. Damit hat die Industrie die Tradition des Handwerks übernommen. Ein Handwerker in der Zeit vor der Industrialisierung wollte mit jedem Werk, das er baute, eine Art Kunstwerk schaffen, wie man an den alten Möbeln und an altem Geschirr sehen kann. Heute fehlt dazu Zeit und Geld, aber es gibt noch das „Kunsthandwerk": Tischler, die Einlegearbeiten machen können; Goldschmiede und Juweliere; Schmiede, die aus Eisen schöne Gitter und Schlösser herstellen; Hersteller von Musikinstrumenten, wie die Geigenbauer in Mittenwald; ja selbst manche Spielzeugmacher. Auch die Glasbläserei und die Porzellanmalerei gehören zu diesen Berufen. Dieses Kunsthandwerk ist nicht nur eine Tradition; es bekommt neue Aufgaben, und Künstler und Kunsthandwerker arbeiten gewöhnlich eng zusammen. Die Künstler lernen von den Handwerkern technische Fertigkeiten, und die Handwerker bekommen Anregungen für neue Formen.

Eine sehr aktive Rolle im Kunstleben spielen die Museen. Sie sind nicht nur der Ort, wo ältere Kunst zu sehen ist, sondern sie versuchen bewußt, die heutige Kunst zu fördern. Ein aktiver Museumsdirektor kann daher auch in einer kleineren Stadt interessante Ausstellungen bringen. Er kann außerdem damit rechnen, daß die Kritiker der bekannten Zeitungen zu diesen Ausstellungen kommen, und daß so der Name seines Museums bekannt wird. Das wiederum bringt bekannte Künstler dazu, bei ihm auszustellen.

210

Anita Pallenberg in Mord und Totschlag,
Regisseur Volker Schlöndorff

Die Neue Welle im Film

Deutschland war einmal eines der wichtigsten Länder der Filmkunst und Filmindustrie. Das war vor 1933. Die Emigration und die Anordnungen der Nationalsozialisten haben kaum ein Gebiet so sehr beeinflußt wie den Film. Auch nach 1945 wollte sich keine neue Filmkunst entwickeln. In der DDR war
5 die staatliche Kontrolle zu scharf; in der Bundesrepublik war nicht das Geld da, um künstlerische Experimente zu machen. Die Folge war, daß die Filmproduktion zurückging. Die Filme wurden schlechter; es wurden immer weniger produziert. Als das Fernsehen kam, hörte die Produktion fast ganz auf.

Mittlerweile war eine junge Generation herangewachsen, junge Filmleute,
10 die versuchten, unabhängig zu arbeiten und neue Wege zu gehen. Sie drehten zuerst Dokumentarfilme und Werbefilme, weil sie dafür Aufträge bekamen. 1962 machten sie sich durch ein „Manifest" bei den Kurzfilmfestspielen in Oberhausen bekannt. Seitdem haben einige von ihnen Spielfilme drehen können und mehr oder weniger Erfolg gehabt — aber immerhin: Man hat
15 die Filme zur Notiz genommen. Es gibt wieder Hoffnung für eine deutsche Filmkunst, und dazu trägt auch die Gründung von Filmakademien in Berlin und in München bei.

Festspiele

Das kulturelle Leben hat seine Höhepunkte. Das sind gewöhnlich die „Festspiele". Richard Wagner baute in Bayreuth ein Festspielhaus, um seine Opern im richtigen Rahmen aufführen zu können, und seit 1876 finden in Bayreuth die Wagner-Festspiele statt. In Österreich hat Salzburg jeden Sommer seine Festspiele. München lockt die Besucher im Sommer mit Opern- 5 Festspielen, bei denen „Münchener" Komponisten, wie Richard Strauß und Carl Orff, besonders im Mittelpunkt stehen. Berlin hat im Juni seine Filmfestspiele; Mannheim und Donaueschingen haben ihre Tage der modernen Musik.

Einen festlichen Rahmen haben auch die Freilichtspiele im Sommer, die die Deutschen sehr lieben, obwohl es oft draußen kalt wird und nicht selten 10 regnet. In Oberammergau, wo nach einem Gelübde aus dem 17. Jahrhundert alle zehn Jahre Passionsspiele stattfinden, sitzen die Zuschauer in einer Halle. In Hersfeld bei Fulda werden Theaterstücke in der alten Klosterruine aufgeführt, die nur noch Mauern, aber kein Dach mehr hat. In Schwäbisch Hall spielen die Schauspieler auf einer großen Treppe, die zur Kirche hinaufführt. In Jagst- 15 hausen spielt man Goethes „Götz von Berlichingen" in der Burg, in der der historische Götz gewohnt hat und die noch heute den Herren von Berlichingen gehört.

Berühmte Namen

Wer das kulturelle Leben eines Landes beschreibt, nennt meistens berühmte Namen aus den verschiedenen Bereichen der Kunst. Welche Namen könnte man für die Bundesrepublik nennen, die international bekannt sind? Allgemein haben die Deutschen das Gefühl, daß die Jahrzehnte seit dem Zweiten Welt-
5 krieg nicht so fruchtbar und produktiv gewesen sind wie die „Goldenen Zwanziger Jahre", die vielleicht aus der zeitlichen Entfernung goldener aussehen, als sie es in Wirklichkeit waren. Viele bekannte Namen von heute gehören allerdings noch in diese Zeit vor 1933; so die Maler Otto Kokoschka, Ernst Heckel, Otto Dix, Willi Baumeister und Ernst Wilhelm Nay und die Bildhauer
10 Gerhard Marcks, Renée Sintenis, Erwin Kolbe und Ewald Mataré.

In der Musik allerdings ist man nicht auf Paul Hindemith angewiesen, auch nicht auf ältere, lebende Komponisten wie Werner Egk oder Carl Orff. Es gibt bekannte Komponisten wie Hans Werner Henze und Giselher Klebe, und es gibt den umstrittenen Karlheinz Stockhausen, dessen Konzerte überall in
15 Europa Aufmerksamkeit und manchmal Skandale erregen.

Die längste Liste könnte man in der Literatur geben. Nach der älteren Generation, zu der Gottfried Benn, Bert Brecht oder Carl Zuckmayer gehörten, wurde die Generation der „Gruppe 47" bekannt. Die Gruppe 47, im Jahre 1947 entstanden, wie der Name sagt, ist eigentlich keine Gruppe, sondern nur der
20 Name für ein alljährliches Zusammentreffen von Schriftstellern, bei dem neue Werke vorgelesen und diskutiert werden, und wo auch ein Literaturpreis für Anfänger vergeben wird. Heinrich Böll, Günter Grass, Uwe Johnson, Martin Walser, Ingeborg Bachmann, Günter Eich, Ilse Aichinger, Paul Celan, Hans Magnus Enzensberger sind einige Namen von Autoren aus dieser Genera-
25 tion. Im Drama hat in den letzten Jahren Peter Weiss, der in Stockholm lebt, große Erfolge errungen. Peter Weiss ist Emigrant, ebenso wie Paul Celan oder wie Nelly Sachs, die der älteren Generation angehörte, aber erst in der letzten Zeit bekannt geworden ist und 1966 den Nobelpreis für Literatur erhalten hat.

Man kann solche Listen verlängern oder kurz halten. Man kann mehr
30 als zweitausend Autoren als „Schriftsteller" bezeichnen oder nur knapp hundert, die in der Literatur Bedeutung haben. Diese bekannten oder großen Künstler sind die Exponenten der Kultur. Ihre Tätigkeit und ihre Wirkung beruhen auf dem allgemeinen kulturellen Leben, wie es hier beschrieben worden ist.

12 ⌁ Vereine in Deutschland

Geselligkeit

Die Deutschen sind im allgemeinen gesellige Menschen. Sie leben nicht nur in der eigenen Familie. Zur Familie kommt der Freundeskreis hinzu. Und meistens ist ein Deutscher noch Mitglied einer weiteren Gruppe: eines Vereins. Die Vereine spielen eine bedeutende Rolle im gesellschaftlichen Leben in Deutschland. In allen Bereichen sind sie zu finden: im Sport, in der Wirtschaft, 5 bei den Bildungseinrichtungen. Menschen gleicher Herkunft bilden einen Heimatverein. Ehemalige Soldaten haben ihre Vereine. Liebhabergruppen bilden ihre Vereine: Gesangvereine, Bienenzüchtervereine, Kleingärtnervereine, Schützenvereine, Wandervereine, Vereine für Vogelkunde, Turnvereine. Wer alle Vereine aufführen will, braucht dazu ein ganzes Buch. 10

Vereine sind im Vereinsregister eingetragen. Hinter dem Namen der

214

Gruppe steht deshalb „e.V."; das bedeutet: „eingetragener Verein". Ein Verein muß eine Mindestzahl von Mitgliedern haben; er braucht außerdem einen Vorstand. Der Vorstand besteht mindestens aus dem Vorsitzenden, auch Präsident genannt, dem Kassenwart und dem Schriftführer; gewöhnlich hat

5 er einen zweiten Vorsitzenden und einige Beisitzer. Der Verein hat ordentliche Mitglieder, außerdem Ehrenmitglieder und manchmal fördernde Mitglieder. Fördernde Mitglieder sind Geldgeber, die sich nicht aktiv beteiligen; Ehren- mitglied wird man durch viele Jahre Arbeit für den Verein, durch besondere Förderung seiner Ziele oder überhaupt durch Verdienste um den Zweck des

10 Vereins. Ein Verein hat gewöhnlich Ehrennadeln für solche Verdienste und lange Mitgliedschaft.

Der Verein hat regelmäßige Sitzungen und eine Jahresversammlung, bei der der Vorstand die Mitglieder über die wichtigsten Ereignisse informiert und das Geld abrechnet. Die meisten Vereine sind „gemeinnützig"; sie arbeiten

15 nicht auf kommerzieller Basis, sondern für das öffentliche Interesse. Sie brauchen daher keine Steuern zu bezahlen. Vereine gehören gewöhnlich zu einem Bundesverband, der auch eine Jahresversammlung oder eine Jahresveranstaltung hat, zum Beispiel eine Ausstellung, ein Sängerfest oder ein Turnfest; er gibt gewöhnlich eine Zeitschrift für die Mitglieder heraus. In ihrem Vereinsleben

20 sind jedoch die örtlichen Gruppen ganz frei und unabhängig.

Eine Zusammenkunft des Vereins besteht gewöhnlich aus zwei Teilen. Der erste Teil ist der „ernste Teil", mit einem Vortrag, einer Geschäftssitzung, einer Vorführung oder einer Diskussion. Bei Musikvereinen sind das die Proben. Ein Verein tagt meistens in einem Gasthof, in seinem „Vereinslokal",

25 wo manche Vereine ihr besonderes Zimmer haben. Nach dem Ende der Sitzung oder Probe folgt das „gemütliche Beisammensein", der „heitere Teil". Man trinkt, man lacht, man spielt Karten, man unterhält sich. Viele Vereinsmit- glieder sind auf „du und du"; sie kennen sich gut; sie haben Vertrauen zu einander; sie benehmen sich ungezwungen; sie fühlen sich wie zu Hause.

30 Während der Deutsche sich in der Öffentlichkeit gern bemüht, „korrekt" zu erscheinen und zu handeln, fühlt er sich hier im Verein „als Mensch". Vereinsmitglieder kommen oft von verschiedenen Berufen, wenn es sich nicht um reine Berufsgruppen handelt, und so werden natürlich dabei auch Geschäftsverbindungen angeknüpft. Wichtiger aber ist die Geselligkeit selbst.

35 Man hat eine Gruppe von gleichgesinnten Menschen; man kommt regelmäßig zusammen und man fühlt sich in der Gruppe wohl.

Die Vereinstradition

Die Vereinstradition, so wie sie heute noch vorhanden ist, entstand im
frühen 19. Jahrhundert. Die Bürger hatten sich emanzipiert; sie fühlten sich
unabhängiger; sie hatten genug Geld und Freizeit, um ihren Liebhabereien
nachzugehen, und so gründeten sie eigene Gruppen. Die Gruppen waren klein,
denn die Städte waren noch klein; außerdem lebte man in einem Polizeistaat, 5
wo Politik verboten war, und wo man deshalb kleine geschlossene Gruppen
bildete, die harmlos aussahen. Der Verein war ein Mittel, sich von der großen

Gesellschaft abzuschließen. Aber es gab auch andere Vereine. Bildungsvereine, besonders Arbeiterbildungsvereine, waren Gruppen mit starkem politischen Interesse, und je mehr die Politik das Leben erfaßte, desto mehr Vereine mit politischer Bedeutung gab es.

Vereine waren durchweg Männersache. Die Männer waren unter sich, und das bestimmte den Ton. Es war gut, einmal nicht mehr Autorität in der Familie sein zu müssen und die häuslichen Sorgen zu vergessen. Außerdem hat ein Verein Posten zu vergeben. Ein Mann, der sonst im Leben nicht viel erreicht hat, kann dabei sein Selbstgefühl entwickeln. Er wird zum „Vereinsmeier", der im Verein und für den Verein lebt und stirbt. Solche Vereinsmeier gibt es in jeder Gruppe; man lächelt manchmal über sie, aber sie tun die Arbeit, die notwendig ist, damit der Verein funktioniert.

Vereinsleben heute

Auch Gruppen, die keine eigentlichen Vereine sind, sehen oft wie Vereine aus: die örtlichen Gruppen der politischen Parteien zum Beispiel, die Gewerkschaften, oder auch die Handels- und Handwerkskammern. Man trifft sich, erledigt die Geschäfte, hört Vorträge, diskutiert, und anschließend folgt der „gemütliche Teil". Man kennt einander gut, und man fühlt sich in diesem Kreis zu Hause.

Trotzdem gibt es Veränderungen im Vereinsleben. Viele Vereine oder Bundesverbände von Vereinen sind Interessengruppen geworden, die bei der Bundesregierung in Bonn und beim Bundestag bestimmte Ziele durchsetzen wollen. Fußballvereine werden durch den Berufssport zu Geschäftsunternehmen, in denen für Vereinsmeier kein Platz mehr ist. Aus den Bildungsvereinen werden Abendschulen oder Anstalten zur Fachausbildung und Weiterbildung oder auch wissenschaftliche Gesellschaften. Viele Mitglieder sind nicht mehr so sehr an der „Gemütlichkeit" interessiert, und der Verein ist nicht mehr die kleine intime geschlossene Gruppe, die er war. Viele Einrichtungen und Gruppen, die sich „Verein" nennen, sind gar keine Vereine in diesem Sinne. Sie benutzen die juristische Form des Vereins, weil sie bequem ist; und die Mitglieder spielen dabei keine wichtige Rolle. So umfaßt der Begriff „Verein" ganz verschiedene Gruppen, doch alle stehen sie zwischen dem einzelnen Menschen und der Gesellschaft im allgemeinen.

13 ⌁ Der Bürger und sein Staat

Die Verwirrungen der Politik

Ein Deutscher, der heute 75 Jahre alt ist, ist in einem Kaiserreich geboren und in einem Kaiserreich zur Schule gegangen. Für seinen Kaiser und sein Vaterland ist er als Soldat in den Ersten Weltkrieg gezogen. Der Krieg ging verloren, und als er nach Haus zurückkehrte, war Deutschland eine Republik. Eine Revolution hatte stattgefunden, die eigentlich keine war. Statt des Kaisers hatte Deutschland jetzt einen Reichspräsidenten, der einmal Sattler gewesen war, Friedrich Ebert. Vorher hatte in Deutschland Ruhe und Ordnung geherrscht, jetzt ging es durcheinander; vorher sollte man der Obrigkeit

218

gehorchen, jetzt ein freiheitlicher Demokrat und politisch aktiv sein. Der nächste Reichspräsident wurde ein ehemaliger kaiserlicher Generalfeldmarschall und Kriegsheld, Paul v. Hindenburg. Mitten in einer schrecklichen Wirtschaftskrise kam ein „Führer" an die Regierung, und jedermann sollte in der nationalsozialistischen Bewegung mitmarschieren. Aus der Demokratie wurde eine Diktatur, aber Deutschland sah wieder mächtiger aus; es gab wieder Ruhe und Ordnung. Nur wer vorher in der Demokratie aktiv gewesen war, hatte jetzt Schwierigkeiten. Dann gab es wieder Krieg, den Zweiten Weltkrieg, Deutschland wurde ein einziges Militärlager. Es kämpfte gegen die mächtigsten Länder der Welt, verlor den Krieg und wurde dabei völlig zerstört und von den Feinden besetzt. Schreckliche Verbrechen in den Konzentrationslagern kamen ans Tageslicht, die ein Deutscher seinem Volk nie zugetraut hätte.

Jetzt sollte der Deutsche wieder friedliebend, freiheitlich und demokratisch sein, und wer an der nationalsozialistischen Bewegung teilgenommen hatte, wurde bestraft. Wenige Jahre später gab es wieder deutsche Regierungen, allerdings kein Deutsches Reich mehr, und plötzlich sollten die jungen Leute wieder Soldat werden. Muß man sich wundern, wenn dieser Deutsche die Politik nicht mehr versteht, wenn er kein Vertrauen zu seinem Staat hat und wenn er sich nicht mehr engagieren will, sondern vorsichtig und skeptisch bleibt?

So ist das politische Leben der Bundesrepublik bisher überwiegend ruhig gewesen; der einzelne Bürger verhielt sich eher passiv, abwartend, pragmatisch, und die Politiker betrieben eine sachliche und praktische Politik, um die wirtschaftliche und politische Stabilität zu erhalten. Das ist nicht immer ein Mangel an Interesse: Die Bürger gehen zu den Wahlen; sie informieren sich am Radio, im Fernsehen und in der Zeitung; aber sie wollen gern unabhängig informiert werden. Die parteigebundenen Zeitungen haben viel weniger Erfolg als die unabhängigen, und selbst Zeitungen, die einer politischen Partei nahestehen, nennen sich „überparteilich und unabhängig".

Inzwischen hat auf diese Weise die Bundesrepublik eine beachtliche Stabilität entwickelt. Für die heutige Jugend ist diese verwirrende Vergangenheit bereits „Geschichte" geworden, denn sie kennt weder Hitler, Hindenburg, Ebert oder Kaiser Wilhelm II. aus eigener Erfahrung. Sie entwickelt neue politische Ideale und ist wieder bereit, sich zu engagieren. Die Unruhen der deutschen Studenten sind das erste Anzeichen dafür.

Die Verfassung

Die Verfassung der Bundesrepublik heißt „Grundgesetz". Es ist eine vorläufige Verfassung für einen Teil des geteilten Deutschland. So hat man auch das Wort „Verfassung" vermieden. Das Grundgesetz ist außerdem eine nüchterne, vorsichtige, mißtrauische und eine kurze Verfassung. Es beginnt damit, daß es die Grundrechte definiert, die der einzelne Staatsbürger hat: 5 Freiheit des Glaubens und der Religionsausübung, Meinungsfreiheit, Versammlungsfreiheit, Freiheit der Berufswahl, Postgeheimnis, Freizügigkeit innerhalb der Bundesrepublik, Gleichheit aller Bürger, auch Gleichheit von Mann und Frau, Schutz des Eigentums und der Familie, Recht auf Staatsangehörigkeit, vor allem aber das Recht auf die freie Entfaltung der Persönlichkeit. Ein 10 Deutscher hat das Recht, Kriegsdienst zu verweigern; er muß allerdings statt dessen einen zivilen Ersatzdienst leisten. Das Grundgesetz definiert nicht nur die Grundrechte, sondern es bestimmt auch, daß diese Grundrechte nicht aufgehoben werden dürfen. Ebenso stellt das Grundgesetz fest, daß politische Parteien, deren Ziel die Zerstörung der Demokratie ist, verboten werden 15 können. In diesen Bestimmungen spiegelt sich die Erfahrung des Nationalsozialismus.

Das Grundgesetz definiert die Bundesrepublik als einen demokratischen und sozialen Staat, und es gibt ihm eine föderalistische Struktur. Das Parlament besteht aus zwei Häusern, dem Bundestag und dem Bundesrat. Der Bundestag 20 ist ein direkt gewähltes Abgeordnetenhaus; der Bundesrat jedoch besteht aus den Vertretern der Länder. Diese werden von den Länderregierungen bestimmt, also indirekt durch die Landtagswahlen in den einzelnen Ländern. Das Grundgesetz enthält nicht das Wahlgesetz. Es versucht aber drei Gefahren zu bekämpfen, die der Weimarer Republik schädlich geworden sind: einen zu 25 starken Präsidenten, eine zu schwache Regierung und ein Parlament ohne klare Mehrheiten.

Der Bundespräsident hat nicht die politische Macht. Er ist das Staatsoberhaupt und repräsentiert den Staat; die politische Macht aber liegt beim Bundeskanzler. Der Bundeskanzler „bestimmt die Richtlinien der Politik", 30 sagt das Grundgesetz. Der Bundeskanzler wird vom Bundestag gewählt. Wenn der Bundestag dem Bundeskanzler das Mißtrauen ausspricht, also ihn stürzt, muß der Bundestag sofort mit absoluter Mehrheit einen neuen Kanzler wählen, sonst ist das Mißtrauensvotum ungültig. Das heißt das „konstruktive Mißtrauensvotum". Der Bundestag ist also gezwungen, sich klar für oder gegen die Regierung zu entscheiden; er kann nicht einfach eine „negative Mehrheit" haben, die alles blockiert.

Um darauf zu achten, daß die Verfassung nicht verletzt wird, sieht das Grundgesetz ein besonderes Gericht vor, das „Bundesverfassungsgericht". Das Bundesverfassungsgericht entscheidet, ob eine politische Partei verboten werden kann; es entscheidet bei Streitigkeiten zwischen dem Bund und den Ländern; es entscheidet, wenn Grundrechte verletzt werden.

Alle diese Bestimmungen sollen dafür sorgen, daß das politische Gleichgewicht erhalten bleibt, und daß Ruhe und Ordnung nicht gestört werden. Das ist auch der Zweck des Wahlgesetzes. Das Wahlsystem ist eine Kombination von Mehrheitswahl und Verhältniswahl. Jeder Wähler hat zwei Stimmen. Der Kandidat mit den meisten Erststimmen wird gewählt. Die Stimmen für die anderen Kandidaten gehen aber nicht verloren. Im Bundestag werden nur etwas mehr als die Hälfte der Abgeordneten so gewählt. Für die anderen Abgeordneten zählt man die Zweitstimmen und die der anderen Kandidaten nach Parteien zusammen, und die Parteien bekommen nach dem Verhältnis der Stimmen weitere Abgeordnetensitze. Aber nur eine Partei, die drei Direktmandate errungen oder die mindestens 5% aller Stimmen in der Bundesrepublik bekommen hat, ist im Bundestag vertreten. Die „Splitterparteien" werden nicht gezählt. Das Grundgesetz hat der Bundesrepublik geholfen, einen stabilen Staat aufzubauen. Die Zahl der politischen Parteien im Bundestag ist immer kleiner geworden. Regierungskrisen sind selten. Die Verfassung verlangt einen starken Bundeskanzler. Das war Konrad Adenauer, der von 1949 bis 1963 Kanzler war, aber nicht so sehr sein Nachfolger Ludwig Erhard, der 1966 zurücktrat und der durch Kurt Georg Kiesinger ersetzt wurde. Seit 1969 ist Willy Brandt Bundeskanzler. Die Macht des Bundespräsidenten hängt vor allem von seiner Persönlichkeit ab, wie der erste Bundespräsident Theodor Heuß gezeigt hat. Der Bundestag leistet die meiste praktische Arbeit in seinen Ausschüssen, und die politischen Parteien arbeiten in vielen Angelegenheiten zusammen, ganz gleich ob sie zur Regierung oder zur Opposition gehören. Eine wichtige Institution ist das Bundesverfassungsgericht geworden; es schützt die Verfassung ebenso gegen die Regierung wie gegen Staatsfeinde von links und rechts.

Die politischen Parteien

Die stärkste Partei war bis jetzt die Christlich-Demokratische Union (CDU), die in Bayern eine eigene Organisation hat und dort Christlich-Soziale Union (CSU) heißt. Die CDU entstand 1945 als Partei für Christen aller Konfessionen. Dadurch unterschied sie sich von einer früheren christlichen Partei, dem Zentrum, das nur die Katholiken vertrat. Während der Zeit des Nationalsozialismus zeigte es sich, daß die Gemeinsamkeiten der Konfessionen wichtiger sind als ihre Unterschiede. Die CDU entschied sich für eine liberale Wirtschaftspolitik. Ludwig Erhard wurde Bundeswirtschaftsminister, und er setzte seine Politik der „sozialen Marktwirtschaft" durch. In dieser Marktwirtschaft hat der Staat lediglich die Aufgabe, dafür zu sorgen, daß alle Wirtschaftspartner gleiche Chancen haben. Der Staat soll also z.B. verhindern, daß eine Firma ein Monopol bekommt, und er soll zwischen den verschiedenen Interessen ausgleichen.

Eine liberale Partei, die Staat und Religion mehr getrennt halten will, ist die Freie Demokratische Partei (FDP). Sie hat besonders Wähler in Gegenden mit starker liberaler Tradition, wie z.B. Württemberg; im ganzen hat sie gewöhnlich bei den Bundestagswahlen zwischen 6 und 10% der Stimmen erreicht; seit 1961 ist allerdings der Anteil zurückgegangen. CDU und FDP sind beides bürgerliche Parteien, und sie haben konservative und linksgerichtete Flügel. Dies ist neu in der Geschichte der deutschen Parteien, denn früher waren die Parteien viel genauer durch ihr Programm und ihre Weltanschauung festgelegt. Eine Folge davon ist, daß nach 1945 keine größere konservative Partei mehr entstanden ist. Die große konservative Partei vor 1933, die Deutschnationale Volkspartei, hatte sich allerdings durch die Koalition mit Hitler 1933 kompromittiert. Am wichtigsten ist nach 1945 die Deutsche Partei (DP) mit einer starken regionalen Basis in Niedersachsen geworden. Auch sie ist in der CDU aufgegangen.

Rechtsradikale Parteien, wie es die Nationalsozialistische Deutsche Arbeiterpartei Hitlers war, haben es in der Bundesrepublik schwer. Sie müssen dauernd beweisen, daß sie nicht gegen die Verfassung arbeiten. Die Sozialistische Reichspartei (SRP) wurde 1952 verboten. Die Deutsche Reichspartei (DRP) blieb eine Splitterpartei. Am meisten Erfolg hat seit 1966 die Nationaldemokratische Partei Deutschlands (NPD), die in der Mitte zwischen einer

Wahlplakate

konservativen und einer rechtsradikalen Partei steht, und die dadurch Erfolg
hat, daß sie gegen das „Establishment" opponiert. Allerdings erreichte sie 1969
nicht die für den Bundestag nötigen 5%, und sie hatte nur wenig Erfolg in
den Landtagswahlen von 1970.

5   Die zweitstärkste Partei der Bundesrepublik ist die sozialdemokratische
Partei Deutschlands (SPD). Die Tradition der SPD geht bis zum „Allgemeinen
Deutschen Arbeiterverein" von 1863 zurück, und so ist sie die einzige deutsche
Partei mit einer fortlaufenden Geschichte von mehr als hundert Jahren. Die
SPD hat sich seit 1945 aus einer Arbeiterpartei zu einer Volkspartei entwickelt;
10 sie tritt für Sozialgesetze und ein fortschrittliches Bildungssystem ein, und sie
vertritt eine Außenpolitik der Entspannung. Ihre bekanntesten Führer nach
1945 waren Kurt Schuhmacher, Ernst Reuter (der Bürgermeister von West-
Berlin war) und Willy Brandt, früher Berliner Bürgermeister und seit 1969
Bundeskanzler. Die SPD hat seit 1961 immer mehr Wähler gefunden und
15 erreicht jetzt fast die CDU. Die Kommunistische Partei Deutschlands (KPD)
trennte sich nach dem Ersten Weltkrieg von der SPD, weil die SPD für die
parlamentarische Regierungsform war. Sie vereinigte sich 1946 in der Sowjetischen Besatzungszone mit der SPD zur Sozialistischen Einheitspartei
(SED). In der Bundesrepublik bekam die KPD 1953 bei den Bundestagswahlen
20 2% der Stimmen und hatte keine Abgeordneten mehr im Bundestag. 1956
wurde sie verboten. 1968 entstand in der Bundesrepublik eine neue Partei,
die „Deutsche Kommunistische Partei" (DKP).

13 ◇ DER BÜRGER UND SEIN STAAT   223

Die Mitarbeit der Bürger

Jeder Staat braucht die Mitarbeit seiner Bürger. Die Bürger haben außer ihren Rechten auch Pflichten: Sie müssen Steuern zahlen; sie müssen Kriegsdienst oder Ersatzdienst leisten; sie müssen besondere Pflichten übernehmen: als Vormund z.B. oder als Geschworener. Schwurgerichte gibt es im deutschen Rechtssystem allerdings nur bei Mord und bei Totschlag, so daß solche 5 Pflichten selten sind.

Während viele Bürger in der Bundespolitik und auch in der Landespolitik passiv bleiben, nehmen sie mehr Anteil an der Gemeindeverwaltung. Erstens hat die Selbstverwaltung der Städte eine lange Tradition in Deutschland, und zweitens sind die Angelegenheiten der Gemeinde leichter überschaubar. 10 Es gibt nicht nur den Stadtrat, sondern auch Bezirksausschüsse, Elternbeiräte für die Schulen und andere Gremien, für die die Bürger gewählt oder ernannt werden können. Und bei den Problemen einer Stadt handelt es sich um praktische Fragen, die das Leben jedes einzelnen Menschen betreffen. Wasser, Gas, Elektrizität sind gewöhnlich städtische Einrichtungen, ebenso die Busse oder 15 Straßenbahnen. Starken Anteil nehmen viele Deutsche an der Schulpolitik, und wenn es sich um ihre Schulen handelt, werden sie auch in der Politik des Landes aktiv.

Es gibt allerdings einige Bereiche, in denen die Deutschen leicht zur Mitarbeit und Aktivität zu bringen sind. Ungerechtigkeiten und Übergriffe 20 des Staates mißfallen ihnen sehr; wenn sie notleidenden Menschen helfen können, tun sie es gern; auf nationalsozialistische und antisemitische Reden und Programme reagieren sie sehr scharf. Vor allem die Jugend — und nicht nur die Studenten — demonstriert sofort, wenn es nötig ist. Und schließlich gäbe es ein Gebiet, auf dem alle Deutschen politisch aktiv werden möchten: 25 die Wiedervereinigung Deutschlands. Sie bleibt nach wie vor das politische Ziel der Deutschen, und wenn sie erreichbar wäre, würde sich gewiß die Einstellung der Bürger zum Staat und zum Vaterland sehr ändern: Sie würden wieder mit ganzem und nicht mehr mit halbem Herzen dabei sein.

Wie informiert sich der Deutsche?

Die Deutschen, so wurde bereits gesagt, möchten gern unparteiisch informiert werden. Welche Möglichkeiten haben sie dazu?

Die Deutschen sind die eifrigsten Zeitungsleser in Europa. 4 von 5 Deutschen lesen eine Tageszeitung. Dabei haben sie mehrere Typen von Zeitungen zur Auswahl. Sie haben zuerst einmal die „Lokalzeitung", die man gewöhnlich im Abonnement bezieht, und die morgens ins Haus geliefert wird. Diese Zeitung bringt auf den ersten Seiten die Berichte über die wichtigsten Ereignisse im In- und Ausland, dazu Leitartikel und Kommentare; sie bringt Berichte aus der Wirtschaft, einen Sportteil, Reportagen, das „Feuilleton", d.h. Kritiken über kulturelle Ereignisse und andere Berichte über das geistige Leben, den Fortsetzungsroman und schließlich den Lokalteil, also die Berichte über die Ereignisse in der Stadt. Das Verhältnis von Text und Anzeigen in den deutschen Zeitungen ist ungefähr 7:4; der Text überwiegt also. Außerdem trennt man gern den Text und die Anzeigen. Die Zeitung hat vielleicht 10 oder 12 Seiten. Diese Lokalzeitungen haben gewöhnlich eine lange Tradition, aber keine hohe Auflage. Viele von ihnen sind heutzutage nur noch „Kopfblätter": Sie haben einen eigenen Namen, und sie haben eigene Artikel für die lokalen Berichte und Kommentare; aber die ersten Seiten werden ihnen von einer größeren Zeitung geliefert, der sie angeschlossen sind. Es gibt 1.400 Zeitungen in der Bundesrepublik, und mehr als die Hälfte sind Kopfblätter.

Neben den Lokalzeitungen, die wirklich oder scheinbar selbständig sind, stehen die größeren Tageszeitungen. Bis 1945 war Berlin das Zentrum der deutschen Presse. Das ist es heute nicht mehr. Wichtige Zeitungen erscheinen vor allem in Hamburg, Frankfurt und München. Es gibt keine Zeitung, die gleichmäßig in ganz Deutschland gelesen wird, hingegen gibt es „regionale Zeitungen". Dazu gehören die „Frankfurter Allgemeine Zeitung", „Die Welt", die in Hamburg erscheint, die „Süddeutsche Zeitung" in München und vielleicht noch die „Stuttgarter Zeitung". Diese Zeitungen haben Auflagen zwischen 200.000 und 300.000, während eine Lokalzeitung selten mehr als 100.000 Exemplare erreicht. Auch diese Zeitungen bezieht der Leser gewöhnlich im Abonnement. Sie haben die gleiche Einteilung wie die Lokalzeitungen; aber sie bringen mehr Berichte aus dem Ausland, denn sie können sich eigene Korrespondenten leisten, und ihre Kommentare spielen eine wichtige Rolle für die Meinungsbildung in Deutschland. Alle Kommentare und die meisten Berichte sind von Mitgliedern der eigenen Redaktion geschrieben. So hat jede Zeitung ihr Büro in Bonn, um über die Bundespolitik zu berichten.

Auf dem Weg zur Arbeit kann der Deutsche sich am Kiosk noch andere Tageszeitungen kaufen, die man gewöhnlich „Boulevardblätter" nennt. Es 5 sind leicht geschriebene Blätter, die Sensationen zu bringen versuchen. Skandale von Schauspielern, Politikern und dem Adel sind beliebt; ebenso Verbrechen, Sportnachrichten, Unfälle; kurz, alles, was einen Menschen aufregen kann. Am erfolgreichsten ist die „Bild-Zeitung" geworden, die eine Auflage von mehr als 4 Millionen erreicht hat. Dazu gibt es eine Reihe von anderen Blättern, die 10 gewöhnlich „Morgenpost" oder „Abendpost" heißen.

Die meisten Zeitungen sind in der Hand von privaten Zeitungsverlegern. Es gibt auch einige Zeitungen, die politischen Parteien gehören. Vor allem die SPD besitzt eine größere Zahl von Tageszeitungen und Wochenzeitungen. Unter den Verlegern hat sich Axel Springer in Hamburg einen Namen ge- 15 macht. Er ist ein „Zeitungskönig" geworden, und er besitzt große Marktanteile, so daß man ein Monopol von ihm befürchtet. Das ist deshalb auffällig, weil er bestimmte politische Ansichten durch seine Blätter verbreiten will. So ist er stark antikommunistisch, durchweg konservativ in seinen Ansichten und versucht, den deutschen Patriotismus zu beleben. Natürlich bleiben diese 20 Ansichten nicht ohne Wirkung bei den 4 Millionen Lesern der Bild-Zeitung.

Im allgemeinen neigt die Presse etwas mehr nach links, und sie versucht, liberal zu sein. So gibt es genug Gegengewichte gegen Springer. Ein solches Gegengewicht ist die Wochenzeitung „Der Spiegel", die „Time" und „Newsweek" nachgebildet ist, aber vor allem ihre Aufgabe darin sieht, das zu schreiben, 25 was andere Zeitungen und die Politiker verschweigen wollen. „Der Spiegel" ist dabei sehr erfolgreich, und er reizt dadurch oft den Zorn der Politiker. Franz-Josef Strauß, damals Bundesverteidigungsminister, war 1962 so gereizt, daß er eine Polizeiaktion gegen den „Spiegel" veranlaßte. Die Chefredakteure wurden verhaftet; das Redaktionsgebäude wurde von der Polizei besetzt und 30 durchsucht. Anlaß waren Berichte über NATO-Manöver und die Bundeswehr.

226

Alle anderen Zeitungen, auch die Zeitungen Axel Springers, waren sich einig im Protest gegen diese Aktion. Die Professoren und Studenten demonstrierten. Nach einer heftigen Debatte im Bundestag mußte Strauß zurücktreten. Die Auflage des „Spiegel" stieg beträchtlich. Die Anklagen gegen die Redakteure wurden fallengelassen. In der Bundesrepublik wird die „Spiegel-Affäre" als ein Sieg der Presse angesehen.

Neben dem „Spiegel" gibt es eine Reihe von Wochenzeitungen, die sich in ihren Berichten und Kommentaren vor allem an informierte und anspruchsvolle Leser wenden. Dazu gehört vor allem „Die Zeit", die auch im Ausland gedruckt wird, außerdem „Christ und Welt", „Der Rheinische Merkur", die erste protestantisch, die zweite katholisch orientiert, ferner die traditionsreiche SPD-Zeitung „Vorwärts". Springer hat mit seinem „Bild am Sonntag" und der „Welt am Sonntag" in Deutschland die Sonntagszeitung durchgesetzt, während es vorher nur Wochenendausgaben der Tageszeitungen gab, die mehr Unterhaltungsseiten und vor allem mehr Inserate enthalten.

Es ist geschildert worden, daß der Rundfunk und also auch das Fernsehen nicht privaten Besitzern gehört. Daher sind die Rundfunkanstalten verpflichtet, politisch unparteiisch zu informieren. Die politischen Parteien, die Kirchen und die Gewerkschaften achten darauf, daß die Berichte und Kommentare nicht einseitig werden. Schwierigkeiten gab es bisher vor allem, wenn Berichte zu sehr gegen die Regierungspolitik gerichtet schienen. Doch der Rundfunk sieht seine Aufgabe darin, Dinge zu zeigen und zu sagen, die man gern verschweigen möchte. Auf keinen Fall kann der Rundfunk ein Instrument des Staates werden. Als Bundeskanzler Konrad Adenauer um 1960 ein eigenes Fernsehprogramm des Bundes einrichten wollte, protestierten die Länder — vor allem die Länder mit einer SPD-Regierung — und das Bundesverfassungsgericht stellte fest, daß ein Bundesfernsehen gegen das Grundgesetz sei.

Der Bürger der Bundesrepublik hat also viele Möglichkeiten, sich zu informieren. Er kann sich außerdem alle großen Zeitungen des Auslands kaufen, um zu sehen, wie sein Land vom Ausland gesehen wird. Und, wie gesagt, die Deutschen sind eifrige Zeitungsleser.

14 ◦ Die Kirchen und ihre Rolle in der Gesellschaft

Kirche und Staat

1517 begann Martin Luthers Reformation. Seitdem gibt es in Deutschland mehrere christliche Konfessionen. 1555 bestimmte der Religionsfriede von Augsburg, daß die Untertanen die Konfession des Herrschers annehmen mußten. Staat und Kirche waren also eng verbunden. Es gab keine Staatskirche für das gesamte Deutsche Reich, wohl aber Landeskirchen für die einzelnen 5 Länder. Das war besonders stark in den evangelisch-lutherischen und evangelisch-reformierten Ländern, während die Katholiken im Papst eine Autorität über ihrem Fürsten hatten. Bis zum 18. Jahrhundert gab es auf diese Weise kaum Länder mit Einwohnern von mehreren Konfessionen, sondern katholische und protestantische Länder. Brandenburg-Preußen, das Einwanderer brauchte, 10

228

begann zuerst eine Politik der religiösen Toleranz, und der Preußenkönig Friedrich II. prägte das historische Wort: „In meinen Staaten kann jeder nach seiner Fasson selig werden." Dennoch lockerten sich die Bestimmungen erst um 1800, durch die Wirkungen der Französischen Revolution. Erst dann

5 konnte auch ein protestantischer Bäckermeister in München einen Laden eröffnen.

Kirche und Staat blieben dabei eng verknüpft. Die Kirche hatte die Aufsicht über das Schulwesen, und der Staat hatte die Aufsicht über die Kirche. Die Schule befreite sich von diesem Einfluß, doch die Verbindung von Staat

10 und Kirche blieb. Noch heute heißen die Erziehungsminister der Länder „Kultusminister", und sie behandeln kirchliche Fragen neben den kulturellen. Wer einer Konfession angehört, zahlt eine Kirchensteuer, die der Staat einzieht, und die gewöhnlich 1% seines Gehalts beträgt. In allen Schulen erhalten die Schüler Religionsunterricht, entsprechend ihrer Konfession. Wer nicht zu

15 einer Kirche gehört, braucht nicht teilzunehmen. Die Universitäten, die ja staatlich sind, haben theologische Fakultäten. In manchen Ländern richtete man die Volksschule als Konfessionsschule ein. Es zeigte sich jedoch, daß dieses System oft unpraktisch ist, und außerdem war die Mehrheit der Bevölkerung dagegen, so daß es schließlich auch in Bayern nach einer Volksabstimmung

20 abgeschafft wurde.

Seit 1918 verwalten sich die Kirchen selbst, ohne Aufsicht oder Einmischung des Staates. Umgekehrt haben die Kirchen immer noch ein wichtiges Wort in den öffentlichen Angelegenheiten. Die CDU ist immerhin eine christliche Partei; die Kirchen sind in den Rundfunkgremien vertreten; sie

25 sind sozusagen zu Interessengruppen geworden.

Das Verhältnis der Konfessionen

Seit 1815 hatten alle größeren deutschen Länder Einwohner verschiedener Konfessionen. Die Minderheit wurde toleriert, doch das Mißtrauen zwischen den Konfessionen blieb groß. Dasselbe geschah im Deutschen Reich nach 1871. Etwa zwei Drittel der Deutschen sind Protestanten, ein Drittel Katholiken.

30 Die Regierung Bismarcks war protestantisch, und die Katholiken fühlten sich als Minderheit und bildeten ihre Oppositionspartei, das Zentrum. Die Teilung Deutschlands nach 1945 brachte es mit sich, daß die DDR fast ausschließlich

von Protestanten bewohnt ist, während in der Bundesrepublik die Zahl der Protestanten und Katholiken fast gleich ist. Beim Widerstand gegen Hitler entdeckten die Konfessionen ihre Gemeinsamkeiten. Die CDU vertritt nicht mehr eine Konfession, sondern alle Christen. Innerhalb der CDU besteht ein konfessionelles „Proporz-System": Die Zahl der Protestanten in den hohen Ämtern 5 soll denen der Katholiken entsprechen. Wenn der Bundespräsident katholisch ist, soll der Kanzler evangelisch sein, der Präsident des Bundestages wieder katholisch usw. Das geht nicht immer, doch im allgemeinen wird es beachtet.

Da sich keine Konfession mehr als Minderheit fühlen muß und keine dem Staat näher steht als die andere, ist die Zusammenarbeit der Kirchen freier 10 geworden. Die Flüchtlinge und Vertriebenen leben oft in Gebieten, wo vorher Menschen einer anderen Konfession waren, so ist heute Deutschland konfessionell ganz gemischt. Die Zahl der „Mischehen" ist dadurch viel größer geworden als früher. Es gilt inzwischen als normal, daß manche Kirchen von mehreren Konfessionen zusammen benutzt werden; Geistliche der verschiede- 15 nen Konfessionen diskutieren miteinander, ja sie helfen oft einander. Die Unterschiede bestehen nach wie vor; doch der Wille zur Zusammenarbeit ist größer als das Mißtrauen.

Das Leben einer Gemeinde

Das kirchliche Leben in Deutschland unterscheidet sich sehr von dem in den USA. Der größte Teil der Deutschen gehört zu den großen „offi- 20 ziellen" Kirchen: Das sind die römisch-katholische, die evangelisch-lutherische und die evangelisch-reformierte Kirche, wobei in manchen Ländern „unierte" protestantische Kirchen bestehen, in denen die Lutheraner und die Reformierten zusammengeschlossen sind. Etwa 5% aller Deutschen, einschließlich DDR, gehören zu keiner Religionsgemeinschaft, 0,2% gehören zu einer anderen 25 Religion als der christlichen. Von den 60%, die Protestanten sind, gehören auch manche Deutschen zu den „Freikirchen", doch das sind wenige, etwa 1%, und die Deutschen sprechen von diesen Freikirchen als „Sekten". Das Gemeindeleben in diesen Sekten ist sehr intensiv, ganz im Gegensatz zur offiziellen Kirche. In der offiziellen Kirche wählt man nicht die Gemeinde, zu 30 der man gehören möchte, sondern man gehört zur Gemeinde seines Wohnbezirks. Die Pfarrer werden von der Kirchenverwaltung eingesetzt und bezahlt.

Der Einfluß des Gemeindemitglieds auf seine Kirche ist gering. Die Pfarrer haben große Gemeinden und daher viele Pflichten und Verwaltungsarbeiten; persönlichen Kontakt haben sie nur mit den Gemeindemitgliedern, die regelmäßig den Gottesdienst besuchen. Niemand interessiert sich dafür, ob sein Nachbar
5 regelmäßig zur Kirche geht, jedenfalls besteht keinerlei sozialer Druck, kirchentreu zu sein. Hingegen ist es konventionell üblich, seine Kirchensteuern zu zahlen, die Kinder taufen zu lassen, sie zur Konfirmation oder Erstkommunion zu schicken und sich kirchlich trauen zu lassen. Auch gehen viele Menschen an den hohen Feiertagen in die Kirche. Die Regeln der katholischen
10 Kirche verlangen regelmäßigen Kirchenbesuch, während es bei den Protestanten vollständig dem einzelnen Menschen überlassen ist, wie er sich zur Kirche und zum Glauben verhält. So predigen die Pfarrer in den großen Domen oft vor leeren Bänken.

Die Kirchen haben eingesehen, daß sie neue Wege gehen müssen, um die
15 nominellen Christen zu erreichen. Es gibt in jeder Gemeinde eine Gruppe von treuen Mitgliedern, die regelmäßig zum Gottesdienst gehen und an Vortragsabenden und anderen Veranstaltungen teilnehmen. Aber was tut man für die vielen indifferenten Christen? Beide Kirchen, die katholische und die evangelische, bemühen sich, die Laien mit an der Kirchenverwaltung zu
20 beteiligen. Das intellektuelle Leben der Kirchen ist sehr lebendig. Es konzentriert sich ganz besonders in den „Akademien". Es gibt mehrere evangelische und katholische Akademien, die Tagungen über alle Arten von Themen durchführen, und die ihre Gebäude auch gern für andere Organisationen zur Verfügung stellen. Einige dieser Tagungen sind für einen kleinen Kreis gedacht,
25 andere wenden sich an die Öffentlichkeit.

Daneben hat sich die Kirche ganz besonders mit den seelischen Schwierigkeiten des modernen Menschen beschäftigt. Einfache dogmatische Antworten helfen oft nicht mehr. Die Seelsorge ist eine außerordentlich wichtige Angelegenheit geworden. Das zeigt zum Beispiel der Erfolg der „Telefonseelsorge":
30 Man kann zu jeder Zeit eine bestimmte Telefonnummer anrufen, und diese Einrichtung hat schon vielen Menschen, die in Schwierigkeiten waren, geholfen.

So bemüht sich die Kirche, kleinere Gemeinden zu bilden, kleinere Kirchen zu bauen, in denen sich die Gemeinde mehr zu Hause fühlen kann; vor allem
35 bemüht sie sich, die Menschen zu verstehen und in ihrer Sprache zu ihnen zu sprechen.

Die katholische Kirche

46% der Einwohner in der Bundesrepublik sind Katholiken, 11% der Einwohner der DDR. Die katholische Kirche hat ihre feste Organisation und ihre Hierarchie. Sie bietet dem Gläubigen glanzvolle Feste, wie die Fronleichnamsprozession; sie hat durch die Beichte eine regelmäßige Verbindung mit dem einzelnen Gläubigen. Am Sonntag sind die katholischen Messen gut 5 besucht; der Einfluß der katholischen Geistlichen auf die Gläubigen kann sehr nachhaltig sein. Die Kirche ist in Bistümer und Erzbistümer eingeteilt, die eine glanzvolle Vergangenheit haben. Ihr Verhältnis zu den einzelnen deutschen Ländern ist in Verträgen, Konkordate genannt, festgelegt.

Die katholische Kirche hat durch diese Organisation eine Macht, die die 10 Protestanten mit Mißtrauen erfüllte. Da sich die moderne deutsche Kultur in den protestantischen Teilen des Landes entwickelte, blieb ihrerseits die katholische Kirche skeptisch gegen viele Neuerungen und neigte zu einer konservativen Haltung. Dadurch kommt es, daß viel weniger Katholiken auf Höheren Schulen und auf den Universitäten sind, als es ihrem Anteil an der 15 Bevölkerung entspricht. Und daher ist es manchmal schwer, qualifizierte katholische Bewerber für höhere Posten zu finden. Die Kirche sieht es heute als ihre Aufgabe an, diesen „Bildungsrückstand" der Katholiken aufzuholen und dafür zu sorgen, daß sich die Kirche mit dem modernen Leben auseinandersetzt. Dabei hat sich der höhere Klerus als besonders fortschrittlich er- 20 wiesen und hat mit seinen Anordnungen und seinem Einfluß viele Änderungen erwirkt. Der Diskussion aktueller Probleme dienen die Veranstaltungen der Akademien und die deutschen Katholikentage, die regelmäßig alle zwei Jahre stattfinden.

Die evangelische Kirche

Viel weniger einheitlich ist die evangelische Kirche. Sie besteht aus Landeskirchen, die sich bis heute noch nicht auf ein gemeinsames Bekenntnis geeinigt haben. Da die evangelische Konfession den Gläubigen nicht in die Kirche zwingen kann, muß sich die Kirche besonders intensiv mit der modernen Zeit auseinandersetzen. Neben der Arbeit in den Akademien haben auch die evangelischen Kirchentage, auf denen Pfarrer und Laien in Arbeitskreisen diskutieren, und die außerdem Massendemonstrationen des evangelischen Glaubens mit sich bringen, besondere Bedeutung bekommen. Die evangelische Kirche ist heute politisch in eine besondere Lage gekommen. 81% der Einwohner der DDR sind evangelisch und 50% der Deutschen in der Bundesrepublik. Die Kirche gehörte also lange Zeit zu den wenigen Institutionen, die noch in ganz Deutschland tätig waren. Im Herbst 1969 hat sich jedoch die Kirche in der DDR als eine getrennte Organisation abgespalten. In der DDR geriet die Kirche in einen Gegensatz zum kommunistischen Staat, und während Luther verlangte: „Sei untertan der Obrigkeit.", kann ein Pfarrer ein atheistisches Regime kaum als „Obrigkeit" anerkennen. Die Kirche bekommt keine Unterstützung vom Staat, sondern sie erfährt Widerstand. Wie zur Zeit des Nationalsozialismus finden dabei manche Menschen zu einem echten Christentum zurück, und es scheiden sich die nominellen Christen von den wirklichen Christen ganz deutlich. Die Kirche ist dadurch zu einer verfolgten, zu einer kämpfenden Institution geworden.

Es gibt Menschen, die das sogar begrüßen. Sie finden das offizielle Christentum in der Bundesrepublik zu konventionell; sie suchen statt dessen einen innerlichen Glauben für den einzelnen Menschen, wie sie ihn bei Luther oder bei manchen Pietisten finden. Ihnen ist der Glaube wichtiger als die äußere Organisation der Kirche und ihre politische Macht. Der Nationalsozialismus rief als Widerstand die „Bekennende Kirche" hervor, und ihre Vertreter waren bereit, ins Konzentrationslager zu gehen, wie zum Beispiel Martin Niemöller und einer ihrer bedeutendsten Theologen, Dietrich Bonhoeffer, der 1945 im Konzentrationslager gestorben ist. Neben der Tradition der Staatskirche lebt im deutschen Protestantismus die Tradition des Widerstandes, und sie bestimmt heute mehr den Geist der Kirche als die Verbindung mit dem Staat.

15 ～ Besuch im anderen Deutschland

Schwierige Bedingungen

Die Einteilung der vier Besatungszonen Deutschlands im Jahre 1945 sollte nur vorübergehend sein. Als sich jedoch 1949 aus den drei Besatzungszonen der westlichen Alliierten die Bundesrepublik Deutschland gebildet hatte, wurde am 7. Oktober 1949 die „Deutsche Demokratische Republik", abgekürzt DDR, gegründet, die das Gebiet der Sowjetischen Besatzungszone 5 umfaßt. Die Westdeutschen, die diesen Staat nicht als Staat anerkennen wollen, sagen statt DDR „Mitteldeutschland" oder SBZ (=Sowjetische Besatzungszone). Ausländer sprechen von „Ostdeutschland", aber das gefällt den Deutschen nicht, denn unter „Ostdeutschland" verstehen sie das Gebiet östlich der Oder und Neiße, das seit 1945 „bis zum Abschluß eines Friedensvertrages von Polen 10 und der UdSSR verwaltet wird". Nicht viele Deutsche haben die Hoffnung, daß diese Gebiete, in denen heute Polen und Russen wohnen, wieder deutsch werden. Die DDR hat ihre jetzigen Ostgrenzen offiziell anerkannt, nicht jedoch die Bundesrepublik. So ist die DDR ein Staat, dessen Grenzen umstritten sind und um dessen Namen man sich streitet.

Schwierig war auch der Aufbau der Wirtschaft. Das nördliche Gebiet hatte keinen Hafen an der Ostsee; denn Lübeck lag in der Bundesrepublik, und Stettin wurde polnisch. So mußte erst mit großen Kosten in Rostock ein neuer Hafen gebaut werden. Brandenburg, das mittlere Gebiet der DDR, verlor seinen wirtschaftlichen Mittelpunkt Berlin. Jedenfalls war es sehr schwer, den Verkehr um West-Berlin herumzuleiten. Nur das Industriegebiet von Sachsen und Thüringen bildete einen geschlossenen Wirtschaftsraum. Die beiden großen Flüsse der DDR, die Elbe und die Oder, haben ihre Mündung außerhalb des Landes. Die Wirtschaft der DDR hatte in enger Verbindung mit der Wirtschaft in anderen Teilen Deutschlands gestanden. Steinkohle und Eisen kamen vor allem aus dem oberschlesischen Industriegebiet, und das war jetzt polnisch. Es fehlte die Schwerindustrie. Die DDR mußte diese Schwerindustrie zum Teil ganz neu aufbauen; sie hat dazu neue Städte gegründet, wie die „Eisenhüttenstadt" an der Oder, die die polnischen Bodenschätze verarbeitet. Schwierig war es schließlich, daß die Bevölkerung der DDR keinen kommunistischen Staat wollte. Die Gemeindewahlen von 1946 zeigten, daß die SPD eine Mehrheit bekam, und so wurden SPD und KPD zur Sozialistischen Einheitspartei Deutschlands (SED) vereinigt. Aber die Bevölkerung war nicht immer einverstanden. Die Sozialisierung und Verstaatlichung stieß auf Hindernisse. Viele Einwohner der DDR flohen nach der Bundesrepublik. Die DDR mußte die Grenze zwischen den beiden Teilen Deutschlands schließen; sie baute Wachttürme und Stacheldrahtzäune; sie legte Minenfelder an, und das Gebiet an der Grenze wurde zum „Niemandsland". Die Grenze zwischen Ost-Berlin und West-Berlin blieb offen, denn Berlin galt als Einheit, und die DDR konnte nicht den Zugang zu Ost-Berlin, ihrer Hauptstadt, versperren. So viele Menschen flohen über West-Berlin in die Bundesrepublik, daß die DDR am 13. August 1961 die Mauer quer durch Berlin baute, um auch diese Grenze abzusperren. Seitdem ist die Bevölkerung der DDR vom Westen abgeschlossen. Nur alte Leute dürfen zu Besuch in den Westen fahren, da der Staat keinen Schaden hat, wenn sie nicht zurückkehren. Die DDR hat einschließlich Ost-Berlin 17,5 Millionen Einwohner, und etwa 3,5 Millionen Menschen sind aus dem Gebiet der DDR in die Bundesrepublik gegangen.

Ost und West

Das wichtigste außenpolitische Ziel der DDR ist, daß sie international als zweiter deutscher Staat neben der Bundesrepublik anerkannt wird. Die Bundesrepublik hat sich bemüht, das zu verhindern. Walter Hallstein, früher im Auswärtigen Amt, formulierte die „Hallstein-Doktrin": Wenn ein Land die DDR diplomatisch anerkennt, bricht die Bundesrepublik die Beziehungen zu 5 ihm ab. Das ist im Falle Jugoslawien geschehen; aber inzwischen haben Jugoslawien und die Bundesrepublik die diplomatischen Beziehungen wieder aufgenommen. Die Bundesrepublik tritt inzwischen für bessere Beziehungen zu den osteuropäischen Staaten und zur DDR ein. Dabei ist ihr politisches Ziel, zu verhindern, daß die beiden Teile Deutschlands zu getrennten Staaten 10 werden. Die DDR hingegen möchte die Bundesrepublik als „Ausland" betrachten und betont bei jeder Gelegenheit ihre Souveränität. So sind die Beziehungen zwischen den beiden Teilen Deutschlands schwieriger als zwischen verschiedenen Staaten.

1945 und auch 1949 gab es sehr viele Gemeinsamkeiten. Schließlich war 15 Deutschland ein Land, und die Grenze war zufällig. Allerdings besteht die DDR ganz aus „Kolonialland", aus Gebieten, in die die Deutschen im Mittelalter eingewandert sind, während die Bundesrepublik überwiegend „altes" Land umfaßt. Der Westen Deutschlands neigte eher zu Westeuropa als der Osten. Im ganzen war Deutschland das Land der Mitte. Innerhalb Deutsch- 20 lands aber waren die Schulen, die Kirchen, die Vereine, die politischen Parteien, die Eisenbahn, die Post gleich organisiert. Inzwischen hat sich jeder Teil Deutschlands in seiner Weise entwickelt. Die Kinder in der Bundesrepublik haben keine Vorstellung mehr von Dresden, Leipzig, vom Thüringer Wald oder der Insel Rügen in der Ostsee, wo ihre Eltern noch die Ferien verbringen 25 konnten. Es bestehen viele Familienbindungen; aber es bestehen Schwierigkeiten, einander zu besuchen. Immerhin bekommen Deutsche aus der Bundesrepublik ein Visum für die DDR, wenn sie dort Verwandte haben.

Der einzige Ort, wo einem diese Trennung Deutschlands und ihre

Probleme voll bewußt werden, ist Berlin. West-Berlin hat die gleichen Lebens-verhältnisse wie die Bundesrepublik, aber trotzdem sieht die Welt von dorther anders aus: nicht nur, weil Berlin eine „Insel" in der DDR ist, sondern weil es so lebhaft an das frühere Deutsche Reich und an die Einheit Deutschlands erinnert.

 # Thüringen

Die DDR hat die föderalistische Struktur, die in Deutschland Tradition ist, aufgegeben. Aus den fünf Ländern, die 1945 darin gebildet wurden, sind inzwischen 15 Verwaltungsbezirke geworden. Die hier gebrauchten Namen sind daher nicht mehr die offiziell gebrauchten Bezeichnungen. Thüringen ist eine der schönsten Mittelgebirgslandschaften Deutschlands. Man nennt es „das grüne Herz" Deutschlands. Thüringen bestand bis 1918 aus vielen Klein-staaten, doch diese Kleinstaaten haben eine besondere Bedeutung für die deutsche Geschichte gehabt. In Thüringen steht die Wartburg, die seit dem Mittelalter berühmt ist. Martin Luther übersetzte hier das Neue Testament ins Deutsche. Außerdem fand hier 1817 der erste Studentenprotest statt. Die größte Stadt Thüringens ist Erfurt, wo Luther studierte, bekannt als die Stadt der Blumenfelder. Die heutige Universität Thüringens ist Jena, 1547 als eine der ersten protestantischen Universitäten gegründet. In Jena entstanden aus der Zusammenarbeit eines Handwerkers und eines Universitätsprofessors die Zeiß-Werke für optische Apparate. Jena war vor allem um 1800 eine der wich-tigsten deutschen Universitäten, als das nahe Weimar der Mittelpunkt der deutschen Literatur war. Thüringen ist eines der „musikalischen" Länder Deutschlands. Hier hat sich die protestantische Kirchenmusik entwickelt. Die Familie Bach stammt aus Thüringen. Johann Sebastian Bach war zu Beginn seiner Laufbahn in Weimar tätig.

Thüringen ist genau wie Württemberg, wie das Erzgebirge in Sachsen oder die Sudeten an der Grenze von Schlesien und der Tschechoslowakei ein Land mit traditioneller Hausindustrie. Die Bauern im Gebirge wollten durch die Hausindustrie ihr geringes Einkommen verbessern. Daraus haben sich Industriezweige entwickelt, die noch heute für Thüringen typisch sind: Bau von Musikinstrumenten, von Spielzeugen, Schmuckanfertigung und Kleineisen-industrie.

Sachsen

In Sachsen und in Thüringen regierte bis 1918 die gleiche Fürstenfamilie, die Wettiner. Während Thüringen jedoch ein Konglomerat von Kleinstaaten wurde, blieb Sachsen ein geschlossenes Gebiet und spielte in der deutschen Politik eine wichtige Rolle. Der Kurfürst von Sachsen war im 17. und 18. Jahrhundert König von Polen. Sachsen war ein wirtschaftlich fortschrittliches, ja wohlhabendes Land, und selbst die Extravaganzen seiner Fürsten und die Kriege des 18. Jahrhunderts brachten nur eine vorübergehende Armut. 1848 wurde Sachsen das erste deutsche Land, in dem mehr Menschen in der Industrie als in der Landwirtschaft beschäftigt waren.

Das wirtschaftliche Zentrum Sachsens ist Leipzig. Die Stadt, die heute knapp 600.000 Einwohner hat, war seit dem Mittelalter eines der wichtigsten deutschen Handelszentren. Leipzig hat den größten deutschen Bahnhof. Leipzig wurde zur Universitätsstadt, als 1415 die deutschen Studenten aus Prag auszogen. Diese Universität wurde ein Mittelpunkt der protestantischen Theologie, der Philosophie und der Philologie. Im 18. Jahrhundert wurde Leipzig der Mittelpunkt der deutschen Literatur. Es war bereits damals die Stadt des deutschen Buchhandels. Bis 1945 war es der Sitz vieler bekannter Verlage, und jedes Jahr fanden die Buchmessen in Leipzig statt. Leipzig war außerdem eine Stadt der Mode. Die Pelzindustrie hatte hier ihren Mittelpunkt, und zu Goethes Zeit war es ein „Klein-Paris". Schließlich wurde es die erste deutsche Stadt mit einer repräsentativen Industriemesse, und heute ist die Leipziger „Muster-Messe" das Schaufenster der Wirtschaft in der DDR.

Leipzig war vor allem eine Bürgerstadt; die Hauptstadt Dresden jedoch war eine Residenzstadt. Im 17. und 18. Jahrhundert schmückten die Kurfürsten die Stadt mit vielen prachtvollen Bauten, und sie galt deswegen und wegen ihrer schönen Lage an der Elbe als eine der schönsten deutschen Städte. Im Februar 1945, kurz vor dem Ende des Zweiten Weltkriegs, wurde Dresden fast vollständig durch einen Luftangriff zerstört. Es war der schlimmste Luftangriff in Deutschland, mit Ausmaßen, die sich bereits Hiroshima näherten. Inzwischen ist Dresden teilweise wieder aufgebaut worden. Man kann sein berühmtes Kunstmuseum besuchen, und seine Technische Hochschule, die sich aus einer Technischen Schule aus dem Jahre 1828 entwickelt hat, hat sich stark erweitert. Dresden ist vor allem als Kunststadt bekannt; neben dem Museum hat es eine Kunstakademie; es hat eine berühmte Oper, ein ebenso bekanntes Symphonieorchester und den „Kreuzchor", einen Knabenchor. Noch berühmter als Musikstadt ist Leipzig, wo Johann Sebastian Bach, Felix Mendelssohn und Robert Schumann tätig waren, und wo der „Thomaskantor", der Nachfolger Bachs, heute noch einer der besten deutschen Organisten sein soll. Leipzig hat einen noch bekannteren Knabenchor, die „Thomaner".

Sehr wichtige Industriegebiete sind im Westen Sachsens. Die größte Stadt heißt heute Karl-Marx-Stadt und hieß früher Chemnitz. Sie war das Zentrum der deutschen Strumpfindustrie. Textilindustrie war überhaupt neben der Metallindustrie in Sachsen sehr wichtig.

Durch die Kriege im 18. und 19. Jahrhundert haben sich die Grenzen Sachsens mehrmals geändert. 1815 kam der Norden Sachsens zu Preußen und wurde „Provinz Sachsen" genannt und mit einigen früheren preußischen Gebieten vereinigt. Die größte Stadt dieses Gebietes ist Halle an der Saale, das seinen Namen von Salzbergwerken hat. Heute wird in diesem Gebiet vor allem Braunkohle abgebaut. Die Braunkohle läßt sich zu künstlichem Gummi und vielen chemischen Produkten verarbeiten, und an der Saale südlich von Halle sind die Leunawerke, ein umfangreicher Industriekomplex, entstanden. Zwischen Halle und Weimar liegt die alte Stadt Naumburg mit ihrem Dom.

Zur Provinz Sachsen gehört die alte sächsische Universität Wittenberg an der Elbe, wo Martin Luther Professor war und die Reformation begann. Die Universität, lange Zeit das geistige Zentrum des Protestantismus, verlor im 18. Jahrhundert an Bedeutung und wurde schließlich mit der neuen Universität Halle vereinigt. Westlich von Wittenberg liegt Dessau, alte Residenzstadt und Hauptstadt des kleinen Landes Anhalt. Heute ist dieses Gebiet vor allem seiner Industrie wegen wichtig.

Die Mark Brandenburg

Die Mark Brandenburg war der Mittelpunkt des Staates Preußen. Die Landschaft ist charakterisiert durch ihre Fichtenwälder, ihre sandigen Flächen, ihre Seen und Flüsse und durch die mittelalterlichen Städte wie Brandenburg und Havelberg, aus denen festungsartige Kirchen mit großen roten Ziegeldächern hervorragen. Westlich der Elbe liegt die Altmark und die Magdeburger Börde, landwirtschaftlich sehr wichtige Gebiete, in denen Zuckerrüben angebaut werden. Magdeburg ist eine traditionsreiche Stadt, die für die deutsche Besiedelung des Ostens eine wichtige Rolle gespielt hat, und die heute ein bedeutendes Wirtschaftszentrum ist. Zwischen Magdeburg und dem Harz liegen alte Bergbaugebiete, wo heute noch Kupferbergwerke und Salzbergwerke sind, und alte Städte, wie Halberstadt und Quedlinburg. Der höchste Berg des Harzes, der Brocken, ist noch auf dem Gebiet der DDR. Dieses Gebiet, lange mit Brandenburg-Preußen verbunden, war seit 1815 Teil der „Provinz Sachsen", später des Landes Sachsen-Anhalt.

Der Norden

Nördlich von Berlin geht die Mark Brandenburg über in die Landschaft Mecklenburgs und Vorpommerns. Das südliche Mecklenburg wird von einer Seenplatte durchzogen, in der die frühere Residenzstadt Neustrelitz liegt. Auch die Hauptstadt Schwerin liegt an einem großen See. Die Ostseeküste hat schönen Strand und ist eine Sommerfrische für die DDR, ganz besonders die Insel Rügen mit ihren Kreidefelsen. An der Ostsee liegen zwei Universitätsstädte, Greifswald und Rostock. Rostock ist jetzt ein bedeutender Hafen geworden. Eine andere alte Hafenstadt ist Stralsund.

In der DDR stehen einander ganz verschiedene Menschentypen gegenüber: Im Norden wohnen die ruhigen, wortkargen, oft langsamen Mecklenburger und Pommern mit ihrem breiten Niederdeutsch; im Süden leben die lebhaften, gefühlsbetonten und musikalischen Thüringer, nahe bei ihnen die schnellen, geistig interessierten Sachsen.

Großstädte gibt es nur wenige; das Land ist klein, und so leben viele der Bewohner der DDR in einem kleinen Lebenskreis. Ihr Leben ist grau; ihre Städte haben keine bunte Reklame, wenig helle moderne Gebäude; die Straßenbeleuchtung wirkt trübe. Nur auf den Propagandaplakaten haben die Menschen leuchtende Augen und strahlende Gesichter; in der Wirklichkeit sieht man sie meist ernst ins Leben blicken.

Staat und Bevölkerung

Die DDR hat fünf politische Parteien, außer der SED die Demokratische Bauernpartei Deutschlands (DBD), die CDU, die LDP und die Nationaldemo-

240

kratische Partei Deutschlands (NDPD). Die CDU und die LDP haben keine Verbindung mit den entsprechenden Parteien der Bundesrepublik. Das Parlament heißt „Volkskammer". In der Volkskammer haben außer diesen Parteien auch „Massenorganisationen", wie die Gewerkschaften, die Jugendorganisation „Freie Deutsche Jugend" (FDJ), der Demokratische Frauenbund und der Deutsche Kulturbund Abgeordnete. Es werden Volkskammerwahlen abgehalten, doch entscheiden sich die Wähler nicht für einzelne Kandidaten. Sie bekommen eine Liste vorgelegt, die sie annehmen oder ablehnen müssen. Fast alle Wähler nehmen die Listen an. Die Zahl der Abgeordneten für jede Partei ist also vorher festgelegt. Der Ministerrat führt die Beschlüsse der Volkskammer aus. Das wichtigste Organ ist der „Staatsrat", der die Gesetze macht, wenn die Volkskammer nicht tagt. 1. Vorsitzender des Staatsrates ist Walter Ulbricht, der auch der Führer der SED ist. Da die SED die Mehrheit in der Volkskammer hat, sind die Beschlüsse ihrer Parteitage entscheidend.

Die DDR hat auf allen Gebieten des Lebens Schritte zur „sozialistischen" Gesellschaft unternommen. Die Wirtschaft wird geplant und gelenkt. Allerdings haben die Wirtschaftsexperten 1963 viel mehr Freiheit in ihrer Arbeit bekommen, während vorher die Parteifunktionäre auch die Wirtschaft bestimmten. Der Bau der Mauer in Berlin hat viele Menschen in der DDR zur Resignation gebracht. Sie haben sich damit abgefunden, daß sie in diesem Lande leben müssen. So wollen sie möglichst gut leben. Die Wirtschaft der DDR hat sich gerade seit dieser Zeit erstaunlich gut entwickelt.

Wer die DDR mit der Bundesrepublik vergleicht, bekommt ein irreführendes Bild. In der DDR unterscheidet man zwischen Lebensnotwendigkeiten und „Luxus". Zu den Lebensnotwendigkeiten gehört eine Wohnung, und Wohnungsmieten sind vergleichsweise niedrig. Teuer sind „Luxuswaren": Autos, Kühlschränke, modische Kleidung, Haushaltsmaschinen, aus dem Ausland eingeführte Lebensmittel. Viele Waren sind nicht immer zu bekommen, wie es in einer geplanten Wirtschaft unvermeidlich zu sein scheint. Besondere Anstrengungen macht der Staat auf dem Gebiet der Bildung. Alle Kinder müssen zehn Jahre in die Schule gehen. Die DDR hat das System der Einheitsschule eingeführt, so daß ihr Schulsystem dem der USA ähnlicher sieht als dem der Bundesrepublik. Immerhin ist bis jetzt das Abitur geblieben, und nicht jeder Schüler kommt bis zum Abitur. In der Oberschule ist der Unterricht „polytechnisch": Einen Tag in der Woche verbringen die Schüler als Lehrlinge oder Praktikanten in einem Betrieb. In den Sommerferien müssen sie Praktika ableisten. Es gibt keine einklassigen Dorfschulen mehr; die Schüler werden von mehreren Dörfern zu einer Mittelpunktschule gebracht. Begabte Schüler und Studenten werden sehr gefördert. Schulen und Hochschulen kosten kein Schulgeld. Allerdings kann nicht jeder begabte junge Mensch studieren; dann zum Beispiel nicht, wenn seine Eltern keine Arbeiter sind oder wenn sie gegen das kommunistische Regime sind.

Der Lehrplan ist voll von Politik. "Grundlagen des Marxismus-Leninismus" ist Pflichtfach nicht nur in der Schule, sondern auch auf der Universität. Auf der Universität besteht keine akademische Freiheit mehr. Der Lehrplan der Studenten ist genau festgelegt. Natürlich ist die Politik nicht auf das eine Fach beschränkt; der Kommunismus wird im Deutschunterricht, in der Musik, im Malen und Zeichnen, bei den Fremdsprachen, ja bei der Mathematik erklärt und gelehrt. Ein Lehrer und ein Dozent an einer Hochschule muß also Kommunist sein.

Immerhin sind Fachleute nötig. Ein Naturwissenschaftler, ein Ingenieur, ein Arzt, auch ein Volkswirt muß nicht unbedingt politisch aktiv sein. In den Geisteswissenschaften ist das anders. Man muß nicht nur Kommunist sein, sondern auch die augenblickliche Linie der Partei vertreten. So ist es zu verstehen, warum Schriftsteller in der DDR so oft Schwierigkeiten mit der SED haben, und warum prominente Geisteswissenschaftler aus der DDR in die Bundesrepublik geflohen sind.

Wie heute die Bevölkerung der DDR zu ihrem Staat steht, läßt sich kaum genau feststellen. In einer Diktatur ist das Reden manchmal gefährlich. Sicher ist, daß viele Menschen versuchen, sich mit den Verhältnissen abzufinden, ohne sich allzu sehr zu engagieren. Die guten Sozialgesetze haben zu sozialer Sicherheit geführt. Der Bewohner der DDR sieht also manche positiven Seiten seines Regimes. Man braucht ihm die negativen Seiten nicht aufzuzählen. Eine Richtung, wie sie in der Tschechoslowakei versucht wurde, wäre ihm gewiß lieber. Aber in der DDR haben die Kommunisten Angst, zu liberal zu sein. Die Bewohner würden sich dann allzu leicht dem Westen öffnen, und im Westen droht die Bundesrepublik, gegen die sich die DDR absperren muß. Die Bewohner der DDR wollen die Wiedervereinigung. Aber man darf nicht damit rechnen, daß sie alles schön finden, was der Westen ihnen anbietet. Der „dritte Weg" ist eine verführerische Möglichkeit: ein Sozialismus mit der Freiheit der westlichen Demokratie verbunden.

Deutsch-Österreich und der Vielvölkerstaat

Österreich ist ein kleines Land. Es umfaßt knapp 84.000 Quadratkilometer, also 32.000 Quadratmeilen, und es hat nur 7 Millionen Einwohner. Wer in die Hauptstadt Wien kommt, muß sehr verwundert sein. Wie kommt es, daß dieses Land eine so große Hauptstadt hat mit so großartiger Architektur? Zwei Millionen Österreicher leben in Wien. Wien ist eine Weltstadt, und es war jahrhundertelang Hauptstadt eines großen Reiches. Bis 1806 hatte der Kaiser des Deutschen Reiches in Wien seine Residenz. Wien war die größte Stadt des „Heiligen Römischen Reiches deutscher Nation". Österreich war dabei nicht nur ein Teil Deutschlands, sondern ein bedeutendes Reich für sich selbst: Es besaß Nord- und Mittelitalien, Ungarn, das nördliche Jugoslawien, das westliche Rumänien, die Tschechoslowakei und das südliche Polen. 1866 schied Österreich aus dem Deutschen Bund aus und trennte sich von Deutschland. Jetzt wurde es wirklich ein „Vielvölkerstaat", eine „Doppelmonarchie", denn der Kaiser von Österreich war König von Ungarn. Das Land hatte zwei Regierungen. Die italienischen Besitzungen, bis auf Triest und seine Umgebung, gingen allerdings im 19. Jahrhundert verloren. Immerhin hatte Österreich noch ein Gebiet von mehr als 300.000 Quadratkilometern (116.000 Quadratmeilen). Wien war eine internationale Stadt, der kulturelle, wirtschaftliche und politische Mittelpunkt Südosteuropas. Nachdem Österreich jahrhundertelang gegen die Türkei gekämpft hatte, wurden die Beziehungen im 19. Jahrhundert freundlicher, und der Handel wurde intensiver. Der Erste Weltkrieg brach aus, als der österreichische Thronfolger von einem serbischen Nationalisten ermordet wurde. Österreich verlor zusammen mit Deutschland diesen Krieg. Das Land brach auseinander, die Gebiete wurden — mehr oder weniger — nach dem Nationalitätenprinzip aufgeteilt. Die Deutschösterreicher wollten sich nach dem Prinzip der Selbstbestimmung an Deutschland anschließen; aber die Siegermächte verhinderten es. Sogar eine Zollunion, die Deutschland und Österreich 1930 planten, scheiterte am Veto der Alliierten. Hitler jedoch fand keinen Widerstand, als er 1938 den „Anschluß" Österreichs erzwang. Die Österreicher begrüßten in ihrer Mehrheit die Vereinigung mit Deutschland, aber sie hatten sich die Vereinigung anders vorgestellt. Österreich wurde zur deutschen „Ostmark"; es verlor seine Selbstregierung. 1939 begann der Zweite Weltkrieg, und die Österreicher mußten als deutsche Soldaten in den Krieg ziehen.

1945 war Österreich, wie Deutschland, ein besiegtes und besetztes Land. Es wurde in vier Besatzungszonen geteilt; Wien, wie Berlin, bestand aus vier Sektoren. Allerdings hatte Österreich eine eigene Bundesregierung. Die Einheit des Landes blieb erhalten, und 1955 gelang es der österreichischen Regierung, die Wiedervereinigung und einen Friedensvertrag zu erreichen. Allerdings mußte sich Österreich verpflichten, seine Armee auf eine kleine Macht zu beschränken und an keinem Militärbündnis teilzunehmen. Es ist also „neutral". Es hat eine westliche Regierungsform, doch steht es trotzdem zwischen Ost und West.

Aus dieser Lage und Geschichte hat sich die österreichische Kultur entwickelt, in der viele Einflüsse zusammentreffen: italienische, spanische, slawische, orientalische, ungarische und deutsche, und Österreich sieht sich selbst in der Rolle des Vermittlers.

 Wien

Wien ist nicht nur Bundeshauptstadt. Österreich ist ein Bundesstaat mit acht Ländern, und Wien ist eines davon. Wien ist sogar noch die Hauptstadt des Bundeslandes Niederösterreich. Man sieht es an den repräsentativen Gebäuden, daß man sich in einer Hauptstadt und einer ehemaligen Kaiserstadt befindet. Wien ist eine römische Gründung, aber aus der römischen Zeit sind keine Gebäude erhalten; aus dem Mittelalter stammt der gewaltige gotische Stephansdom mit seinem hohen Turm, wo viele Kaiser begraben sind. Die „Burg", das Stadtschloß der Kaiser, ist großenteils im Renaissancestil gebaut. Das Sommerschloß des Kaisers in Schönbrunn, umgeben von einem ausgedehnten Park, das Schloß Belvedere des Prinzen Eugen, die Karlskirche, die Jesuitenkirche und viele andere Kirchen und Paläste stammen aus dem 17. oder 18. Jahrhundert und sind im Barockstil gebaut. Im 19. Jahrhundert wurden die Befestigungen der Stadt entfernt, und man legte die prachtvollen Ringstraßen an, in deren Nähe weitere repräsentative Gebäude stehen: das klassizistische Parlament, die im Renaissance-Stil gebaute Oper und das neugotische Rathaus. Wien wurde am Ende des Zweiten Weltkrieges schwer beschädigt, inzwischen aber wieder ganz aufgebaut.

Wien ist ein wichtiges Wirtschaftszentrum. An der blauen Donau — die keineswegs immer blau ist — hat es einen Binnenhafen. In seiner Industrie

Schloss Belvedere, Wien

spielt der Luxus eine große Rolle. Schmucksachen werden in Wien hergestellt, und seine Textilindustrie hat vor allem mit der Mode zu tun. Wien ist eine der Städte in Europa, wo die Mode gemacht wird. Es hat auch eine Modeschule, und es exportiert nicht nur modische Kleidung, sondern auch — Mannequins. Wien hat gleichfalls eine Hochschule für Welthandel. Überhaupt 5 ist die Liste seiner Hochschulen lang. Die Universität wurde bereits 1365 gegründet; es war die zweite Universität in Mitteleuropa nach Prag. Wien hat daneben noch eine Technische, eine Agrarwissenschaftliche und eine Tierärztliche Hochschule. Es hat gleichfalls Hochschulen für Musik und für die bildenden Künste. Die Hochschulen zeigen, welch bedeutende Rolle die 10 Kultur in dieser Stadt spielt. Berühmt ist mit Recht die Wiener Oper; berühmt sind Wiens Symphonieorchester; berühmt sind die Theater, besonders das Burgtheater und das Theater in der Josefsstadt. Wien ist als Theaterstadt und Musikstadt im deutschsprachigen Gebiet nicht nur deshalb berühmt, weil gute Qualität geboten wird, sondern weil es einen bestimmten, unverwech- 15 selbaren Wiener Stil gibt. Und dieser Wiener Stil zeigt eine Mischung von Traditionen aus der Volkskunst der Alpen, Einflüssen aus Italien, aus dem Osten Europas und aus Spanien. Man ist sich bewußt, daß hier eine hohe Kultur an einem Knotenpunkt von Handelsstraßen entstanden ist.

246

Der Charme der Stadt Wien, ihre Atmosphäre beruhen aber nicht allein auf der Pracht des Stadtbildes und den kulturellen Veranstaltungen. Die Lebenskunst der Wiener gibt dieser Stadt ihren Charakter. In Wien kann man das Leben genießen, und die Menschen sind davon überzeugt, daß das der Zweck des Lebens ist. Natürlich ist es kein Zufall, daß der Wiener von Schönheit umgeben ist. Nicht nur die Stadt ist schön, auch die Landschaft, in der sie liegt: Sie liegt zwischen der Donau und dem Gebirge, dem Wienerwald, und man kann leicht schöne Spaziergänge machen; oder man kann sich vergnügen, und dazu hat man zum Beispiel den Prater, den großen Vergnügungsplatz mit dem berühmten Riesenrad. Vielleicht spielt es auch eine Rolle, daß Wien in einer Landschaft liegt, wo guter Wein wächst.

Ein Fremdenverkehrsland

Nach dem Zweiten Weltkrieg, besonders nach 1955, ist Österreich mehr zum Industrieland geworden, als es je vorher war. Es hat Wasserkraftwerke in den Alpen gebaut; durch Tirol führt die Ölleitung von Triest nach Ingolstadt; in Niederösterreich findet man Erdöl und Erdgas, und in der Steiermark gibt es Eisenerzvorkommen. Die wichtigste Einnahmequelle des Landes bleiben jedoch noch immer die Feriengäste, die Ausländer, die jedes Jahr, im Sommer und im Winter, zur Erholung und zum Wintersport ins Land kommen. Neben der schönen Landschaft sind es die Freundlichkeit der Menschen, die gute Küche, die kulturellen Ereignisse und die niedrigen Preise, die die Fremden anziehen.

Außer Wien sind es vor allem drei Länder Österreichs, die am meisten Fremde anziehen: Kärnten, Tirol und Salzburg. Kärnten ist das südlichste Land Österreichs; seine Hauptstadt Klagenfurt und der Wörther See liegen südlich der Alpen und haben daher ein mildes, warmes Klima. Östlich von Kärnten schließt sich die Steiermark an, deren Hauptstadt Graz auch eine Universität hat, und wo man vom Rande der Alpen sozusagen in die Ebenen von Ungarn und Jugoslawien hinüberblicken kann. Das Burgenland, das östlichste Land Österreichs, gehört nur zur Hälfte zum heutigen Land Österreich; die andere Hälfte kam 1918 zu Ungarn. Die ethnischen Grenzen konnte man hier wie anderswo nicht ganz beachten, da in den Grenzbezirken die verschiedenen Nationalitäten gemischt waren. So kommt es, daß noch einige

Kalender-Illustration, Tirol, 16. Jahrhundert

Ungarn und etliche tausend Slowenen in Österreich wohnen, und Tausende von Deutschen in Ungarn und Jugoslawien blieben.

Im Südwesten Österreichs liegt das Land Tirol. Westlich von Tirol ist nur noch das kleine Land Vorarlberg, das bis an den Bodensee reicht, und wo man vom Pfänder, dem Berg bei Bregenz über die weite Fläche des Sees nach Westen blicken kann. In Bregenz finden jeden Sommer auf einem Floß im See Theaterfestspiele statt, mit Schauspielern und Sängern aus Wien.

Tirols Hauptstadt heißt Innsbruck. Es liegt, wie der Name sagt, am Inn und ist von hohen Bergen umgeben. Es ist einer der Mittelpunkte des Wintersports, und so war es kein Zufall, daß 1964 in Innsbruck die Olympischen Winterspiele stattfanden. An der Grenze von Tirol, Kärnten und der Steiermark ziehen sich die Hohen und Niederen Tauern hin. In den Hohen Tauern ist der höchste Berg Österreichs, der Großglockner, 3680 Meter hoch. Durch das Inntal geht die Straße von Deutschland nach Italien, also von Nordeuropa nach Südeuropa. Ganz gleich, ob man die Alpenreise bei Mittenwald, bei Kufstein oder bei Salzburg anfängt, man kommt bei Innsbruck vorbei und steigt von dort nach Süden den Brenner-Paß empor, der heute die Grenze zwischen Österreich und Italien bildet. An dieser Straße liegen Burgen, deren Herren früher den durchreisenden Kaufleuten Zoll abnehmen wollten, und reiche Städte, wo die Reisenden übernachten konnten. Die heutige Grenze nach Italien entspricht nicht der Sprachgrenze; diese verläuft weiter südlich. Neben dem österreichischen Tirol gibt es ein italienisches Südtirol, das 1918 zu Italien kam und seitdem „Alto Adige" = die obere Etsch genannt wird. Seine größten Städte sind Bozen und Meran. Deutsch ist als Sprache zugelassen, und es besteht eine gewisse Autonomie der deutschsprachigen Bewohner, doch sie verlangen mehr als die italienische Regierung ihnen geben will, und so ist es seit 1945 zu manchen heftigen Auseinandersetzungen gekommen. Österreich versucht, den Südtirolern zu helfen und in dem Konflikt zu vermitteln, aber immer noch ist Südtirol sein schwierigstes außenpolitisches

248

Problem. Die Probleme verschärfen sich noch dadurch, daß die deutsch-sprachigen Südtiroler vorwiegend Bauern sind, während sich eine neue Industrie angesiedelt hat, die rein italienisch ist. Die Tiroler sind Grenzkämpfe gewohnt, und sie sind für ihre Hartnäckigkeit bekannt. Dabei leben sie in einer wunder-schönen Landschaft mit einem milden Klima, das viele Feriengäste aus aller Welt anzieht. Tirol ist auch heute ein Durchreiseland. An der Brenner-Grenze gibt es in den Ferienzeiten kilometerlange Autoschlangen. Mehrere Länder Europas haben sich vereinigt, um eine moderne Autobahn durch Tirol zu bauen: die „Europastraße Nr. 1". So stehen hier der Europagedanke und der Nationalitätenkampf in einem merkwürdigen Kontrast.

Salzburg

Die Länder im Norden Österreichs, durch die die Donau fließt, heißen Niederösterreich und Oberösterreich. Hier ist der eigentliche Kern Österreichs. Linz, die Hauptstadt von Oberösterreich, ist die zweitgrößte Stadt des Landes. Wenn man von Linz mit dem Schiff donauabwärts fährt, kommt man auf die Straße, auf der nach der Nibelungensage die Burgunder nach Ungarn gezogen sein sollen. Der kleine Ort Pöchlarn heißt in der Sage „Bechlarn". Auf der anderen Seite der Donau liegt heute auf einem Hügel der Wallfahrtsort Mariataferl. Wenig später kommt man zu dem berühmten Benediktinerkloster Melk, mit einem imposanten Gebäude im Barockstil und einer berühmten Bibliothek; bald darauf beginnt die Wachau. Das ist eine Landschaft, wo Weintrauben und Obst wachsen und wo berühmte Burgen und Burgruinen stehen.

Die bekannteste Stadt Österreichs außer Wien ist gewiß Salzburg. Salzburg ist die Hauptstadt des Bundeslandes mit dem gleichen Namen. Die Stadt hat ihren Namen nicht ohne Grund: In der Nähe der Stadt sind viele Salzberg-werke. Salz war ein wichtiger Handelsartikel im Mittelalter; das Salzburger Salz wurde weit nach Deutschland transportiert. Der Erzbischof von Salzburg war deshalb ein reicher und ein mächtiger Herr. Er konnte sich eine große Stadt mit Schlössern bauen, und auch seine Bürger lebten nicht schlecht, wie man heute noch in der Altstadt sehen kann. Bevor das Erzbistum zur Zeit Napoleons aufgelöst wurde und zu Österreich kam, hatte es eine kulturelle Blütezeit. Der Erzbischof stellte den bekannten Musiker Leopold Mozart an, dem hier 1757 ein Sohn geboren wurde: Wolfgang Amadeus, ein Wunderkind und einer der genialsten Komponisten der Welt. Wolfgang geriet zwar in Streit mit dem Erzbischof und zog nach Wien; aber man bewahrt sein Andenken in Salzburg. Die Salzburger Musikhochschule heißt „Mozarteum"; Mozarts Geburtshaus kann man besichtigen. Und als Leute wie der Dichter Hugo von Hofmannsthal und der Regisseur Max Reinhardt Salzburg als einen Ort für Festspiele im Sommer wählten, spielte der Name Mozart eine große Rolle.

Die Universität in Salzburg, die 1620 gegründet wurde, aber ab 1810 nur als theologische Hochschule weiter existierte, wird heute wieder zu einer vollen Universität ausgebaut. Salzburg ist nicht nur eine schöne Stadt mit einer bezaubernden Lage; es ist ein idealer Ausgangspunkt für Alpenreisen. Es hat eine gute Verkehrslage und ist mit München durch eine Autobahn verbunden. Die Fortsetzung der Autobahn bis Wien ist im Entstehen. Von Salzburg aus fährt man gern ins Salzkammergut, einer Berglandschaft mit vielen Bergseen, zum Beispiel dem Wolfgangsee und dem Mondsee. Man kann von dort aus auch zum Dachstein, dem höchsten Berg der Alpen in dieser Gegend, hinauffahren.

Deutschland und Österreich sind heute zwei verschiedene Länder. Von einem „Anschluß" ist nicht mehr die Rede. Die gemeinsamen Traditionen und die gemeinsame Sprache verbinden die beiden Länder jedoch eng miteinander. Es gibt, besonders seit hundert Jahren, eine besondere österreichische Eigenart in der deutschen Kultur, und in der Musik wie in der Literatur hat Österreich die deutschsprachige Kultur außerordentlich bereichert. Das war besonders deshalb möglich, da Österreich fähig war, aus so vielen fremden Einflüssen und Richtungen etwas ganz Eigenes zu bilden. Und heute noch ist dieses Land mit dem kleinen Flächeninhalt kulturell groß geblieben: Sein kultureller Raum ist ganz Europa, vor allem das südliche Europa, von Spanien bis zur Türkei.

Salzburg

17 ⌒ Besuch in der Schweiz

Die Eidgenossenschaft

Die politische Geschichte Deutschlands zeigt viele Widersprüche und die Wirkungen des Partikularismus. Österreich wurde als Kaiserreich und Vielvölkerstaat geformt; die Schweiz lebt aus ihrer starken demokratischen Tradition. Diese Demokratie stammt aus dem Mittelalter; sie hat sich seitdem oft gewandelt, aber sie trägt noch manche altertümlichen Züge. Die Schweizer

Demokratie beruht auf den starken lokalen Traditionen. Das gesamte Land hat etwa 5 Millionen Einwohner und umfaßt 43.000 Quadratkilometer, das sind knapp 16.000 Quadratmeilen; aber es ist in nicht weniger als 25 Länder geteilt, die Kantone heißen, und die eine weitgehende Autonomie besitzen.

Das kann man aus der Geschichte erklären. 1291 erklärten die „Urkantone" Schwyz, Uri und Unterwalden, alle am Vierwaldstätter See gelegen, ihre Reichsunmittelbarkeit. Sie wollten nur dem deutschen Kaiser untertan sein und sich selbst regieren. Damit war das Haus Habsburg nicht einverstanden, das in der Schweiz große Besitzungen hatte. Die Habsburger beherrschten bald Österreich, später auch Burgund; und die Schweizer Bauern mußten immer wieder ihre Freiheit gegen Österreich und Burgund verteidigen. Die Sage von Wilhelm Tell berichtet von diesen Kämpfen. Diese Kämpfe wurden berühmt, weil sie zeigten, daß Fußtruppen militärisch stärker sein konnten als Ritterheere. Die Schweizer begannen, mit dem Krieg Geld zu verdienen. Sie verdingten sich als Söldner an andere Länder und führten deren Kriege. Dabei sorgten sie dafür, daß die Schweizer Kantone nach Möglichkeit neutral blieben.

Zu den drei ersten Kantonen kamen immer neue hinzu. Die Reformation hatte in der Schweiz ihre eigene Richtung, die sich mit der lutherischen nicht einigen konnte. In der nördlichen Schweiz vertrat sie Ulrich Zwingli, in Genf Jean Calvin. Die Schweiz war damals eigentlich ein Bund von selbständigen Kantonen, und so konnte jeder Kanton seine eigene Verfassung, Konfession und Sprache haben. Es gab protestantische und katholische Kantone, Kantone mit deutscher, französischer und italienischer Sprache, Kantone mit einer richtigen Volksregierung, mit einer Regierung von Aristokraten oder von Bürgern. Es gab Kantone mit strengen Sitten und Gesetzen, und andere, die freiheitlicher und toleranter waren.

Bürger im Ring,
Glarus

1648 schied die Schweiz nominell aus dem Deutschen Reich aus. Praktisch war sie schon lange vorher unabhängig. Anders als die Niederlande, die zur gleichen Zeit das Reich verließen, löste die deutschsprachige Schweiz ihre kulturelle Verbindung mit Deutschland nicht. Hochdeutsch blieb die Verwaltungs- und Literatursprache, während die Holländer ihren niederfränkischen Dialekt zur offiziellen Sprache entwickelten. Das „Schwyzerdütsch", das sich beträchtlich von der hochdeutschen Sprache unterscheidet, ist die mündliche Umgangssprache der Schweizer, aber nicht mehr. Die politische Trennung und der Einfluß der anderen schweizer Sprachen hat allerdings auch in der offiziellen Sprache zu einigen Besonderheiten geführt, doch Orthographie, Grammatik und offizielle Aussprache sind gleich.

Zürich wurde von der Mitte des 18. Jahrhundert an ein Mittelpunkt der deutschen Literatur, begünstigt durch die politische und geistige Freiheit. Die schweizer Literatur hat ihre starke Eigenart. Gleichzeitig steht sie in Verbindung mit der deutschen Literatur, und sie hat zeitweise stark in Deutschland gewirkt. Das war im 19. Jahrhundert so, mit Schriftstellern wie Gottfried Keller, Jeremias Gotthelf und Conrad Ferdinand Meyer. Das ist auch heute so, mit Schriftstellern wie Max Frisch und Friedrich Dürrenmatt. In der Zeit des Nationalsozialismus wurde Zürich zu einem entscheidenden deutschen Kulturzentrum; das Züricher Theater bewahrte die deutsche Theatertradition.

Nach der Französischen Revolution wurde die Schweiz, zusammen mit den anderen Ländern Europas, in viele Kriege und Umwälzungen verwickelt. Es war ja nicht zuletzt der Schweizer Jean-Jacques Rousseau gewesen, dem die Revolution ihre Ideen verdankte. Auch die Schweiz versuchte nach dem Wiener Kongreß von 1815 zu ihrem alten Zustand zurückzukehren; doch das ging nicht mehr. Es kam zu heftigen Auseinandersetzungen zwischen den Parteien und 1847 sogar zu einem Bürgerkrieg, dem „Sonderbundskrieg", der mit dem Sieg der liberal-demokratischen Mehrheit endete. Seitdem ist die Schweiz ein demokratisch regierter Bundesstaat. Im 20. Jahrhundert verstand es die Schweiz, ihre Neutralität zu wahren; sie versuchte stets, eine starke und moderne Armee zu haben, um jeden Angreifer — auch Hitler — abzuschrecken. Die Schweiz als „neutrales" Land wurde ein bevorzugter Ort für internationale Institutionen und Verhandlungen. Genf ist der Sitz des Internationalen Roten Kreuzes; Genf war nach 1918 Sitz des Völkerbundes. In Genf haben heute noch mehrere inernationale Gremien ihren Sitz.

Davos

Riederalp, Wallis

Die Schweiz als Reiseland

Im späten 18. Jahrhundert entdeckten die Reisenden die Schönheit der Alpenlandschaft. Die Engländer waren die ersten. Die Schweiz wurde das erste europäische Land, das sich auf Touristen einstellte. Das Schweizer Hotelgewerbe wurde vorbildlich. Noch heute sind Schweizer Hoteliers und Küchenchefs auf der ganzen Welt tätig. Später entdeckte man noch, daß das Gebirgsklima für gewisse Krankheiten gut ist. Davos hat sich als Kurort und Heilstätte für Lungenkrankheiten einen Ruf in der ganzen Welt erworben.

Der Reiz der Schweizer Landschaft besteht in der Verbindung von Seen und Gebirge. Bekannte Seen gibt es in allen Teilen des Landes: vom Bodensee an der nördlichen Grenze über den Züricher, den Vierwaldstätter, Thuner, Bieler und Neuenburger See bis zum Lago Maggiore und Genfer See im Süden. Von den Seen aus sieht man die bekannten Alpenketten, die Berner, Walliser, Glarner und die Rhätischen Alpen mit ihren Gletschern, Bergspitzen, Kurorten und Wintersportplätzen — das alles ist bekannt genug. Weniger bekannt ist die Landschaft der nördlichen und westlichen Schweiz außerhalb der Alpen, wo viele kleine alte Städte liegen.

Wer durch die Schweiz reist, staunt über die vielen Verschiedenheiten. Seit mehr als 150 Jahren war die Schweiz in keinen internationalen Konflikt verwickelt, und doch sieht man selten so viele Soldaten wie in der Schweiz. Jeder männliche Schweizer ist einsatzbereit. Selbst ein Schweizer, der im Ausland wohnt, muß seine Militärsteuern zahlen, und seine Militärausrüstung wartet auf ihn im Zeughaus, wenn er zurückkehrt. Die Schweiz hat nicht nur Frieden mit anderen Ländern gehalten, sie hat auch ein friedliches Zusammen-

254

leben ihrer Bevölkerung entwickelt, die vier verschiedene Sprachen spricht. Das Rhätoromanische wird vor allem in Graubünden gesprochen; die italienischen Schweizer wohnen vorwiegend im Tessin; französische Kantone sind Genf, Neuenburg, Waadt. Der Kanton Freiburg ist zweisprachig: deutsch und französisch. Die übrigen Kantone sind deutschsprachig. Mehr als 40% der Bevölkerung sind katholisch, 56% protestantisch. Die Konfessionsgrenzen stimmen nicht mit den Sprachgrenzen überein. Die deutschsprachigen Schweizer wohnen vor allem im Norden und Osten, die „welschen" Schweizer südlich und westlich der Alpen. Eine der bekanntesten Städte der deutschen Schweiz ist Zürich, neben Genf eine „Weltstadt", bekannt durch seine Banken, seine Industrie, seine Kultur. Basel, an der Grenze von Deutschland und Frankreich, hat eine lange Tradition von schweizerischer Eigenart und europäischem Charakter. In der Ostschweiz liegt die alte Stadt St. Gallen mit dem berühmten Kloster, heute eine wichtige Industriestadt. Bern, die Bundeshauptstadt, ist schon in ihrem Stadtbild „typisch schweizerisch". Es liegt in der Mitte der Schweiz und ist weniger „international" als Genf oder Zürich.

Die Wirtschaft

Was dem Reisenden gleichfalls auffällt, wenn er durch die Schweiz fährt, ist der solide Wohlstand des Landes. Niemand braucht seinen Wohlstand zu zeigen, und dennoch ist er überall sichtbar. Die Straßen sind breit und sauber; die Häuser sind groß und gut gebaut; die Menschen haben ein ruhiges, sicheres Auftreten.

Der Wohlstand kommt keineswegs allein vom Fremdenverkehr. Die Schweiz hat früh damit begonnen, sich zu industrialisieren. Genf ist das Zentrum der Uhrenindustrie und wird manchmal die „Uhrenstadt" genannt. Die Nahrungsmittelindustrie exportiert nicht nur den „Schweizer Käse" aus dem Emmental, sondern auch die gute Schokolade und den Nescafé. Früher hat in der deutschsprachigen Schweiz die Textilindustrie eine entscheidende Rolle gespielt; heute ist die Maschinen- und Elektroindustrie wichtiger. Die Schweiz hat die Wasserkraft in den Alpen für die Industrie ausgenutzt. Stauseen und Wasserkraftwerke sind häufig. Überall sieht man die Masten der Elektrizitätsleitungen; die Eisenbahn fährt elektrisch; die Industrie arbeitet auf der Grundlage der Elektrizität; ja, die Schweiz exportiert Elektrizität.

Volk der Schulmeister

Die Schweizer werden manchmal ein „Volk der Schulmeister" genannt, und sie hören es nicht ungern. Berühmte Pädagogen, wie Rousseau und Heinrich Pestalozzi, waren Schweizer. Die Pädagogik ist ein Charakterzug des Volkes. Die Schweiz hat besonders gute Schulen. Nicht immer sind die berühmten Mädchenpensionate der Französischen Schweiz, in denen die Töchter besserer Familien Fremdsprachen und gutes Benehmen lernen sollen, auch gute Schulen. Sprachen spielen natürlich in der Schweiz eine wichtige Rolle, und so haben Genf und Zürich bekannte Dolmetscherinstitute. Die deutschsprachigen Universitäten sind in Basel, Zürich und Bern, französischsprachige in Genf, Lausanne, Neuenburg und Freiburg. Schulen und Universitäten sind Angelegenheiten der einzelnen Kantone — die auch nicht immer die Prüfungen im Nachbarkanton anerkennen. Es gibt nur eine Hochschule, die der Bund eingerichtet hat: die berühmte Eidgenössische Technische Hochschule in Zürich.

Die Bevölkerung nimmt an der Schulpolitik wie an allen Angelegenheiten des öffentlichen Lebens starken Anteil. Neue Schulbauten muß die Bevölkerung durch eine Volksabstimmung genehmigen. So allgemein und lebendig diese Demokratie ist, so altertümlich ist sie auch: Nur in den französischsprachigen Kantonen haben die Frauen das Wahlrecht — und auch noch nicht sehr lange — sonst wählen nur die Männer. Die Schweiz ist in ihrem politischen und ihrem Familienleben recht patriarchalisch. Allerdings fehlt es nicht an Anträgen, den Frauen endlich überall das Wahlrecht zu geben. Die Schweizer haben eine fest integrierte Gesellschaft mit vielen alten Traditionen. Die Schweizer sind weltoffen; sie stellen sich auf die moderne Zeit um, aber sie beharren auf ihrer festen Ordnung. So wird manchem jungen Schweizer sein Land zu eng, und er wandert aus. Nicht, weil ihn wirtschaftliche Notwendigkeit dazu zwingt, sondern weil er Abenteuer sucht und den festen, ja starren Formen des Lebens entfliehen möchte. Die meisten der berühmten Schweizer waren einmal Rebellen. Ihnen war ihr Land zu eng, und seine Traditionen waren ihnen zu starr. So lehnten sie sich auf. Rousseau ging nach Frankreich, der Dichter Gottfried Keller nach Deutschland. Keller ist ein Beispiel dafür, wie ein Rebell später in die Heimat zurückkehrt und für die Gesellschaft tätig wird.

Das Heimweh des Schweizers ist ebenso groß wie sein Fernweh. Eines der bekanntesten deutschen Volkslieder ist die Geschichte vom Schweizer Soldaten, der „in Straßburg auf der Schanz" Wache steht und das Alphorn blasen hört. Das Heimweh ergreift ihn so mächtig, daß er über den Rhein schwimmen will, um in seine Heimat zurückzukehren.

Die Schweiz ist kein Mitglied der UNO, der Vereinten Nationen. Sie ist an keinem Militärbündnis und Wirtschaftsblock beteiligt. Was aber kann und wird sie tun, wenn Europa einmal zu einem vereinigten Wirtschaftsgebiet geworden ist und ein europäisches Parlament besitzt, das Gesetze machen und Beschlüsse fassen kann? Die Schweizer Außenpolitik steht in den nächsten Jahrzehnten vor schweren Entscheidungen. Das Land und seine Bevölkerung werden sich dadurch nicht so schnell ändern, festgefügt wie sie sind.

Zürich

Stausee, Graubünden

Alphörner

Übungen

Geographie

A. Beantworten Sie folgende Fragen:

1) In welchem Teil Europas liegt Deutschland?
2) Welche Stadt liegt auf dem gleichen Breitengrad wie Frankfurt am Main?
3) Welche Nachbarn hatte Deutschland vor dem Zweiten Weltkrieg?
4) Wie groß ist die Bundesrepublik Deutschland?
5) Wieviel Gebiet vom früheren Deutschen Reich umfaßt die Bundesrepublik und wieviel die DDR?
6) Wie viele Menschen leben in der Bundesrepublik auf einem Quadratkilometer?
7) Wie viele Menschen leben in den beiden Teilen Deutschlands?
8) Welche Landschaftsformen lassen sich in Deutschland unterscheiden?
9) In welcher Richtung fließen die meisten großen Flüsse in Deutschland?
10) Wie hoch sind die höchsten Gipfel der Mittelgebirge?
11) Was für ein Klima hat Deutschland?
12) In welchen Gegenden Deutschlands ist es am wärmsten?
13) Wo ist es in Deutschland am kältesten?
14) Wie kann man die Landschaft in Deutschland bezeichnen?
15) Was für eine Wirtschaft haben die meisten Bauern?
16) Welche Getreidesorten werden in Deutschland angebaut?
17) Wo wird Wein angebaut? Warum?
18) Wo gibt es in Deutschland Steinkohle?
19) Welche Bodenschätze kommen in Deutschland vor?
20) Wo sind die wichtigsten Industriegebiete der Bundesrepublik?
21) Welche Kanalverbindungen sind am wichtigsten?
22) Welche Kanalverbindung ist jetzt im Bau?
23) Was sind die wichtigsten deutschen Häfen?
24) Welche Stadt in der Bundesrepublik ist der wichtigste Verkehrsknotenpunkt?
25) Wie viele der Einwohner der Bundesrepublik leben in Großstädten?
26) Welche Städte gelten in Deutschland als Großstädte?
27) Welche deutschen Städte sind Millionenstädte?
28) Aus welchem Zeitalter stammen viele deutsche Städte?
29) Wie viele Städte hat die Bundesrepublik?
30) Wohnen viele Bauern in Einzelhöfen?

B. *Stellen Sie zusammen:*

1) die wichtigsten Daten über Größe und Klima
2) Angaben zu Wirtschaft und Verkehr: Landwirtschaft, Bodenschätze, Industriegebiete, Verkehr
3) Angaben zur Bevölkerung: Einwohnerzahl, Bevölkerungsdichte, Stadt und
   Land

C. *Vergleichen Sie das Maßsystem in Deutschland und in den USA.*

D. *Welche Wörter passen zur Beschreibung von Deutschland?*

1) das Land: groß, klein, abgeschlossen, offen, heiß, kühl, Urwald, Kulturlandschaft, Wüste, Wald;
2) die Wirtschaft: Reis, Mais, Roggen, Milchwirtschaft, Pferdezucht, Holz,
   Steinkohle, Gold, Erdöl, Salz, Industriegebiet, Flußhafen, Furt, Autobahn;
3) die Bevölkerung: Einzelhof, Dorf, Großstadt, dünn besiedelt, dicht besiedelt,
   alte Städte, moderne Gründungen, Minderheiten.

Vergangenheit

1 ∽ Der Beginn der deutschen Geschichte

A. *Beantworten Sie folgende Fragen:*

1) Was beschrieb Tacitus in seinem Buch?
2) Wie lebten die Germanen zu seiner Zeit?
3) Welche Erfahrung hatte Arminius mit den Germanen gemacht?
4) Welche Gefühle gegen Hermann erweckte sein Sieg bei den Germanen?
5) Was war der Limes, und zu welchem Zweck diente er?
6) Welche Einrichtungen hatten die Römer in ihren Städten?
7) Warum wählten die Germanen in der Völkerwanderungszeit Herzöge?
8) Aus welcher Familie stammte Karl der Große?
9) Welche heutigen Länder gehörten zum Reich Karls des Großen?
10) Aus welchen Herzogtümern bestand Deutschland?

B. *Schreiben Sie einen Aufsatz über folgende Themen:*

1) römische Städte auf deutschem Boden
2) das Wort „deutsch"
3) die Bedeutung der Klöster in der Zeit der Karolinger

C. *Wie heißt der Mann, der ____ ist?*

1) römisch 2) christlich 3) germanisch 4) deutsch 5) burgundisch
6) arabisch 7) katholisch 8) spanisch

D. *Wie heißt das Land und das Adjektiv von:*

1) Bayer 2) Franke 3) Franzose 4) Friese 5) Niedersachse 6) Alemanne
7) Lothringer 8) Schweizer 9) Italiener 10) Holländer

E. *Setzen Sie ins Passiv:*

Beispiel: Tacitus beschrieb Mitteleuropa.
   Mitteleuropa wurde von Tacitus beschrieben.

1) Die Römer bildeten Arminius aus.
2) Ein Verwandter ermordete Arminius.
3) Die Römer legten südlich der Donau Städte an.
4) Man nannte das Stadttor die Porta Nigra.
5) Germanische Stämme eroberten Teile des römischen Reiches.
6) Chlodwig besiegte die Nachbarstämme.
7) Die Deutschen benutzten die römischen Bauten als Steinbrüche.
8) Die Karolinger lösten die Merowinger in der Herrschaft ab.
9) Die Mönche erklärten dem Volk die Grundbegriffe des Glaubens.
10) Karl der Große unterwarf in langen Kämpfen die Sachsen.

Setzen Sie jetzt diese Passivsätze ins Perfekt:

Beispiel: Mitteleuropa wurde von Tacitus beschrieben.
   Mitteleuropa ist von Tacitus beschrieben worden.

F. *Setzen Sie die richtigen Präpositionen mit Artikel und Endungen ein:*

Beispiel: Die Germanen waren sehr ____ ihr__ Unabhängigkeit bedacht.
   Die Germanen waren sehr auf ihre Unabhängigkeit bedacht.

1) Die Grenze sollte bis ____ ____ Elbe vorgeschoben werden.
2) Der größte Teil Deutschlands blieb ____ ____ römisch__Kultur.
3) Die Römer sorgten ____ fließend__ heiß__ und kalt__ Wasser.
4) Die germanischen Stämme gingen ____ ____ Wanderung.
5) Chlodwig übernahm viel__ ____ römisch__ Einrichtungen.

6) Karl der Große heißt ___ ___ Franzosen Charlemagne.
7) Der Frankenherrscher teilte sein Land ___ sein__ Söhne.
8) Die Herrschaft ging ___ ander__ Familien über.
9) Das Wort „deutsch" hatte ___ ___ Mönche eine weitere Bedeutung.
10) Deutschland war ein Land ___ viel__ Verschiedenheiten.

G. *Bilden Sie Sätze aus den folgenden Elementen:*

BEISPIEL: bedacht sein auf / mein Freund / seine Ruhe
Mein Freund ist auf seine Ruhe bedacht.

1) verzichten auf / die Franzosen / die Eroberung Amerikas
2) anschließen / der Abgeordnete / die Partei
3) beeinflussen / das Wetter / die Landwirtschaft
4) sich streiten um / die Söhne / das Geld
5) bestehen aus / das Volk / viele Gruppen
6) bemerken / die Grenzbewohner / viele Verschiedenheiten

H. *Bilden Sie vollständige Sätze:*

1) Wir kennen Karl den Großen als . . .
    ein großer Kriegsheld
    eine bekannte Sagenfigur
    ein frommer Christ
    ein weiser Richter
    eine Gestalt unserer Geschichte
2) Die Germanen betrachteten Arminius als . . .
    ein gefährlicher Mann
    ein beliebter Herrscher
    ein freundlicher Mensch
    ein tüchtiger Krieger
    ein halber Römer

I. *Welche Verben gehören zu diesen Wörtern? Bilden Sie Sätze.*

BEISPIEL: eine Einheit
Die Germanenstämme bildeten keine politische Einheit.

1) Mißtrauen 2) auf die Wanderung 3) in Unordnung 4) als Unterkunft
5) Entscheidungen 6) eine Rolle

J. *Definieren Sie die folgenden Ausdrücke durch einen Satz:*

1) die Grenzfestung 2) die Heldensage 3) der Steinbruch 4) die Währung
5) die Zufluchtsstätte 6) die Lateinschule 7) die Erbteilung 8) die Mundart
9) die Sprachgemeinschaft

2 ∽ Die Ungarnschlacht

A. Beantworten Sie folgende Fragen:

1) Mit wem hatte Heinrich I. Schwierigkeiten?
2) Was lehrte Heinrich I. die deutschen Grenzbewohner im Osten?
3) Wen setzte Otto I. zu Herzögen ein?
4) Was richteten die Deutschen im Osten ein?
5) Bis zu welcher Zeit dauerte die Kolonisation des Ostens?
6) Wo wohnte der deutsche König?
7) Wo begann die Reformbewegung in der Kirche?
8) Wie stand Heinrich III. zur Kirchenreform?
9) Was versteht man heute unter einem Canossa-Gang?
10) Was bedeutete das Wormser Konkordat für den Kaiser?
11) Wo lernten die deutschen Ritter die neuen Kunstformen?
12) Was entstand in Palästina während der Kreuzzüge?

B. Schreiben Sie einen Aufsatz über:

1) das Lehenssystem
2) die Lebensweise und Kultur der Ritter
3) der Kaiser und die Fürsten

C. Setzen Sie die passenden Modalverben ein:

BEISPIEL: Heinrich I. ____ dauernd in den Krieg ziehen.
Heinrich I. mußte dauernd in den Krieg ziehen.

1) Otto ____ sich nicht gegen die Ungarn wehren, weil er gegen die deutschen Fürsten kämpfen ____.
2) Ungetreuen Gefolgsleuten ____ der König ihre Lehen entziehen.
3) In Italien ____ der deutsche König Kaiser werden und damit mehr Autorität gewinnen.
4) Die Reformer in Cluny ____ das geistliche Leben reinigen.
5) Jetzt endlich ____ das Zölibat streng durchgeführt werden.
6) Um Macht zu gewinnen, ____ Heinrich IV. den Papst zwingen, ihn loszu-sprechen.
7) Die Ritter lebten in der Welt, und ihre Kultur ____ weltlich sein.
8) Die Epen geben Beispiele, wie sich ein richtiger Ritter verhalten ____.
9) Der Kaiser ____ sich auf die Geistlichen am meisten verlassen.
10) In Italien ____ der Kaiser Steuern erheben.

Setzen Sie diese Sätze ins Perfekt.

D. Verbinden Sie die Sätze durch einen Infinitiv:

BEISPIEL: Es bereitete ihm Mühe. / Er schützte die Grenze.
Es bereitete ihm Mühe, die Grenze zu schützen.

1) Er versuchte es damit. / Er setzte die Herzöge ab.
2) Es war für den Kaiser schwer. / Er zwang die Fürsten zu Diensten.
3) Die Partner verpflichteten sich. / Sie halfen einander.
4) Der Papst versuchte. / Er setzte die Reformideen durch.
5) Die Fürsten halfen dem Papst. / Er bekämpfte den Kaiser.
6) Heinrich zwang den Papst. / Er löste ihn vom Bann.
7) Die Ritter verbrachten ihre Zeit damit. / Sie bereiteten sich auf die Kriege vor.
8) Es ist die Pflicht eines Ritters. / Er hilft den Schwachen.
9) Es ist heute üblich. / Man nennt die Haltung „ritterlich".
10) Es gelang den Kreuzfahrern nicht. / Sie eroberten Palästina auf die Dauer.

E. Welche Präpositionen kommen nach diesen Verben?

1) sich verbünden
2) beruhen
3) denken
4) aufrufen
5) sich vermischen
6) bestehen
7) stammen
8) schützen

Bilden Sie Sätze mit diesen Verben.

F. Setzen Sie ein Verb mit einem **be-** Präfix ein:

BEISPIEL: Er antwortete auf meine Frage.
Er beantwortete meine Frage.

1) Heinrich kämpfte gegen die slawischen Wenden.
2) Otto siegte schließlich über die Ungarn.
3) Der Fürst wohnte in einer Burg.
4) Die Verwandten drohten dem Kaiser.
5) Die Geistlichen achteten nicht auf die Regeln.
6) Die Dichter schrieben von dem Leben der Ritter.

G. Bilden Sie die Sätze mit einem Reflexivverb um:

BEISPIEL: Die Einwanderung vermehrt die Bevölkerung.
Die Bevölkerung vermehrt sich durch die Einwanderung.

1) Die Kolonisation verschob die Grenze nach Osten.
2) Die Pest verminderte die Bevölkerung Deutschlands.
3) Das Lehen verpflichtete den Adeligen zu Diensten.

4) Die Missionare verbreiteten das Christentum.
5) Die Ritter entwickelten die Dichtung in der Nationalsprache.
6) Die Kreuzzüge veränderten die mittelalterliche Kultur.

H. *Definieren Sie die folgenden Ausdrücke durch einen Satz:*

1) die Mark   2) der Geldumlauf   3) der Stand   4) die Naturalwirtschaft
5) der Bann   6) das Turnier   7) die Pfalz   8) das Privileg   9) der Kreuzzug

I. *Bilden Sie vollständige Sätze:*

1) Der Ritter hilft . . .
   der arme Mann
   hilflose Frauen
   der römische Kaiser
   die reisenden Kaufleute
   die schöne Dame
2) Der Ritter schützt . . .
   die schönen Damen
   der reisende Kaufmann
   die hilflose Frau
   arme Leute
   der christliche Pilger

3 ⌒ Barbarossa

A. *Beantworten Sie folgende Fragen:*

1) Was ist der Kyffhäuser und wo liegt er?
2) Was für ein Leben hatte Walther von der Vogelweide?
3) In welchem Stil bauten die Kaiser ihre Dome?
4) Wer war der größte Feind des Kaisers?
5) Welche Länder beherrschte Heinrich der Löwe?
6) Wie schlichtete Kaiser Friedrich den Streit um Bayern?
7) Was versuchte Barbarossa mit Mailand?
8) Was wollte Barbarossa in Palästina erreichen?
9) Wie schaffte sich Friedrich II. in Deutschland Ruhe?
10) Was geschah mit dem letzten Hohenstaufen?
11) Was wurde durch die Verfassung Deutschlands erleichtert?
12) Welche deutschen Staaten begannen im späteren Mittelalter eine Rolle zu spielen?

B. *Schreiben Sie einen Aufsatz über folgende Themen:*

1) Friedrich Barbarossa und Heinrich der Löwe
2) die Kultur der Stauferzeit
3) Kaiser und Papst in der Zeit der Hohenstaufen

C. *Wählen Sie aus den hier aufgeführten Ausdrücken den jeweils passenden aus:*

das Kaiserreich (*pl.* -e)   die Grafschaft (*pl.* -en)   das Bistum (*pl.* ⸚er)
das Königreich (*pl.* -e)   das Fürstentum (*pl.* ⸚er)   die Abtei (*pl.* -en)
des Herzogtum (*pl.* ⸚er)

Deutschland war viele Jahrhunderte lang ein ____ (Land eines Kaisers) und zugleich ein ____ (Land eines Königs). Es hatte zu Beginn fünf ____ (Länder von Herzögen), später wurden es mehr. Die Fürsten, die den König wählten, hießen Kurfürsten, und ihre Länder ____. Außer den weltlichen Fürsten gab es geistliche, zum Beispiel Bischöfe. Manche ____ waren sehr groß. Auch manche ____ (Länder von Äbten) waren bedeutend. Ein Graf, der sein Land an der Grenze hatte, hieß manchmal Markgraf. Brandenburg war eine solche ____, später war es ein ____ (Land eines Kurfürsten) und noch später Teil eines ____ (Land eines Königs).

D. *Setzen Sie die Sätze ins Präteritum und Perfekt:*

BEISPIEL: In der Höhle sitzt Barbarossa.
           In der Höhle saß Barbarossa.
           In der Höhle hat Barbarossa gesessen.

1) Die Sage läßt Barbarossa hier auf das neue Reich warten.
2) Die deutschen Dichter gestalten viele Sagenstoffe.
3) Der Minnesänger trägt das Lied den Rittern vor.
4) In Frankreich setzt sich der neue Baustil durch.
5) Walther nimmt aktiv an den Kämpfen teil.
6) Diese Mischung kennzeichnet auch die Politik.
7) Zwei Familien rivalisieren miteinander.
8) Friedrich belehnt Otto von Wittelsbach mit Bayern.
9) Die Normannen lassen sich in Sizilien nieder.
10) Friedrich zieht wieder nach Italien.

E. *Wie lautet der Superlativ?*

BEISPIEL: Heinrich der Löwe baute einen großen Dom.
           Heinrich der Löwe baute den größten Dom.

1) Die Zugspitze ist ein hoher Berg in den bayerischen Alpen.

2) Das Nibelungenlied ist ein bekanntes Epos aus dem Mittelalter.
3) Walther von der Vogelweide hatte ein abenteuerliches Schicksal.
4) Bayern war ein wichtiger Streitpunkt.
5) Mailand war eine reiche und mächtige Handelsstadt.
6) Friedrichs Verwaltung in Sizilien war damals eine moderne Verwaltung.
7) Die Stauferzeit war eine glanzvolle Epoche des Kaisertums.
8) Österreich und Sachsen wurden bedeutende Staaten in Deutschland.

F. *Ergänzen Sie die Sätze:*

1) Die Phantasie des Volkes versetzte Barbarossa in ____ ____.
2) Auf der Wartburg trafen mehrere Sänger zu ____ ____ zusammen.
3) Die romanischen Dome zeugen von ____ ____ ____.
4) Der französische König wollte unabhängig von ____ ____ sein.
5) Barbarossa zog mit ____ ____ nach Italien.
6) Der Papst suchte bei ____ ____ Hilfe gegen den Kaiser.
7) Der Kaiser konnte Deutschland nicht zu ____ ____ entwickeln.
8) Das Mittelalter erzählte viele Geschichten über ____.

G. *Verbinden Sie die beiden Sätze mit* **als**:

Beispiel: Barbarossa wachte auf. / Die Not war groß.
   Barbarossa wachte auf, als die Not groß war.

1) Die Deutschen dachten an Barbarossa. / Sie kämpften um die nationale Einheit.
2) Walther dichtete viele Lieder. / Er zog im Lande umher.
3) Friedrich schlichtete die Streitigkeiten. / Er wurde Kaiser.
4) Das deutsche Heer war in Rom. / Die Pest brach aus.
5) Friedrich besiegte Heinrich den Löwen. / Er kam aus Italien zurück.
6) Heinrich VI. starb mit 33 Jahren. / Er wollte zu einem Kreuzzug aufbrechen.
7) Friedrich II. gab den Fürsten Privilegien. / Er kam nach Deutschland.
8) Die Herrschaft der Hohenstaufen endete. / Konradin wurde in Neapel enthauptet.

Beginnen Sie mit dem **als** - *Satz.*

Beispiel: **Als die Not groß war, wachte Barbarossa auf.**

H. *Definieren Sie die folgenden Ausdrücke durch einen Satz:*

1) die Sagengestalt   2) der Spielmann   3) die Buchmalerei   4) der Landadel
5) der Gegenkönig 6) der Nationalstaat 7) der Einheitsstaat 8) der Kanzler

4 ᷾ Der Totentanz

A. Beantworten Sie folgende Fragen:

1) Welcher neue Stand kam jetzt zur Gesellschaft hinzu?
2) Warum bekam das Bürgertum in Italien schneller Bedeutung als in Deutschland?
3) Welches Ziel hatten die Städte bei ihrem Kampf gegen die Fürsten?
4) Welches Vorbild hatten die deutschen Städte in ihrer Verfassung?
5) Wodurch bekamen die Städte größere Macht?
6) Wodurch war das wirtschaftliche Leben im Mittelalter geregelt?
7) Wie waren die Handwerker eingeteilt?
8) Warum waren die Handelsgüter im Mittelalter teuer?
9) Für welche Zeit brauchte man viele Fische?
10) Was hat Götz von Berlichingen geschildert?
11) Wann fanden in den Städten Theateraufführungen statt?
12) Was ist oft am Hauptportal einer gotischen Kirche dargestellt?

B. Schreiben Sie einen Aufsatz über folgende Themen:

1) die Laufbahn eines Handwerkers im Mittelalter
2) der mittelalterliche Handelsverkehr
3) die Kultur des mittelalterlichen Bürgertums

C. Setzen Sie das jeweils richtige Wort ein:

1) Eine Stadt, die sich selbst regierte und nur dem Kaiser untertan war, hieß eine ____.
2) Das Recht, Geld zu prägen, heißt das ____.
3) Aachen war berühmt wegen seiner ____.
4) Ein Handwerker, der sein eigenes Geschäft hat und Lehrlinge ausbildet, ist ein ____.
5) Die reichen Kaufleute und Bankiers hießen auch ____.
6) Der Spitzname der Kaufleute im Mittelalter war ____.
7) Ritter, die Kaufleute überfielen und ausraubten, hießen ____.
8) Die Häuser, in denen die Verwaltung der Stadt untergebracht ist, heißen ____.

D. Setzen Sie **war** oder **wurde** (mit der richtigen Endung) ein:

1) Die Heilquellen in Aachen ____ schon lange berühmt.
2) Frankfurt ____ jetzt als Stadt angelegt.
3) Der Bürgermeister ____ ein tatkräftiger Mann.
4) Einige der italienischen Patrizier ____ Fürsten.
5) Je mehr sich die Wirtschaft entwickelte, desto wichtiger ____ die Städte.

6) Die meisten Verträge ＿＿ mündlich abgeschlossen.

7) Die Kaufleute＿＿ auch in Gruppen eingeteilt.

8) Der Konkurrenz ＿＿ enge Grenzen gesetzt.

9) Nur sehr wichtige Güter ＿＿ transportiert.

10) Die Gewürze ＿＿ damals sehr teuer.

E. *Bilden Sie von diesen Substantiven Adjektive mit der Endung* **–ig** *oder* **–lich**:

1) Bürger   2) Kraft   3) Fürst   4) Macht   5) Wirtschaft   6) Vertrag
7) Kirche   8) Adel   9) Abenteuer   10) Gott

Ersetzen Sie die schräggedruckten Worte durch eines dieser Adjektive:

1) die Kultur *der Bürger*
2) die Sicherung *durch einen Vertrag*
3) die Herkunft *aus dem Adel*
4) die Gnade *Gottes*
5) ein junger Mann *voll Kraft*
6) eine Krise *der Wirtschaft*
7) ein Leben *voll von Abenteuern*
8) die Verwaltung *der Kirche*
9) ein Trinkgeld *wie von einem Fürsten*
10) ein Herrscher *voll Macht*

F. *Bilden Sie Sätze aus diesen Elementen:*

BEISPIEL: berühmt sein wegen / Bier
Milwaukee ist wegen seines Biers berühmt.

1) rechnen müssen mit / Gegner
2) das Gegengewicht bilden / Opposition
3) das Leben schwer machen / Studenten
4) verantwortlich sein / Regierung
5) sich lustig machen über / die Kinder
6) sichtbar machen / die Unruhen
7) beitragen zu / die Unordnung des Landes
8) Gelegenheit geben / das Stipendium

G. *Bilden Sie Relativsätze:*

BEISPIEL: Italien entwickelte sich schneller. / Es hatte die römische Stadtkultur erhalten.
Italien, das die römische Stadtkultur erhalten hatte, entwickelte sich schneller.

1) Heinrich der Löwe bekam München. / Es war gerade gegründet worden.
2) Die reicheren Leute regierten die Stadt. / Sie waren Kaufleute oder Bankiers.

3) Die Hanse war sehr mächtig. / Ihre wichtigste Stadt war Lübeck.
4) Eine Stadt konnte Märkte abhalten. / Ihr wurde das Marktrecht gegeben.
5) Ein Geselle übernahm das Geschäft. / Sein Vater war Meister.
6) Die Zahl der Lehrlinge war festgelegt. / Der Meister konnte sie nehmen.
7) Alle Städte wurden reich. / Die Salzfahrer mußten ihnen Zoll zahlen.
8) Die Möbel wurden viel teurer. / Sie waren vorher einfach und billig.
9) Götz von Berlichingen war ein Raubritter. / Wir kennen ihn durch seine Autobiographie.
10) Die Maler hatten einen realistischen Stil. / Wir kennen heute noch ihre Werke.

H. Aus welchen Verben sind die folgenden Substantive gebildet?

1) Bedeutung 2) Kolonisierung 3) Entwicklung 4) Siedlung 5) Niederlassung 6) Kleidung 7) Stellung 8) Dichtung 9) Darstellung 10) Veränderung

Verwandeln Sie die Redewendung in einen Satz mit einem Verb.

BEISPIEL: die Beschäftigung der Menschen mit dem Tode
Die Menschen beschäftigten sich mit dem Tode.

1) die Kolonisierung des Ostens durch die Deutschen
2) die Darstellung des Jüngsten Gerichts an den Portalen
3) die Niederlassung der Spanier in Amerika
4) die Entwicklung der Wirtschaft durch die Bürger

5 ◦ Die Reformation

A. Beantworten Sie folgende Fragen:

1) Mit welchem Ereignis begann die Reformation in Deutschland?
2) Aus welchem Lande stammte Luthers Vater?
3) Seit wann gab es in Deutschland Universitäten?
4) Welches Fach lehrte Luther an der Universität?
5) Bei welchem Anlaß stieß Luther mit der Kirche zusammen?
6) Was tat Luther mit der päpstlichen Bulle?
7) Warum war Luther in Worms in großer Gefahr?
8) Wie wurde Luthers Zeitalter auch genannt?
9) Welche Haltung nahm Luther im Bauernkrieg ein?
10) Wie endete der Schmalkaldische Krieg?

11) Wozu dienten die Theateraufführungen der Jesuiten?
12) Wie wirkte die Entdeckung Amerikas auf die deutsche Wirtschaft?

B. *Schreiben Sie einen Aufsatz über:*

1) das Leben Martin Luthers
2) die deutsche Gesellschaft um 1500
3) Luthers Bibelübersetzung und die Entwicklung der deutschen Sprache

C. *Bilden Sie Adjektive mit den Endungen* **-lich**, **-ig**, **-isch** *oder* **-haft**:

1) Legende   2) Volkstum   3) Akademie   4) Historie   5)Geschichte
6) Vorteil   7) Literatur   8) Gesellschaft   9) Welt   10) Zorn   11) Luther
12) Latein   13) Wirtschaft   14) Beruf   15) Franzose

D. *Ergänzen Sie die Endungen:*

1) Luthers Vater kam zu groß__ Wohlstand.
2) Für intelligent__ jung__ Leute gibt es gute Möglichkeiten.
3) Luther wurde von stark__ Zweifel__ gequält.
4) Ein Mensch mit tief__ Glauben akzeptierte das nicht.
5) Der Kaiser bemühte sich um neu__ Gesetze.
6) Das damalige Zeitalter war interessiert an technisch__ Wissen.
7) Luther stand vor schwer__ Entscheidungen.
8) In einigen katholisch__ Länder__ wohnten auch Protestanten.

E. *Bilden Sie einen neuen Satz mit dem Verb in Klammern:*

BEISPIEL: Der Kranke befolgte alle Vorschriften. (folgen)
Der Kranke folgte allen Vorschriften.

1) Luther plante nicht die Gründung einer neuen Kirche. (denken an)
2) Luther kämpfte kräftig für seine Lehre. (verteidigen)
3) Kopernikus beschrieb das Planetensystem. (schreiben über)
4) Moritz von Sachsen fiel vom Kaiser ab. (verraten)
5) Friedrich der Weise unterstützte den Reformator. (helfen)
6) Luther erlebte ein heftiges Gewitter. (geraten in)
7) Luther ermahnte die Fürsten. (sich wenden an)
8) Bei den Theateraufführungen benutzten die Jesuiten Lichteffekte. (arbeiten mit)

F. *Setzen Sie die richtigen Modalverben ein:*

1) Luthers Vater sagte, daß der Sohn Jura studieren ____.
2) Luther fragte sich: Wie ____ der Mensch ein Gott wohlgefälliges Leben führen?

3) Er gelobte, daß er Mönch werden ____.
4) Nur Gottes Gnade ____ den Menschen erlösen.
5) Einen Menschen wie Luther ____ der Ablaßhandel empören.
6) Das Ziel der Kirche war, daß Luther widerrufen ____.
7) Als Luther die Bannbulle verbrannte, ____ der Kaiser eingreifen.
8) Um sich verständlich zu machen, ____ Luther eine einheitliche deutsche Sprache schaffen.
9) Wer die Gesellschaft verändern ____, hoffte auf Luther.
10) Luther ____ nur von den Fürsten Schutz erhalten.

G. *Setzen Sie die Sätze ins Passiv:*

BEISPIEL: Man faßt die positiven Folgen ins Auge.
Die positiven Folgen werden ins Auge gefaßt.

1) Man baut immer noch die Mansfelder Kupfervorkommen ab.
2) Man hatte vorher kein Griechisch gelehrt.
3) Man achtete einen Doktortitel sehr hoch.
4) Man hat Luther als Abgesandten des Ordens nach Rom geschickt.
5) Man konnte sich die Befreiung von den Sünden erkaufen.
6) Man wird den spanischen König zum Kaiser wählen.
7) Man kann Luthers Sprache auch heute noch leicht verstehen.
8) Man hat die neuen Methoden auch in der Wirtschaft angewendet.
9) Man besiegte und unterdrückte die aufständischen Bauern.
10) Man hat der deutschen Wirtschaft nicht durch die neuen Entdeckungen geholfen.

H. *Bilden Sie Sätze aus diesen Elementen:*

1) auffordern zu / Reformen
2) eintreten in / die Firma
3) sich vertiefen in / das Problem
4) führen zu / der Erfolg
5) sich verbreiten in / die ganze Welt
6) erzwingen / die Unabhängigkeit
7) sich bekennen zu / die neue Auffassung
8) erziehen / die Kinder

I. *Definieren Sie die folgenden Wörter durch einen Satz:*

1) die Disputation   2) das Kupfervorkommen   3) der Jurist   4) die Schutzpatronin   5) das Konzil   6) die Exegese   7) der Ablaßhandel   8) die Bulle   9) der Kurfürst   10) das Flugblatt   11) die Landeskirche   12) die Gegenreformation

6 ↷ Der Fenstersturz von Prag

A. Beantworten Sie folgende Fragen:

1) In welchem Land begann der Dreißigjährige Krieg?
2) Warum wurde Friedrich V. der Winterkönig genannt?
3) Wer waren die bekanntesten Heerführer im Dreißigjährigen Krieg?
4) Warum war des Reich nach 1648 kaum mehr als ein Name?
5) Bei welcher Gelegenheit zeigte das Reich seine Einheit?
6) Welcher König war das Vorbild für die deutschen Fürsten?
7) Wie wurden die neuen Residenzstädte angelegt?
8) Wer schrieb und wer komponierte die erste deutsche Oper?
9) Wo studierten viele protestantische Schlesier?
10) Was für ein Werk ist der „Simplicissimus"?

B. Schreiben Sie einen Aufsatz über folgende Themen:

1) die Ergebnisse des Westfälischen Friedens
2) der Barockstil
3) die deutsche Literatur im 17. Jahrhundert

C. Setzen Sie das richtige Wort ein:

1) Im Kriege nennt man die Menschen, die nicht zur Armee gehören, ____.
2) Ein Drama in drei Teilen heißt ____.
3) Staaten, die ganz unabhängig sind, haben ihre volle ____.
4) Der am Hof des Fürsten lebende Adel hieß ____.
5) Kleine religiöse Gruppen, die nicht zu den offiziellen Kirchen gehören, heißen ____.
6) In Europa hatten die großen Staaten ungefähr gleich viel Macht. Es bestand also ein ____ der Mächte.
7) Die Stadt, in der der Fürst sein Schloß hat und wo er wohnt, ist seine ____.
8) Da alle Menschen, Tiere und Pflanzen sterben oder vergehen, spricht man von der ____ des irdischen Lebens.
9) Ein Mensch, der allein auf einer Insel wohnt, wird ein ____ genannt.

D. Bilden Sie Relativsätze:

BEISPIEL: Dreißig Jahre dauerte der Krieg. / Alle europäischen Länder waren daran beteiligt.

Dreißig Jahre dauerte der Krieg, an dem alle europäischen Länder beteiligt waren.

1) Wallenstein wurde in Eger ermordet. / Schiller schrieb ein Drama über ihn.

2) Die Adeligen mußten dem Fürsten folgen. / Sie waren von ihm abhängig.

3) Der Spanische Erbfolgekrieg dauerte 13 Jahre. / Bayern war in ihm mit Frankreich verbündet.

4) Die Naturwissenschaften entwickelten sich sehr. / Die Schlesier kamen mit ihnen in Leiden in Berührung.

5) Die Vergänglichkeit war das Hauptthema von Gryphius. / Der Krieg erinnerte ihn ständig an sie.

6) Es war ein festlicher Stil. / Der Glanz Gottes wurde dadurch gezeigt.

7) Grimmelshausen schrieb den Simplicissimus. / Das Leben während des Krieges wird darin beschrieben.

8) Opitz verfertigte viele Übersetzungen. / Die deutschen Dichter haben viel aus ihnen gelernt.

E. *Bilden Sie einen neuen Satz; verwenden Sie das Gegenteil des schräggedruckten Wortes:*

BEISPIEL: Alle drei waren *verletzt*.
    Alle drei waren unverletzt.

1) Die Schweiz war vom Reich *abhängig*.

2) Die Sekten hatten ein *sicheres* Leben.

3) Deutschland spielte eine *große* Rolle.

4) Schlesien war ein *armes* Land.

5) Die Städte sind *unregelmäßig* angelegt.

6) Die spanische Dichtung war sehr *bedeutend*.

7) Simplicius *begann* sein Leben als Einsiedler.

8) Der „Simplicissimus" war ein *Mißerfolg*.

F. *Beginnen Sie mit einem Kausalsatz mit* **da**:

BEISPIEL: Seine Herrschaft war bald zuende, denn die kaiserlichen Truppen besiegten ihn.
    Da ihn die kaiserlichen Truppen besiegten, war seine Herrschaft bald zuende.

1) Die Menschen hatten viel zu leiden, denn die Heere zogen plündernd durch das Land.

2) Der Friedensschluß war schlecht für das Reich, denn die Fürsten bekamen ihre volle Selbständigkeit.

3) Die Fürsten bauten prachtvolle Schlösser, denn sie wollten Versailles nachahmen.

4) Opitz hatte großen Einfluß, denn seine Lehren und Übersetzungen zeigten den deutschen Dichtern eine neue Richtung.

5) Es gab keine protestantische Universität in Schlesien, denn die Regierung war katholisch.

6) Simplicissimus lebte als Einsiedler, denn die Menschen waren unmoralisch.

G. Setzen Sie das passende Verb ein:

BEISPIEL: Der Kaiser wollte den Adeligen das Recht auf Kirchenbau ____.

Der Kaiser wollte den Adeligen das Recht auf Kirchenbau entziehen.

1) Der Dreißigjährige Krieg wurde sehr grausam ____.
2) Schiller hat Wallensteins Ermordung in einem Drama ____.
3) Deuschland als Ganzes ____ keine Rolle mehr.
4) Der Große Kurfürst hat eine moderne Verwaltung ____.
5) In Holland ____ religiöse Toleranz.
6) Opitz' Werk ____ vor allem aus Übersetzungen.
7) Die deutsche Dichtung wollte Anschluß an die europäische Tradition ____.
8) Simplicissimus mußte sich zuletzt von der Welt ____.

Bilden Sie einen anderen Satz mit diesen Verben.

BEISPIEL: **Die Verordnung entzieht den Besitzern das Recht, hier eine Fabrik zu bauen.**

7 ∽ Die Staatsräson

A. Beantworten Sie folgende Fragen:

1) Unter welchem Begriff werden die Tendenzen des 18. Jahrhunderts zusammengefaßt?
2) Welcher Überzeugung war man in bezug auf die Natur des Menschen?
3) Welche Sprache wurde um 1700 an den deutschen Höfen gesprochen?
4) Auf welchen Gebieten war Leibniz tätig?
5) Welches Land in Deutschland bildete nach 1700 den kulturellen Mittelpunkt?
6) Für welches Fach an der Universität konnten Söhne armer Eltern Stipendien bekommen?
7) Warum hatte ein Hofmeister gute Aussichten, Pfarrer zu werden?
8) In welchem Krieg wurde Prinz Eugen berühmt?
9) Um welche Provinz kämpften Preußen und Österreich?
10) Wie beurteilten viele Deutsche die preußischen Siege im Siebenjährigen Krieg?
11) Um welchen Posten in Berlin bemühte sich Lessing?
12) Welche Schwierigkeiten hatte der Philosoph Kant?

B. Schreiben Sie einen Aufsatz über folgende Themen:

1) das deutsche Bürgertum im 18. Jahrhundert
2) Preußen unter Friedrich II.
3) die deutsche Literatur von Gottsched bis Lessing

C. Verbinden Sie die beiden Sätze; beginnen Sie den ersten Satz mit **wo**:

BEISPIEL: Es war am wenigsten Freiheit vorhanden. / Die Ideen waren am radikalsten.
Wo am wenigsten Freiheit vorhanden war, waren die Ideen am radikalsten.

1) Das Bürgertum war nicht wohlhabend. / Es konnte nicht politisch führend sein.
2) An den Höfen wurde nur Französisch gesprochen. / Die deutsche Literatur konnte sich nicht entwickeln.
3) Vater und Sohn verstanden einander nicht. /Es mußte zu Konflikten kommen.

Beginnen Sie den ersten Satz mit **wie**:

4) Man sollte sich richtig verhalten. / Man konnte (es) in Gellerts Dichtungen lesen.
5) Die preußische Armee kämpfte im Siebenjährigen Krieg. / (Es) erweckte die Bewunderung vieler Deutscher.
6) Er stellte sich den idealen Herrscher vor. / Friedrich II. schrieb (es) in seiner Zeit als Kronprinz.

Beginnen Sie den ersten Satz mit **wenn**:

7) Alle Menschen handeln vernünftig. / Ein Paradies auf der Erde entsteht.
8) Das Bürgertum wollte Erfolg haben. / Es mußte seine geistige Freiheit erkämpfen.
9) Ein Theologe verließ die Universität. / Er mußte Hofmeister werden.
10) Die Fürsten gingen ins Ausland. / Sie konnten mehr Macht gewinnen.

D. Verbinden Sie die beiden Sätze mit **um — zu**:

BEISPIEL: Das Bürgertum brauchte wirtschaftliche Freiheit. / Es wollte sich entwickeln.
Das Bürgertum brauchte wirtschaftliche Freiheit, um sich zu entwickeln.

1) Thomasius ging nach Halle. / Er wollte seine neuen Ideen durchsetzen.
2) Gottsched schrieb ein Lehrbuch über die Dichtung. / Er wollte der Literatur eine neue Richtung geben.
3) Viele junge Leute wählten Theologie. / Sie wollten ein Stipendium bekommen.
4) Viele Theologen wurden freie Schriftsteller. / Sie mußten nicht Pfarrer werden.
5) Prinz Eugen ging nach Österreich. / Er konnte Offizier werden.

6) Friedrich korrespondierte mit Voltaire. / Er wollte sein Französisch verbessern.
7) Friedrich eroberte Schlesien. / Er wollte Preußen zu einer Großmacht erheben.
8) Lessing schrieb sein letztes Drama. / Er wollte seine Ideen über die Religion ausdrücken.

E. *Bilden Sie Sätze aus diesen Elementen:*

1) Leibniz / sich einsetzen für
2) der Adel / interessiert sein an
3) der Pfarrer / sich befassen mit
4) Friedrich II. / übereinstimmen mit
5) Prinz Eugen / sorgen für
6) Maria Theresia / sich zurückziehen von

F. *Vervollständigen Sie die Sätze mit dem Objekt im Dativ oder Akkusativ:*

BEISPIEL: Das Licht der Vernunft wird ____ gebracht. (die Menschen)
Das Licht der Vernunft wird den Menschen gebracht.

1) Die Würde ist ____ gemeinsam. (alle Leute)
2) Der Mensch muß ____ überwinden. (seine Vorurteile)
3) Das Bürgertum wollte ____ schaffen. (ein neuer Adel)
4) Die Eroberung von Belgrad gelang ____. (der Prinz Eugen)
5) Die Aufklärung erträumte ____. (ein gebildeter Herrscher)
6) Friedrich bereitete ____ Schwierigkeiten. (die Kaiserin)
7) Andere Staaten ahmten ____ nach. (die preußische Verwaltung)
8) Die Professur gab ____ mehr freie Zeit. (der Philosoph)

G. *Wie heißen die Verben zu folgenden Substantiven?*

1) der Bettler   2) die Entwicklung   3) der Gebrauch   4) der Kampf
5) der Bediente   6) die Diskussion   7) die Bildung   8) die Sparsamkeit
9) die Flucht   10) die Heirat

Bilden Sie je einen Satz mit diesen Verben.

H. *Definieren Sie diese Worte durch einen Satz:*

1) die Schöpfung   2) die Säkularisierung   3) die Kulturkritik   4) das Stipendium   5) der Hofmeister   6) der Journalist   7) die Staatskasse   8) die Toleranz   9) die Zensur   10) der Privatdozent

8 ∽ Die Goethezeit

A. Beantworten Sie folgende Fragen:

1) Was erlebte Goethe als junger Mensch mit?
2) An welchen Universitäten studierte Goethe?
3) Was versuchten Goethe und Schiller?
4) Wo fand sich die erste Gruppe der Romantiker zusammen?
5) Was kritisierten die Romantiker an der Aufklärung?
6) Als was stellte Madame de Staël Deutschland dar?
7) Welche Formen entwickelten sich in der Musik?
8) Was verstanden die Deutschen zu dieser Zeit unter „Vaterland"?
9) Wodurch entstand der Nationalismus in Deutschland?
10) Auf welchen Gebieten der Verwaltung hatte sich der Freiherr vom Stein ausgezeichnet?
11) Was waren die wichtigsten Reformen in Preußen?
12) Welche Universität wurde in Deutschland vorbildlich?
13) Welche Verfassung bekam Deutschland 1815?
14) Welche deutschen Staaten waren am fortschrittlichsten?
15) Wie wurde die Zeit nach 1815 genannt?

B. Schreiben Sie einen Aufsatz über folgende Themen:

1) die deutsche Klassik und Romantik
2) Carl August von Sachsen-Weimar und die deutsche Kultur
3) Deutschland und die Französische Revolution

C. Ergänzen Sie folgende Sätze:

1) Eine Stadt, in der der König gekrönt wird, heißt ____.
2) Ein Philosoph, der die Gesetze der Geschichte bestimmt, ist ein ____.
3) Das oberste deutsche Gericht in Wetzlar hieß ____.
4) Die Zahl von Exemplaren eines Buches, die der Verlag auf einmal druckt, ist eine ____ des Buches.
5) Ein Stellenangebot an einen Professor nennt man eine ____.
6) Die wichtigste Form der Orchestermusik wurde zur Zeit Haydns die ____.
7) Ein Lied, dessen Dichter nicht bekannt ist und das vom Volke gesungen wird, ist ein ____.
8) Ein Mensch, dem der Fortschritt in der Welt wichtiger ist als sein Vaterland, ist ein ____.

D. Setzen Sie die Adjektivendungen ein:

1) Goethe erlebte als jung__ Mensch wichtig__ Ereignisse im Heilig__ Römisch__ Reich deutsch__ Nation.

2) Goethe stammte aus einer wohlhabend__ Familie und hatte zu höher__ Kreisen Zugang.

3) Der jung__ Mann bemühte sich um gesellschaftlich__ Eleganz und schrieb die erst__ Gedichte.

4) Viele groß__ Männer kamen nach Frankfurt, um den berühmt__ Verfasser der „Leiden des jung__ Werthers" zu sehen.

5) Wielands Romane hatten das Beispiel eines vorbildlich__ deutsch__ Stils gegeben.

6) Goethe wollte die südlich__ Sonne und die rein__ Schönheit der griechisch__ Kunst auf den deutsch__ Boden verpflanzen.

7) Französisch__ Kritiker sehen den „Faust" als eine romantisch__ Dichtung an.

8) Hegel entwickelte in Jena seine dialektisch__ Methode und sein idealistisch__ System.

9) Im Vergleich zu dem fortschrittlich__ Frankreich war Deutschland ein rückständig__ Land, und es sah aus wie eine friedlich__ Idylle.

10) Der Herzog konnte kein ausreichend__ Gehalt bezahlen, und so hatten viele jünger__ Professoren ständig__ finanziell__ Schwierigkeiten.

E. Ersetzen Sie den Relativsatz durch eine Wendung mit dem Partizip:

BEISPIEL: Nach Wien zog Beethoven, der in Bonn geboren war.
Nach Wien zog der in Bonn geborene Beethoven.

1) Goethe, der aus einer wohlhabenden Familie stammte, wurde Minister in Weimar.

2) Herder, der als Literaturkritiker bekannt war, begeisterte Goethe für Shakespeare.

3) Die deutschen Schriftsteller, die damals von Unterstützungen abhingen, hatten ein schweres Leben.

4) So begann die Freundschaft der beiden, die bis zum Tode Schillers dauerte.

5) Goethe, der von Italien zurückgekehrt war, fand wenig Verständnis für seine neuen Ideen.

6) Madame de Staël stellte die deutsche Kultur in einem Buch dar, das damals viel gelesen wurde.

7) Die Entwicklung, die zum deutschen Nationalismus führte, begann mit der Niederlage Preußens.

8) Die Universität, die von Humboldt in Berlin gegründet worden war, wurde zum Vorbild für die Universitätsreform.

F. Bilden Sie Sätze aus diesen Elementen:

1) stammen aus / der Adel
2) sich vertiefen in / die Bibel
3) helfen bei / die Verwaltung
4) bestehen aus / viele kleine Länder
5) sich abwenden von / die Politik
6) hoffen auf / der einheitliche Staat
7) sich verbinden mit / der wirtschaftliche Fortschritt
8) eintreten in / die Armee

G. Wie heißen die Adjektive zu folgenden Substantiven?

BEISPIEL: Politik — **politisch**

1) Bedeutung 2) Beruf 3) Gesellschaft 4) Dichter 5) Ehrgeiz 6) Möglichkeit 7) Menschlichkeit 8) Dialektik 9) Frieden 10) Armut 11) Kultur
12) Musik

*Welche Substantive können diese Adjektive ergänzen? Geben Sie zwei Beispiele
für jedes Adjektiv.*

BEISPIEL: politisch — **die politische Einheit**
                    die politische Versammlung

9 ⌒ Der deutsche Nationalstaat

A. Beantworten Sie folgende Fragen:

1) Warum zogen die Studenten 1817 auf die Wartburg?
2) Welche Themen hat Carl Spitzweg gemalt?
3) Warum verließ Georg Büchner Hessen?
4) Welches Problem war in der deutschen Wirtschaft besonders akut?
5) Wie viele Deutsche wanderten in die USA aus?
6) Wodurch hatten die Dorfbewohner in den Gebirgen Geld verdient?
7) Wo tagte die Nationalversammlung?
8) Was war die erste politische Organisation der deutschen Arbeiter?
9) Welche Posten hatte Bismarck bis 1862?
10) Was war Bismarcks außenpolitisches Ziel bis 1871?
11) Als was fühlten sich die Deutschen nach 1871?
12) Was war Bismarcks Außenpolitik nach 1871?

13) Welches Ziel hatte Bismarck bei dem Kulturkampf?
14) Was wollte Bismarck durch die Sozialgesetze erreichen?
15) Warum nahm Bismarck seinen Abschied?

B. *Schreiben Sie einen Aufsatz über folgende Themen:*

1) die deutsche Literatur im 19. Jahrhundert
2) die Industrialisierung in Deutschland und ihre Kritiker
3) die Nationalversammlung und die politischen Parteien
4) Bismarcks Lebenslauf
5) die innenpolitischen Probleme des Deutschen Reiches nach 1871

C. *Definieren Sie durch einen deutschen Satz:*

1) die Burschenschaften 2) das Biedermeier 3) der Zollverein 4) der Deutsche Bund 5) die Nationalversammlung 6) das Zentrum 7) die Zivilehe 8) die Sozialistengesetze 9) die Sonntagsruhe 10) die Gewerkschaft 11) das Sozialgesetz 12) der Reichstag

D. *Setzen Sie in die indirekte Rede:*

BEISPIEL: Heine sagte: ,,Es beginnt ein neues Zeitalter.“
   Heine sagte, daß ein neues Zeitalter beginne.
   Die Studenten fragten: ,,Dürfen wir die Feier abhalten?“
   Die Studenten fragten, ob sie die Feier abhalten dürften.

1) Marx forderte: ,,Die Philosophie soll die Welt verändern.“
2) Die Sozialisten fragten: ,,Kann der Kapitalismus durch eine fortschrittlichere Idee überwunden werden?“
3) Die Gegner der Industrie sagten: ,,Die Stadt ist böse, das Dorf ist gut.“
4) Bismarck sagte: ,,Ich will Deutschland unter der Führung Preußens vereinigen.“
5) Napoleon III. forderte: ,,Kein preußischer Prinz darf König von Spanien werden.“
6) Man dachte oft nicht daran: ,,Kann dieses Pathos wirklich echt sein?“
7) Bismarck dachte: ,,Die neue Großmacht wird das europäische Gleichgewicht erschüttern.“
8) Bismarck fragte sich: ,,Kann ich Deutschland vor einer Einkreisung bewahren?“
9) Die Katholiken dachten: ,,Bismarck greift die katholische Kirche an.“
10) Bismarck fragte sich: ,,Bleiben die Arbeiter Sozialdemokraten, wenn sie ein besseres Leben bekommen?“

E. Verbinden Sie die Sätze durch einen Infinitiv:

BEISPIEL: Die Studenten erhielten die Erlaubnis. / Sie veranstalteten eine Feier.
Die Studenten erhielten die Erlaubnis, eine Feier zu veranstalten.

1) Diese Tat war der Anlaß. / Man führte die Zensur ein.
2) List versprach. / Er wanderte nach Amerika aus.
3) Die Menschen hatten viele Schwierigkeiten. / Sie gewöhnten sich in der Stadt ein.
4) Der König entschloß sich nur sehr schwer. / Er berief Bismarck zum Ministerpräsidenten.
5) Bismarcks Plan war. / Man sollte den Krieg schnell zuende bringen.
6) Die Deutschen glaubten jetzt. / Sie müßten viel nachholen.
7) Das Ziel dieser Bündnisse war. / Er wollte den Frieden in Europa erhalten.
8) Bismarck versuchte. / Er unterband die Arbeit der Gewerkschaften.
9) Die Sozialdemokraten bemühten sich. / Sie setzten Reformen durch.
10) Die Studenten forderten die Fürsten auf. / Sie sollten ihre Versprechen halten.

F. Setzen Sie die Modalverben ein:

1) Nach 1815 ____ die meisten Fürsten keine Verfassung geben.
2) Nach einem Revolutionsversuch ____ Georg Büchner fliehen.
3) Wenn man von einem deutschen Land ins andere reisen ____, ____ man Zoll bezahlen.
4) Viele Leute wanderten aus, weil sie keine Arbeit finden ____.
5) Die Kritiker erkannten nicht, daß Deutschland nicht mehr von der Landwirtschaft allein leben ____.
6) Bismarck ____ nur einen Teil von Lothringen, aber er ____ den Generälen nachgeben.
7) Bismarck sah, daß Deutschland als Großmacht das Gleichgewicht in Europa erschüttern ____.
8) Die Gewerkschaften sahen, daß sie Reformen erreichen ____.

G. Ergänzen Sie diese Sätze:

BEISPIEL: Als Heine krank im Bett lag, . . .
Als Heine krank im Bett lang, schrieb er seine bedeutendsten Gedichte.

1) Daß eine moderne Wirtschaftspolitik nötig war, . . .
2) Obwohl die Industrie sich schnell entwickelte, . . .
3) Wenn in Frankreich ein Umsturz versucht wurde, . . .
4) Weil König Wilhelm I. keinen Ausweg mehr wußte, . . .
5) Als Napoleon III. erreicht hatte, daß kein deutscher Prinz König von Spanien wurde, . . .

6) Obwohl die meisten Deutschen mit dem Reich einverstanden waren, . . .
7) Als Bismarck die freie Wirtschaft durchsetzte, . . .
8) Nachdem Bismarck aus dem politischen Kampf ausgeschieden war, . . .

H. *Setzen Sie die passenden Adjektive ein:*

politisch, studentisch, öffentlich, zwiespältig, staatsfeindlich, niedrig

1) Die ____ Burschenschaften wurden anschließend verboten.
2) Eine ____ Meinung gab es damals nicht.
3) Alle Schriftsteller der Zeit hatten ein ____ Lebensgefühl.
4) Kritik galt damals als ____ Tätigkeit.
5) Die ____ Anschauungen von Karl Marx waren radikal.
6) Die Fabrikanten zahlten den Frauen und Kindern sehr ____ Löhne.

I. *Schreiben Sie eine Geschichte unter Verwendung dieser Elemente:*

Student / Demonstration / teilnehmen
Studentenverbindungen / Ideen / diskutieren
Polizei / Studenten / zusammenstoßen
Student / Gefängnis / kommen
Gefängnis / befreien
Amerika / auswandern
Industrie / arbeiten
Fabrikant / hohe Löhne / zahlen
Wohlstand / kommen
konservative Anschauungen / bekommen
liberale Ideen / kritisieren
Sohn / Studentenverbindung / eintreten
Demonstration / teilnehmen
Gefängnis / kommen
Vater / Resignation / enden

10 ◇ Weltpolitik

A. *Beantworten Sie folgende Fragen:*

1) Welche Zweige der deutschen Industrie wurden um 1900 wichtig?
2) Welches Thema kehrte oft in der Literatur wieder?
3) Was stellte Sigmund Freud fest?

4) Auf welchem Gebiet hatte die Jugendbewegung großen Einfluß?
5) Welches Lebensgefühl hatten die jungen Menschen vor 1914?
6) Welchen körperlichen Geburtsfehler hatte Kaiser Wilhelm II.?
7) Was war das politische Ziel von Wilhelm II.?
8) Wann wurde deutlich, daß Deutschland den Krieg militärisch nicht gewinnen konnte?
9) Wann begann in Deutschland die Verfassungsreform?
10) Wem fiel 1918 die Macht in die Hände?

B. *Schreiben Sie einen Aufsatz über folgende Themen:*

1) der Generationskonflikt um 1900
2) das Lebensgefühl vor 1914 und die moderne Kunst
3) Deutschland im Ersten Weltkrieg
4) Kaiser Wilhelm II.

C. *Erklären Sie die folgenden Begriffe durch einen Satz:*

1) der Erfinder   2) der Handwerksmeister   3) der Naturalismus   4) die Jugendbewegung   5) der Krankenpfleger   6) der Aphorismus   7) der Expressionismus   8) der Geburtsfehler   9) der Stellungskrieg   10) der Verständigungsfrieden

D. *Setzen Sie die Adjektive in die jeweils angegebene Steigerungsstufe:*

II = Komparativ: z.B. größer; III = Superlativ: z.B. der größte

Die Zeit von Wilhelm II. war eine der glanzvoll— (III) Epochen der deutschen Geschichte. Die Eisenbahnen fuhren immer schnell— (II). Es gab immer viel (II) ____ groß— (II) Städte in Deutschland. Die Industrie produzierte billig— (II), aber schlecht— (II) Waren als die englische Industrie, die solide— (II) arbeitete. Die neu— (III) Erfindung war das Flugzeug, die umwälzend— (III) Theorie die Relativitätstheorie. Die deutsche Politik hatte hohe— (II) Ziele als vorher, aber eine wenig— (II) klare Linie. Der Kaiser hielt die glänzend— (III) Reden, aber er war der schlecht— (III) Diplomat.

E. *Lassen Sie bei den Substantiven mit Adjektiven den Artikel weg und achten Sie dabei auf die Adjektivendungen:*

BEISPIEL: Die Menschen lebten in dem großen Wohlstand.
Die Menschen lebten in großem Wohlstand.

1) Die Erfindung der künstlichen Farben war sehr wichtig.
2) Die englischen Produkte waren damals besser.

3) Dieser Neureiche ißt das fette Fleisch und trinkt das starke Bier.
4) Damals entstanden die verschiedenen Reformbewegungen.
5) Die vielen jungen Leute waren damals von Nietzsches Philosophie beeindruckt.
6) Die Postämter sind in dem neugotischen Stil gebaut.
7) Gerhart Hauptmann stellte die Konflikte der einfachen Menschen dar.
8) Nietzsche schilderte den Übermenschen in dem biblischen Stil.
9) Damals wurde viel über die neuen Theorien diskutiert.
10) Die Menschen warteten auf das große Unwetter.

F. Bilden Sie Relativsätze:

1) Carl Zeiss in Jena baute eine Fabrik auf. / Er verbesserte optische Meßinstrumente.
2) Das gilt für Gerhart Hauptmann. / Er stellte das Volk ergreifend dar.
3) Viele Krankheiten hingen mit der Moral zusammen. / Sie hatte viele Tabus.
4) 1899 entstand in Berlin die erste Gruppe. / Ihr folgten viele andere.
5) Es war eine Wanderbewegung der Jugend. / Ihr sind die Pfadfinder ähnlich.
6) Sie waren in viele Gruppen geteilt. / Ihre Verbindung war locker.
7) Es gab einige Privatschulen. / Ihr Lehrplan ist noch heute fortschrittlich.
8) Thomas Mann hat einen Roman über Nietzsche geschrieben. / Er hat sich mit ihm sein Leben lang beschäftigt.
9) Wilhelm II. war ein seltsamer Mann. / Die Ausländer waren sehr über ihn beunruhigt.
10) Heerführer waren Hindenburg und Ludendorff. / Viele Menschen erwarteten von ihnen Wunder.

G. Verändern Sie die Sätze mit **man** in Sätze mit einer Infinitivkonstruktion:

BEISPIEL: Man kann diese Karikatur jetzt noch finden.
Diese Karikatur ist jetzt noch zu finden.

1) Man kann die alten Autos im Museum in Stuttgart sehen.
2) Man konnte die deutschen Produkte nicht von den englischen unterscheiden.
3) Man konnte viele Konflikte auf die Kindheit zurückführen.
4) Man hatte den Schultyrannen an den Gymnasien finden können.
5) Man hat vom neuen Reich viel erwarten können.
6) Man kann leicht einige Aussprüche Nietzsches isolieren.
7) Man konnte eine Veränderung erhoffen.
8) Man wird jetzt nicht mehr an Reformen denken können.

H. Schreiben Sie eine Geschichte unter Verwendung dieser Elemente:

Handwerker / Maschine / erfinden

286

Fabrik / verkaufen wollen
Direktor / Brief schreiben
keine Antwort / erhalten
Patentamt / Antrag stellen
andere Firma / auch keine Antwort
Journalist / erzählen
Artikel / schreiben
umwälzende Neuerung / Elektroindustrie
Patentamt / Maschine / vorführen
Professor / sagen / schon erfunden

11 ○ Weimar

A. Beantworten Sie folgende Fragen:

1) Warum tagte die Nationalversammlung in Weimar?
2) Mit wem verbündete sich die SPD-Regierung?
3) Wodurch bekam der Reichspräsident viel Macht?
4) Warum gab es viele Parteien im Reichstag?
5) Was waren 1918 die Ideale, nach denen die Grenzen der Staaten bestimmt werden sollten?
6) Welche Maßnahmen leitete Stresemann als Reichskanzler ein?
7) Welche Pläne hatten viele deutsche Gemeinden?
8) Für welchen Bereich gilt die Bezeichnung „die Goldenen Zwanziger Jahre"?
9) Ab wann begann die politische Krise in Deutschland?
10) Warum wirkte sich die amerikanische Wirtschaftskrise in Deutschland so stark aus?
11) Wie mußte Heinrich Brüning regieren?
12) Was hofften die Konservativen, als Hitler Reichskanzler wurde?

B. Schreiben Sie einen Aufsatz über folgende Themen:

1) die deutsche Kultur in den Zwanziger Jahren
2) Gustav Stresemann und seine Politik
3) die große Krise und ihre Folgen für Deutschland

C. Setzen Sie das jeweils richtige Wort ein:

1) Die Versammlung von Abgeordneten, die 1919 die neue Verfassung ausarbeitete, nannte man ____.

2) Ein Gesetz, das der Reichspräsident in einer Zeit der Not erließ, ohne die Zustimmung des Reichstags zu erhalten, hieß in der Weimarer Verfassung ____.

3) Das Wahlsystem, in dem die Sitze nach dem Verhältnis der Stimmen und nicht nach der Mehrheit in den Wahlkreisen verteilt werden, nennt man ____.

4) Ein allgemeiner Streik der Arbeiter und Angestellten, meistens aus politischen Gründen, ist ____.

5) Eine Regierung, in der mehrere politische Parteien vertreten sind, heißt ____.

6) Deutschland sollte den Schaden des Weltkriegs ersetzen dadurch, daß es Rohstoffe und Waren lieferte; es mußte ____ bezahlen.

7) Die internationale Organisation, die nach 1918 gegründet wurde, hieß ____.

8) Die Richtung der Psychologie, die Freud begründet hat, wird die ____ genannt.

9) Eine politische Partei, die nur wenig Anhänger und wenig Abgeordnete im Parlament hat, nennt man eine ____.

10) Wer keine Arbeit bekommen kann, ist ein ____.

D. *Verbinden Sie die beiden Sätze mit* um - zu:

BEISPIEL: Die Verfassung enthielt die Grundrechte. / Sie sollte die Rechte des einzelnen Menschen garantieren.

Die Verfassung enthielt die Grundrechte, um die Rechte des einzelnen Menschen zu garantieren.

1) Die Regierung setzte die Armee ein. / Sie sollte die Ordnung erhalten.

2) Die deutsche Industrie mußte exportieren. / Sie wollte die Reparationen zahlen.

3) Die Reichsmark mußte 1:1 Billion abgewertet werden. / Man wollte eine stabile Währung erhalten.

4) Die deutschen Städte nahmen Kredite auf. / Sie wollten die Straßen modernisieren.

5) Die Schriftsteller schrieben in einem neuen Stil. / Sie wollten das neue Lebensgefühl ausdrücken.

6) Hitler zerstörte die Demokratie. / Er wollte eine Diktatur errichten.

7) Manche Parteien vereinigten sich zu negativen Mehrheiten. / Sie wollten ein Gesetz ablehnen.

8) Hindenburg berief Hitler zum Reichskanzler. / Er wollte Ruhe und Ordnung wieder herstellen.

Beginnen Sie die Sätze mit um - zu:

E. *Setzen Sie die Sätze ins Passiv:*

1) Man griff bei dem Kapp-Putsch in Berlin nicht ein.

2) Man setzte große Hoffnungen auf den amerikanischen Präsidenten.
3) Man hielt in vielen Gebieten Abstimmungen ab.
4) Man verbot den Österreichern, sich an Deutschland anzuschließen.
5) Man erprobte verbotene Waffen insgeheim in der Sowjetunion.
6) Man akzeptierte jetzt die neuen Westgrenzen.
7) Man konnte viele sozialpolitische Ideen verwirklichen.
8) Auch in der Kultur konnte man viel Neues ausprobieren.
9) Man muß die Emigration sehr bedauern.
10) Man mußte unbedingt viele Arbeitsplätze schaffen.

F. Bilden Sie Sätze mit den folgenden Verben:

1) sich bemühen 2) entsprechen 3) vorgehen 4) sich anschließen 5) berufen
6) verzichten 7) sich durchsetzen 8) begünstigen 9) sich zuwenden 10) erringen

G. Bilden Sie Sätze aus diesen Elementen:

1) große Hoffnungen setzen / die Bevölkerung
2) in Gang kommen / das Programm
3) Partei ergreifen / vorsichtige Menschen
4) Verantwortung tragen / der Firmenchef
5) in Gefahr sein / die Menschen am Nordpol
6) Stellung nehmen / der Präsident

H. Schreiben Sie eine Geschichte aus folgenden Elementen:

Soldat / Krieg / heimkehren / Schwierigkeiten / Weg ins Zivilleben finden / arbeitslos / Kameraden besuchen / armen Leuten helfen / Altersheim aufbauen / Schulen / neue Methoden / Interesse bekommen / umziehen / neues Leben anfangen

12 ◇ Der Nationalsozialismus

A. Beantworten Sie folgende Fragen:

1) Warum war die Laufbahn von Hitlers Vater beachtlich?
2) Wie lange war Hitler ein guter Schüler?
3) Wovon lebte Hitler in seiner Notzeit?
4) Warum zog Hitler 1911 nach München?

5) Wie ging der Putsch am 9. November 1923 aus?
6) Wie lange ist die Weimarer Verfassung formell gültig geblieben?
7) Warum nannte man den Reichstag zu Hitlers Zeit einen „Gesangverein"?
8) Was verkündete Hitler als sein außenpolitisches Ziel?
9) Was war die SS ursprünglich?
10) Wer nahm am Aufstand des 20. Juli 1944 teil?

B. *Schreiben Sie einen Aufsatz über folgende Themen:*

1) Hitlers Leben bis 1933
2) die Ideologie des Nationalsozialismus
3) die Verfolgung der Juden und der politischen Gegner des Nationalsozialismus

C. *Definieren Sie die folgenden Wörter durch einen Satz:*

1) die Kunstakademie 2) der Einzelgänger 3) die Splittergruppe 4) die Volksabstimmung 5) die Autobahn 6) der Volksdeutsche 7) der Blitzkrieg 8) die Luftschlacht 9) der Judenstern 10) die Verschwörung 11) Großdeutschland 12) die Kapitulation

D. *Setzen Sie die richtigen Präpositionen mit Artikel ein:*

1) Hitler stammte ___ ___ letzten Ehe seines Vaters.
2) Hitler lebte lange ___ ___ Erbteil seiner Familie.
3) Die Gemeinschaft der Arier besteht ___ Führer und Gefolgschaft.
4) Er galt ___ ___ Soldaten als typischer Einzelgänger.
5) Er lag ___ ein_ Gasvergiftung im Lazarett.
6) Hitler versuchte es am Anfang ___ ein_ Putsch.
7) Später wollte er legal ___ ___ Macht kommen.
8) Deutschland kümmerte sich nicht mehr ___ ___ internationale Währungssystem.
9) Niemand hinderte Hitler ___ ___ Besetzung des Rheinlandes.
10) Die Deutschen begannen ___ Luftangriffen auf englische Städte.

E. *Setzen Sie Pronomen oder Adverb ein:*

Beispiel: Die Postkarten wurden von den Händlern verkauft.
Die Postkarten wurden von ihnen verkauft.
Er wußte nichts von den Postkarten.
Er wußte nichts davon.

1) Er befaßte sich mit Berichten über Parteien.
2) Hitler sprach von Rache für Versailles.
3) Hitler sprach zu den Massen.
4) Hitler sorgte für die Gleichschaltung der Länder.

5) Viele Broschüren wurden von politischen Agitatoren verteilt.
6) Niemand hinderte Hitler, gegen die Bestimmungen des Vertrages von Versailles zu arbeiten.
7) Es war sehr schwer, gegen die Regierung zu opponieren.
8) Die Deutschen kämpften mit den Verbündeten zusammen in Afrika.
9) Der Krieg blieb nicht auf die Frontkämpfe beschränkt.
10) Alle Parteien waren an der Verschwörung beteiligt.

F. *Setzen Sie die Sätze in die indirekte Rede; beginnen Sie mit:*

„Es wird berichtet, daß . . .“
1) Hitler wollte dem Militärdienst entgehen.
2) Hitler trat dieser rechtsradikalen Partei bei.
3) Er erregte Aufsehen durch seine wilden Reden.
4) Der bäuerliche Grundbesitz sollte geschützt werden.
5) Hitler wurde gefangen genommen und verurteilt.
6) Er brauchte die Weimarer Verfassung formell nicht aufzuheben.
7) Es wurden Moore entwässert und Arbeitersiedlungen gebaut.
8) Hitler verstand, die Schwächen seiner Gegner auszunutzen.
9) Hitler wollte nur deutschsprachige Gebiete angliedern.
10) Die deutsche Armee kam bis an die Wolga und in den Kaukasus.

G. *Verwandeln Sie den schräggedruckten Satzteil in einen Nebensatz:*

BEISPIEL: Es gelang ihm *nach dem Ausbruch der Wirtschaftskrise.*
Es gelang ihm, nachdem die Wirtschaftskrise ausgebrochen war.

1) Dabei half ihm *die Änderung seines Namens.*
2) *Bei dem Ausbruch des Weltkriegs* trat Hitler in ein bayerisches Regiment ein.
3) *Nach seiner Rückkehr* arbeitete er in der politischen Abteilung der Armee.
4) *Trotz der Mißachtung der Grundrechte* blieb die Verfassung formell in Kraft.
5) Die Regierung unternahm öffentliche Arbeiten *zur Beseitigung der Arbeitslosigkeit.*
6) *Wegen seines technischen Interesses* gefiel ihm die Idee des Volkswagens.
7) Niemand hinderte Hitler *an der Besetzung des Rheinlands.*
8) Die Luftangriffe wurden fortgesetzt *bis zur Zerstörung vieler Städte.*

H. *Verbinden Sie die Sätze mit* **je - desto**:

BEISPIEL: Das Regime dauerte lange. / Die Unterdrückung der Feinde wurde schlimm.
Je länger das Regime dauerte, desto schlimmer wurde die Unterdrückung der Feinde.

1) Hitler ging lange in die Schule. / Er bekam schlechte Noten.

2) Es gab viele Arbeitslose. / Hitler hatte viel Erfolg.
3) Hitler annektierte viele Gebiete. / Die anderen Länder wurden mißtrauisch.
4) Die Zeit ist dekadent. / Die Menschen sind schwach.
5) Hitler redete laut. / Die Menschen glaubten ihm viel.
6) Die Vorgänge sind unerklärlich. / Die Beschäftigung damit dauert lange.

13 ◌ Das Wirtschaftswunder

A. Beantworten Sie folgende Fragen:

1) Was war der Unterschied zwischen der politischen Lage in Deutschland 1918 und 1945?
2) Welche gemeinsamen Ziele hatten die Alliierten 1945?
3) Worüber einigte man sich bei der Potsdamer Konferenz nicht?
4) Wie wurde auf dem Schwarzen Markt der Wert einer Ware berechnet?
5) Welche politischen Parteien wurden 1945 gegründet?
6) Wodurch wurde die Luftbrücke nach Berlin notwendig?
7) Wie ist das Verhältnis der beiden Teile Deutschlands zueinander?
8) Was war das Hauptziel von Konrad Adenauers Außenpolitik?
9) Was trug besonders zu den Wahlsiegen der CDU bei?
10) Warum mußte die DDR die Grenze zur Bundesrepublik absperren?

B. Schreiben Sie einen Aufsatz über folgende Themen:

1) die Potsdamer Konferenz
2) das Wirtschaftswunder in der Bundesrepublik
3) innenpolitische Probleme der DDR
4) die Lage Berlins

C. Setzen Sie die richtigen Wörter ein:

1) Die vier Alliierten besetzten Deutschland. Sie teilten das Land in vier ＿＿.
2) Deutsche Industrieanlagen wurden als ＿＿ abmontiert und abtransportiert.
3) Wahlen für die Selbstverwaltung der Gemeinden sind ＿＿.
4) Die Menschen konnten nur bestimmte Mengen Lebensmittel kaufen; die Lebensmittel waren ＿＿.
5) Nach der Währungsreform bekam jeder Deutsche 40 DM, das wurde das ＿＿ genannt.
6) Ein für einen bestimmten Beruf ausgebildeter und spezialisierter Arbeiter ist ein ＿＿.

7) Ein Mensch, der aus einem Land in ein anderes flieht, ist ein ____.
8) Der Regierungschef in der Bundesrepublik heißt der ____.

D. *Verwandeln Sie den Satz in einen Satz mit* **lassen** (*reflexiv!*):

BEISPIEL: Man kann 1945 nicht mit 1918 vergleichen.
1945 läßt sich nicht mit 1918 vergleichen.

1) Man konnte keine Einigung über Deutschlands Ostgrenzen erreichen.
2) 1948 war klar, daß man keine Einigung über Deutschland erzielen konnte.
3) Das schwierige Saarproblem konnte freundschaftlich gelöst werden.
4) Man kann den Sieg der CDU durch die günstige Entwicklung der Wirtschaft erklären.
5) Man kann die Wahlen auch nach einer Einheitsliste abhalten.
6) Man konnte Berlin durch die Luft versorgen.
7) Man konnte unter diesen Bedingungen die Fabriken wieder aufbauen.
8) Die Flucht der Einwohner konnte nur durch die Mauer in Berlin verhindert werden.

E. *Setzen Sie in den folgenden Sätzen das passende Verb ein:*

darstellen	zurücktreten	miterleben	preisgeben
einrichten	überlassen	umsiedeln	ablehnen
ausarbeiten	erringen		

1) Nach dem Mißtrauensvotum des Parlaments mußte die Regierung ____.
2) Meine Mutter ist damit beschäftigt, eine neue Wohnung ____.
3) Ich habe die Einzelheiten der Ausführung einem Fachmann ____.
4) In einem Schneesturm ist man ganz den Elementen ____.
5) Unsere Mannschaft hat gestern einen großen Sieg ____.
6) Ich habe einen neuen Entwurf für den Vertrag ____.
7) Nach dem Zweiten Weltkrieg wurden viele Menschen in eine andere Gegend ____.
8) Die Gewerkschaft hat alle Angebote der Arbeitgeber ____.
9) Du hast diese Vorgänge ganz falsch ____.
10) Es ist interessant, in einem fremden Land Feste ____.

F. *Wie heißen die Substantive zu folgenden Verben?*

1) hungern   2) schreiben   3) erzählen   4) teilnehmen   5) abschließen
6) senden   7) gründen   8) wählen   9) drücken   10) bedürfen   11) siegen
12) morden   13) vereinigen   14) bauen   15) fliehen

Bilden Sie Sätze mit den Substantiven.

G. Schreiben Sie eine Geschichte aus folgenden Elementen:

Berlin / Teilung der Stadt / Familie in Ost-Berlin / Sohn studiert / Teilung der Universität / an der Freien Universität in West-Berlin / Verhältnisse schwierig / Stuhl zur Vorlesung selbst mitbringen / keine Bibliothek / Studenten trotzdem begeistert / Student politisch tätig / seine Familie besuchen / verhaftet / freigelassen / Familie nicht mehr besuchen können / Bau der Mauer / Eltern ihn nicht mehr besuchen können

Wiederholungsaufgaben zur deutschen Geschichte

A. Beantworten Sie folgende Fragen:

1) Seit wann kann man von „Deutschland" sprechen?
2) Von wann bis wann bestand das Heilige Römische Reich?
3) Welche Kaiser hatten besondere Bedeutung für die deutsche Geschichte? Wie kann man diese Bedeutung in einem Satz ausdrücken?
4) Wann hatte die deutsche Kultur ihre Höhepunkte? Wie kann man jeden Höhepunkt kurz charakterisieren?
5) Wann hatte das deutsche Bürgertum seine größte Bedeutung?
6) Was waren die wichtigsten Folgen der Reformation in Deutschland?
7) Wann begann und wie entwickelte sich der deutsche Nationalismus?
8) Unter welchen Umständen ging die Industrialisierung in Deutschland vor sich?
9) Welche Gestalten der deutschen Geschichte haben am meisten die Phantasie des Volkes beschäftigt?
10) Unter welchen Regierungsformen hat ein Deutscher, der heute 80 Jahre alt ist, gelebt?

B. Definieren Sie die folgenden Ausdrücke:

1) das Lehen 2) der Dialekt 3) die Freie Stadt 4) der Kurfürst 5) die Mark 6) das Privilegium 7) die Zunft 8) die Landeskirche 9) der Barock 10) die Aufklärung 11) der aufgeklärte Absolutismus 12) die Freiheitskriege 13) das Biedermeier 14) die Reichsarmee 15) die Nationalversammlung 16) die Notverordnung 17) „Blut und Boden" 18) die Nürnberger Gesetze 19) das Wirtschaftswunder 20) die Luftbrücke

C. Schreiben Sie einen Aufsatz über folgende Themen:

1) der deutsche Partikularismus

2) Deutschland und Osteuropa
3) Deutschland und Frankreich
4) die Entwicklung der deutschen Städte
5) die Geschichte der deutschen Literatur

Gegenwart

1 ∽ Die Länder der Bundesrepublik

A. Beantworten Sie folgende Fragen:

1) Welche deutschen Länder haben wichtige Industriegebiete und wo liegen diese?
2) Welche Länder haben Weinbaugebiete?
3) Welche Länder liegen im norddeutschen Tiefland?
4) Wo sind wichtige Fremdenverkehrsgebiete?
5) Welche Länder grenzen an die DDR?

B. Schreiben Sie einen kurzen Absatz über folgende Themen:

1) die deutsche Nordseeküste
2) Industrie und Landwirtschaft in den Flußtälern der Mittelgebirge
3) die Lage West-Berlins
4) das Saarland seit dem Ersten Weltkrieg
5) der Rhein und seine Nebenflüsse

C. Schreiben Sie einen kleinen Aufsatz über folgende Themen:

1) Geschichte und gegenwärtige Bedeutung einer mittelgroßen Stadt in Deutschland
2) eine deutsche Kleinstadt
3) Landschaft in einem deutschen Mittelgebirge
4) eine Fahrt auf dem Rhein
5) ein Aufenthalt in München

D. *Sie möchten zwei Monate in einem Ort in der Bundesrepublik verbringen. Welchen Ort suchen Sie sich aus, aus welchen Gründen, und was möchten Sie dort tun?*

E. *Setzen Sie das Adjektiv ein:*

BEISPIEL: Die Länder der Bundesrepublik haben Traditionen. (verschieden)
Die Länder der Bundesrepublik haben verschiedene Traditionen.

1) In Schleswig-Holstein gibt es keinen Berg. (hoch)
2) Lübeck ist als Mittelpunkt wichtig. (kulturell)
3) Die Universität entwickelte sich aus einer Schule für Sprachen. (afrikanisch)
4) Hannover ist bekannt durch seine Städteplanung. (modern)
5) Erdöl wird in den Mooren im Nordwesten gebohrt. (weit)
6) Nordrhein-Westfalen ist die Zusammenfassung von zwei Provinzen. (preußisch)
7) Das Industriegebiet liegt in einer Mittelgebirgslandschaft. (reizvoll)
8) Ludwigshafen am Rhein ist das Zentrum der Industrie. (chemisch)
9) Hinter den Industriegegenden beginnen die einsamen Wälder. (dichtbesiedelt)
10) Das Saarland wurde aus Gründen zu einem politischen Problem. (wirtschaftlich)

F. *Setzen Sie die passenden Präpositionen und Endungen ein:*

BEISPIEL: Die Marsch wird ____ ____ Meer ____ groß__ Deiche geschützt.
Die Marsch wird vor dem Meer durch große Deiche geschützt.

1) Die Industrie ist ____ ____ groß__ Städte beschränkt.
2) Zum Land Bremen gehört ____ ____ alt__ Stadt auch Bremerhaven ____ ____ Wesermündung.
3) Man kommt südlich davon ____ ____ Harz, ____ ____ die Grenze zur DDR verläuft.
4) Die Universität Göttingen war ____ 18. Jahrhundert führend ____ ____ Naturwissenschaften.
5) Weite Moore erstrecken sich ____ ____ Kriegshafen ____ zu__ holländisch__ Grenze.
6) Das Weserbergland, bekannt ____ sein__ Kurorte, gehört heute ____ ____ Land Westfalen.
7) ____ Ruhrgebiet gab es viele Zuwanderer ____ ____ Osten.
8) ____ ____ umliegend__ Dörfern ____ ____ Industrieanlagen findet man Landwirtschaft und Weinbau.

G. Bilden Sie Sätze mit:

1) traditionsreich 2) die Unabhängigkeit 3) die Bischofsstadt 4) früher 5) teilweise 6) aufhören 7) die Stahlindustrie 8) anlocken 9) die Residenz 10) benachbart

H. Wie heißen die Adjektive zu folgenden Substantiven?

1) Unabhängigkeit 2) Wirtschaft 3) Ruhe 4) Tradition 5) Konfession 6) Wald 7) Nachbar 8) Landschaft

Mit welchen Wörtern passen diese Adjektive zusammen:

die Lage, das Fest, das Gebirge, die Schönheit, der Staat, die Mischung, das Dorf, der Mann

Bilden Sie Sätze damit.

2 ∽ Ein Deutscher in der Bundesrepublik

A. Beantworten Sie folgende Fragen:

1) Was wird ein eiliger Tourist in Deutschland feststellen?
2) Was ist der erste Unterschied zwischen den USA und der Bundesrepublik?
3) Woran merken die Deutschen regionale Unterschiede?
4) Wie tritt der Deutsche oft in der Öffentlichkeit auf?
5) Was ist für das Privatleben vieler Deutscher typisch?
6) Was ist der Unterschied zwischen einem Beruf und einem „Job"?
7) Welcher Beruf hat in Deutschland das höchste Prestige?
8) Warum sind die Deutschen politisch unsicher?
9) Was sind die politischen Ziele vieler Deutscher?
10) Was ist die Bundesrepublik für ihre Einwohner?

B. Schreiben Sie einen Aufsatz über folgende Themen:

1) Unterschiede zwischen den USA und der Bundesrepublik
2) der deutsche Nationalcharakter
3) die Folgen der Teilung Deutschlands für das Leben in der Bundesrepublik

C. Bilden Sie aus den folgenden Sätzen Fragen mit dem passenden Fragepronomen.

BEISPIEL: Er reist im Urlaub nach Italien.
   Wohin reist er im Urlaub?

1) Viele Deutsche wünschen die Wiedervereinigung.
2) Er verbringt seine Freizeit mit Lesen.
3) Er wohnt nur 100 Kilometer von der Grenze.
4) Die Deutschen erkennen einander an der Art des Humors.
5) Der Deutsche ist abends gern mit Freunden zusammen.
6) Der Deutsche hat eine hohe Achtung vor Bildung.
7) Die Deutschen trauen mehr dem Gefühl als dem Verstand.
8) Die Deutschen warten auf die ferne Zukunft.

D. Setzen Sie das passende Modalverb ein:

BEISPIEL: Man ____ die Beantwortung dieser Frage versuchen.
   Man kann die Beantwortung dieser Frage versuchen.

1) Die Menschen ____ schwer arbeiten, bevor sie gemütlich ihr Bier trinken ____.
2) Man ____ nicht 1.000 Kilometer fahren, ohne an eine Grenze zu kommen.
3) Der Deutsche ____ gern Vertrauen zu anderen Menschen haben können.
4) Wenn der Deutsche etwas herstellt, ____ es gut und dauerhaft sein.
5) Ein Deutscher hat das Gefühl, er ____ die Welt kennenlernen.
6) Sein Wunsch ist: Auch sein eigenes Leben ____ in einem größeren Zusammenhang stehen.
7) Der Deutsche ____ gern gut Freund mit allen Menschen sein.
8) Wenn die deutschen Probleme nicht gelöst werden, ____ ein Mißtrauen gegen die Alliierten entstehen.

E. Verwandeln Sie den schräggedruckten Satzteil in einen Infinitiv:

BEISPIEL: Die Menschen sind *die Fahrt über die Grenze gewohnt.*
   Die Menschen sind es gewohnt, über die Grenze zu fahren.

1) Das Ziel des Deutschen im Auftreten ist *die Korrektheit.*
2) Man kann trotzdem *die Beantwortung dieser Fragen* versuchen.
3) *Die Veränderung solcher Verhältnisse* ist nicht leicht.
4) *Der Spott über andere Dialekte* ist in Deutschland weit verbreitet.
5) Der Junge hat sich *die Weltreise* in den Kopf gesetzt.
6) Sie haben nicht mehr den Wunsch *nach einer Rolle in der Weltpolitik.*
7) Sie warten *auf die Verwirklichung der politischen Ziele.*
8) *Die Unsicherheit der Deutschen* ist verständlich.

DIE DEUTSCHEN

F. Verbinden Sie die Sätze mit **daß** oder **ob**:

1) Er hatte nicht gedacht. / Deutschland ist ein Industrieland.
2) Es ist fraglich. / Es gibt einen Nationalcharakter.
3) Es ist selten. / Ein Arbeiterkind studiert an der Universität.
4) Zum Beruf gehörte. / Man kann gute Arbeit leisten.
5) Es beschäftigt viele Menschen. / Ihr Leben steht in einem größeren Zusammenhang.
6) Die Deutschen wissen nicht. / Ihre Verbündeten sind ihre Freunde.
7) Die Deutschen wissen. / Ihre politischen Möglichkeiten sind begrenzt.
8) Die Deutschen haben das Gefühl. / Ihr Land ist ein Objekt der Weltpolitik.

Beginnen Sie diese Sätze mit **daß** *bzw.* **ob**.

G. Setzen Sie das richtige Wort ein:

1) Traditionelle Kleidung, vor allem in ländlichen Gegenden, nennt man ___.
2) Feste Ansichten und Urteile über etwas, ohne es selbst genau zu kennen, sind ___.
3) Viele Deutsche sprechen nicht nur Hochdeutsch, sondern auch den ___ ihrer Gegend.
4) Sehnsucht nach der Heimat nennt man ___, Sehnsucht nach der Ferne ___.
5) Junge Menschen haben das Bedürfnis, etwas zu sehen und zu erleben; das wird oft zu einer ___.
6) Die Deutschen wünschen in ihrer Mehrheit die ___ des geteilten Landes.

H. Was ist das Gegenteil von folgenden Begriffen?

1) wertvoll 2) ähnlich 3) dünn bevölkert 4) privat 5) formell 6) die Heimat 7) normal 8) wiedervereinigt

Bilden Sie Sätze mit den neuen Wörtern.

I. Bilden Sie Sätze aus den folgenden Elementen:

BEISPIEL: das Tempo / herrschen
In Deutschland herrscht ein modernes Tempo.

1) mit sich bringen / Probleme
2) sich Feinde machen
3) einhalten / die Regeln
4) ernst nehmen / der Beruf
5) Anerkennung finden
6) verwirklichen / private Ziele

3 ❧ Die Familie

A. Beantworten Sie folgende Fragen:

1) Woraus besteht die „Klein-Familie"?
2) Was sagen die deutschen Verfassungen über die Rechte von Mann und Frau?
3) Was ist heute die am meisten verbreitete Karikatur des Mannes?
4) Wogegen richtete sich die Jugendbewegung unter anderem?
5) Warum gaben die Nationalsozialisten hohe Kinderzulagen?
6) Was sucht der Mann heute zuerst in der Familie?
7) Was hofft ein deutscher Vater für seinen Sohn?
8) Wie stehen viele junge Leute zu ihren Eltern?
9) Was erwartet man von einem Freund?
10) Warum übernehmen manche Frauen die Leitung eines Betriebes?

B. Schreiben Sie einen Aufsatz über folgende Themen:

1) das Familienleben in Deutschland vor und nach der Industrialisierung
2) die skeptische Generation
3) die Emanzipation der Frau

C. Definieren Sie durch einen deutschen Satz:

a) die Sippe
b) der Haustyrann
c) der Pantoffelheld
d) die Kinderzulage
e) das Familienfest
f) der Familienbetrieb

D. Bilden Sie Relativsätze:

BEISPIEL: Ein Mensch fühlt sich einsam. / Er kennt seine Nachbarn nicht.
Ein Mensch, der seine Nachbarn nicht kennt, fühlt sich einsam.

1) Der Schwiegersohn ist von der Familie akzeptiert. / Man bietet ihm das „Du" an.
2) Damals gab es den Haustyrannen. / Vor ihm zitterten Frau und Kinder.
3) Die Frauen mußten die Männer ersetzen. / Sie waren bisher von ihnen ferngehalten worden.
4) Auch eine erfolgreiche Frau sucht einen Mann. / Sie kann ihn respektieren.
5) Die Bundesrepublik gibt Kinderzulagen. / Sie will durch sie die Geburtsraten erhöhen.
6) Das Familienleben verlangt Opfer. / Die Eltern sind nicht mehr dazu bereit.
7) Die Kinder werden heute manchmal vernachlässigt. / Man schenkte ihnen früher zu viel Aufmerksamkeit.
8) Die Kinder haben manche Probleme. / Ihre Eltern sind geschieden.
9) Die jungen Leute brauchen einen Erwachsenen. / Sie haben Vertrauen zu ihm.

10) Ein junger Mann muß manchmal eine bestimmte Laufbahn wählen. / Seine Familie besitzt eine Firma.

E. *Setzen Sie die richtigen Präpositionen und Endungen ein:*

BEISPIEL: Jemand kommt ____ ein__ gut__ Familie.
Jemand kommt aus einer guten Familie.

1) Ich bin ____ dies__ Menschen nicht verwandt.
2) Frau und Kinder zitterten ____ ____ Haustyrannen.
3) Im 20. Jahrhundert hat sich viel ____ dies__ Gebiet geändert.
4) Damals war die Werkstatt ____ ____ Wohnhaus verbunden.
5) Das Fernsehen ist nicht schuld ____ ein__ Familienkrise.
6) Die Eltern wollen sich nicht ____ ____ Kinder opfern.
7) Die jungen Leute haben ein dringendes Bedürfnis ____ ein__ vernünftig__ Gespräch.
8) Die Gruppen der Jugendbewegung beruhten ____ Freundschaft.
9) Die Kirche ist eng ____ ____ Familienfeste__ verbunden.
10) Mancher junge Mann hat nicht unbedingt eine Neigung ____ sein__ Beruf.

F. *Verneinen Sie die Sätze mit* **nicht** *oder* **kein***:*

1) Es war ein günstiger Augenblick für Forschungen.
2) Die Kameraden halten zusammen.
3) Alle Verwandten duzen sich.
4) Das Wort hat einen guten Klang.
5) Die unverheirateten Kinder leben bei den Eltern.
6) Es gibt die Gleichberechtigung der Frau.
7) Die Hausfrau hatte Autorität.
8) Die Deutschen haben viele Kinder.
9) Sie hatten damals Erfolg.
10) Entscheidungen sind nötig.

G. *Erklären Sie die Verwandschaftsbeziehung bei den folgenden Bezeichnungen:*

BEISPIEL: mein Schwager
der Mann meiner Schwester — oder: **der Bruder meiner Frau**

1) Onkel 2) Vetter 3) Neffe 4) Nichte 5) Schwiegersohn 6) Schwiegertochter 7) Schwiegervater 8) Geschwister 9) Kusine 10) Schwägerin

H. *Setzen Sie das jeweils passende Adjektiv ein:*

eigen	ehrlich	jung	skeptisch	kompliziert
geschützt	mißtrauisch	höher	vorindustriell	umfangreich

1) Die ___ Mädchen aus den ___ Schichten lernten damals keinen Beruf.
2) Der Haushalt war in der ___ Zeit oft ein ___ Wirtschaftsbetrieb.
3) In unserer ___ Welt suchen viele Menschen eine ___ Intimsphäre.
4) Die ___ Generation war ___ gegen ihre Eltern.
5) Man möchte ein ___ Leben führen; jeder Mensch soll seinen ___ Weg gehen.

I. *Schreiben Sie eine Geschichte aus den folgenden Elementen:*

Sohn 16 Jahre / Vater Kaufmann / spät nach Hause kommen / Ruhe wollen / vor dem Fernsehen sitzen / Sohn Schwierigkeiten / schlechte Schulzeugnisse / einen Erwachsenen als Freund brauchen / mit dem Vater reden wollen / Sohn zum Vater: Schwierigkeiten haben / Vater: wieviel Geld / Sohn tief enttäuscht / Sohn: hundert Mark für ein Tonbandgerät

4 ✷ Feste im Jahreslauf

A. *Beantworten Sie folgende Fragen:*

1) An welchem Tag wird das Weihnachtsfest gefeiert?
2) Was tun viele Leute zu Silvester?
3) Mit welchem Fest geht die Weihnachtszeit zuende?
4) Welche Art von Festen sind zur Karnevalszeit beliebt?
5) Worin spiegelt sich die wechselvolle deutsche Geschichte?
6) Aus welchen beiden Teilen bestehen oft Feierlichkeiten?
7) Was wird von jeder Firma einmal im Jahr erwartet?
8) Wie feiern die Deutschen gern?
9) Wie soll sich ein Chef bei einem Fest benehmen?
10) Was für einen Eindruck kann ein Tourist von den Deutschen bekommen?

B. *Schreiben Sie einen Aufsatz über folgende Themen:*

1) das Weihnachtsfest in Deutschland   2) deutsche Familienfeste

C. *Setzen Sie das richtige Wort ein:*

1) Der ___ bringt den braven Kindern am 6. Dezember Geschenke.
2) Der Fisch, den man zu Weihnachten gern ißt, heißt ___.
3) Um zu prophezeien, was das kommende Jahr bringt, versucht man zu Silvester das ___.
4) Die Fastenzeit beginnt am ___.

5) Die Ostereier legt der ____.
6) Am 1. Mai halten die ____ Kundgebungen ab.
7) Im Sommer und Herbst haben die Deutschen viele ____.
8) Nach der Weinernte kommt ein ____.

D. Setzen Sie **wenn, wann** *oder* **als** *ein:*

1) ____ der Nikolaus kam, schliefen die Kinder.
2) Alle Leute sind lustig, ____ das neue Jahr beginnt.
3) ____ das Wetter gut ist, machen viele Familien einen Spaziergang in den Wald.
4) Man muß im Kalender nachsehen, ____ Ostern ist.
5) Das ganze Dorf war dabei, ____ die Altäre neu geweiht wurden.
6) ____ sie den Krieg verloren hatten, hatten die Deutschen nicht mehr viel zu feiern.
7) Die Firma schlägt vor, ____ der Betriebsausflug stattfindet.
8) ____ der Betriebsausflug stattfindet, ist auch der Chef lustig.

E. Setzen Sie die schräggedruckten Verben in die drei Vergangenheiten und das Futur:

1) In diese Zeit *fällt* der Gedenktag für die Toten.
2) Es *wird* nur mit halber Kraft *gearbeitet.*
3) Man *will* das alte Jahr *hinaustanzen.*
4) Die Kinder *verkleiden sich* abends als die Heiligen Drei Könige.
5) Bei den Katholiken *kommt* das Ende der Fastenzeit *hinzu.*
6) Die Feste *unterbrechen* angenehm den Alltag.
7) Sie *zünden* abends Feuer auf den Berggipfeln *an.*
8) Das Oktoberfest *findet* im September und Oktober *statt.*
9) Die Angestellten *akzeptieren* nur einen Chef mit Humor.
10) Man *lernt* die Menschen dabei richtig *kennen.*

F. Wählen Sie aus Absatz 2 jeweils einen Ausdruck, der zu einem in Absatz 1 genannten Ausdruck paßt:

1) Weihnachten	Betriebsausflug	Allerheiligen
Silvester	1. Mai	Hitlers Geburtstag
Karneval	Fronleichnam	
2) Prozession	Sekt	Maskenball
Parade	Kundgebung	Biertrinken
Gans	Friedhof	

Bilden Sie je einen Satz mit den beiden zusammenpassenden Wörtern.

G. Wählen Sie das jeweils passende Adjektiv zu folgenden Begriffen:

Fasching, Totensonntag, Hochzeit in der Kirche, Jubiläum, Weihnachtsabend

besinnlich, gemütlich, feierlich, lustig, traurig

H. Schreiben Sie über folgende Themen:

1) Ein Kind schreibt einen Wunschzettel an den „Weihnachtsmann".
2) Ein junger Mann schreibt seiner Freundin einen Brief über einen Betriebsausflug zu einem Wirtshaus in den Bergen mit der Besichtigung einer alten
Burg; er hat beim Preistanzen eine Schallplatte gewonnen, die er ihr schenkt.

5 ◇ Die Schule

A. Beantworten Sie folgende Fragen:

1) Wer hat in der Bundesrepublik die Verantwortung für die Schulen?
2) Welche Entscheidung müssen die Eltern nach vier Schuljahren für das Kind
treffen?
3) Wie unterscheidet sich das Schulsystem der DDR von der deutschen
Tradition?
4) Was wird von den Kindern nach einem Jahr Schulunterricht erwartet?
5) Für welche Art von Stellungen bereitet die Mittelschule vor?
6) Welche Fremdsprachen lernen die Schüler im humanistischen Gymnasium?
7) Welche Oberschultypen betonen die Naturwissenschaften?
8) Wo werden die Volksschullehrer ausgebildet?
9) Was folgt nach der theoretischen Ausbildung der Oberschullehrer?
10) Welche Vorteile haben die Lehrer als Beamte?

B. Schreiben Sie einen Aufsatz über folgende Themen:

1) die drei Schultypen nach der Grundschule und ihre Ziele
2) die deutschen Oberschulen
3) die Ausbildung der Lehrer für die verschiedenen Schulen

C. Erklären Sie die folgenden Begriffe durch einen deutschen Satz:

1) die Gemeinschaftsschule   2) die Grundschule   3) die Schultüte   4) die
Rechtschreibung 5) die Mittelpunktsschule 6) die Schulpflicht 7) die Hochschule 8) die Oberstufe 9) die Frauenschule 10) das Abendgymnasium

D. *Wie lauten die Adjektive von:*

1) Staat   2) Stadt   3) Tradition   4) Katholik   5) Kirche   6) Protestant
7) Theorie   8) Hauswirtschaft   9) Zukunft   10) Praxis

Setzen Sie das jeweils passende von diesen Adjektiven in die folgenden Sätze ein:

Ich finde die ____ Kindergärten besser als ____ Kindergärten, denn die Stadt-
verwaltung macht keinen Unterschied zwischen den Konfessionen. Ihr ist es
gleich, ob es ____ Kinder sind oder ob sie es mit ____ Kindern zu tun hat.
Kirche und Staat sind nicht ganz getrennt; die Trennung von ____ und ____
Einrichtungen ist ____ nicht üblich, wird aber heute von vielen Menschen
verlangt. ____ behandeln Staat und Stadt die Konfessionen gleich, aber ____
gibt es doch Unterschiede; Theorie und Praxis kommen selten ganz zusammen.
Jedenfalls nicht früher und nicht heute, in einer ____ Gesellschaft wird das
vielleicht anders.

E. *Was ist die jeweilige Bezeichung für folgende Personen?*

Jemand der . . .

1) a. die Volksschule, b. das Gymnasium, c. die Tertia besucht.
2) a. Biologie, b. Geographie, c. Mathematik, d. Chemie, e. Naturwissenschaften
   studiert hat?
3) in der Mittelschule unterrichtet?

F. *Setzen Sie die folgenden Sätze ins Passiv:*

BEISPIEL: Man beschloß nach einer Volksabstimmung die Gemeinschaftsschule.
   **Nach einer Volksabstimmung wurde die Gemeinschaftsschule be-
   schlossen.**

1) Man bezahlt die Schulen nicht aus den Gemeindesteuern.
2) Man fährt die Schüler der Oberstufe mit Bussen zu einer Mittelpunktsschule.
3) Man hat von den Kindern große Leistungen erwartet.
4) Man glich das Schuljahr an das der anderen europäischen Länder an.
5) Man wird in diesen Berufen große theoretische Kenntnisse verlangen.
6) Man hatte die Mittelschule für das aufstrebende Bürgertum geschaffen.
7) Im Gymnasium lernt man als erste Fremdsprache Latein.
8) Man teilte die Schüler in Klassen ein.

G. *Vervollständigen Sie die Sätze:*

BEISPIEL: Das Schulsystem hängt ____ zusammen.
   Das Schulsystem hängt mit den Traditionen des Landes zusammen.

1) Bisher mußte der katholische Lehrer aus ____ kommen.

2) Die Oberschule endet mit ____.

3) Wer in der Oberschule sitzen bleibt, kann in ____ überwechseln.

4) Die Kindergärten sind für ____ gedacht.

5) Die Kinder in der Grundschule haben die meisten Fächer bei ____.

6) Durch die neunjährige Schulpflicht verkleinert sich der Unterschied zwischen ____.

7) Manche protestantischen Gymnasien bestehen seit ____.

8) Die Schüler sind in Klassen eingeteilt. Sie haben den Unterricht immer mit ____.

9) Ein Weg zum Abitur geht über ____.

10) Die zukünftigen Oberschullehrer studieren an ____.

H. *Lesen Sie die nachfolgenden Einzelheiten über Karl-Heinz, einen Untersekundaner im Realgymnasium:*

Sein Studenplan:

	Mo.	Di.	Mi.
1. Stunde	Englisch	Latein	Geschichte
2.	Deutsch	Geographie	Chemie
3.	Physik	Deutsch	,,
4.	,,	Biologie	Musik
5.	Geschichte	Turnen	Latein
6.	Religion	,,	Mathematik

	Do.	Fr.	Sa.
1. Stunde	Deutsch	Turnen	Deutsch
2.	Englisch	,,	Mathematik
3.	Geschichte	Latein	Englisch
4.	Mathematik	Englisch	Geographie
5.	Kunsterziehung	Biologie	Religion
6.	,,		Musik (Chor)

In seiner Mappe hat er folgende Schulsachen:
Englisch: Jack London *The Scarlet Plague*
Deutsch: Gottfried Keller *Kleider machen Leute*
Latein: Julius Caesar: *Bellum Gallicum*
Geschichte: Das 18. Jahrhundert   Mathematik: Logarithmentafel
Geographie: Nordamerika   Turnen: Schwimmzeug

Er spielt Fußball in der Jugendmannschaft des SV Phönix, und er ist Mitglied in einem englisch-deutschen Freundschaftsklub.

Schreiben Sie:

1) einen Brief an einen amerikanischen „Brieffreund" über die Schule
2) einen Brief über seine Interessen und seinen Tageslauf
3) einen Antwortbrief des amerikanischen Freundes über seine Schule

6 ⌒ *Studium in Deutschland*

A. *Beantworten Sie folgende Fragen:*

1) Wer wird auf einer deutschen Universität angenommen?
2) Was bestimmt in Deutschland die Wahl der Universität?
3) Auf welcher Idee beruht das Lehrsystem der Universität in Deutschland?
4) Was wollen die Studenten heute erreichen?
5) Was ist das erste praktische Problem eines deutschen Studenten?
6) Wer stellt den Lehrplan für den Studenten zusammen?
7) Wie drücken die Studenten im Hörsaal ihr Mißfallen aus?
8) Wie lange darf ein Student an der Universität bleiben?
9) Welche Arten von Abschlußprüfungen gibt es?
10) Was sind die Vorteile, wenn man in eine Verbindung eintritt?

B. *Schreiben Sie einen Aufsatz über folgende Themen:*

1) der Unterschied zwischen einem Schüler und einem Studenten
2) Ideal und Wirklichkeit der deutschen Universitäten
3) das Gemeinschaftsleben der deutschen Studenten

C. *Setzen Sie die richtigen Wörter ein:*

1) Am Ende des Studiums meldet sich der Student zu einer ____.
2) Professoren und Studenten sollen eine freie ____ bilden.
3) Die Industrie braucht viele akademisch gebildete ____.
4) Heute ist eine umfassende ____ nötig geworden.
5) Die Studenten nennen ihr Zimmer gewöhnlich ____.
6) Der Student muß sich bei der Einschreibung für eine ____ entscheiden.
7) Außer dem Gehalt bekommt der Professor auch ____ von den Studenten.
8) Alle Mediziner und Juristen müssen ein ____ ablegen.
9) Studenten, die sich ihr Studium selbst verdienen müssen, heißen ____.
10) Viele Verbindungen tragen „____".

D. Betonen Sie das Subjekt, indem Sie mit **Es ist** . . . *bzw.* **Es sind** . . . *beginnen:*

Beispiel: Die Studenten verlangen Änderungen.
Es sind die Studenten, die Änderungen verlangen.

1) Nicht viele Schüler kommen bis zum Abitur.
2) Die Selbständigkeit macht das Studentenleben zugleich schwer und interessant.
3) Die neue Elite sollte an der Universität Berlin herangebildet werden.
4) Die Naturwissenschaften entwickelten sich im späteren 19. Jahrhundert am meisten.
5) Die Fakultät entscheidet, wer Dozent werden kann.
6) Die Verbindungen bewahren frühere Traditionen.
7) Kleine Gruppen sind typisch für das Gemeinschaftsleben der Studenten.
8) Die linksradikalen Gruppen bemühen sich, die Gesellschaft zu verändern.

E. Verwandeln Sie den Infinitivsatz in einen **daß**-*Satz und setzen Sie dabei ein passendes Subjekt ein.*

Beispiel: Es ist üblich, die Universität zu wecheln.
Es ist üblich, daß ein Student die Universität wechselt.

1) Das System beruht darauf, die Universität selbständig arbeiten zu lassen.
2) Es wurde wichtig, Fachleute für die Naturwissenschaften und Technik auszubilden.
3) Man hofft, den akademischen Nachwuchs besser zu fördern als bisher.
4) Es ist notwendig, sich eine Bude zu besorgen.
5) Das deutsche System erlaubt es, ein oder mehrere Semester zu verbummeln.
6) Manche Studenten sind sich klar darüber, das falsche Fach gewählt zu haben.

F. Verbinden Sie die beiden Sätze durch eine der temporalen Konjunktionen **seit,** **bis**, **während**:

Beispiel: Wir warteten bei meinem Freund. / Die Nachricht vom Autounfall kam.
Während wir bei meinem Freund warteten, kam die Nachricht vom Autounfall.

1) Die neuen Universitäten sind fertig. / Einige Zeit wird noch vergehen.
2) Man ist an der Oberschule. / Man hat wenig Freiheit.
3) Die Universität Berlin war gegründet worden. / Das Lehrsystem der Universitäten änderte sich nach und nach.
4) Die Industrialisierung hat begonnen. / Man braucht viele Fachleute in den Naturwissenschaften.
5) Manche Studenten nehmen das Studium nicht ernst. / Sie stehen kurz vor der Abschlußprüfung.
6) Die Studenten sind an der Universität. / Sie können sich ihre Zeit selbst einteilen.

7) Der Student beendet sein Studium. / Er braucht oft 12 Semester.
8) Die Nachkriegsgeneration ist auf die Universität gekommen. / Die Studenten sind wieder politisch aktiv geworden.

G. *Erklären Sie die Unterschiede zwischen:*

1) Hochschule — höhere Schule 2) Fakultät — Dozent 3) Schüler — Student
4) Universität — Hochschule 5) Bildung — Ausbildung 6) Lehrer — Dozent

Wählen Sie das jeweils passende Verb zu den folgenden Substantiven:

Dozent, Lehrer, Student, Schüler, Dekan

unterrichten, studieren, lehren, lernen, verwalten

H. *Schreiben Sie über folgende Themen:*

1) Ein deutscher Student ist auf ein Jahr an einer Universität in den USA. Er soll einen Vortrag über das Studium in Deutschland und in den USA halten. Dafür schreibt er sich wichtige Punkte auf, und zwar Unterschiede, Vorteile und Nachteile des Studiums in Amerika.
2) Er beschreibt seine Eindrücke in einem Brief an einen deutschen Freund.

7 ◦ Berufsausbildung

A. *Beantworten Sie folgende Fragen:*

1) Womit beginnt jede Karriere?
2) Wer darf Lehrlinge ausbilden?
3) Wie lange dauert die Lehrzeit gewöhnlich?
4) Wo gibt es noch die wandernden Gesellen?
5) Wer wird gewöhnlich Meister?
6) Was für Berufe gibt es in der heutigen Industrie oft?
7) Auf welchen Idealen beruht das deutsche System der Berufsausbildung?
8) Was bringt die Lehrzeit für den Menschen?

B. *Schreiben Sie einen Aufsatz über folgende Themen:*

1) die Laufbahn bis zum Meister
2) Möglichkeiten der Weiterbildung für einen Handwerksgesellen

C. Definieren Sie folgende Begriffe durch einen deutschen Satz:

1) die Berufsschule   2) der Facharbeiter   3) der Hilfsarbeiter   4) das Arbeitsamt   5) die Gewerkschaft   6) die Handwerkskammer   7) der Zimmermann   8) der Meisterbrief   9) die Fachschule   10) der Anlernberuf   11) das Berufsbild   12) die Arbeitslosenunterstützung

D. Setzen Sie die Sätze ins Perfekt:

BEISPIEL: Der Lehrling beweist seine Kenntnisse.
Der Lehrling hat seine Kenntnisse bewiesen.

1) Der Lehrling besucht die Berufsschule.
2) Es besteht kein Zwang zur Wanderschaft.
3) Der Meister eröffnet einen neuen Betrieb.
4) Man erhält seine Ausbildung in der Fachschule.
5) Das deutsche System beruht auf diesen Idealen.
6) Man erlernt den Beruf gründlich.

E. Bilden Sie Sätze mit den folgenden Elementen:

BEISPIEL: annehmen / eine Stellung
Ein Facharbeiter braucht nicht jede Stellung anzunehmen.

1) ableisten / ein Praktikum
2) anlernen / der Betrieb
3) festlegen / die Arbeitszeit
4) einhalten / die Regeln
5) ausbilden / die Fachschule
6) einführen / die Beamten

F. Bilden Sie aus dem Subjekt einen Satz mit **wer**:

BEISPIEL: Der Mittelschulabsolvent muß auf die Berufsschule gehen.
Wer die Mittelschule absolviert hat, muß auf die Berufsschule gehen.

1) Der Arbeitslose braucht nicht irgend eine Stellung anzunehmen.
2) Ein Meister kann Lehrlinge ausbilden.
3) Ein Fachstudent muß ein erfahrener Praktiker sein.
4) Ein Arbeiter außerhalb des Berufs verdient manchmal mehr Geld.
5) Ein gelernter Arbeiter hat mehr Prestige als ein Hilfsarbeiter.
6) Die Firmen, die Lehrlinge ausbilden, müssen viel Geld investieren.

G. Welche Eigenschaften brauchen folgende Personen? Geben Sie jedesmal mindestens fünf Adjektive.

1) ein Facharbeiter   2) ein Ingenieur   3) ein Unternehmer

Beschreiben Sie die Eigenschaften durch einen Satz:

Beispiel: Der Facharbeiter ist pünktlich.
   Er kommt immer zur richtigen Zeit.

H. *Worin besteht die Arbeit folgender Personen?*

1) ein Architekt   2) ein Automechaniker   3) ein Maurer   4) ein Zimmer-
mannslehrling   5) ein Elektrikermeister   6) ein Gerichtsreferendar   7) eine
Sekretärin   8) ein Hilfsarbeiter

8 ⌒ *Berufstätigkeit*

A. *Schreiben Sie einen Aufsatz über folgende Themen:*

1) der Arbeitstag des Bauern
2) Beruf und Privatleben eines Arbeiters
3) die Stellung eines Beamten
4) die Tätigkeit eines praktischen Arztes

B. *Beantworten Sie folgende Fragen (so ausführlich wie nötig):*

1) Welche Kenntnisse und Eigenschaften braucht ein Bauer?
2) Warum gibt es in Deutschland eine „Landflucht"?
3) Welche Vorteile hat ein Arbeiter, der lange bei der gleichen Firma bleibt?
4) Warum interessieren sich viele Arbeiter nicht sehr für die Arbeit? Wodurch
   kann man das ändern?
5) Was erwartet der Staat von einem Beamten?
6) Was erwartet der Beamte vom Staat?
7) Welche Folgen haben die Krankenkassen für den Arzt und für die Patienten?
8) Was ist „frei" an einem Freien Beruf?

C. *Welche der schräggedruckten Feststellungen ist die jeweils richtige?*

1) Die meisten deutschen Bauern wohnen *in Einzelhöfen* — *in Dörfern*
2) Maschinen sind *auf allen Höfen* rentabel — *nur bei den größeren*
3) Die Bauern *sind nicht leicht bereit*, die Höfe zu arrondieren — *sehen die Notwendigkeit sofort ein*
4) Die Zahl der Höfe in Deutschland *ist gleich geblieben* — *wird immer kleiner*
5) Der Bauer *braucht viel Dünger, denn er kann sich kein Brachland leisten* — *spart
   lieber den Dünger und läßt das Land brach liegen*

6) In der Weimarer Republik arbeitete man *8 Stunden am Tag* in den Fabriken — *12 Stunden am Tag*

7) Schichtarbeit *hat keinen Einfluß auf das Gemeinschaftsleben* — *ändert das Zusammenleben der Menschen entscheidend*

8) Alle Arbeiter bekommen *außer dem Lohn Sozialleistungen, teils vom Staat, teils von den Firmen* — *nur soziale Leistungen von den Firmen, wenn sie Mitglieder der Gewerkschaft sind*

9) Die Beamten *gehen mit 65 Jahren in Pension* — *bekommen nur Pension, wenn sie 30 Jahre lang tätig gewesen waren*

10) Beamte gibt es *auch in privaten Firmen* — *nur beim Staat und Kommunalbehörden*

11) Ein Arzt *ist gar nicht von öffentlichen Einrichtungen abhängig* — *braucht die öffentlichen Krankenkassen, um genug Patienten zu haben*

12) Ein Chef hat heute *einen kürzeren Arbeitstag* als ein Arbeiter — *einen längeren Arbeitstag*

Ergänzen Sie die richtige Antwort durch einen Kausalsatz mit **weil** *und geben Sie dabei die Begründung für Ihre Antwort.*

D. *Welchen Satzteil sollte man an den Anfang des zweiten Satzes stellen, damit die Sätze richtig aufeinander folgen?*

Beispiel: Heute überlegt sich der Arbeiter genau, wie viele Überstunden er macht. Der Arbeiter hatte vor fünfzig Jahren solche Probleme noch nicht.

Heute überlegt sich der Arbeiter genau, wie viele Überstunden er macht. Vor fünfzig Jahren hatte der Arbeiter solche Probleme noch nicht.

1) Auf großen Höfen in der Ebene lohnt sich die Anschaffung von vielen Maschinen. Der Bauer kann im Gebirge seine Maschinen oft nicht genug ausnutzen.

2) Die Bauern haben vor allem Getreide und Kartoffeln. Es lohnt sich, in der Nähe der Stadt Gemüse zu bauen.

3) Viele Leute arbeiten in Schichten. Ihr Leben ändert sich dadurch sehr.

4) Der Arbeiter bekommt einmal in der Woche Lohn. Die Lokale sind an diesen Zahltagen voll.

5) Jeder Betrieb hat einen Betriebsrat. Die Gewerkschaften unterstützen den Betriebsrat bei Konflikten.

6) Der Beamte hat ein festes Gehalt und Familienzulagen. Seine Tätigkeit ist neben den Gehaltsbedingungen auch festgelegt.

7) Im 20. Jahrhundert ist die Politik in die Verwaltung eingedrungen. Beamte wurden 1933 aus politischen Gründen entlassen.

8) Die Privatpatienten zahlen am besten. Der Arzt hat meistens nicht viele solche Privatpatienten.

DIE DEUTSCHEN

Wie kann man die so gebildeten Sätze verbinden, mit **und** *oder* **aber**?

BEISPIEL: **Heute überlegt sich der Arbeiter genau, wie viele Überstunden er macht, aber vor fünfzig Jahren hatte er solche Probleme noch nicht.**

E. *Verbinden Sie die Sätze mit* **je - desto**:

BEISPIEL: Ein Dorf ist nahe der Stadt. / Viele Städter siedeln sich dort an.
Je näher ein Dorf der Stadt ist, desto mehr Städter siedeln sich dort an.

1) Die Landwirtschaft ist intensiv. / Viele Arbeitskräfte sind notwendig.
2) Die landwirtschaftlichen Hilfskräfte sind knapp. / Die Maschinen sind rentabel.
3) Die Konkurrenz wird scharf. / Der Bauer muß sich in seinem Beruf gut auskennen.
4) Eine Firma gibt hohe Sozialleistungen. / Die Arbeiter bleiben lange bei ihr.
5) Die Arbeit ist mechanisch. / Sie interessiert den Arbeiter wenig.
6) Ein Angestellter ist lange in einer Firma. / Es ist schwer, ihm zu kündigen.
7) Ein Facharzt ist bekannt. / Er hat viele Privatpatienten.
8) Die Stellung ist verantwortungsvoll. / Man muß lange arbeiten.

F. *Lernen Sie folgende Fremdwörter:*

arrondieren — Arrondierung
konkurrieren — die Konkurrenz — der Konkurrent
reparieren — die Reparatur — der Reparateur
sich spezialisieren — die Spezialisierung — der Spezialist
automatisieren — die Automatisierung (Automatisation)
produzieren — die Produktion — der Produzent
organisieren — die Organisation — der Organisator
sich habiltieren — die Habilitation

Bilden Sie das Verb in diesen Sätzen zu einem Substantiv um:

BEISPIEL: Man muß den Hof arrondieren.
Die Arrondierung des Hofes ist notwendig.

1) Man muß die Heizung reparieren.
2) Man muß die Fabrik automatisieren.
3) Er muß sich auf dieses Gebiet spezialisieren.
4) Man muß billiger produzieren.

Bilden Sie das Partizip:

BEISPIEL: ein Hof (arrondieren) — **ein arrondierter Hof**

1) ein Dozent (habilitieren) 2) ein Streik (organisieren) 3) eine Fabrikanlage (automatisieren) 4) eine Ärztin (spezialisieren)

G. Vervollständigen Sie diese Sätze mit dem passenden Verb:

ausgeben	betragen	melken
bearbeiten	bezahlen	regeln
beruhen	erreichen	verbringen
besuchen		

1) Der Bauer ___ die Kuh.
2) Viele Bauern ___ diese Ausstellung.
3) Die Hälfte des Bodens in der Bundesrepublik wird ___.
4) Der Arbeiter wird nach Tarif ___.
5) Das Krankengeld ___ 75 % des Lohnes.
6) Es sind die Betriebe, die am meisten Geld für Sport ___.
7) Der Arbeiter möchte, daß sein Sohn eine höhere Stellung ___.
8) Das Leben des Beamten ist genau ___.
9) Der Begriff vom Beamtentum ___ auf dem Vertrauen zwischen Staat und Staatsdiener.
10) Ein praktischer Arzt ___ viel Zeit mit Hausbesuchen.

H. Geben Sie jedem dieser Leute drei passende Adjektive:

1) der „Manager" 2) der Beamte 3) der Arbeiter am Ende der Schicht
4) der Bauer, der seinen Hof aufgibt

I. Wie verläuft der Arbeitstag folgender Personen?

1) Briefträger (Die Briefe werden zweimal am Tag ausgetragen.)
2) Lebensmittelhändler (Die Gesetze bestimmen, daß er seinen Laden abends zu einer bestimmten Zeit schließt, meistens 18.30 oder 19 Uhr. Am Sonntag sind alle Läden geschlossen.)
3) Meister (Er bildet Lehrlinge zu Automechanikern aus.)

9 ∾ Sport

A. Beantworten Sie folgende Fragen:

1) Was ist der Volkssport in Deutschland?
2) Wo werden die Talente im Sport vor allem gefördert?
3) Was für Unternehmen sind die Sportvereine?
4) Welche Berufssportarten gibt es in Deutschland?
5) An welchen Sportarten sind viele Deutsche interessiert?

6) Was suchen die meisten Deutschen in den Ferien?
7) Wo können die jungen Wanderer billig übernachten?
8) Welche Möglichkeiten gibt es überall in den Fremdenverkehrsorten?

B. *Schreiben Sie einen Aufsatz über folgende Themen:*

1) Fußball in Deutschland
2) das Wandern
3) Amateursport und Berufssport

C. *Setzen Sie in den folgenden Sätzen das richtige Wort ein:*

1) Fußball ist der ____ in Deutschland.
2) Die höchste Fußballliga heißt ____.
3) Am Ende der Saison müssen die beiden schlechtesten Vereine einer Liga „____".
4) Nicht alle Deutschen spielen Fußball, aber die meisten spielen im ____.
5) Die beliebtesten Radrennen in der Halle sind die ____.
6) Der besondere Wintersport der Bayern ist das ____.
7) Für die wandernde Jugend gibt es viele ____, wo man übernachten kann.
8) Die Deutschen interessieren sich in den Ferien vor allem für die Möglichkeit zum ____ und ____.

D. *Bilden Sie Infinitivsätze mit* **um - zu***:*

BEISPIEL: Turnvater Jahn begann das Turnen. / Er wollte die jungen Leute für den Krieg vorbereiten.
Turnvater Jahn begann das Turnen, um die jungen Leute für den Krieg vorzubereiten.

1) Die Städte bauen große Fußballstadien. / Sie wollen Platz für die vielen Zuschauer haben.
2) Viele Deutsche wetten im Fußball-Toto. / Sie wollen über Nacht reich werden.
3) Manche Leute spielen Golf. / Sie wollen gesellschaftliche Anerkennung finden.
4) Viele Leute laufen Schi. / Sie wollen die Natur erleben.
5) Man braucht eine besondere Ausrüstung. / Man will steile Felswände erklimmen.
6) Manche Leute haben keine Zeit. / Sie wollen regelmäßig an Wettkämpfen teilnehmen.
7) Ehrenamtliche Mitglieder haben nicht genug Zeit. / Sie wollen einen großen Sportverein leiten.
8) Die Vereine kämpfen verzweifelt. / Sie wollen nicht in die niedrigere Liga absteigen.

E. *Ergänzen Sie die Sätze unter Verwendung der passenden Präpositionen:*

1) Die Leichtathletik entwickelt sich / der Leistungssport
2) Jeder sechste Deutsche interessiert sich / das Turnen
3) Bundestagssitzungen fallen aus / wichtige Fußballspiele
4) Die Universitäten befassen sich wenig / die Förderung des Nachwuchses
5) Es ergeben sich Schwierigkeiten / die Struktur der Vereine
6) Dasselbe trifft zu / die Turner
7) Die Prospekte weisen hin / die schönen Wanderwege
8) Fußball hat etwas gemeinsam / andere Sportarten

F. *Wie lauten die Adjektivendungen?*

1) viele wichtig__ Fußballspiele
2) die meisten deutsch__ Turner
3) ein erfolgreich__ Kurzstreckenläufer
4) gut__ sportlich__ Leistungen
5) dieser bekannt__ Fremdenverkehrsort
6) manche__ jung__ Wanderer
7) drei neu__ Jugendherbergen
8) ein besonder__ Interesse
9) dieser erfolgreich__ Schiläufer
10) das Gehalt dieses bekannt__ Fußballspielers

Bilden Sie Sätze mit diesen Wendungen.

G. *Vervollständigen Sie die Sätze mit* **kennen,** **wissen** *oder* **können***:*

1) Die meisten Deutschen _____ nicht die Regeln des Golfsports.
2) Ein ehrenamtliches Mitglied _____ dem Verein nicht viel Zeit widmen.
3) Nicht viele Deutsche _____ reiten.
4) Jedermann _____ die besten Fußballspieler.
5) Niemand _____, wie man Baseball spielt.
6) Ich _____ gut segeln, aber ich _____ nicht, wie das Wetter wird.

H. *Lesen Sie den folgenden Absatz und beantworten Sie die darunter stehenden Fragen:*

Zwei Bundesligamannschaften spielen 3:1, Halbzeit 1:0. Das eine Gegentor wurde durch einen Elfmeter erzielt. Die drei Tore fielen nach einer rechten Ecke durch den Mittelstürmer, durch den Rechtsaußen nach Vorlage des Mittelläufers und durch den Halbrechts nach einer Flanke des Rechtsaußen. Die erste Mannschaft hätte viel höher gewonnen, wenn nicht der Torwart der zweiten Mannschaft einen überragenden Tag gehabt hätte.

1) Welche Halbzeit war wahrscheinlich interessanter?
2) Welche Mannschaft hat die bessere Stürmerreihe?
3) Was sind die beiden besten Spieler auf dem Platz?
4) Welche beiden Spielerreihen waren in der ersten Mannschaft am meisten beschäftigt, und welche in der zweiten: Torwart, Verteidiger, Läufer, Stürmer?
5) Der linke Verteidiger muß den Rechtsaußen abwehren. Was hat der Trainer der zweiten Mannschaft nach dem Spiel zu seinem linken Verteidiger gesagt? Und zu seinem Rechtsaußen?

10 ◦ Urlaubsreisen

A. *Schreiben Sie einen kurzen Absatz, etwa 100 Wörter, zur Beantwortung folgender Fragen:*

1) Wie war früher eine typische Ferienreise?
2) Wie entstand in Deutschland das Camping?
3) Wohin fahren heute die Deutschen im Urlaub?
4) Was sind die Vorteile einer Gesellschaftsreise?
5) Was ist der Zweck einer Bildungsreise?
6) Warum kommen Ausländer in ihren Ferien nach Deutschland?

B. *Definieren Sie die folgenden Ausdrücke durch einen deutschen Satz:*

1) der Wohnwagen 2) das Ferienhaus 3) der Pauschalpreis 4) die Erholung 5) das Reisebüro 6) der Sonderzug 7) die Reiseindustrie 8) der Ferienaufenthalt

C. *Infinitiv mit* **zu** *oder ohne* **zu**?

1) Damals pflegte man in sein Ferienhaus ____ fahren.
2) Die Familie konnte auch die Ferien bei der Großmutter ____ verbringen.
3) Nach dem Zweiten Weltkrieg begann die Jugend bald wieder ____ reisen.
4) Die Deutschen wollten möglichst viel von der Welt ____ sehen.
5) Manche Leute lassen sich vom Reisebüro einen Reiseplan vor-____ bereiten.
6) Die deutschen Touristen hoffen etwas Neues ____ entdecken.
7) Die Touristen lernen immerhin neue Länder und Menschen ____ kennen.
8) Die Reiseindustrie fing an sich ____ entwickeln.

Setzen Sie die Sätze ins Perfekt (mit Ausnahme von Satz 1).

D. Setzen Sie die Passivsätze in die Aktivform:

BEISPIEL: Es wurde ein Reiseplan ausgearbeitet.
Man arbeitete einen Reiseplan aus.

1) Es wurde dort der ganze Urlaub verbracht.
2) Es kann mit dem Zelt gereist werden.
3) Der Urlaub wird von den meisten Menschen zur Erholung gebraucht.
4) Es wird besonders gern in die Alpen gefahren.
5) Viele Gruppenfahrten sind von Reisegesellschaften organisiert worden.
6) Die Hin- und Rückreise wird dabei von der Gruppe gemeinsam gemacht.
7) Solche Objekte können von eiligen Touristen schnell besichtigt werden.
8) Bei manchen Reisen wird die Bildung nur als Vorwand genommen.

E. Verwandeln Sie das Objekt in einen Nebensatz:

BEISPIEL: Man kann an der Adria mit Sonne rechnen. (scheinen)
Man kann an der Adria damit rechnen, daß die Sonne scheint.

1) Die Reisegesellschaft garantiert die Zufriedenheit des Touristen. (sein)
2) Manche Bauern verdienten damals mit Sommergästen. (aufnehmen)
3) Wir sprachen von unserem Urlaub in Jugoslawien. (verbringen)
4) Der Angestellte beschäftigt sich mit Reiseplänen. (ausarbeiten)
5) Die Volkshochschule erwartet die gründliche Vorbereitung der Teilnehmer. (sind)
6) Die Erholungssuchenden hoffen auf einen versteckten Winkel. (finden)

F. Setzen Sie **als** oder **wenn** ein:

1) ____ man damals wieder reisen konnte, nutzten viele Leute es sofort aus.
2) ____ die Familie auf Urlaub fuhr, hatte sie mehrere Möglichkeiten.
3) ____ man ins Ausland fuhr, lernte man vorher die Sprache.
4) ____ die Bauern merkten, daß viele Leute kamen, nahmen sie Geld.
5) Heute freut man sich, ____ man einen stillen Winkel findet.
6) Der Dolmetscher mußte mir helfen, ____ ich ein anderes Hotelzimmer wollte.
7) ____ man Schwierigkeiten hat, hilft der Dolmetscher.
8) ____ man die bayerischen Königsschlösser besichtigen will, braucht man nicht sehr viel Zeit.

G. Schreiben Sie über folgende Themen:

1) Ein Gebirgsdorf an einem See möchte Touristen für die Sommerferien anlocken. Wie würde ein Prospekt aussehen, a) wenn man deutsche Touristen interessieren möchte, b) für amerikanische Touristen? Was würde man über Hotels, Lage und die anderen Möglichkeiten, die der Ort bietet, schreiben?

2) Sie arbeiten einen Reiseplan für eine Gesellschaftsreise einer Studentengruppe durch Deutschland aus. Sie haben drei Wochen Zeit. Wie sieht Ihr Plan aus? Was können Sie tun, um die Gruppe vorzubereiten?

11 ○ Das kulturelle Leben in Deutschland

A. *Schreiben Sie einen Aufsatz über folgende Themen:*

1) Was gehört in Deutschland zum kulturellen Leben einer mittelgroßen Stadt?
2) Wie sieht der Spielplan eines Stadttheaters aus?
3) Welche Rolle spielt der Rundfunk im kulturellen Leben?
4) Welchen Charakter hat eine deutsche Buchhandlung?
5) Wie und auf welchen Gebieten arbeiten Kunst und Handwerk zusammen?

B. *Beantworten Sie folgende Fragen in einem kurzen Absatz:*

1) Warum bemühen sich viele Stadtverwaltungen um das kulturelle Leben?
2) Was ist die Rolle eines privaten Kellertheaters?
3) Warum schadet das Fernsehen mehr den Kinos als den Theatern?
4) Welche Vorteile und welche Nachteile bringt es, wenn das Fernsehen nicht auf die Einnahmen aus der Reklame angewiesen ist?
5) Sind die Theaterleute immer mit ihrem Publikum zufrieden? Warum nicht?
6) Wie kann sich ein junger Maler bekannt machen?
7) Spielt die bildende Kunst eine Rolle im Alltagsleben? Wodurch vor allem?
8) Warum hat der Film in Deutschland nach 1945 so viele Schwierigkeiten gehabt?
9) Warum kommen viele Leute zu Festspielen?
10) Was sind die Reize einer Freilichtaufführung?

C. *Bilden Sie aus der Apposition einen Relativsatz. Verwenden Sie das jeweilige Verb in Klammern:*

BEISPIEL: Sie bildeten Arbeiterbildungsvereine, Vorgänger der sozialistischen Parteien. (hervorgehen)
Sie bildeten Arbeiterbildungsvereine, aus denen die sozialistischen Parteien hervorgingen.

1) Es gibt Kellertheater mit weniger als hundert Plätzen. (haben)
2) Zu den Klassikern gehört auch Shakespeare, eine regelmäßige Erscheinung im Spielplan. (erscheinen)

3) Die Rundfunkanstalt hat Aufsichtsgremien als Vertretung der Öffentlichkeit. (vertreten)
4) Die Reklame kommt in Sendungen von einer Viertelstunde Dauer. (dauern)
5) Die Männerchöre, so typisch für das 19. Jahrhundert, werden weniger. (sein)
6) Der Lesering, sehr billig durch die hohen Auflagen, hat viele Abonnenten. (sein)

D. *Setzen Sie* **seit** *oder* **seitdem** *ein:*

1) ____ haben einige junge Filmregisseure Erfolg gehabt.
2) ____ der Zeit des Bauhauses hat man sich viel mit Industrieform befaßt.
3) ____ geben die Städte viel Geld für ihre Theater aus.
4) ____ sich das Fernsehen in Deutschland verbreitet hat, gehen viel weniger Leute ins Kino.
5) ____ dem Zweiten Weltkrieg sind die Rundfunkanstalten Körperschaften des öffentlichen Rechts.

Setzen Sie **außer** *oder* **außerdem** *ein:*

6) ____ den Gesellschaften gibt es noch die Volkshochschule.
7) ____ veranstaltet die Volkshochschule Vorträge und Bildungsreisen.
8) Die Stadt hat ____ dem Stadttheater auch ein privates Kellertheater.

Setzen Sie **nach** *oder* **nachdem** *ein:*

9) ____ dem Theater gehen manche Leute gern in ein Lokal, um sich zu unterhalten.
10) ____ das Fernsehen sich entwickelt hatte, hörten weniger Leute Radio.
11) ____ viele Schauspieler und Regisseure emigriert waren, ging der deutsche Film zurück.
12) ____ dem Kriege wurden einige gute Filme gedreht.

E. *Bilden Sie Sätze aus diesen Elementen:*

1) Konkurrenz machen / Fernsehprogramme
2) ernst nehmen / Bildung
3) in Kauf nehmen / moderne Musik
4) angewiesen sein auf / Geldspenden
5) zur Notiz nehmen / moderne Malerei
6) eine Rolle spielen / Männerchöre
7) Einfluß haben / die Kirchen
8) Aufmerksamkeit erregen / Theaterstücke

F. Setzen Sie die passenden Adjektive ein:

vielseitig, umstritten, bekannt, heimatkundlich, modern

1) Das Museum fördert ____ Kunst.
2) Stockhausen ist ein ____ Komponist.
3) In den Kammerkonzerten treten ____ Solisten auf.
4) Die Volkshochschule veranstaltet ____ Exkursionen.
5) Das Stadttheater hat einen ____ Spielplan.

Bilden Sie andere Sätze mit diesen Adjektiven unter Verwendung von:

Maler, Forschungen, Politiker, Angebot, Professor

G. Schreiben Sie über folgende Themen:

1) Hans kauft für Tante Amalie ein Buch als Geburtstagsgeschenk. Schreiben Sie einen Dialog mit der Verkäuferin in der Buchhandlung; verwenden Sie dabei folgende Wörter: teuer, modern, anspruchsvoll, guter Einband, spannend, Roman, Lieblingsautor, Taschenbuch.
2) Das Stadttheater hat eine Aufführung von Mozarts „Don Juan" gebracht. Die Aufführung war mittelmäßig. Der Kritiker einer großen Zeitung schreibt eine Kritik; er fand die meisten Sänger schlecht, ebenso das Bühnenbild und die Regie. Er schlägt vor, daß das Theater seine Oper aufgibt und nur noch Operetten spielt. Schreiben Sie einen Leserbrief an die Zeitung, warum die Oper erhalten bleiben soll.
3) Ein amerikanischer Student sieht Goethes „Götz von Berlichingen" in Jagsthausen. Die Bühne sah sehr „romantisch" aus, aber die Holzbänke waren hart, und er hatte keine Wolldecke mitgenommen wie die anderen Leute, also war ihm sehr kalt. Aber hinterher im Gasthof hatte er noch einen lustigen Abend.
   Jetzt schreibt er einen Brief an seine Eltern darüber.

12 ∾ Vereine in Deutschland

A. Beantworten Sie folgende Fragen:

1) Was braucht ein Verein?
2) Woraus besteht gewöhnlich der Vorstand eines Vereins?
3) Wann ist ein Verein gemeinnützig?
4) Aus welchen beiden Teilen besteht gewöhnlich eine Vereinssitzung?

5) Warum gehen viele Leute in einen Verein?
6) Wozu dienten manche Vereine im 19. Jahrhundert?
7) Was ist ein Vereinsmeier, und wie denken die anderen Mitglieder über ihn?
8) Wozu haben sich verschiedene Vereine heute entwickelt?

B. *Schreiben Sie einen Aufsatz über folgende Themen:*

1) Welchen Charakter hat der Verein oft als Gruppe der Gesellschaft?
2) Warum entwickelten sich die Vereine gerade im 19. Jahrhundert?

C. *Ein Sportverein hat seine Jahresversammlung. Wie sieht das Programm der Versammlung aus?*

D. *Was geschieht bei den Sitzungen folgender Vereine?*

1) Gesangverein   2) Schützenverein   3) Bienenzüchterverein   4) Verein für Heimatgeschichte

E. *Setzen Sie* **sein** *oder* **werden** *ein:*

1) Vereine ____ in allen Bereichen zu finden.
2) Verdiente Mitglieder ____ zu Ehrenmitgliedern ernannt.
3) Vereine ____ im Vereinsregister eingetragen.
4) Manche Vereine sind heute Interessengruppen ____.
5) Manches Vorstandsmitglied ____ zum Vereinsmeier.
6) Im 19. Jahrhundert ____ die Vereine Männersache.
7) Die Vorträge ____ wichtig genommen.
8) In der Öffentlichkeit ____ man korrekt gekleidet.

F. *Bilden Sie das Präteritum und das Perfekt:*

BEISPIEL: Zur Familie kommt der Freundeskreis hinzu.
Zur Familie kam der Freundeskreis hinzu.
Zur Familie ist der Freundeskreis hinzugekommen.

1) Ich trage ihn in die Liste ein.
2) Der Vorstand besteht aus fünf Mitgliedern.
3) Der Kassenwart rechnet das Geld ab.
4) Der Bundesverband gibt eine Zeitschrift heraus.
5) Wir tagen in einem Gasthof.
6) Sie knüpfen natürlich auch Geschäftsverbindungen an.
7) Die Bürger emanzipieren sich.
8) Wir wollen einmal die häuslichen Sorgen vergessen.
9) Ich kenne die anderen Mitglieder gut.
10) Viele Gruppen nennen sich Vereine.

G. *Setzen Sie das jeweils passende Adverb ein;*

aktiv   korrekt

gut   regelmäßig

harmlos   ungezwungen

1) Die Vereinsmitglieder benehmen sich ____.
2) Die meisten Mitglieder kennen sich ____.
3) Man braucht hier nicht ____ zu erscheinen.
4) Die Gruppe kommt ____ zusammen.
5) Vereine sahen damals politisch ____ aus.
6) Fördernde Mitglieder beteiligen sich nicht ____ am Vereinsleben.

H. *Definieren Sie durch einen Satz:*

1) der Beisitzer 2) die Ehrennadel 3) die Jahresversammlung 4) das Vereins-lokal 5) die Interessengruppe 6) die Fachausbildung 7) der Kleingarten 8) der Polizeistaat

13 ⌒ Der Bürger und sein Staat

A. *Beantworten Sie folgende Fragen:*

1) Mit welchen Begriffen definiert das Grundgesetz die Bundesrepublik?
2) Welche Grundrechte hat ein Deutscher?
3) Aus welchen zwei Häusern besteht das Parlament, und wie werden die Abgeordneten bestimmt?
4) Welche Macht hat der Bundespräsident und welche hat der Bundeskanzler?
5) Wodurch wird die Stabilität der Bundesregierung garantiert?
6) Welche Instanz interpretiert und schützt die Verfassung?
7) Was hat das Grundgesetz bisher bewirkt?
8) Welche Pflichten hat ein Bürger dem Staat gegenüber?
9) Welche Typen von Zeitungen findet man in der Bundesrepublik?
10) Wer ist Axel Springer?
11) Was geschah bei der Spiegel-Affäre?
12) Wer besitzt außer privaten Verlegern noch Zeitungen?

B. *Schreiben Sie einen Aufsatz über folgende Themen:*

1) Welche Regierungssysteme hat ein Deutscher, der heute 75 Jahre alt ist, erlebt, und wie wirkt das auf seine Einstellung zur Politik?

2) die politischen Parteien in der Bundesrepublik
3) das Wahlsystem und der Charakter des Bundestags
4) die deutsche Presse

C. *Charakterisieren Sie durch drei Adjektive:*

1) die Einstellung des älteren Bürgers zum Staat
2) der Charakter des Grundgesetzes
3) die politische Einstellung vieler Tageszeitungen
4) die politische Einstellung Axel Springers
5) Wie sollten die Deutschen nach 1945 werden?
6) Wie sollten die Deutschen 1933 sein?

D. *Ergänzen Sie die Sätze:*

BEISPIEL: Er hat kein Vertrauen zu _____. (Staat)
Er hat kein Vertrauen zu dem Staat.

1) Es gab einen Reichspräsidenten statt _____. (Kaiser)
2) Deutschland kämpfte gegen _____. (Länder)
3) Jeder Deutsche hat Freizügigkeit innerhalb _____. (Bundesrepublik)
4) Die CDU unterscheidet sich darin von _____. (Zentrum)
5) Die FDP hat Wähler in Gebieten mit _____. (Tradition)
6) Die SPD hat sich inzwischen zu _____ entwickelt. (Volkspartei)
7) Die Bürger haben Pflichten außer _____. (Rechte)
8) Es handelt sich dabei um _____. (Schule)
9) Die großen Zeitungen bringen viele Berichte aus _____. (Ausland)
10) Strauß trat nach _____ zurück. (Debatte)

E. *Setzen Sie das Verb jeweils ins Präteritum oder Plusquamperfekt. Beachten Sie dabei die hier angegebene Reihenfolge der Ereignisse:*

BEISPIEL: I: Revolution / II: Heimkehr der Soldaten
Als die Soldaten _____ (heimkehren), eine Revolution _____ (stattfinden).
Als die Soldaten heimkehrten, hatte eine Revolution stattgefunden.

1) I: aktive Demokraten / II: Schwierigkeiten nach 1933
Wer vor 1933 aktiver Demokrat _____ (sein), _____ (bekommen) nach 1933 große Schwierigkeiten.
2) I: Adenauers Rücktritt / II: Erhard Bundeskanzler
Ludwig Erhard _____ (werden) Bundeskanzler, nachdem Konrad Adenauer _____ (zurücktreten).
3) I: Zentrum rein katholisch / II: CDU vereinigt christliche Konfessionen
Während das Zentrum rein katholisch _____ (sein), _____ (vereinigen) die CDU die christlichen Konfessionen in einer Partei.

4) I: DNVP kompromittiert / II: 1945 keine Nachfolgepartei
    Da sich die DNVP 1933 ____ (kompromittieren), ____ (finden) sie 1945
    keine konservative Partei als Nachfolgerin.

5) I: Deutsche mißtrauisch gegen Propaganda / II: keine Parteizeitungen
    Da die Deutschen mißtrauisch gegen Propaganda ____ (werden), ____ (wollen)
    sie keine parteigebundenen Zeitungen mehr.

6) I: Polizei besetzte das Redaktionsgebäude des „Spiegel". / II: Es wurde heftig
    protestiert.
    Nachdem die Polizei das Redaktionsgebäude des „Spiegel" ____ (besetzen),
    ____ (sich erheben) von allen Seiten heftiger Protest gegen diese Aktion.

F. *Schreiben Sie über folgende Themen:*

1) Schreiben Sie einen Brief an die Lokalzeitung, daß die Straßenbahnen durch
    Omnibusse ersetzt werden müßten: 1. seien die Straßenbahnwagen veraltet,
    2. sei die Straßenbahn zu langsam, 3. versperrten die Straßenbahnwagen die
    Straßen für den übrigen Verkehr, besonders in der Innenstadt.

2) Der Korrespondent einer größeren deutschen Zeitung beschreibt Studenten-
    demonstrationen in einer amerikanischen Universität.

14 ◦ *Die Kirchen und ihre Rolle in der Gesellschaft*

A. *Beantworten Sie folgende Fragen in einem kurzen Absatz:*

1) Wie zeigt sich die Verbindung des Staats mit den Kirchen heute?
2) Wie war die Entwicklung der religiösen Toleranz?
3) Was ist die Rolle der Gemeinde in den offiziellen Kirchen und in den kleineren
    Religionsgemeinschaften?
4) Welche Rolle spielen die evangelischen und katholischen Akademien?
5) Welche Schwierigkeiten hat ein evangelischer Pfarrer in der DDR?
6) Wie kann man den Unterschied der Organisation der katholischen und der
    evangelischen Kirche definieren?

B. *Schreiben Sie einen Aufsatz über folgende Themen:*

1) die öffentliche Rolle der Kirchen und ihre Bedeutung im Privatleben des
    einzelnen Menschen
2) das kirchliche Leben in Deutschland und in den USA — ein Vergleich

C. Setzen Sie das jeweils passende Wort ein:

1) Die Erziehungsminister in der Bundesrepublik heißen heute noch ___.
2) Die katholische Kirche verlangte, daß die Kinder in den Volksschulen nach Konfessionen getrennt unterrichtet werden; das nennt man ___.
3) In der CDU besteht ein konfessionelles ___.
4) Ehen von Protestanten mit Katholiken nennt man in Deutschland oft ___.
5) Jedes Mitglied einer Kirche zahlt ___, die der Staat einzieht.
6) Man kann einen Geistlichen anrufen und ihn um Rat fragen; das nennt man ___.
7) Der Vertrag zwischen der katholischen Kirche und dem deutschen Staat über die gegenseitigen Beziehungen heißt ___.
8) Die Katholiken in Deutschland versuchen, einen ___ aufzuholen.
9) Die Opposition in der evangelischen Kirche gegen Hitler hieß die ___.
10) Neben den wirklichen Christen gibt es in den Kirchen immer viele ___ Christen.

D. Erweitern Sie die Apposition zu einem Relativsatz:

BEISPIEL: Man bezahlt Kirchensteuer, *gewöhnlich 1% des Gehalts.* (betragen)
Man bezahlt Kirchensteuer, die gewöhnlich 1% des Gehalts beträgt.

1) Es gibt manche Gemeindemitglieder *regelmäßig beim Gottesdienst.* (sein)
2) Die Telefonseelsorge hat vielen Menschen *in Schwierigkeiten* geholfen. (sein)
3) Die Beziehungen sind in Verträgen, *Konkordaten*, festgelegt. (nennen)
4) Die Kirchentage, *Massendemonstrationen des evangelischen Glaubens*, haben eine besondere Bedeutung bekommen. (sein)
5) Der Religionsunterricht ist für alle Kinder *in einer der Konfessionen.* (sein)
6) Der Papst, *Oberhaupt der gesamten Kirche*, konnte die katholischen Fürsten beeinflussen. (sein)

E. Verbinden Sie die beiden Teile mit der richtigen Präposition. Beachten Sie den Fall nach der Präposition:

1) Es gab keine Staatskirche / das gesamte Reich
2) Die Kirche hatte die Aufsicht / die Schule
3) Die Kirchen haben ein wichtiges Wort / die öffentlichen Angelegenheiten
4) Das kirchliche Leben in Deutschland unterscheidet sich / das in den USA
5) Nur wenige Protestanten gehören / die Freikirchen
6) Viele Leute gehen in die Kirchen / die hohen Feiertage
7) Evangelische Pfarrer predigen oft / leere Bänke
8) Die Kirche beschäftigt sich / die seelischen Schwierigkeiten der heutigen Menschen

F. Bilden Sie Sätze mit folgenden Verben:

1) sich befreien 2) angehören 3) entsprechen 4) nahestehen 5) verlangen
6) überlassen 7) zur Verfügung stellen 8) helfen

G. Bilden Sie entsprechende Adjektive:

Beispiel: die Aufsicht des Staates
die staatliche Aufsicht

1) die Fakultät für Theologie 2) die Partei von Christen 3) das Proporz-System der Konfessionen 4) die Antwort aus dem Dogma 5) der Bewerber mit Qualifikationen 6) die Unterdrückung durch die Nationalsozialisten 7) die Tradition des Protestantismus 8) die Einstellung in der Tradition

Bilden Sie Sätze mit diesen Wendungen.

H. Beschreiben Sie den Tageslauf eines evangelischen Pfarrers. Verwenden Sie folgende Einzelheiten:

Verwaltungsarbeit / Taufe / Hochzeit / Städtisches Bauamt: Kirchenreparaturen/ Besuch im Altersheim / Konfirmandenunterricht / Diskussion im Jugendklub: Obrigkeit und Widerstand

I. Schreiben Sie über folgendes Thema:

Bei der Telefonseelsorge ruft ein 18-jähriger junger Mann an, Student an einer Ingenieurschule. Er hat einen Streit mit seinem Vater gehabt, weil er nicht zur Bundeswehr gehen will. Auch seine Freundin ist auf der Seite seiner Eltern. Jetzt will er das Elternhaus verlassen, vielleicht sogar aus Deutschland auswandern. Schreiben Sie den Dialog.

15 ∽ Besuch im andern Deutschland

A. Beantworten Sie die Fragen mit einem kurzen Absatz:

1) Was bedeuten die verschiedenen Namen für die DDR, und wer gebraucht sie und weshalb?
2) Welche Schwierigkeiten ergeben sich aus der Wirtschaftsgeographie der DDR?
3) Wie sieht es an der Grenze zwischen der Bundesrepublik und der DDR aus und weshalb?

4) Welche außenpolitischen Ziele hat die DDR?

5) Wie gehen die Wahlen in der DDR vor sich?

6) Wie unterscheidet sich das Schulsystem der DDR von dem der Bundesrepublik?

7) Was kann man über die Einstellung der Bevölkerung zum Staat seit 1961 sagen?

8) Was ist der „dritte Weg"? Warum wünschen ihn viele Leute?

B. *Beschreiben Sie in ca. 100 Worten die Länder:*

1) Thüringen   2) Sachsen   3) Mecklenburg

C. *Erklären Sie durch einen deutschen Satz:*

1) das Niemandsland   2) der Verwaltungsbezirk   3) die Hausindustrie   4) die Pelzindustrie   5) die Seenplatte   6) der Kreidefelsen   7) die Straßenbeleuchtung   8) die Volkskammer   9) die Einheitsschule   10) die Mittelpunktsschule

D. *Setzen Sie die Sätze ins Passiv:*

BEISPIEL: Man mußte einen neuen Hafen bauen.
        Es mußte ein neuer Hafen gebaut werden.

1) Man soll die neuen Ostgrenzen anerkennen.

2) Man mußte die Grenze nach der Bundesrepublik schließen.

3) Man kann jetzt die Wiedervereinigung nicht erreichen.

4) Man mußte das geringe Einkommen durch Hausindustrie verbessern.

5) Man muß die vorgeschlagene Liste annehmen oder ablehnen.

6) Man sollte die Linie der Partei vertreten.

Setzen Sie die Passivsätze ins Perfekt.

BEISPIEL: **Es hat ein neuer Hafen gebaut werden müssen.**

E. *Setzen Sie den Text in die indirekte Rede:*

1) Seite 235: „Schwierig war auch der Aufbau . . ." bis: „. . . in anderen Teilen Deutschlands gestanden."
   Beginnen Sie mit: Der Minister sagte, daß . . .

2) Seite 237: „Die DDR hat die föderalistische . . ." bis: „. . . bekannt als die Stadt der Blumenfelder."
   Beginnen Sie mit: Nach den Berichten habe . . .

3) Seite 240: „Großstädte gibt es nur wenige . . ." bis: „. . . ernst ins Leben blicken."
   Beginnen Sie mit: Ich habe von meinem Freunde gehört, daß . . .

F. Verkürzen Sie den Relativsatz zu einer Partizipialkonstruktion:

BEISPIEL: Nicht viele Deutsche erwarten, daß Ostpreußen, das heute von Russen und Polen bewohnt wird, wieder deutsch wird.
Nicht viele Deutsche erwarten, daß das heute von Russen und Polen bewohnte Ostpreußen wieder deutsch wird.

1) Eisenhüttenstadt, das die polnischen Erze verarbeitet, liegt an der Oder.
2) Die DDR hat die föderalistische Struktur, die in Deutschland herkömmlich ist, aufgegeben.
3) Thüringen and Sachsen sind nicht mehr die Bezeichnungen, die offiziell gebraucht werden.
4) Die Wartburg bot Zuflucht für Luther, der vor dem Kaiser floh.
5) Sachsen war das erste deutsche Land, das weitgehend industrialisiert war.
6) Dresden, das kurz vor dem Ende des Zweiten Weltkriegs fast vollständig zerstört worden ist, ist heute wieder eine schöne Stadt.
7) Die Universität Wittenberg, die lange Zeit das geistige Zentrum des Protestantismus bildete, wurde mit Halle vereinigt.
8) Die Liberalisierung, die in der Tschechoslowakei versucht wurde, würde vielen Einwohnern der DDR gefallen.

G. Schreiben Sie über folgendes Thema:

Ein Deutscher aus der Bundesrepublik trifft seinen Vetter aus der DDR im Urlaub am Schwarzen Meer. Beide haben einen 16-jährigen Sohn. Was erzählen sie einander von ihren Söhnen?

Bundesrepublik: lange Haare / politisch interessiert / gegen NPD / Camping in Spanien / Schallplatten / hält die Eltern für „materialistisch"

DDR: Oberschule / FDJ / Ernteeinsatz in den Sommerferien / Gruppenfahrt nach Moskau / will Ingenieur werden / hält den Westen für rückständig / findet westliches Fernsehen langweilig

H. Diskussionsfrage:

Welche Schwierigkeiten erwartet ein Deutscher aus der Bundesrepublik und ein Deutscher aus der DDR bei einer Wiedervereinigung:

politisch, wirtschaftlich, in der Schule, in der Verwaltung?

16 ⚬ Besuch in Österreich

A. Beschreiben Sie in ca. 100 Worten:

1) die Stadt Wien 2) das Land Salzburg 3) Tirol

B. Beantworten Sie folgende Fragen in einem kurzen Absatz:

1) Welchen Charakter hatte Österreich zwischen 1866 und 1918?
2) Warum ergab sich nach 1918 die Frage des „Anschlusses" an Deutschland?
3) Was suchen und finden die Touristen in Österreich?
4) Erklären Sie das Problem „Südtirol".
5) Unter welchen Bedingungen erreichte Österreich seine Wiedervereinigung?

C. Schreiben Sie einen Aufsatz über folgende Themen:

1) eine dreiwöchige Sommerreise durch Österreich
2) die Geschichte Österreichs seit dem Mittelalter

D. Setzen Sie die passenden Modalverben ein:

1) Nach dem Ersten Weltkrieg ____ sich die Deutschösterreicher an Deutschland anschließen.
2) Österreich ____ sich 1955 zur Neutralität verpflichten.
3) In Wien ____ man sein Leben genießen.
4) Vom Pfänder bei Bregenz ____ man über die weite Fläche des Bodensees blicken.
5) Die Südtiroler verlangen mehr Autonomie, als ihnen die italienische Regierung geben ____.
6) Der Erzbischof von Salzburg ____ sich große und schöne Schlösser bauen.

E. Setzen Sie das jeweils passende Adjektiv ein:

1) groß — klein
   Österreich ist ein ____ Land mit einer ____ Hauptstadt.
   Die Bundesrepublik ist ein ____ Land mit einer ____ Hauptstadt.
2) gotisch — barock
   Wien hat einen ____ Dom und viele ____ Schlösser.
   In Bayern gibt es manche ____ Kirchen mit einer ____ Innenausstattung.
3) berühmt — alt
   Während der ____ Festspiele ist die ____ Stadt Salzburg voll von Menschen.
   Die ____ Stadt Pöchlarn ist ____ durch das Nibelungenlied.

4) schön — gut

Die ____ Landschaft und die ____ Abfahrten bringen die Schiläufer nach Tirol.

Die ____ Küche und die ____ Mädchen machen das Leben angenehm.

F. Setzen Sie **als** oder **nachdem** ein:

1) ____ sich Österreich von Deutschland getrennt hatte, wurde es wirklich ein Vielvölkerstaat.

2) ____ Hitler den Anschluß Österreichs bewirkte, fand er keinen Widerstand in England oder Frankreich.

3) ____ Österreich 1955 wiedervereinigt wurde, mußte es verschiedene Bedingungen akzeptieren.

4) ____ die Wirtschaft wieder in Gang gekommen war, wurde Wien schnell aufgebaut.

5) ____ Südtirol zu Italien gekommen war, kämpften die deutschsprachigen Einwohner um ihre Autonomie.

6) ____ Salzburg für die Festspiele gewählt wurde, spielte der Name Mozart eine Rolle.

Beginnen Sie die obigen Sätze mit dem Hauptsatz und ändern Sie das Subjekt entsprechend:

BEISPIEL: Als Salzburg selbständig war, war es sehr reich.
Salzburg war sehr reich, als es selbständig war.

G. Schreiben Sie über folgendes Thema:

Eine amerikanische Studentin in Wien, die an der Hochschule für Musik studiert, beschreibt in einem Brief an ihre Eltern die Stadt und das kulturelle Leben.

17 ∾ Besuch in der Schweiz

A. Beantworten Sie folgende Fragen in einem kurzen Absatz:

1) Worin kann man die alte demokratische Tradition der Schweiz sehen?
2) In welcher Beziehung unterscheiden sich die einzelnen Kantone der Schweiz?
3) Wie ist die schweizer Armee aufgebaut und für welchen Zweck wird sie ausgebildet?

4) Welche Industriezweige sind in der Schweiz vorherrschend? Wie nutzt die Wirtschaft die Wasserkraft aus?
5) Welche großen außenpolitischen Entscheidungen muß die Schweiz in den nächsten Jahrzehnten treffen? Warum?

B. *Schreiben Sie einen Aufsatz über folgende Themen:*

1) die Geschichte der Schweiz
2) die Schweiz als Reiseland
3) die kulturelle Eigenart der Schweiz
4) Vergleichen Sie die Schweiz und Österreich.

C. *Verneinen Sie die folgenden Sätze mit* **nicht** *oder* **kein**:

1) Man kann das aus der Geschichte erklären.
2) Damit war das Haus Habsburg einverstanden.
3) Die Schweiz war damals ein Bundesstaat.
4) Es gab Kantone mit einer richtigen Volksregierung.
5) Die Schweiz löste die Verbindung mit Deutschland.
6) Die Literatur hat ihre starke Eigenart.
7) Die Engländer waren die ersten Touristen.
8) Die deutschsprachigen Schweizer wohnen im Westen.

D. *Bilden Sie aus dem schräggedruckten Satzteil einen Nebensatz mit einem Frage- pronomen:*

BEISPIEL: *Das dem Fremden Auffallende ist die starke Verschiedenheit.*
Was dem Fremden auffällt, ist die starke Verschiedenheit.

1) *Das Ziel der Schweizer* war die Unabhängigkeit von den Fürsten. (wollen)
2) *Das die Schweiz zum Reiseland Machende* war die Schönheit der Landschaft.
3) *Das die schweizer Außenpolitik Kennzeichnende* ist die Neutralität.
4) *Der durch die Schweiz Reisende* genießt die guten Hotels.
5) *Der aus der Schweiz Auswandernde* hat selten wirtschaftliche Gründe.
6) Auch *der im Ausland Lebende* muß Militärsteuer bezahlen.

E. *Setzen Sie* **als** *oder* **wie** *ein:*

1) Fußtruppen konnten stärker sein ____ Ritterheere.
2) Die Schweiz ist in mehr Länder eingeteilt ____ die Bundesrepublik.
3) Nichts ist so gut ____ das Gebirgsklima.
4) Man sieht selten so viele Soldaten ____ in der Schweiz.
5) Heute ist die Maschinenindustrie wichtiger ____ die Textilindustrie.
6) Niemand hat Fernweh und Heimweh ____ ein Schweizer.

F. *Bilden Sie Sätze mit den folgenden Verben:*

1) sich verdingen   2) ausscheiden   3) sich unterscheiden   4) verwickelt werden   5) wahren   6) sich einstellen   7) genehmigen   8) sich umstellen 9) entfliehen   10) beteiligt sein

G. *Schreiben Sie über folgende Themen:*

1) Was fällt einem jungen Schweizer in den USA auf? Ein Schweizer schreibt einen Brief an einen Freund in Zürich.
2) Wie würde ein Reiseplan für eine Studentengruppe aussehen, die drei Wochen lang durch die Schweiz fährt? Was würde sie ansehen wollen?

Vokabular

For each noun, gender and plural forms are indicated, if the plural is used.

Plural endings: die **Schule, -n** die Schulen
der **Abenteurer, -** die Abenteurer (same as singular)
der **Abiturient, -en** die Abiturienten
das **Abonnement, -s** die Abonnements
der **Abschluß, ⸚sse** die Abschlüsse
das **Land, ⸚er** die Länder

For strong and irregular verbs, the three forms (infinitive, past tense and past participle) are indicated.

A

ab off, from

abbauen to work a mine; remove or demolish (a building)

abbrechen, brach ab, abgebrochen to interrupt, break off

abdanken to abdicate, resign

das **Abendgymnasium, -gymnasien** night school preparing for secondary school diploma

das **Abendland** Occident

abendländisch occidental

abends in the evening

die **Abendschule, -n** night school for adults

abenteuerlich adventurous, strange, romantic

die **Abenteuerlust** quest for adventure

der **Abenteurer, -** adventurer

die **Abfahrt, -en** departure

abfassen to write, compose

die **Abfassung, -en** writing, composition, style

sich **abfinden (mit), fand ab, abgefunden** to come to terms with, put up with

abfragen inquire, bring out by questioning, ask questions about the homework

die **Abgabe, -n** tax, tribute, fee

abgeben, gab ab, abgegeben to give, share, deliver

der **Abgeordnete, -n** deputy, representative, member of parliament

das **Abgeordnetenhaus** house of representatives

der **Abgeordnetensitz, -e** seat in the house of representatives

der **Abgesandte, -n** envoy, ambassador

abhalten, hielt ab, abgehalten to hold, organize, deliver (a speech), give (lessons)

abhängen (von), hing ab, abgehangen to be dependent on

abhängig dependent on, subject to

das **Abitur** final secondary school examination in Germany qualifying for university studies

der **Abiturient, -en** graduate of German secondary school

das **Abiturzeugnis, -sse** secondary school diploma

der **Abkömmling, -e** descendant

abkürzen to abbreviate, shorten, abridge

der **Ablaßhandel** selling of indulgences

ablehnen to decline, refuse

die **Ablenkung, -en** distraction, entertainment

ablösen to relieve, replace

sich **ablösen** to alternate, succeed in turn

die **Abmachung, -en** agreement, settlement, arrangement

abmontieren to take to pieces (machinery), dismantle

abnehmen, nahm ab, abgenommen to take away, decrease

das **Abonnement, -s** subscription

die **Abonnementskarte, -n** season ticket

abrechnen to settle accounts

abschaffen to abolish

abschalten to switch off, turn off

der **Abschied, -e** discharge, dismissal, farewell, resignation

der **Abschlag, ·:e** advance against wages

abschließen, schloß ab, abgeschlossen to lock, seclude, sign or close an agreement

sich **abschließen (von)** to seclude oneself

der **Abschluß, ·:sse** end, conclusion, settlement

die **Abschlußprüfung, -en** final examination

abschneiden, schnitt ab, abgeschnitten to cut off, come off

der **Abschnitt, -e** segment, period of time, paragraph

abschütteln to shake off, get rid of

abseits aside, aloof

absetzen to depose, drop, set down

die **Absicht, -en** intention

absolut absolute

absolvieren to complete (studies)

sich **abspalten (von)** to separate, split

absperren to lock off, separate, isolate, barricade

sich **absperren (gegen)** to isolate oneself

sich **abspielen** to take place

absteigen, stieg ab, abgestiegen to descend, dismount; be relegated into a lower league (sport)

abstellen to put down, abolish, remedy, turn off

die **Abstimmung, -en** voting, suffrage

abstrakt abstract

die **Abteilung, -en** division, separation, classification

abtransportieren to move, ship

die **Abtretung, -en** cession, surrender, ceding

abwartend cautious, on the fence, wait-and-see, sceptical

abwechselnd alternate, in turns

die **Abwechslung** change, variety, distraction

abwehren to fight off, ward off

abweisen, wies ab, abgewiesen to reject, refuse, repel

sich **abwenden (von), wandte ab, abgewandt** to turn away from

abwerten to devaluate

der **Abzug, ⸚e** departure; deduction

achten (auf) to regard, esteem, pay attention to

die **Achtung, -en** esteem, respect, attention

der **Adel** nobility

der **Adelige, -n** nobleman

adeln to raise to nobility, ennoble

das **Adelsgeschlecht, -er** noble family

der **Adelstitel, -** patent, title of nobility

der **Adventskranz, ⸚e** advent wreath

der **Adventssonntag, -e** advent sunday

Afrika Africa

agrarwissenschaftlich agronomic

Aegypten Egypt

ähnlich similar

die **Akademie, -n** academy

akademisch academic

der **Akkordlohn, ⸚e** piece-wages

aktiv active

akut acute

akzeptieren to accept

die **Aktion, -en** action, drive

akzeptabel acceptable

der **Alkohol** alcohol, liquor

allein alone, single, only

allerdings however, indeed, rather

das **Allerheiligen** All Saints' Day, 1st of November

allgemein general, overall, universal

die **Allgemeinbildung, -en** general education

alliiert allied

der **Alliierte, -n** ally

alljährlich annual, every year

allmählich gradual, by degrees

der **Alltag, -e** working-day, everyday

die **Alltagskleidung, -en** everyday dress

das **Alltagsleben** ordinary everyday life

allzu much too

die **Alpen** Alps

die **Alpenkette, -n** Alps (chain of mountains)

die **Alpenreise, -n** trip through the Alps

das **Alpenvorland** highland plain north of the Bavarian Alps

das **Alphorn, ⸚er** alpenhorn

alt old

das **Alte** old things or ideas

der **Altersgenosse, -n** person of the same age, peer

das **Altersheim, -e** home for old people

die **Altersrente, -n** old-age pension, annuities, social security payments

die **Altersversorgung, -en** old-age pension plan, old age insurance

altertümlich ancient, antique

altfranzösisch old French

althochdeutsch old high German

die **Altstadt, ⸚e** city, center of town which is older than the suburbs

der **Amateursport** non-professional sport

die **Amateurveranstaltung, -en** show, game or match by amateurs

Amerika America

amerikanisch American

das **Amt, ⸚er** office, post, appointment, agency, public function

die **Amtszeit, -en** term of office

der **Anbau** cultivation

anbauen to cultivate

anbieten, bot an, angeboten to offer, propose

anbrechen, brach an, angebrochen to dawn, begin

das **Andenken, -** memory, souvenir

iii

ändern to change
sich **ändern** to change
anderswo elsewhere
androhen to menace, threaten
die **Anekdote, -n** anecdote
anerkennen, erkannte an, anerkannt to recognize, appreciate, accept
die **Anerkennung, -en** recognition, acceptance
der **Anfang, ⁔e** beginning
anfangen, fing an, angefangen to begin, start
der **Anfänger** beginner
das **Anfangskapital, -ien** opening capital
die **Anfangszeit, -en** first period, starting time
anfertigen to make, manufacture
das **Angebot, -e** offer
angehören to belong to, be affiliated with
die **Angelegenheit, -en** matter, concern, business
das **Angeln** fishing
der **Angelsport** sport of fishing
angesehen respected
der **Angestellte, -n** employee
die **Angestelltenrente, -n** old-age pension for employees
angewiesen (auf) dependent on
sich **angleichen, glich an, angeglichen** to adjust, assimilate
angliedern to annex, affiliate
die **Angliederung, -en** annexation, incorporation
die **Anglistik** English studies (at university)
angreifen, griff an, angegriffen to attack, seize
der **Angreifer, -** aggressor
der **Angriff, -e** attack
die **Angst, ⁔e** fear, anxiety
der **Anhänger, -** follower
die **Anhäufung, -en** accumulation, conglomerate
die **Anklage, -n** accusation
anknüpfen to resume, tie
die **Anlage, -n** installation, plan, layout, investment
der **Anlaß, ⁔sse** occasion, cause
anlegen to found, plant, invest

der **Anlernberuf, -e** profession requiring on-the-job training
anlocken to allure, attract, entice
die **Annäherung, -en** approach
annehmen, nahm an, angenommen to accept, adopt, embrace
annektieren to annex
die **Annektion, -en** annexation
die **Anordnung, -en** directives, order, regulation, arrangement
anpassen to adjust
das **Anrecht** title, claim, privilege
die **Anregung, -en** suggestion, stimulation
anrufen, rief an, angerufen to phone, call
sich **ansammeln** to accumulate, gather
anschalten to turn on, switch on
die **Anschauung, -en** idea, view, perception
anschlagen, schlug an, angeschlagen to post
anschließen, schloß an, angeschlossen to add, annex
sich **anschließen (an)** to join, follow
anschließend afterwards, following
der **Anschluß, ⁔sse** joining, connexion
ansehen, sah an, angesehen to regard, consider; sich **etwas ansehen** to visit, inspect something
ansehnlich considerable, good-looking
ansetzen to schedule, fix
die **Ansicht, -en** view, opinion
die **Ansichtspostkarte, -n** picture postcard
der **Anspruch** claim; in **Anspruch nehmen** to claim, pretend to
anspruchsvoll pretentious, exacting
die **Anstalt, -en** institution
die **Anstellung, -en** employment, job
anstreben to aspire to
anstrengend strenuous, trying, hard
die **Anstrengung, -en** effort, strain
der **Anteil, -e** share, part
der **Anthroposoph, -en** anthroposophist, theosophist
antideutsch anti-German
antik antique, ancient
die **Antike** antiquity
antikommunistisch anti-communist
antiquiert dated, antiquated

der **Antisemit, -en** anti-Semite
antisemitisch antisemitic
die **Antwort, -en** answer, reply
antworten to answer, reply
anwenden, wandte an, angewandt to apply, use
das **Anzeichen, -** symptom
die **Anzeige, -n** advertisement
anziehen, zog an, angezogen to attract, pull, dress
sich **anziehen** to dress
die **Anziehungskraft, ⸚e** attraction, attractive power
anzünden to light, set on fire
der **Apparat, -e** apparatus
arabisch Arabic
die **Arbeit, -en** work, job, labor
arbeiten to work
der **Arbeiter, -** laborer, worker
die **Arbeiterbewegung, -en** working-class movement
der **Arbeiterbildungsverein, -e** Workers' Educational Association
das **Arbeiterkind, -er** worker's child
die **Arbeiterklasse** working class
die **Arbeiterpartei, -en** labor party
der **Arbeiterrat, ⸚e** Workers' Council
die **Arbeitersiedlung, -en** housing project for workers
der **Arbeiterverein, -e** workmen's club
der **Arbeitgeber, -** employer
der **Arbeitnehmer, -** workman, employee
das **Arbeitsamt, ⸚er** labor office, employment bureau
die **Arbeitsbedingungen** (*pl.*) working conditions
die **Arbeitserleichterung, -en** working facilities (e.g. machines)
die **Arbeitsfront** German labor organization (1933–45)
die **Arbeitsgruppe, -n** group of workers, working team
der **Arbeitskollege, -n** colleague
die **Arbeitskraft, ⸚e** manpower, workman, hand
der **Arbeitskreis, -e** work team, discussion group
arbeitslos unemployed
der **Arbeitslose, -n** unemployed

die **Arbeitslosenunterstützung, -en** unemployment benefit
die **Arbeitslosigkeit** unemployment
der **Arbeitsplatz, ⸚e** job, post, place of employment
die **Arbeitsstunde, -n** manhour
der **Arbeitstag, -e** working day
das **Arbeitstier, -e** workhorse, hard working person
das **Arbeitszimmer, -** study, working room
der **Architekt, -en** architect
die **Architektur** architecture
argumentieren to argue, debate
der **Arier, -** Aryan
arisch Aryan
aristokratisch aristocratic
arm poor
die **Armee, -n** army
die **Armut** poverty
sich **arrangieren (mit)** to come to an agreement with
arrondieren to round off
die **Art, -en** kind, manner, style, species
der **Artikel, -** article, commodity
der **Arzt, ⸚e** physician
die **Arztkosten** (*pl.*) costs of medical treatment
der **Aschermittwoch** Ash Wednesday
der **Assessor, -en** assessor, associate judge
der **Ästhetiker, -** aesthete, scholar who does research in aesthetics
atheistisch atheistic
die **Atmosphäre** atmosphere
die **Atomphysik** atomic physics
die **Atomtheorie, -n** atomic theory
das **Attentat, -e** assassination attempt
aufatmen to breathe again
der **Aufbau** reconstruction
aufbauen to build up, establish
aufbewahren to preserve, deposit
aufbrechen, brach auf, aufgebrochen to start, set out; break open
der **Aufbruch, ⸚e** start, departure
der **Aufenthalt, -e** stay, residence
auferlegen to impose
auffallen, fiel auf, aufgefallen to strike, occur to
auffällig striking
auffassen to conceive, interpret

v

die **Auffassung, -en** conception, view, interpretation
auffordern to invite, summon
aufführen to perform
die **Aufführung, -en** performance
die **Aufgabe, -n** task, job; abandonment
aufgeben, gab auf, aufgegeben to give up, abandon
aufgehen, ging auf, aufgegangen to rise (sun)
aufgehen (in) to be merged in, absorbed in
aufheben, hob auf, aufgehoben to abolish, annul, repeal; raise, keep
aufholen to catch up
aufhören to stop, cease
aufklären to enlighten
der **Aufklärer, -** enlightener
die **Aufklärung, -en** enlightenment; also: sex education
die **Auflage, -n** edition, circulation
sich **auflehnen (gegen)** to rebel, resist
auflösen to dissolve, disband
der **Aufmarsch, :e** parade, deployment
die **Aufmerksamkeit, -en** attention
aufnahmefähig receptive
die **Aufnahmeprüfung, -en** entrance examination
aufnehmen, nahm auf, aufgenommen to accept, admit, receive, absorb
aufpassen to watch, be attentive
aufpflanzen to set up
aufregen to excite
die **Aufreizung, -en** incitement, instigation
aufrufen, rief auf, aufgerufen to call, summon
die **Aufrüstung, -en** armament
die **Aufschrift, -en** inscription
der **Aufschwung, :e** boom, upward development
das **Aufsehen** sensation
die **Aufsicht, -en** supervision, inspection
das **Aufsichtsgremium, -en** supervising authority or board
aufspalten to separate, divide
aufspringen, sprang auf, aufgesprungen to jump up
der **Aufstand, :e** revolt, insurrection

aufständisch rebellious
aufsteigen, stieg auf, aufgestiegen to rise, take off
aufstellen to set up, nominate, mount
der **Aufstieg, -e** ascent, rise
die **Aufstiegschance, -n** chances for promotion
die **Aufstiegsmöglichkeit, -en** chances for promotion
aufstrebend aspiring
aufteilen to divide, parcel
der **Auftrag, :e** order, commission
der **Auftraggeber, -** customer, employer
auftreten, trat auf, aufgetreten to occur, appear, proceed
das **Auftreten** behavior, appearance, occurence
aufwachen to wake up
aufwachsen, wuchs auf, aufgewachsen to grow up
aufzählen to enumerate
das **Auge, -n** eye
ausarbeiten to compose, draft, elaborate
der **Ausbau** extension, completion, development
ausbauen to develop, complete, expand
ausbilden to train, educate
die **Ausbildung, -en** training, instruction
ausbrechen, brach aus, ausgebrochen to break out, happen
der **Ausbruch, :e** outbreak; escape
ausbreiten to spread, propagate
der **Ausdruck, :e** expression, term
ausdrücken to express; squeeze out
auseinanderbrechen, brach auseinander, auseinandergebrochen to break apart, separate
die **Auseinandersetzung, -en** confrontation, argument, discussion
ausfallen, fiel aus, ausgefallen to fail to take place; turn out
der **Ausflug, :e** excursion, outing
ausführen to execute, implement; export
ausführlich detailed
der **Ausgangspunkt, -e** starting point
ausgedehnt extended

ausgehen, ging aus, ausgegangen to take a walk; end, turn out

ausgezeichnet excellent

der **Ausgleich, -e** compensation, compromise

ausgleichen to balance, compensate

sich **auskennen, kannte aus, ausgekannt** to be an expert, be at home

auskommen (mit), kam aus, ausgekommen to make do with, get along with

das **Ausland** foreign countries

der **Ausländer, -** foreigner

ausländisch foreign

auslegen to lay out, display; interpret

ausmachen to matter; to arrange; **es macht mir etwas aus** it matters to me, it makes a difference to me

das **Ausmaß, -e** extent, dimension

die **Ausnahme, -n** exception

das **Ausnahmegesetz, -e** emergency law

der **Ausnahmemensch, -en** exceptional person

ausnutzen to utilize, take advantage of

ausprobieren to sample, try out

ausrauben to rob

ausrechnen to calculate, compute

ausreichen to be sufficient, adequate

ausrufen, rief aus, ausgerufen to proclaim, exclaim

sich **ausruhen** to rest

ausschalten to turn off, switch off

ausscheiden, schied aus, ausgeschieden to eliminate, withdraw, drop out

ausschließlich exclusive

der **Ausschuß, ¨sse** committee

der **Außenminister, -** foreign minister, Secretary of State

die **Außenpolitik** foreign policy

außenpolitisch referring to foreign policy

der **Außenseiter, -** outsider

außerdem besides, moreover

außerhalb outside

äußerlich external, outward

außerordentlich extraordinary

die **Aussicht, -en** prospect, view, outlook

aussichtslos hopeless, without chance of success

die **Aussöhnung, -en** reconciliation

aussprechen, sprach aus, ausgesprochen to pronounce, articulate, express

die **Ausstattung, -en** outfit, furniture, equipment

ausstellen to exhibit

die **Ausstellung, -en** exhibition

aussterben, starb aus, ausgestorben to die out, become extinct

aussuchen to choose, select

der **Austausch, -e** exchange, interchange, barter

austauschen to exchange, substitute

ausüben to exercise, practice

die **Auswahl** choice, selection

auswählen to select, choose

der **Auswanderer, -** emigrant

auswandern to emigrate

die **Auswanderung, -en** emigration

auswärts outwards, abroad

der **Ausweg, -e** way out, expedient

ausweisen, wies aus, ausgewiesen to expel, deport, banish

auswendig by heart; outside

auswirken to effect, result

sich **auszeichnen** to distinguish oneself

ausziehen, zog aus, ausgezogen to leave, march out, move (from)

das **Auto, -s** car

die **Autobahn, -en** expressway, superhighway

die **Autobiographie, -n** autobiography

das **Autogramm, -e** autograph

die **Autoindustrie, -n** car industry

automatisieren to automate

der **Automechaniker, -** mechanic

die **Autonomie, -n** autonomy, self-government

das **Autorennen, -** car race

autoritär authoritarian

die **Autorität, -en** authority

die **Autoschlange, -n** backed up line of cars

der **Autounfall, ¨e** car accident

das **Avantgardetheater, -** avantgarde theater (stage)

backen to bake

der **Bäckermeister** master baker

die **Bäckerstraße** Baker Street

das **Bad, ⸚er** bath

baden to bathe

die **Bahn, -en** course, path, road; railway

der **Bahnhof, ⸚e** railway station

die **Bahnhofsbuchhandlung, -en** bookstore at the railway station

baltisch Baltic (referring mainly to Estonia, Latvia and Lithuania)

das **Ballett, -e** ballet

das **Band, ⸚er** ribbon, tie

die **Bank, ⸚e** bench

die **Bank, -en** bank

der **Bankier, -s** banker

der **Bann** excommunication, ban, curse

barock baroque

die **Barockkultur** culture of the period of baroque

der **Barockstil** baroque style

der **Bart, ⸚e** beard

die **Basis, Basen** basis, base

der **Bau, -ten** construction, building

der **Bauarbeiter, -** construction worker

bauen to build

der **Bauer, -n** farmer

bäuerlich rural

der **Bauernhof, ⸚e** farm, farm buildings

der **Bauernkrieg, -e** Peasants' War (1524–25 in Germany)

die **Bauernmagd, ⸚e** maid servant on a farm

der **Bauernsohn, ⸚e** son of a farmer

das **Bauhaus** influential art school in Germany (1919–34)

die **Baukunst, ⸚e** architecture

die **Baumwolle** cotton

der **Baustil, -e** style of architecture

Bayern Bavaria

beachten to notice, pay attention to

beachtlich noticeable, noteworthy

der **Beamte, -n** official, officer, Civil Servant

die **Beamtenlaufbahn** civil service career

beanspruchen to claim, pretend

beantworten to answer

bearbeiten to cultivate; handle, work on (something)

beaufsichtigen to inspect, supervise, control

bedacht sein (auf) to cherish, be intent on

bedauern to regret, deplore

bedecken to cover

bedeuten to mean, signify

bedeutend important, considerable

die **Bedeutung, -en** importance, signification, meaning

der **Bediente, -n** servant, lackey

die **Bedingung, -en** condition, terms

bedingungslos unconditional

bedrohen to menace, threaten

die **Bedrohung, -en** menace

das **Bedürfnis, -se** need, necessity

beeinflussen to influence

beeinträchtigen impair, prejudice

beenden to terminate, bring to an end

sich **befassen (mit)** to handle, deal with, engage in

das **Befehlen** ordering, commanding

befestigen to fortify; attach

die **Befestigung, -en** fortress, fortification

befolgen to follow, observe, obey

befreien to liberate

die **Befreiung, -en** liberation

die **Befriedigung, -en** satisfaction

die **Befugnis, -se** authority

befürchten to fear, apprehend

begabt talented, smart

die **Begabung, -en** talent

begegnen to meet, happen

begehen, beging, begangen to commit (mistakes, etc.); celebrate; walk around

begeistern to inspire

begeistert enthusiastic

die **Begeisterung** enthusiasm

der **Beginn** beginning, origin

beginnen, begann, begonnen to begin

begleiten to accompany, escort

der **Begleiter, -** companion

sich **begnügen (mit)** to be satisfied with, content oneself with

begraben, begrub, begraben to bury

das **Begräbnis, -se** burial, funeral

begreifen, begriff, begriffen to understand

begrenzen to limit; **begrenzt werden (von)** to be bordered by

begrenzt limited, narrow

der **Begriff, -e** notion, concept, idea

der **Begründer, -** founder

begrüßen to salute, welcome

begünstigen to favor, encourage

begutachten to give an opinion on, evaluate

behalten, behielt, behalten to keep, retain

behandeln to treat, handle

beharren (auf) to persist, persevere, stick to

behaupten to affirm, maintain, hold one's ground

beherrschen to rule, govern

behindern to hamper, hinder

die **Behörde, -n** authority, office

beibringen, brachte bei, beigebracht to forward, produce, teach

beide both

das **Beisammensein** meeting, being together

der **Beisitzer, -** assessor, committee member

das **Beispiel, -e** example

beißend biting, poignant, pungent

beitragen, trug bei, beigetragen to contribute

beitreten, trat bei, beigetreten to join, agree

bekämpfen to combat, fight against

bekannt well-known

der **Bekannte, -n** acquaintance

bekehren to convert

bekennen, bekannte, bekannt to confess, admit

das **Bekenntnis, -se** confession

beklagen to deplore, lament, complain

bekommen, bekam, bekommen to get, obtain

belagern to besiege

belasten to burden, load

beleben to animate

belehnen to invest with a fief, enfeoff

belegen to sign up for, reserve, inflict

die **Beleidigung, -en** insult, affront

Belgien Belgium

beliebig as one likes, any

beliebt popular, favorite

bemerken to notice, observe

bemerkenswert remarkable

die **Bemerkung, -en** remark, observation

sich **bemühen** to take pains, exert oneself

die **Bemühung, -en** trouble, endeavor

benachbart neighboring

das **Benediktinerkloster, ∵** Benedictine monastery

der **Benediktinerorden** Benedictine order

das **Benehmen** behavior, conduct

benennen, benannte, benannt to name, term

benutzen to make use of

bequem convenient, comfortable

beraten, beriet, beraten to advise, counsel

berechnen to calculate, compute

der **Bereich, -e** scope, field, range

bereichern to enrich

bereit ready, prepared

bereiten to prepare

bereits already

der **Berg, -e** mountain

das **Bergbaugebiet, -e** mining area

der **Berggipfel, -** summit of a mountain

der **Berghang, ∵e** mountain slope

die **Berglandschaft, -en** mountain scenery

der **Bergmann, -leute** miner

der **Bergrücken, -** mountain ridge or range

der **Bergsee, -n** lake in the mountains

die **Bergspitze, -n** mountain peak

das **Bergsteigen** mountaineering

das **Bergwandern** mountain tours, hiking in the mountains

das **Bergwerk, -e** mine

die **Bergwerkindustrie, -n** mining industry

der **Bergwerksort, -e** mining town

der **Bericht, -e** report

berücksichtigen to take into consideration, respect

der **Beruf, -e** job, occupation, profession

berufen, berief, berufen to appoint, call, convoke

beruflich professional, vocational

die **Berufsarbeit, -en** professional work

die **Berufsaufbauschule, -n** type of vocational school

die **Berufsausbildung** vocational training, professional training

die **Berufsaussicht, -en** career prospects

das **Berufsbewußtsein** pride in belonging to a particular profession

das **Berufsbild, -er** definition of the necessary skills and knowledge for a certain profession

die **Berufsfachschule, -n** type of vocational school

die **Berufsgruppe, -n** professional group

die **Berufskunde** theoretical knowledge necessary for a trade

das **Berufsleben, -** professional life

die **Berufsmöglichkeiten** (*pl.*) opportunities, career possibilities

die **Berufsschule, -n** type of vocational school

die **Berufssportart, -en** type of professional sport

der **Berufssportler, -** professional in sports

der **Berufssport** professional sport

die **Berufstätigkeit, -en** employment, professional activities

die **Berufswahl** choice of a profession

der **Berufszweig, -e** trade, branch of a profession

die **Berufung, -en** appointment, appeal

beruhen (auf) to be based on, depend on

beruhigen to calm, appease

berühmt famous

berühren to touch, mention

die **Berührung, -en** contact

die **Besatzung, -en** occupation, garrison

die **Besatzungsmacht, ˙e** occupying forces

die **Besatzungszone, -n** occupation zone

beschäftigen to occupy, employ

sich **beschäftigen (mit)** to be occupied with, deal with

die **Beschäftigung, -en** occupation

beschenken to present

beschließen, beschloß, beschlossen to decide, conclude

beschränken to confine, limit

beschränkt limited, dull

die **Beschränkung, -en** restriction, limitation

beschreiben, beschrieb, beschrieben to describe

die **Beschreibung, -en** description

beschützen to protect, defend

beschwören, beschwor, beschworen to swear, take on oath

beseitigen to remove

die **Beseitigung, -en** removal

der **Besen, -** broom

besetzen to occupy, staff, fill

die **Besetzung, -en** occupation (of a country)

besichtigen to visit, inspect, view

besiedeln to settle, colonize

die **Besiedelung, -en** colonization

besiegen to overcome, beat, conquer

der **Besiegte, -n** vanquished, conquered

sich **besinnen (auf), besann, besonnen** to remember, reflect

der **Besitz** possession, holding

besitzen to own, possess

die **Besitzung, -en** possession, estate

das **Besondere: etwas Besonderes** something particular, peculiar

besonders particularly, separately

besprechen, besprach, besprochen to discuss, talk over, review

bessern to improve

bestätigen to approve, confirm, sanction

bestehen, bestand, bestanden to be, exist; **bestehen (auf)** to insist upon; **bestehen (aus)** to consist of

die **Bestie, -n** beast, brute

bestimmen to define, determine, fix

die **Bestimmung, -en** regulation, definition, vocation

besuchen to visit

sich **beteiligen (an), beteiligt sein (an)** to participate in, have a share

beteiligt participating, interested, (party) concerned

die **Beteiligung, -en** participation, partnership

der **Beton** concrete

der **Betonbau, -ten** concrete building

betonen to stress, emphasize

betrachten to view, consider

beträchtlich considerable
betreffen, betraf, betroffen to concern
betreiben, betrieb, betrieben to pursue, operate
betreten, betrat, betreten to enter
der **Betrieb, -e** business, plant, workshop
der **Betriebsausflug, ⸚e** firm's outing
die **Betriebsleitung, -en** management of a company
der **Betriebsrat, ⸚e** staff committee
das **Bett, -en** bed
der **Bettler, -** beggar
sich **beugen** to submit to
beurteilen to judge, criticize
bevölkern to populate
die **Bevölkerung, -en** population
die **Bevölkerungsdichte, -en** density of population
bevor before
bevorzugt popular, favorite
bewahren to preserve, keep, protect
bewaldet wooded
die **Bewältigung** surmounting, overcoming, accomplishment
beweglich movable, active, versatile
die **Bewegung, -en** movement, agitation, emotion
beweisen, bewies, bewiesen to prove, demonstrate
sich **bewerben** to apply for
der **Bewerber, -** candidate, applicant
bewilligen to grant
bewirtschaften to cultivate, manage
bewohnen to inhabit
der **Bewohner, -** inhabitant
bewundern to admire
bewußt conscious, aware
das **Bewußtsein** consciousness
bezahlen to pay
die **Bezahlung, -en** pay, payment
bezaubernd enchanting
bezeichnen to designate, denote
die **Bezeichnung, -en** designation, term
bezeugen to testify, prove
die **Beziehung, -en** relation, connexion
beziehungsweise respectively
der **Bezirk, -e** district, precinct
der **Bezirksausschuß, ⸚sse** precinct committee

die **Bibel, -n** bible
die **Bibelauslegung, -en** exegesis, interpretation of the bible
die **Bibelübersetzung, -en** translation of the bible
die **Bibliothek, -en** library
biblisch biblical
der **Bienenzüchterverein, -e** association of bee-keepers
das **Bier, -e** beer
das **Bierbrauen** brewing of beer
das **Bierfest, -e** beer festival
bieten, bot, geboten to offer
das **Bild, -er** picture, image
bilden to form, shape, cultivate, educate
bilderreich flowery, full of images or pictures
der **Bildhauer, -** sculptor
die **Bildhauerei** sculpture
die **Bildungseinrichtung, -en** educational institution
das **Bildungsfernsehen** educational television
das **Bildungsideal, -e** concept of education, educational ideal
die **Bildungsreise, -n** educational journey
der **Bildungsroman, -e** educational novel
der **Bildungsrückstand, ⸚e** educational "lag"
der **Bildungsverein, -e** association for adult education
billig cheap, fair
die **Billion, -en** trillion
der **Binnenhafen, ⸚** inland port
der **Binnenmarkt, ⸚e** domestic market, inner market
der **Birkenzweig, -e** branch of the birch-tree
der **Bischof, ⸚e** bishop
die **Bischofsstadt, ⸚e** episcopal see, residence of a bishop
bisher till now, so far
bisherig hitherto
das **Bistum, ⸚er** bishopric
bitten, bat, gebeten to request, entreat
blasen, blies, geblasen to blow, sound
die **Blasmusik, -en** brass band
blau blue
blauäugig blue-eyed

xi

das **Blei** lead

das **Bleigießen** casting of lead (to predict the future)

bleiben, blieb, geblieben to stay, remain

der **Blick, -e** view, look; **einen Blick werfen** to take a look

der **Blitz, -e** lightning

der **Blitzkrieg, -e** lightning war, blitzkrieg

blockieren to obstruct, blockade

bloß only; bare, naked

die **Blume, -n** flower

das **Blumenfeld, -er** field of flowers

der **Blumenteppich, -e** carpet of flowers

das **Blut** blood

die **Blütezeit, -en** prime, golden age, peak

der **Boden,** ⁚ soil, ground

die **Bodenschätze** (*pl.*) mineral resources

Böhmen Bohemia

böhmisch Bohemian

die **Bohne, -n** bean

bohren to drill, bore

das **Bootfahren** boating

die **Börde** fertile plain (particularly west of Magdeburg)

borgen to borrow

böse bad, evil

der **Botschafter, -** ambassador

die **Böttcherstraße** Cooper Street

das **Boulevardblatt** ⁚er tabloid

das **Boxen** boxing

boykottieren to boycott

brach unploughed, unused

das **Brachland** fallow, unploughed land

der **Brand,** ⁚e fire, burning

der **Brauch,** ⁚e custom, tradition, usage

brauchen to use, need

die **Braunkohle, -n** lignite, brown coal

das **Braunkohlenlager, -** layer of lignite

das **Braunkohlevorkommen, -** lignite deposit

der **Breitengrad, -e** latitude

brennen, brannte, gebrannt to burn

der **Brieffreund, -e** pen-pal

der **Briefroman, -e** epistolary novel, letter novel

bringen, brachte, gebracht to take, bring

die **Broschüre, -n** pamphlet, folder

das **Brot, -e** bread

das **Brotstudium, -en** study for the sole purpose of gaining a livelihood

die **Brücke, -n** bridge

der **Bruder,** ⁚ brother

das **Buch,** ⁚er book

der **Buchdruck** book printing

die **Bücherzensur** book censorship

die **Buchgemeinschaft, -en** book club

die **Buchhaltung, -en** bookkeeping

der **Buchhandel** book trade

der **Buchhändler, -** bookseller

die **Buchhändlerschule, -n** vocational school for training booksellers

die **Buchhandlung, -en** bookstore

die **Buchillustration, -en** book illustration

der **Buchladen,** ⁚ bookshop, bookstore

das **Büchlein, -** small book, booklet

die **Buchmalerei** manuscript or book illumination

die **Buchmesse, -n** book fair

die **Bude, -n** stall, booth

das **Bühnenbild, -er** scenery, setting (stage)

die **Bulle, -n** bull

der **Bund,** ⁚e alliance, league, tie

die **Bundesbahn** federal railways (Federal Republic of Germany)

das **Bundesfernsehen** television program operated by a federal agency

die **Bundeshauptstadt** capital of the federation

der **Bundeskanzler, -** Federal Chancellor, head of government in the Federal Republic of Germany

das **Bundesland,** ⁚er federal state

die **Bundesliga, -ligen** professional soccer league (Germany)

die **Bundesligamannschaft, -en** team of the professional soccer league

die **Bundespolitik** federal politics

die **Bundespost** Federal Post Office

der **Bundespräsident, -en** President of the Federal Republic

der **Bundesrat** federal council, upper house of parliament in the Federal Republic of Germany

die **Bundesregierung, -en** federal government

die **Bundesrepublik, -en** federal republic

der **Bundesstaat, -en** federal state, state of a federation

der **Bundestag** federal diet, lower house of parliament

die **Bundestagssitzung, -en** session of parliament

die **Bundestagswahl, -en** Bundestag election

der **Bundesverband, ⸚e** association, union on the federal level

das **Bundesverfassungsgericht** Supreme Court for constitutional questions

der **Bundesverteidigungsminister** Federal Minister of Defense

die **Bundeswehr** Federal Armed Forces

der **Bundeswirtschaftsminister** Federal Minister of Economy

das **Bündnis, -se** alliance

die **Burg, -en** castle

der **Bürger, -** citizen, townsman, bourgeois

der **Bürgerkrieg, -e** civil war

bürgerlich civil, bourgeois

die **Bürgerschaft, -en** citizens, citizens' council

die **Bürgerstadt, ⸚e** middle class town, commercial town, town without a prince or nobility

das **Bürgertum** middle class, citizenship

die **Burgruine, -n** ruined castle

burgundisch Burgundian

das **Büro, -s** office

der **Bürodiener, -** office boy

die **Bürokratie, -n** bureaucracy, red tape

die **Burschenschaft, -en** Students' Association, fraternity

das **Bußgewand, ⸚er** attire of a penitent

C

die **Campingmöbel** (*pl.*) camping furniture

der **Camping-Platz, ⸚e** camping place

der **Campingreisende, -n** camping traveller

der **Charakter, -e** character

charakteristisch characteristic

der **Charakterzug, ⸚e** characteristic feature, trait of character

der **Charme** charm

der **Chef, -s** boss, head

der **Chefredakteur, -e** chief editor

chemisch chemical

die **Chemie** chemistry

der **Chor, ⸚e** choir, chorus

das **Chorsingen** choral singing

die **Chorvereinigung, -en** choir, choral society

das **Chorwerk, -e** composition for choir

der **Christbaum, ⸚e** christmas tree

der **Christenglaube** Christian faith

das **Christentum** christianity

die **Christianisierung** Christianization

christlich christian

D

dabei in doing so; near by

das **Dach, ⸚er** roof

damalig of that time, then

daneben next to it, besides

Dänemark Denmark

dänisch Danish

dank thanks to, owing to

darstellen to represent, perform, exhibit

darunter among them

das **Dasein** existence, life, presence

die **Dauer** duration, permanence

dauerhaft durable, permanent, sound

das **Dauerhafte** something solid or durable

dauern to last, continue, take (time)

definieren to define

der **Deich, -e** dike, dam

dekadent decadent, declining, corrupt

die **Dekoration, -en** decoration, setting (stage)

die **Demokratie, -n** democracy

demokratisch democratic

demonstrieren to demonstrate

demontieren to dismantle, dismount

die **Demütigung, -en** humiliation

denken, dachte, gedacht to think, guess

der **Denker, -** thinker, philosopher

das **Denkmal, ⸚er** monument, memorial

das **Denksystem, -e** philosophical system

die **Denunziation, -en** denunciation

derartig such, of such a kind, to such a degree

deuten to interpret, explain, point out

deutlich clear, distinct

deutsch German

der **Deutsche, -n** German

das **Deutsche Reich** German "Reich" (Empire)

Deutschland Germany

das **Deutschlandbuch, ¨er** book about Germany

deutschnational nationalistic German, term for a type of nationalist conservatism; name of a conservative party before 1933

der **Deutschösterreicher** German speaking Austrian

deutschsprachig German speaking

devot devout

diabolisch diabolic

der **Dialekt, -e** dialect

dialektisch dialectic

dicht tight, compact, dense

dichtbesiedelt densely populated

die **Dichte, -n** density

dichten to write poetry, compose

der **Dichter, -** poet

dichterisch poetic

die **Dichterlesung, -** reading by a poet of his own works

die **Dichtung, -en** poetry, poem, work of fiction

dick fat, big, thick

dienen to serve

der **Dienst, -e** service

der **Dienstbote, -n** domestic servant

das **Diktat, -e** dictation

die **Diktatur, -en** dictatorship

der **Dilettant, -en** dilettante, amateur

das **Ding, -e** thing, object

das **Diplom** diploma, patent, (academic) degree

der **Diplomarchitekt, -en** architect with an academic degree

der **Diplomchemiker, -** chemist with an academic degree

der **Diplomingenieur, -e** engineer with an academic degree

der **Diplomphysiker, -** physicist with an academic degree

die **Diplomatie, -n** diplomacy

diplomatisch diplomatic

direkt direct

das **Direktmandat, -e** direct mandate, direct election of a candidate

der **Direktor, -en** manager, boss, director

diskrimieren to discriminate

die **Diskussion, -en** discussion

diskutieren to discuss

die **Disputation, -en** (academic) debate

disputieren to debate

die **Dissertation, -en** dissertation, thesis

die **Distanz, -en** distance

der **Doktorgrad, -e** doctor's degree, Ph.D., doctorate

der **Doktortitel, -** doctorate, title of Ph.D.

die **Doktrin, -en** doctrine

der **Dokumentarfilm, -e** documentary film

der **Dolmetscher, -** interpreter

das **Dolmetscherinstitut, -e** school for interpreters

der **Dom, -e** cathedral

dominieren to dominate

donauabwärts downstream on or along the Danube

die **Doppelmonarchie** double monarchy (Austria-Hungary)

der **Doppelname, -n** double name

die **Doppelstadt** twin city

doppelt double

das **Dorf, ¨er** village

das **Dorfleben** country life

die **Dorfschule, -n** village school

dorther from there

der **Dozent, -en** lecturer, university instructor or professor

der **Dramatiker, -** dramatist

dramatisch dramatic

dramatisieren to dramatize

die **Dramentrilogie, -n** trilogy (of plays)

drehen to turn, roll, revolve, shoot (film)

dreißigjährig thirty years (old)

die **Dreiteilung, -en** partition in three parts, tripartite structure

das **Dressurreiten** dressage, type of horse show

der **Drill, -s** drill, mechanical learning, military discipline

dringen, drang, gedrungen to penetrate, reach, press forward

dringend urgent

das **Drittel, -** third

die **Drogerie, -n** drugstore

drohen to menace, threaten

der **Druck, -e** pressure, hardship, compression; print

drucken to print

drücken to press, squeeze

das **Drucken** printing

drückend heavy, oppressive

der **Dualismus, Dualismen** (*pl.*) dualism

das **Duell, -e** duel

dulden to tolerate, endure, suffer

der **Dünger** fertilizer, manure, dung

das **Dunkelwerden** nightfall

durcheinandergehen, ging durcheinander, durcheinandergegangen to be in confusion, mixed up, in disorder

durchführen to implement, perform, carry out

das **Durchgangsland, -er** country in the path of many transit routes

durchhalten, hielt durch, durchgehalten to pull through, endure, carry on to the end

durchmachen to experience, go through

das **Durchreiseland, -er** country of transit

durchreisen to travel through, pass through

durchschauen to see through, penetrate, find out

sich **durchschlagen, schlug durch, durchgeschlagen** to fight one's way through, scrape through

durchschnittlich average, on the average

durchsetzen to pull off, put into effect, succeed in

durchsuchen to search

durchweg throughout, usually

durchziehen, durchzog, durchzogen to traverse

dürfen, durfte, gedurft to be allowed to

der **Durst** thirst

duzen call one another "du" (familiar form)

die **Dynamik** dynamics, energy, dynamism

dynamisch dynamic(al)

E

die **Ebbe** low tide, ebb, decline

eben even; exactly

die **Ebene, -n** plain, plane

ebenfalls likewise, also

ebenso . . . (wie) likewise, just as . . .

echt genuine, true, real

die **Ecke, -n** corner; corner-kick (penalty kick from the corner in soccer)

die **Ehe, -n** marriage, matrimony, married life

die **Ehefrau, -en** wife

ehemalig former, late

der **Ehemann, -er** husband

eher rather, sooner

die **Ehescheidung, -en** divorce

die **Ehre, -n** honor

ehrenamtlich honorary

das **Ehrenmitglied, -er** honorary member

die **Ehrennadel, -n** medal or pin to honor certain merits

der **Ehrenname, -n** name of honor

die **Ehrensache, -n** matter of honor, point of honor

der **Ehrgeiz** ambition

ehrgeizig ambitious

die **Ehrlichkeit** honesty, frankness, fairness, sincerity

die **Eifersucht, -e** jealousy

eifrig keen, eager, ardent

eigen own, particular, peculiar

die **Eigenart, -en** particularity, peculiarity

die **Eigenheit, -en** peculiarity, oddity

der **Eigennutz** self-interest

die **Eigenschaft, -en** quality, attribute, characteristics

eigentlich exactly, really, proper

das **Eigentum, -er** property

sich **eignen (für)** to be suitable for

die **Eignung, -en** aptitude, qualification

eilig hasty, urgent

einander each other, one another

der **Einband,** ⸚e binding, cover (book)

einbringen, brachte ein, eingebracht to bring (money, profit), yield

eindeutig unequivocal

eindringen, drang ein, eingedrungen to penetrate, enter into

der **Eindruck,** ⸚e impression

eindrucksvoll impressive

einfach simple, single

einfallen, fiel ein, eingefallen to invade, interrupt; **es fällt mir ein** it occurs to me

der **Einfluß,** ⸚sse influence

einflußreich influential

einführen to introduce, import, initiate

die **Einführung, -en** introduction, importation

eingreifen, griff ein, eingegriffen to intervene, interfere

einhalten, hielt ein, eingehalten to observe (rules)

der **Einheimische, -n** native

die **Einheit, -en** unit, unity

einheitlich uniform

die **Einheitsliste, -n** standard list (naming all political candidates)

die **Einheitspartei, -en** unified party, party of unity

die **Einheitsschule, -n** unified school for all children

die **Einheitssprache, -n** common language

der **Einheitsstaat, -en** unified, centralized state

einig united

einige some, a few

einigermaßen to some extent, somewhat, rather, more or less

die **Einigung, -en** agreement, unification

einkehren to put up, enter

einklassig (Schule) (village school) with all children in one classroom and taught by one teacher

das **Einkommen, -** income

die **Einkreisung, -en** encirclement

die **Einlegearbeit, -en** inlaid work

einleiten to introduce

einmarschieren to enter, march in, invade

die **Einnahmequelle, -n** source of revenue

einnehmen, nahm ein, eingenommen to take (position); receive; occupy; **von sich eingenommen sein** to be conceited

einrichten to arrange, organize, regulate

die **Einrichtung, -en** establishment, arrangement, furniture

einsam lonely, solitary

einsatzbereit ready for action (army)

einschlagen, schlug ein, eingeschlagen to take (way), drive in, break in

einschließen, schloß ein, eingeschlossen to encircle, surround, lock in, enclose

sich **einschreiben (für), schrieb ein, eingeschrieben** to enrol, register

die **Einschreibung, -en** enrolment, registration

einsehen, sah ein, eingesehen to understand, perceive

einsetzen to appoint, institute, begin

sich **einsetzen (für)** to stand up for, plead for

der **Einsiedler, -** hermit

sich **einstellen (auf)** to set one's mind on

die **Einstellung, -en** attitude, mentality; engagement; suspension

einteilen to divide, classify

die **Einteilung, -en** classification, distribution

eintragen, trug ein, eingetragen to register, enter

eintreten, trat ein, eingetreten to enter, join

eintreten (für) to stand up for, intercede for

einverstanden sein to agree

der **Einwanderer, -** immigrant

einweichen to soak

der **Einwohner, -** inhabitant

die **Einwohnerzahl, -en** total population

der **Einzelberg, -e** single mountain, isolated mountain

der **Einzelgänger, -** individualist, loner

das **Einzelhaus,** ⸚er detached house

die **Einzelheit, -en** detail, item

der **Einzelhof,** ⸚e isolated farm

einzeln single, particular, individual

der **Einzelstaat, -en** single state

die **einziehen, zog ein, eingezogen** to draft, call in; collect (taxes); move in
einzig only, sole, unique
die **Eisenbahn, -en** railway
der **Eisenbahnknotenpunkt, -e** railroad junction
das **Eisenbahnnetz, -e** network of railroads
das **Eisenbahnsystem, -e** railroad system
das **Eisenerz, -e** iron ore
das **Eisenerzvorkommen, -** iron ore deposit
der **Eisengehalt, -e** amount of iron in the ore, ferruginous content
die **Eisenklammer, -n** iron clamp
das **Eisenvorkommen, -** deposit of iron (ore)
eisern iron, hard
das **Eishockey** (ice) hockey
das **Eislaufen** ice-skating
das **Eisstockschießen** curling
die **Eiszeit, -en** glacial epoch
die **Eleganz** elegance
die **Elegie, -n** elegy
elektrisch electric
die **Elektrizität** electricity
die **Elektrizitätsleitung** electric line
der **Elektroartikel, -** electric appliance, apparatus
die **Elektroindustrie, -n** electric industry
die **Elfenbeinschnitzerei, -en** ivory carving
der **Elfmeter, -** penalty in soccer
die **Eliteschule, -n** school for the elite
Elsaß-Lothringen Alsace-Lorraine
die **Eltern** (*pl.*) parents
der **Elternbeirat, ⁝e** parents' advisory council (to the school)
das **Elternhaus** home, house of one's parents
die **Emanzipation, -en** emancipation
die **Emanzipationsbewegung, -en** emancipation movement
emigrieren emigrate
empfindlich sensible, sensitive, touchy
empirisch empirical
sich **emporarbeiten** to work one's way up
empören to anger, excite
sich **empören** to get angry, revolt, rebel
emporsteigen, stieg empor, emporgestiegen to rise, ascend

das **Ende, -n** end, conclusion
enden to end, come to an end, terminate
endgültig final, definitive
endlich final, ultimate, finite
die **Endlösung, -en** final solution (term used for the murdering of the Jews during World War II)
die **Endung, -en** ending
energisch dynamic, energetic
eng narrow, tight
sich **engagieren** to engage onself, get involved
die **Enge** narrowness
der **Engel, -** angel
der **Engländer, -** Englishman
der **Enkel, -** grandchild, grandson, descendant
das **Ensemble, -s** cast, ensemble
entdecken to discover
die **Entdeckung, -en** discovery
die **Ente, -n** duck
die **Entfaltung, -en** unfolding, expansion, development
entfernen to remove, take out
die **Entfernung, -en** distance, removal
entfliehen, entfloh, entflohen to escape, flee
die **Entfremdung, -en** alienation, estrangement
entgegenkommend obliging
entgegensetzen to oppose
entgegentreten, trat entgegen, entgegengetreten to meet, oppose
entgehen, entging, entgangen to escape, avoid
enthaupten to decapitate
enthüllen to reveal, unveil
entlassen, entließ, entlassen to dismiss, discharge, fire
die **Entlohnung, -en** pay, wage
entmilitarisiert demilitarized
entnehmen, entnahm, entnommen to take from
enträtseln to unriddle, decipher
entreißen, entriß, entrissen to snatch from
entschädigen to compensate, indemnify
entscheiden, entschied, entschieden to decide

sich **entscheiden** to decide, to make up one's mind

das **Entscheidende** crucial point

die **Entscheidung, -en** decision

die **Entspannung, -en** relaxation, detente

entsprechen, entsprach, entsprochen to correspond, meet

entsprechend corresponding, appropriate

entspringen, entsprang, entsprungen to spring, come from

das **Entstehen** origin, formation

entstehen, entstand, entstanden to come into being, originate

enttäuschen to disappoint

die **Enttäuschung, -en** disappointment

entwässern to drain

entweder . . . oder either . . . or

entwerfen, entwarf, entworfen to devise, sketch

entwickeln to develop

die **Entwicklung, -en** development, evolution

entwürdigend degrading

der **Entwurf, ¨-e** plan, project, design, sketch

die **Entwurzelung, -en** uprooting, eradication

entziehen, entzog, entzogen to take away, withdraw, deprive

der **Epigone, -n** imitator or imititative successor

der **Epiker, -** epic writer

die **Epoche, -n** era, epoch, period

das **Epos, Epen** epic poem

der **Erbe, -n** heir

der **Erbfolgekrieg, -e** war of succession

die **Erbin, -nen** heiress

erblinden to grow blind

die **Erbschaft, -en** inheritance

die **Erbse, -n** pea

die **Erbsünde, -n** original sin

die **Erbteilung, -en** division of inheritance

die **Erbuntertänigkeit, -en** hereditary subjection

die **Erde, -n** earth, ground

das **Erdgas, -e** natural gas

das **Erdöl, -e** mineral oil

das **Ereignis, -se** event, occurrence, happening

erfahren, erfuhr, erfahren to experience, learn

die **Erfahrung, -en** experience

erfassen to comprehend, catch, express

erfinden, erfand, erfunden to invent

die **Erfindung, -en** invention

der **Erfolg, -e** success

erfolglos unsuccessful

erfolgreich successful

erforschen to investigate, do research

erfüllen to accomplish, fulfil

ergänzen to complete, supplement

ergattern to pick up, get

sich **ergeben, ergab, ergeben** to result from

das **Ergebnis, -se** result, score

ergreifen, ergriff, ergriffen to seize; choose (profession)

ergreifend touching, impressive

erhalten, erhielt, erhalten to keep, preserve, obtain

erheben, erhob, erhoben to raise

erheblich considerable

erhoffen to hope for, expect

die **Erholung, -en** recreation, recovery

sich **erinnern (an)** to remember, recollect

erkaufen to buy

erkennen, erkannte, erkannt to recognize, learn, know

erklären to declare, explain

die **Erklärung, -en** explanation, declaration

erlangen to obtain, get, reach

erlassen, erließ, erlassen to enact (laws), publish, issue; dispense with

erlauben to allow, permit

die **Erlaubnis, -se** permission, authority

erleben to see, experience, live

das **Erlebnis, -se** experience, adventure, event

erledigen to execute, dispatch

erleichtern to make easy, relieve, facilitate

erleiden, erlitt, erlitten to suffer, endure

erlernen to learn

die **Erlösung, -en** redemption, deliverance

ermahnen to exhort, admonish

ermorden to murder, assassinate

die **Ermordung, -en** assassination

ermutigt encouraged

ernennen, ernannte, ernannt to appoint, nominate

die **Ernennung, -en** appointment, nomination

erneuern to renew

erneut again, once more, renewed

ernst earnest, serious; **ernst nehmen** to take seriously

ernsthaft serious

die **Ernte, -n** harvest, crop

das **Erntedankfest, -e** harvest festival, Thanksgiving

der **Ernteeinsatz, ⁀e** required or forced work to bring in the harvest

das **Erntefest, -e** harvest festival

erobern to conquer

die **Eroberung, -en** conquest

eröffnen to open, inaugurate

erproben to test, try

erregen to excite, stir up

erreichbar within reach, attainable

erreichen to reach, attain

errichten to erect, establish

erringen, errang, errungen to win, achieve, gain

der **Ersatz** compensation, substitute, replacement

der **Ersatzdienst, -e** service done by a conscientious objector in substitution for military service

die **Ersatzkasse, -n** medical insurance for middle income employees

erscheinen, erschien, erschienen to appear, come out, be published

die **Erscheinungsform, -en** outward form, species, expression

erschrecken to terrify, frighten

erschüttern to shake, move

erschweren to aggravate, make more difficult

ersetzen to replace, make up for, repair

erstatten to compensate, refund

die **Erstaufführung, -en** first night, premiere

erstaunen to astonish, be astonished

erstaunlich amazing, astonishing

erstens firstly, first

der **erstere** the former

die **Erstkommunion, -en** first communion

erstreben to strive after

sich **erstrecken** to extend

der **Ertrag, ⁀e** produce, output, returns

erträumen to dream of

ertrinken, ertrank, ertrunken to be drowned

erwachen to awake

der **Erwachsene, -n** adult

erwähnen to mention

erwarten to expect, wait for

die **Erwartung, -en** expectation

erwecken to awaken, rouse

sich **erweisen (als), erwies, erwiesen** to prove, turn out

erweitern to expand, broaden

erwerben, erwarb, erworben to earn, acquire, gain

erzählen to tell, narrate

die **Erzählung, -en** story, narration

der **Erzbischof, ⁀e** archbishop

das **Erzbistum, ⁀er** archbishopric

erziehen, erzog, erzogen to bring up, educate, train

der **Erzieher, -** educator, teacher, tutor

die **Erziehung, -en** education

das **Erziehungsministerium, -ministerien** ministry or department of education

erzielen to obtain

erzwingen, erzwang, erzwungen to force, extort from

essen, aß, gegessen to eat

Estland Estonia

ethnisch ethnic

etliche some, a few

etwa about, around, perhaps

der **Europagedanke** idea of a unified Europe

die **Europastraße, -n** highway through and built by several European countries

evangelisch evangelical, protestant

evangelisch-lutherisch lutheran

evangelisch-reformiert reformed church (Calvinistic)

das **Evangelium, -en** gospel

ewig eternal

die **Exegese, -n** exegesis, Bible interpretation

das **Exemplar, -e** specimen, copy (book)

das **Exil, -e** exile

die **Existenz, -en** existence

der **Existenzialismus** existentialism
exklusiv exclusive
die **Exkursion, -en** excursion
experimentieren to experiment
der **Experte, -n** expert
Expressionismus expressionism
die **Extravaganz, -en** extravagance
extrem extreme

F

die **Fabel, -n** fable, tale, plot
die **Fabrik, -en** factory, plant
der **Fabrikant, -en** manufacturer, factory-owner
der **Fabrikarbeiter, -** factory worker
das **Fabriktor, -e** factory gate, entrance
die **Fabrikware, -n** machine-made article
das **Fach, ¨er** subject (school); branch (business); drawer
der **Facharbeiter, -** skilled or specialized worker
der **Facharzt, ¨e** medical specialist
die **Fachausbildung, -en** professional training
das **Fachexamen, -** (final) examination to qualify for a profession
die **Fachkenntnis, -se** competence, special knowledge
der **Fachlehrer, -** teacher qualified for teaching a particular subject
der **Fachmann, ¨er** or **Fachleute** expert, specialist
die **Fachschule, -n** professional school leading to specialization or higher qualifications in one's field
das **Fachseminar, -e** seminar in a specialized field
der **Fachstudent, -en** student specializing in a certain field
die **Fachzeitschrift, -en** professional journal
fähig capable, qualified, able
die **Fähigkeit, -en** ability, capacity, skill
fahren, fuhr, gefahren to go, drive, travel
das **Fahrrad, ¨er** bicycle
der **Fahrradsport** competitive cycling sport

die **Fahrt, -en** ride, drive, trip, journey
der **Faktor, -en** factor
das **Faktum, Fakten** fact
die **Fakultät, -en** division of university, faculty
der **Fall, ¨e** case, fall
falls in case, if
fallen, fiel, gefallen to fall, drop; die in battle; **fallenlassen** to drop
das **Faltboot, -e** folding boat
die **Familie, -n** family
der **Familienbetrieb, -e** family enterprise, family owned firm
das **Familienfest, -e** family celebration
die **Familienkrise, -n** family crisis
das **Familienleben** family life
das **Familienministerium** Ministry for Family Affairs
die **Familienpension, -en** hotel, boarding house catering mainly to families (with children)
die **Familienbindung, -en** family tie
die **Familienzulage, -n** family allocation
fanatisch fanatic
fangen, fing, gefangen to catch
die **Farbe, -n** color
der **Fasching** carnival (in Bavaria)
die **Fassade, -n** façade, front
fassen to seize, conceive, understand
die **Fasson** manner, kind
die **Fastenzeit, -en** Lent
die **Fastnacht** carnival (in the Southwest of Germany)
die **Faust, ¨e** fist
das **Faustrecht** law of the jungle
die **Faustsage, -n** legend of Dr. Faustus
fechten, focht, gefochten to fight, fence
fegen to sweep
die **Feier, -n** celebration, ceremony, festival
feiern to celebrate
der **Feiertag, -e** holiday
der **Feind, -e** enemy
die **Feindschaft, -en** hostility, enmity, animosity
das **Feld, -er** field, ground
die **Feldarbeit, -en** agricultural labor, work in the fields

die **Felswand, ⁓e** precipice, steep side of a rock

das **Fenster, -** window

die **Fensterbank, ⁓e** window sill

der **Fenstersturz, ⁓e** throwing a person out of the window, defenestration

der **Ferienaufenthalt, -e** holiday, vacation stay

die **Ferien** (*pl.*) vacation

der **Feriengast, ⁓e** paying guest, tourist

das **Ferienhaus, ⁓er** holiday house, vacation home

das **Ferienheim, -e** vacation home

die **Ferienreise, -n** vacation trip

fern far, distant

fernhalten, hielt fern, ferngehalten to keep away from

der **Fernsehbesitzer, -** owner of a television set

das **Fernsehen** television

das **Fernsehgerät, -e** television set

das **Fernsehprogramm, -e** television program or channel

das **Fernsehspiel, -** television play

das **Fernweh** wanderlust, longing for faraway places

fertig ready, finished; **fertig werden** to get ready

fertigbringen, brachte fertig, fertiggebracht to manage to

die **Fertigkeit, -en** skill

fertigstellen to produce, achieve, complete

fest firm, solid, fixed

das **Fest, -e** festival, feast

festgefügt solidly structured, built

festgelegt fixed, settled

festhalten, hielt fest festgehalten to hold fast, stick to

festigen to secure, establish firmly

der **Festkalender** calendar of special events

festlegen to settle, fix

festlich festive, solemn

die **Festlichkeit, -en** festivity

das **Festspiel, -e** festival (theatrical)

das **Festspielhaus, ⁓er** festival theater

feststellen to establish, confirm, fix

die **Festung, -en** fortress

festungsartig like a fortress

fett fat, fertile

das **Feuer, -** fire

die **Feuerwehr, -en** fire department

das **Feuerwerk, -e** fire works

das **Feuilleton, -s** cultural section of a newspaper

der **Fichtenwald, ⁓er** pine forest

die **Figur, -en** figure, character

die **Filmakademie, -n** cinematic arts school, film academy

die **Filmfestspiele** (*pl.*) film festival

die **Filmindustrie** film industry

die **Filmkunst** cinematographic art

die **Filmleute** (*pl.*) movie makers

das **Filmtheater, -** movie theater, cinema

das **Finanzamt, ⁓er** internal revenue office

die **Finanzen** (*pl.*) finances

finanziell financial

finanzieren to finance

die **Finanzierung, -en** financing

der **Finanzminister, -** Minister of Finance, Secretary of the Treasury

finden, fand, gefunden to find

die **Firma, Firmen** firm, company

der **Firmenchef, -s** manager, principal, owner of the firm

die **Firmenleitung, -en** management of the firm

der **Fisch, -e** fish

die **Fischindustrie, -n** fishing industry

die **Fläche, -n** plain, surface

der **Flächeninhalt, -e** area

die **Flanke, -n** flank, side; kick from the side to the middle (soccer)

das **Fleckchen, -** little place, spot

das **Fleisch** meat, flesh

fleißig hard working, industrious, assiduous

fliehen, floh, geflohen to flee, escape

fließen, floß, geflossen to flow, run

das **Floß, ⁓e** raft, float

der **Flötenspieler, -** flutist, flute player

die **Flucht, -en** flight, escape

der **Flüchtling, -e** refugee, fugitive

das **Flugblatt, ⁓er** pamphlet

der **Flügel, -** wing

der **Flugplatz, ⁓e** aeroport, airport

das **Flugzeug, -e** airplane

der **Fluß, ⁓sse** river, stream

der **Flußhafen,** ⸚ inland harbor
flüssig liquid, fluid
das **Flußtal,** ⸚er river valley
der **Flußübergang,** ⸚e place to cross a river
die **Flut, -en** flood, high tide, inundation
der **Föderalismus, -ismen** federalism
die **Folge, -n** consequence, continuation, series
folgen to follow, succeed
foltern to torture
die **Folterung, -en** torture
fördern to promote, sponsor, advance, help
die **Forderung, -en** demand, claim
die **Förderung, -en** assistance, advancement, promotion
die **Formel, -n** formula
formell formal
formulieren to formulate, define
forschen to investigate, search, do research
der **Forscher, -** investigator, scholar, researcher
die **Forschung, -en** research, investigation
das **Forschungsinstitut, -e** research institute
die **Forstwirtschaft** forestry
forstwissenschaftlich referring to the science of forestry
fortgeschritten advanced
fortlaufend continuous
fortleben to live on
fortnehmen, nahm fort, fortgenommen to take away
der **Fortschritt, -e** progress
fortschrittlich progressive
fortsetzen to continue
der **Fortsetzungsroman, -e** serial novel, serialized novel
fortwährend continual
die **Fotografie, -en** photography
fotografieren to take pictures, photograph
die **Frage, -n** question
fragen to ask, question
fraglich doubtful, questionable
die **Fraktion, -en** parliamentary group (of one party)
der **Franke, -n** Franconian
Frankreich France

der **Franzose, -n** Frenchman
französisch French
französischsprachig French-speaking
die **Frau, -en** woman
der **Frauenberuf, -e** women's profession
der **Frauenbund,** ⸚e women's league
die **Frauenemanzipation** emancipation of women, feminist movement
die **Frauenschule,-en** girls' secondary school with emphasis on home economics
die **Frauenverehrung, -en** admiration of ladies
frei free, independent, frank, vacant
das **Freibad,** ⸚er open air swimming pool
freigebig generous, liberal
die **Freiheit, -en** freedom, liberty
freiheitlich liberal, freedom-loving
der **Freiheitsdrang** thirst or desire for freedom
der **Freiheitskämpfer, -** fighter for freedom or independence
der **Freiheitskrieg, -e** war of liberation or independence
die **Freikirche, -n** free church
freilassen, ließ frei, freigelassen to set free, release
die **Freilichtspiele** (*pl.*) open air theater
freisprechen, sprach frei, freigesprochen to absolve, acquit
freiwillig voluntary, spontaneous
der **Freiwillige, -n** volunteer
die **Freizeit, -en** spare time, leisure
die **Freizeitbeschäftigung, -en** hobby
die **Freizügigkeit** freedom of movement
fremd strange, foreign
die **Fremde** abroad, foreign countries
das **Fremdenverkehrsgebiet, -e** tourist area, resort country
das **Fremdenverkehrsland,** ⸚er tourist or resort country
der **Fremdenverkehrsort, -e** tourist resort
die **Fremdsprache, -n** foreign language
die **Freske, -n** fresco
fressen, fraß, gefressen to eat, devour (by animals)
der **Freund, -e** friend
der **Freundeskreis, -e** circle or group of friends
die **Freundlichkeit, -en** friendliness

die **Freundschaft, -en** friendship
freundschaftlich friendly, amicable
das **Freundschaftsgefühl, -e** feeling of friendship
der **Freundschaftsklub, -s** friendship club
das **Freundschaftsverhältnis, -se** friendship, friendly relationship
der **Freundschaftsvertrag, ¨e** treaty of friendship
der **Friede** peace
die **Friedensbedingung, -en** terms or conditions of peace
die **Friedensbestimmung, -en** terms of a peace treaty
das **Friedensdiktat, -e** dictated peace
der **Friedensschluß, ¨sse** conclusion of a peace treaty
die **Friedensverhandlung, -en** peace negotiation
der **Friedensversuch, -e** attempt to make peace
der **Friedensvertrag, ¨e** peace treaty
friedlich peaceful
friedliebend peace-loving
froh happy, glad
fröhlich joyful, happy
fromm pious
die **Frömmigkeit, -en** piety
der **Fronleichnam** Corpus Christi (Day)
die **Fronleichnamsprozession, -en** procession at Corpus Christi Day
fruchtbar fertile, fruitful
früh early, in the morning
früher prior, former, sooner, earlier
das **Frühjahr**, or der **Frühling, -e** spring
frühzeitig early, in good time, premature
der **Frühzug, ¨e** early morning train
fühlen to feel, perceive
führen to lead, guide, conduct
der **Führer, -** leader, conductor, guide
die **Führung, -en** leadership, guidance, direction
die **Führungseigenschaft, -en** ability to be a leader, charisma
das **Fünftel, -** one fifth
die **Funktion, -en** function
funktionell functional
funktionieren function, work

furchtbar terrible, tremendous, formidable
fürchten to fear
furchterregend dreadful, horrifying, frightful
der **Fürst, -en** sovereign, prince
die **Fürstenfamilie, -n** dynasty, princely family
der **Fürstenstand** dignity of a prince
fürstlich princely
der **Fuß, ¨e** foot, base
der **Fußball, ¨e** soccer
die **Fußballliga, -ligen** soccer league
das **Fußballspiel, -e** soccer match, game of soccer
der **Fußballspieler, -** soccer player
das **Fußball-Toto** soccer pool
der **Fußballverein, -e** soccer club
der **Fußgänger, -** pedestrian
die **Fußtruppe, -n** infantry
der **Fußweg, -e** footpath
die **Futterrübe -n** feeding turnip

G

die **Galerie, -n** gallery, art shop
der **Gang, ¨e** walk, motion; **in Gang kommen** start, develop, come into operation
die **Gans, ¨e** goose
ganz entire, whole
gar nicht not at all, by no means
garantieren to guarantee, warrant
die **Garderobe, -n** cloak-room
der **Garten, ¨** garden
die **Gartenarbeit, -en** gardening, work in the garden
der **Gartenbau** horticulture
der **Gast, ¨e** guest, customer, visitor
der **Gasthof, ¨e** inn, restaurant
die **Gasvergiftung, -en** gas poisoning
das **Gebäude, -** building
geben, gab, gegeben to give
das **Gebiet, -e** area, territory, district
gebildet well-educated, cultivated
gebirgig mountainous

das **Gebirgsklima, -s** *or* **-te** mountain climate

der **Gebirgszug, ⁖e** mountain range
geboren born

der **Gebrauch, ⁖e** usage, use
gebrauchen to use, employ

der **Gebrauchsgegenstand, ⁖e** commodity

die **Gebrauchsgraphik** advertising art, commercial art

die **Gebühr, -en** duty, fee, dues
gebühren to owe to, be due to
gebunden sein (an) to be tied, bound to

die **Geburt, -en** birth

der **Geburtsadel** inherited nobility, nobility by birth

der **Geburtsfehler, -** congenital defect

das **Geburtshaus, ⁖er** birth place, house where somebody was born

die **Geburtsrate, -n** birth rate

der **Geburtstag, -e** birthday

der **Gedanke, -n** thought, idea
gedeihen, gedieh, gediehen to grow, thrive, prosper

der **Gedenktag, -e** day of commemoration

das **Gedicht, -e** poem
geeignet suitable, fit

die **Geest** dry, sandy land (Schleswig-Holstein)

die **Gefahr, -en** danger, risk
gefährlich dangerous
gefallen, gefiel, gefallen to please; **sich etwas gefallen lassen** to consent to, agree to, submit to
gefangen nehmen to capture, take prisoner

das **Gefängnis, -se** prison, jail

das **geflügelte Wort** slogan, quotation

die **Gefolgschaft, -en** following, followers

die **Gefolgsleute** (*pl.*) followers

der **Gefreite, -n** lance-corporal

das **Gefühl, -e** feeling, sensation, emotion
gefühlsbetont emotional, sentimental

die **Gegend, -en** region, country

das **Gegengewicht, -e** counterbalance, counterpoise

der **Gegenkönig, -e** rival king

der **Gegenpapst, ⁖e** rival pope

die **Gegenreformation** Counter-, Anti-Reformation (16th and 17th centuries)

der **Gegensatz, ⁖e** opposition, contrast, antithesis
gegenseitig reciprocal, mutual

der **Gegenstand, ⁖e** object, topic

das **Gegenteil, -e** opposite, contrary, reverse

das **Gegentor, -e** goal for the other team (sports)
gegenüber opposite, face to
gegenüberstehen, stand gegenüber, gegenübergestanden to contrast, be in opposition

die **Gegenwart** present time, presence

der **Gegner, -** opponent, adversary

das **Gehalt** salary

die **Gehaltsbedingung, -en** salary scale

die **Gehaltserhöhung, -en** salary raise or increase

die **Gehaltsforderung, -en** demand for salary raise
geheim secret, clandestine

das **Geheimnis, -se** secret, mystery

der **Geheimschreiber, -** private secretary
gehen, ging, gegangen to go, walk; **es geht** it works, it is all right

der **Gehilfe, -n** assistant; in some professions: trained workman
gehorchen to obey
gehören (zu) to belong to

der **Gehorsam** obedience

der **Geigenbauer, -** violin maker

der **Geist, -er** mind, intellect; ghost

die **Geisteswissenschaften** (*pl.*) humanities
geistig intellectual, mental, spiritual
geistlich clerical, ecclesiastic, spiritual

der **Geistliche, -n** clergyman, minister, priest

die **Geistlichkeit** clergy, church, priesthood
gelangen to get to, arrive at
gelb yellow

das **Geld, -er** money

der **Geldgeber, -** sponsor, financial backer

die **Geldspende, -n** donation

der **Geldumlauf** money circulation

die **Geldschwierigkeit, -en** financial difficulty, lack of money

das **Geldverdienen** earning, making money

der **Geldverdienst, -e** income, salary

die **Geldwirtschaft, -en** economy based on money

die **Gelegenheit, -en** opportunity, occasion

der **Gelehrte, -n** scholar, learned man

das **Geleit** escort; **freies Geleit** safe conduct

gelingen, gelang, gelungen to succeed

geloben to promise, vow

gelten, galt, gegolten to mean, be valid, have influence

das **Gelübde, -** vow, solemn promise

das **Gemälde, -** painting, picture

gemäßigt moderate, temperate

gemein haben (mit) to have in common with

die **Gemeinde, -n** community, parish

das **Gemeindeleben** parish life, community life

das **Gemeindemitglied, -er** parishioner

die **Gemeindesteuer, -n** municipal tax

die **Gemeindeverwaltung, -en** municipal administration, local government

die **Gemeindewahl, -en** municipal election

der **Gemeinnutz** public need or utility

gemeinnützig non-profit, for the benefit of the public

gemeinsam common, joint

die **Gemeinsamkeit, -en** community, mutuality

die **Gemeinschaft, -en** community, association, club, team

die **Gemeinschaftsarbeit, -en** cooperation, team work

der **Gemeinschaftsbesitz** joint property (of a group)

das **Gemeinschaftshaus, ⸚er** recreation center of a village

das **Gemeinschaftsleben** community life, life in a group

die **Gemeinschaftsschule, -n** co-educational school; school for children of all religious denominations

gemischt mixed

die **Gemischtwirtschaft, -en** farm economy with both cattle-breeding and field crops

das **Gemüse, -** vegetables

der **Gemüsebau** vegetable gardening or farming

die **Gemütlichkeit, -en** comfort, comfortableness, ease

genau exact, accurate

genehmigen to grant, approve, license

geneigt inclined, disposed

der **Generalfeldmarschall, ⸚e** Field Marshall

der **Generalstabschef, -s** Chief of General Staff

der **Generalstreik, -s** general strike

das **Generationsproblem, -e** generation gap

das **Genie, -s** genius

genießen, genoß, genossen to enjoy

die **Genossenschaft, -en** cooperative (association)

die **Genossenschaftsmolkerei, -en** cooperative dairy

genug enough, sufficient

genügen to be enough

die **Geographie** geography

geographisch geographical

gerade even, straight, just (now)

das **Gerät, -e** tool, set, appliance, gear

geradezu straight on, downright

geraten, geriet, geraten to come into, get into, fall into

der **Gerber, -** tanner

die **Gerberstraße, -n** Tanners' Street

die **Gerechtigkeit, -en** justice

der **Gerettete** someone saved

das **Gericht, -e** court of justice, judgment

der **Gerichtsreferendar, -e** law graduate getting practical training

gering little, small

geringfügig insignificant, trifling

der **Germane, -n** German, Teuton

germanisch Germanic, Teutonic

gern willingly, with pleasure

die **Gerste** barley

der **Gesandte, -n** envoy, minister

der **Gesangverein, -e** choral society

das **Geschäft, -e** shop, business, affair, transaction

die **Geschäftssitzung, -en** business meeting

die **Geschäftsverbindung, -en** business connexion

geschätzt respected, estimated

geschehen, geschah, geschehen to happen, take place, occur

die Geschichte, -n history, story

der Geschichtsphilosoph, -en philosopher of history

der Geschichtsschreiber, - historian

geschickt skillful

das Geschirr china, crockery, tools

das Geschlecht, -er family, generation, species, sex

der Geschmack taste, flavor

die Geschwindigkeit, -en speed, velocity, quickness

die Geschwister (pl.) brothers and sisters

der Geschworene, -n juror

der Geselle, -n journeyman, skilled worker; fellow

das Gesellenstück, -e object made by an apprentice at completion of his training period

gesellig sociable, social

die Geselligkeit, -en sociability, social events

die Gesellschaft, -en society, company

gesellschaftlich social

die Gesellschaftsfahrt, -en conducted tour

die Gesellschaftskritik social criticism

die Gesellschaftsordnung, -en social order, social system

die Gesellschaftsreise, -n conducted tour

die Gesellschaftsschicht, -en social class

das Gesetz, -e law, statute

das Gesetzbuch, ⁖er code, law book

gesetzgebend legislative

die Gesichtsmaske, -n face mask

gesinnt disposed, -minded

die Gesinnung, -en conviction, opinion, sentiment

die Gestalt, -en shape, form, figure

gestalten to form, shape, arrange

die Gestaltung, -en formation, creation

gestatten to allow, grant

das Gestein, -e rock, stone, ground

das Getränk, -e drink, beverage

das Getreide corn, grain

die Getreideart, -en kind of grain, cereal

die Getreidesorte, -n kind of grain

gewagt risky

gewähren to grant, give

die Gewalt, -en power, force, violence, authority

der Gewaltakt, -e act of violence

gewaltig powerful

gewaltsam forcible, violent

die Gewalttat, -en act of violence

das Gewerbe, - trade, business

die Gewerbefreiheit freedom of trade

die Gewerkschaft, -en trade union

das Gewicht, -e weight

der Gewinn, -e profit, gain, prize

die Gewinnbeteiligung, -en profit-sharing (of employees)

gewinnen, gewann, gewonnen to win, gain

gewiß certain, sure

das Gewissen, - conscience

die Gewißheit, -en certainty

das Gewitter, - thunderstorm

sich gewöhnen (an) to get used, accustomed to

gewöhnlich usual, ordinary

gewohnt sein to be used to

das Gewürz, -e spice

das Gift, -e poison

gigantisch gigantic

der Gipfel, - summit, peak

gipfeln to culminate

die Gitarre, -n guitar

das Gitter, - iron fence, lattice

der Glanz brightness, splendor, brilliance

glänzend bright, brilliant, splendid

glanzvoll brilliant

die Glanzzeit, -en climax, most brilliant period, days of glory

das Glas, ⁖er glass

das Glasblasen glass blowing

die Glasbläserei glass blowing, workshop for glass blowing

die Glasindustrie glass industry

die Glasmalerei glass painting

der Glaube faith, belief

glauben to believe, guess; have faith in

der Glaubenskrieg, -e religious war

die Glaubenslehre, -n religious doctrine

die Glaubensregel, -n dogma

der Glaubenszweifel, - scruple in religious matters, scepticism

gläubig believing, faithful

der **Gläubige, -n** believer
gleich equal, like
gleichberechtigt having equal rights
die **Gleichberechtigung** equality of rights
gleichfalls also, likewise
gleichgesinnt like-minded, having the same convictions
das **Gleichgewicht, -e** balance, equilibrium
die **Gleichheit** equality, likeness
die **Gleichschaltung** unification, coordination
die **Gleichstellung** equalisation
gleichzeitig simultaneous, contemporary, at the same time
der **Gletscher, -** glacier
das **Glück** good luck, fortune, happiness
die **Gnade, -n** grace, favor, mercy
die **Goethezeit** age of Goethe (1770–1830)
der **Goldschmied, -e** goldsmith
die **Goldschmiedekunst, ¨e** art of the goldsmith or jeweler
die **Golfmeisterschaft, -n** golf championship
der **Golfplatz, ¨e** golf course
der **Golfstrom** Gulf Stream
gotisch gothic
der **Gott, ¨er** god, deity
Gott God
der **Gottesdienst, -e** church service
das **Grab, ¨er** grave, tomb
die **Grammatik, -en** grammar
grausam cruel
die **Grausamkeit, -en** cruelty, atrocity
das **Gremium, Gremien** committee, board
der **Grenzbezirk, -e** frontier district, border land
die **Grenze, -n** frontier, border, boundary, limit
grenzen to border
die **Grenzfestung, -en** frontier fortress
das **Grenzgebiet, -e** frontier area
der **Grenzkampf, ¨e** border fight, border war
der **Grenzwall, ¨e** rampart, border fortification
die **Greueltat, -en** atrocity, horrible deed
Griechenland Greece
griechisch Greek

groß tall, great, big, large; **im großen und ganzen** by and large, on the whole
großartig grand, grandiose, magnificent
Großdeutschland Greater Germany (including Austria)
die **Größe, -n** size, height, quantity, largeness
die **Großeltern** (*pl.*) grandparents
großenteils largely, to a great extent
die **Groß-Familie** extended family
die **Großindustrie** major industry
die **Großmacht, ¨e** major power
die **Großstadt, ¨e** big city
großziehen to bring up, raise
großzügig generous, liberal, broad-minded
grotesk grotesque
grün green
der **Grund, ¨e** ground, bottom; reason
der **Grundbegriff, -e** basic principle, basic concept
der **Grundbesitz** real estate, landed property
gründen to found, establish
das **Grundgehalt, ¨er** basic salary
das **Grundgesetz** constitution of the Federal Republic of Germany
die **Grundlage, -n** foundation, basis
gründlich thorough, solid, profound
die **Gründlichkeit, -en** thoroughness, solidity
das **Grundrecht, -e** fundamental civil or human right
der **Grundsatz, ¨e** principle, axiom
grundsätzlich on principle, fundamental
die **Grundschule, -n** elementary school (first 4 years)
die **Grundstufe, -n** beginner's level, lower grades in the school
die **Gründung, -en** foundation, establishment
die **Gruppe, -n** group
die **Gruppenfahrt, -en** group trip
die **Gruppierung, -en** grouping, arrangement
das **Gummi, -s** rubber, gum
günstig favorable

gut, besser, am besten good, better, best

das **Gut, ˵er** estate, property

die **Güte** goodness, kindness, quality

der **Gütertransport, -e** transport of goods, freight traffic

der **Gutsbesitzer, -** landowner, owner of a large estate, lord of the manor

der **Gutsherr, -en** lord of the manor, landowner

das **Gymnasium, Gymnasien** oldest type of secondary school

der **Gymnasiallehrer, -** teacher at a *Gymnasium*

H

haben, hatte, gehabt have, possess

sich **habilitieren** to qualify as a lecturer or professor at a university by a thesis and an examination

der **Hafer** oats

halb half

der **Halbrechts** forward (soccer), second from the right

die **Halbzeit, -en** half-time, interval

die **Hälfte, -en** half

die **Halle, -n** hall, lounge

die **Hallig, -en** small island in the North Sea not protected by dikes

halten, hielt, gehalten to hold, keep, support, contain

halt machen to stop, halt

die **Haltung, -en** attitude, poise, bearing

die **Handarbeit, -en** manual labor, handwork

der **Handel** trade, commerce, bargain

handeln to act, trade, deal, bargain

der **Handelsartikel, -** trading goods, merchandise

die **Handelsbeziehungen** (*pl.*) commercial relations, trade between two countries

das **Handelsgut, ˵er** merchandise

der **Handelshafen, ˵** commercial port

die **Handelskammer, -n** chamber of commerce

die **Handelsschule, -n** commercial school, secretarial school

die **Handelsstadt, ˵e** commercial town

die **Handelsstraße, -n** trade route

der **Handelsvertrag, ˵e** commercial treaty

das **Handelszentrum, -zentren** commercial center

die **Handfertigkeit, -en** manual skill, dexterity

der **Händler, -** dealer, trader

das **Handwerk, -e** trade, handicraft

der **Handwerker, -** craftsman, skilled worker, artisan

der **Handwerksbetrieb, -e** workshop

die **Handwerkskammer, -n** chamber of trades

der **Handwerksmeister, -** master craftsman, foreman

hängen, hing, gehangen to hang, suspend; **an etwas hängen** to cling to something, be attached to

der **Hanswurst, -e** clown, buffoon

harmlos harmless, inoffensive

hart hard

hartnäckig obstinate

die **Hartnäckigkeit, -en** obstinacy

der **Haß** hatred

das **Hauptfach, ˵er** main or major subject

die **Hauptfigur, -en** protagonist, main character

die **Hauptidee, -n** main idea, central idea

das **Hauptportal, -e** main gate, entrance

hauptsächlich chiefly, principal

die **Hauptschule, -n** type of secondary school, cf. *Mittelschule*

die **Hauptstadt, ˵e** capital

das **Hauptthema, -themen** main theme, topic

das **Hauptwerk, -e** principal work, masterpiece

das **Hauptziel, -e** main goal

das **Haus, ˵er** house, home; **nach Hause gehen** to go home; **zu Hause** at home

die **Hausarbeit, -en** home work, chores, indoor work

der **Hausbesuch, -e** house call (doctor)

das **Häuserbauen** construction of houses

der **Haushalt, -e** household

die **Haushaltsmachine, -n** household appliance

die **Haushaltsware, -n** goods for the household, esp. hardware

die **Haushaltungschule, -n** school for home economics

der **Hausherr, -en** master of the house

die **Hausindustrie, -n** home industry

das **Hauskonzert, -e** house concert

der **Hauslehrer, -** private tutor

häuslich domestic, home-keeping

die **Hausmusik** chamber music played at home

der **Hausschuh, -e** slipper

der **Haustyrann, -en** domestic tyrant

hauswirtschaftlich referring to home economics

die **Haut, ̈e** skin, hide

das **Heer, -e** army, multitude

der **Heerführer, -** commander-in-chief, general

heftig violent, vehement

das **Heilbad, ̈er** spa

heilig holy, sacred

der **Heilige, -n** saint

die **Heilquelle, -n** medicinal spring

die **Heilstätte, -n** place to get medical treatment to recover, spa

heim home

der **Heimarbeiter, -** home-worker

die **Heimat** native place, home country

das **Heimatgefühl** attachment to one's native place or country

die **Heimatgeschichte** local history

heimatgeschichtlich referring to local history

die **Heimatkunde** geography of one's home district

das **Heimatland, ̈er** native country

die **Heimatstadt, ̈e** birth place, home town

der **Heimatverein, -e** association, club to further interest in the native country or town

heimlich clandestine, furtive, secret

das **Heimweh** home-sickness

die **Heirat, -en** marriage

heiraten to marry

heiß hot

heißen, hieß, geheißen to be called, mean; command

heiter cheerful, serene

der **Hektar** hectare

der **Held, -en** hero

das **Heldentum** heroism

die **Heldensage, -n** heroic legend

die **Heldentat, -en** heroic deed

helfen, half, geholfen to help, assist, aid

hell bright, light, fair

der **Hemdsärmel, -** shirt sleeve

herabsinken, sank herab, herabgesunken to sink down, be degraded

sich **herausbilden** to develop, form

herausfinden, fand heraus, herausgefunden to find out, discover

herausgeben, gab heraus, herausgegeben to publish, issue, hand out

heraushauen to extricate; carve out

der **Herbst** fall, autumn

die **Herkunft, ̈e** origin, provenance

heroisch heroic

der **Herr, -en** master, lord, gentleman

der **Herrenhof, ̈e** manor; feudal estate

der **Herrscher, -** ruler, sovereign

die **Herrschaft, -en** rule, government, mastery

herrschsüchtig ambitious, domineering

herstellen to produce, restore

der **Hersteller, -** producer

die **Herstellung, -en** production

sich **herumschlagen (mit), schlug herum, herumgeschlagen** to trouble with, deal with

hervorgehen (aus), ging hervor, hervorgegangen to result (from)

hervorheben, hob hervor, hervorgehoben to stress, call special attention to

hervorragend outstanding, prominent, excellent

hervorrufen, rief hervor, hervorgerufen to cause, call forth

hervortreten, trat hervor, hervorgetreten to step forward, become visible, become apparent

das **Herz, -en** heart

der **Herzog, ̈e** duke

das **Herzogtum, ̈er** duchy, dukedom

das **Heu** hay

heute today

heutig today's, present
heutzutage nowadays
die **Hexe, -n** witch, sorceress
die **Hierarchie, -n** hierarchy
die **Hilfe, -n** help, assistance, relief
hilflos helpless
der **Hilfsarbeiter, -** unskilled worker, assistant
der **Hilfsbibliothekar, -e** assistant librarian
das **Hilfsprogramm, -e** relief program
der **Himmel, -** heaven, sky
Himmelfahrt Ascension (Day)
hinabstoßen, stieß hinab, hinabgestoßen to throw down, push downward
hinauffahren, fuhr hinauf, hinaufgefahren to mount, drive up
hinausgehen, ging hinaus, hinausgegangen to exceed, go beyond; go out
hinaustanzen to dance out of a room
hinausziehen, zog hinaus, hinausgezogen to march out, go out
hindern to prevent, hinder
das **Hindernis, -se** obstacle, hindrance
die **Hinfahrt, -en** trip to a place
hingegen on the contrary
hingehören to belong to
hinnehmen, nahm hin, hingenommen to suffer, put up with, take
hinrichten to execute, put to death
die **Hinrichtung, -en** execution
sich **hinsetzen** to sit down
hintereinander one after the other
der **Hintergrund, ⁀e** background
hintergründig cryptic, enigmatic, obscure
hinüberblicken to look across
sich **hinziehen, zog hin, hingezogen** to draw on, drag on
hinzukommen, kam hinzu, hinzugekommen to be added
der **Historiker, -** historian
historisch historical
hoch high, tall, noble
sich **hocharbeiten** to work one's way up, rise through the ranks
hochbegabt highly talented, gifted
die **Hochebene, -n** elevated plain, tableland
das **Hochgebirge, -** high mountain chain

das **Hochhaus, ⁀er** highrise, skyscraper
hochkommen, kam hoch, hochgekommen to climb, get up
die **Hochschule, -n** college, university, academy
höchstens at best, at the most
der **Höchststand, ⁀e** maximum output, maximum level
die **Hochzeit, -en** wedding, marriage
der **Hof, ⁀e** court, courtyard
der **Hofadel** courtier, nobility at court
der **Hofbibliothekar, -e** court librarian
der **Hofmeister, -** private tutor, steward
hoffen to hope, trust, expect
die **Hoffnung, -en** hope
die **Höflichkeit, -en** politeness, courtesy
die **Höhe, -n** height, altitude
der **Höhepunkt, -e** highest point, culmination, highlight
die **Höhere Schule** secondary school
die **Höhle, -n** cave, cavern
holen to get, go for, fetch
der **Holländer, -** Dutchman
der **Höllenrachen, -** jaws of hell
das **Holz** wood
der **Holzschnitzer, -** wood carver
die **Holzware, -n** wooden article
das **Honorar, -e** fee, royalty
der **Hopfen** hop, hops
der **Hopfenbauer, -n** hop farmer
der **Hörer, -** listener, hearer, auditor, student (university)
das **Hörgeld, -er** (university) tuition fees
der **Hörsaal, -säle** lecture room, auditorium
das **Hörspiel, -e** radio play
hospitieren to do school visiting, practice (teaching)
das **Hotelgewerbe** hotel industry
der **Hotelier, -s** hotel owner
der **Hügel, -** hill
das **Huhn, ⁀er** hen, chicken
humanistisch humanistic
humorlos without any sense of humor
die **Hungersnot, ⁀e** famine
der **Hut, ⁀e** hat
die **Hymne, -n** hymn

der **Idealismus** idealism
idealistisch idealistic
die **Idee, -n** idea, notion
sich **identifizieren (mit)** to identify (with)
die **Idylle, -n** idyl
ihrerseits in her turn, in their turn
illegitim illegitimate
sich **immatrikulieren** to enroll, matriculate, register
immer always, for ever
immerhin still, yet
imposant impressive, imposing
imstande able, capable
Indien India
indirekt indirect
individualistisch individualistic
individuell individual
industrialisieren to industrialize
die **Industrialisierung, -en** industrialization
die **Industrie, -n** industry
die **Industrieanlage, -n** industrial plant
die **Industrieform** industrial design
das **Industriegebiet, -e** industrial area
die **Industriegegend, -en** industrial area
die **Industriegesellschaft** industrial society
der **Industriekomplex, -e** industrial complex
das **Industrieland, ⸚er** industrial country
der **Industrielle, -n** manufacturer, industrialist
die **Industriemesse, -n** industrial fair, exhibition
der **Industrieort, -e** industrial town
die **Industriestadt, ⸚e** industrial town
die **Industrieware, -n** industrial products, manufactured goods
der **Industriezweig, -e** branch of industry
informell informal
sich **informieren** to get informed
der **Ingenieur, -e** engineer
die **Ingenieurschule, -n** engineering school, type of *Fachschule*
die **Innenarchitektur** interior design, decoration
die **Innenausstattung, -en** furnishings
der **Innenhof, ⸚e** patio, courtyard

innenpolitisch referring to domestic politics
die **Innenstadt, ⸚e** center of town, inner city
das **Innere** interior, inside
innerhalb within, inside
innerlich inward, internal
die **Innerlichkeit** inwardness, inner life
das **Inntal** valley of the (river) Inn
die **Insel, -n** island
die **Insellage** situation corresponding or analogous to that of an island
das **Inserat, -e** ad, advertisement
insgeheim secretly
insgesamt altogether
die **Inszenierung, -en** (stage) production
sich **integrieren** to integrate
intellektuell intellectual
die **Intelligenz** intelligence
der **Intendant, -en** manager, head (theater, radio-station)
intensiv intensive
interessant interesting
das **Interesse, -n** interest
die **Interessengruppe, -n** pressure group, group with common interests
sich **interessieren (für), interessiert sein (an)** to take an interest in, be interested in
die **Intimsphäre, -n** area of privacy
investieren to invest
inzwischen meanwhile, in the meantime
die **Ironie, -n** irony
irreal unreal
irreführen to mislead, lead astray
isolieren to isolate
Italien Italy
italienisch Italian

J

die **Jagd, -en** hunting, shooting
das **Jagen** hunting
das **Jahr, -e** year
das **Jahresfest, -e** anniversary, annual meeting, festival
der **Jahreslauf** course of the year
die **Jahresveranstaltung, -en** annual convention

die **Jahresversammlung, -en** annual meeting, business meeting

das **Jahrhundert, -e** century

jahrhundertelang for centuries

das **Jahrzehnt, -e** decade

jahrzehntelang for decades

der **Januar** January

japanisch Japanese

die **Jesuitenkirche, -en** Jesuit church

jetzig present, actual

jetzt now, at present

jubeln to rejoice, shout with joy

das **Jubiläum, Jubiläen** jubilee, anniversary

der **Jude, -n** Jew

judenfreundlich philosemitic

der **Judenstern, -e** Star of David

das **Judentum** Jewry, Judaism

die **Judenverfolgung, -en** persecution of Jews, Jew-baiting

jüdisch Jewish

die **Jugend** youth

die **Jugendbewegung** youth movement

die **Jugendherberge, -n** youth hostel

der **Jugendliche, -n** youth, teenager

die **Jugendmannschaft, -en** junior team

die **Jugendorganisation, -en** youth organization

das **Jugendschutzgesetz, -e** law for the protection of minors

Jugoslawien Yugoslavia

jung young

der **Junge, -n** boy

die **Jungfrau, -en** young girl, virgin

das **Jüngste Gericht** Last Judgment, Doomsday

der **Junker, -** squire, junker

der **Jurist, -en** lawyer

juristisch juridical

Jus or **Jura** law (as subject of studies)

die **Justiz** justice, administration of justice

der **Juwelier, -e** jeweller

K

die **Kaffeebörse, -n** coffee exchange

kahl bare, naked

der **Kaiser, -** emperor

die **Kaiserhalle, -n** imperial hall

die **Kaiserkrone, -n** imperial crown

kaiserlich imperial

die **Kaiserpfalz, -en** imperial castle

das **Kaiserreich, -e** empire

die **Kaiserstadt, ⸚e** imperial city, residence of the emperor

der **Kalender, -** calender

das **Kalisalzlager, -** potash deposit

kalkulieren to calculate, plan

kalt cold

kaltstellen to put on ice, shelve, remove from a place of power

der **Kalvinist, -en** Calvinist

kalvinistisch calvinistic

der **Kamerad, -en** comrade, fellow, buddy

der **Kämmerer, -** chamberlain

die **Kammermusik, -en** chamber music

der **Kammermusikabend, -e** evening concert of chamber music

das **Kammerorchester, -** chamber orchestra

der **Kampf, ⸚e** fight, combat, contest, struggle

kämpfen to fight, struggle

das **Kampfesjahr, -e** year of struggle, revolutionary year

der **Kanal, ⸚e** canal, channel

die **Kanalisation, -en** sewer system

das **Kanalsystem, -e** canal system

die **Kanalverbindung, -en** canal connecting two rivers

der **Kandidat, -en** candidate

der **Kanton, -e** canton (name of states in Switzerland)

der **Kantor, -en** organist, leader of a church choir

der **Kanzler, -** chancellor

die **Kanzlerschaft** chancellor's term of office

die **Kapazität, -en** capacity

das **Kapitel, -** chapter

der **Kapitalismus** capitalism

die **Kapitulation, -en** capitulation

der **Karfreitag** Good Friday

die **Karikatur, -en** caricature, cartoon

der **Karneval** carnival

die **Karnevalszeit** carnival season

die **Karotte, -n** carrot

der **Karpfen, -** carp

die **Kartoffel, -n** potato

der **Kassenpatient, -en** patient whose expenses are paid by a medical insurance

der **Kassenwart, -e** treasurer

die **Kaste, -n** caste

katastrophal catastrophic

die **Katastrophe, -n** catastrophe

die **Kathedrale, -n** cathedral

der **Katholik, -en** (Roman) Catholic

der **Katholikentag, -e** general meeting of Catholic priests and laymen in Germany

katholisch Catholic

der **Kauf, ̈e** purchase, buy; **in Kauf nehmen** put up with, tolerate

kaufen to buy, purchase

der **Kaufmann, -leute** merchant

kaum hardly, scarcely

keinerlei of no sort, none

keinesfalls not at all, by no means

keineswegs by no means

das **Kellertheater** (avantgarde) theater in a basement

keltisch Celtic

kennen, kannte, gekannt to know, be acquainted with

der **Kenner, -** expert, connoisseur

kennzeichnen to mark, earmark

der **Kern, -e** core, essence, gist, center

die **Kerze, -n** candle

der **Ketzer, -** heretic

der **Kilometerfresser, -** driver who tries to cover long distances in a record time without any practical purpose

kilometerlang miles long

das **Kind, -er** child

die **Kinderzulage, -n** family allowance according to the number of children

die **Kindheit, -en** childhood

das **Kino, -s** cinema, movie theater

das **Kinosterben** going out of business of movie theaters (because of television)

der **Kiosk, -s** newsstand

die **Kirche, -n** church

die **Kirchenarchitektur** church architecture

der **Kirchenbesuch, -e** church attendance

der **Kirchenchor, ̈e** church choir

das **Kirchenjahr, -e** ecclesiastical year

der **Kirchenkonflikt, -e** church conflict

die **Kirchenmusik** sacred music, music for the church service

die **Kirchenreparatur, -en** church repairs

die **Kirchenskulptur, -en** sculpture for a church

die **Kirchenspaltung, -en** schism, separation within the church

die **Kirchensteuer, -n** church tax

der **Kirchenstuhl, ̈e** pew

der **Kirchentag, -e** annual meeting of clerical and lay representatives of the church

kirchentreu orthodox, faithful to the church

die **Kirchenverwaltung, -en** church administration

kirchlich ecclesiastical, referring to the church

klar clear, bright, pure

die **Klasse, -n** class, grade (school)

die **Klassenarbeit, -en** class work

die **Klassengemeinschaft, -en** group identity of a school class

die **Klassengesellschaft** class society

der **Klassenlehrer, -** homeroom teacher, teacher responsible for a class

die **Klassik** classicism, classic art and literature

der **Klassiker, -** classic author

klassisch classic

klassizistisch classicist

kleiden to dress, clothe

die **Kleidung** clothing, dress

klein small, little

das **Kleinbürgertum** lower middle class, petty bourgeoisie

die **Kleineisenindustrie, -n** hardware manufacturing, small iron industries

die **Klein-Familie, -n** nuclear family, parents and children

der **Kleingärtnerverein, -e** amateur gardening club

der **Kleinkrieg, -e** irregular warfare, guerrilla warfare

der **Kleinstaat, -en** minor state

die **Kleinstadt, ̈e** small town

das **Klima, -te** or **-s** climate

klingen, klang, geklungen to sound, ring

klopfen to knock, rap
das **Kloster, ˸** monastery, convent, cloister
die **Klosterruine, -n** ruined building of a monastery
die **Klosterschule, -n** monastery or convent school
der **Knabe, -n** boy
der **Knabenchor, ˸e** boys' choir
knapp tight, scarce, concise
der **Knecht, -e** farm servant, agricultural laborer, farm hand
das **Knie, -** knee
der **Knopf, ˸e** button
der **Knotenpunkt, -e** junction
die **Koalition, -en** coalition
die **Koalitionsregierung, -en** coalition government
die **Kohle, -n** coal
der **Kohlenbergbau** coal mining
der **Kollege, -n** colleague
das **Kolloquium, Kolloquien** colloquy, conference, conversation
das **Kolonialland, ˸er** colonial territory
die **Kolonie, -n** colony
der **Kolonialboden, ˸** colonial territory
die **Kolonisation, -en** colonization
die **Kolonisierung, -en** colonization
die **Kombination, -en** combination
kommen, kam, gekommen to come
der **Kommentar, -e** commentary
der **Kommilitone, -n** fellow student
die **Kommission, -en** commission, committee
die **Kommunalbehörde, -n** municipal administration
das **Kommunikationsmittel, -** communication media, mass media
der **Kommunist, -en** communist
der **Kommunistenführer, -** communist leader
kommunistisch communist
die **Komödie, -n** comedy
kompliziert complicated
komponieren to compose
der **Komponist, -en** composer
der **Kompromiß, -sse** compromise
der **Kompromißkandidat, -en** compromise candidate

sich **kompromittieren** to compromise oneself
die **Konferenz, -en** conference
die **Konfession, -en** confession, creed
konfessionell confessional
die **Konfessionsschule, -n** school divided according to religious adherences
der **Konfirmandenunterricht** instruction of confirmees
die **Konfirmation, -en** confirmation
der **Konflikt, -e** conflict
konfliktreich full of conflicts
das **Konglomerat, -e** conglomerate
der **Kongreß, -sse** congress, convention
der **König, -e** king
das **Königsschloß, ˸sser** royal castle
das **Konkordat, -e** concordat, treaty with the Pope on matters of the Roman Catholic church
die **Konkurrenz, -en** competition
der **Konkurrenzkampf, ˸e** competition
können to be able to, can
konsequent consistent
konservativ conservative
der **Konservative, -n** conservative
konspirieren to conspire
konstitutionell constitutional
konstruieren to construct, construe
konstruktiv constructive
der **Konsul, -n** consul
der **Kontakt, -e** contact
kontinental continental
der **Kontrast, -e** contrast
kontrollieren to verify, check, control
die **Konvention, -en** convention, custom, etiquette
konventionell conventional
die **Konzentration, -en** concentration
das **Konzentrationslager, -** concentration camp
konzentrieren to concentrate
das **Konzept, -e** concept, first draft
der **Konzern, -e** trust, corporation, combine
das **Konzert, -e** concert
der **Konzertsaal, -säle** concert hall
das **Konzil, -ien** council (of the Roman Catholic Church)
der **Kopf, ˸e** head, top

das **Kopfblatt, ⁻er** local newspaper affiliated with and reprinting material of a newspaper chain

die **Körperschaft (des öffentlichen Rechts)** non-profit public corporation, institution

korrekt correct, conventional

die **Korrektheit, -en** correctness

der **Korrespondent, -en** correspondent, newsman

korrespondieren to correspond

kostbar valuable, precious, costly

kosten to cost; taste

die **Kosten** *(pl.)* costs

kräftig strong, vigorous

krank sick, ill

das **Krankengeld, -er** sick benefit

das **Krankenhaus, ⁻er** hospital

die **Krankenhauskosten** *(pl.)* costs of treatment in a hospital

die **Krankenkasse, -n** medical insurance, medicare

die **Krankenpflege** nursing

der **Krankenpfleger, -** (male) nurse

die **Krankenversicherung, -en** medical insurance

die **Krankheit, -en** disease, sickness, illness

die **Krankheitsepidemie, -n** epidemic

der **Kredit, -e** credit

kreditfähig solvent, sound (company)

der **Kreidefelsen, -** chalk rock

der **Kreis, -e** circle

das **Kreuz, -e** cross

der **Kreuzzug, ⁻e** crusade

der **Krieg, -e** war

kriegerisch martial, warlike

der **Kriegsdienst, -e** military service

das **Kriegsende, -n** end of war

der **Kriegsgegner, -** enemy (in war); pacifist

der **Kriegshafen, ⁻** naval port

das **Kriegshandwerk** military profession

die **Kriegskunst, ⁻e** strategy, art of war

das **Kriegsmaterial, -ien** war material

der **Kriegsschaden, ⁻** war damages

das **Kriegsschiff, -e** warship, man-of-war

die **Kriegsschuld** war guilt, responsibility for the outbreak of a war

das **Kriegsspiel, -e** war game

die **Kriegssteuer, -n** war tax

die **Kriegstechnik, -en** technology of warfare

der **Kriegsteilnehmer, -** combatant, (ex-) serviceman, veteran

die **Kriegszeit, -en** period of war

der **Kriegszug, ⁻e** campaign, expedition

die **Krise, -n** crisis

die **Kritik, -en** criticism

der **Kritiker, -** critic

kritisch critical

die **Krone, -n** crown

krönen to crown

die **Krönungsstadt, ⁻e** place of coronation

der **Kuchen, -** cake

der **Küchenchef, -s** head cook

die **Kuckucksuhr, -en** cuckoo clock

kühl cool, fresh

der **Kühlschrank, ⁻e** refrigerator

kühn bold, daring

die **Kultur, -en** culture, civilization

das **Kulturbewußtsein** awareness of one's own culture

der **Kulturbund, ⁻e** cultural association (mass organization in the DDR)

kulturell cultural

das **Kulturgebiet, -e** cultural area, area of a (high or old) civilization

der **Kulturkampf** struggle of Bismarck's Prussian government against the Catholic Church after 1873

die **Kulturkritik** cultural pessimism, criticism of civilization

die **Kulturlandschaft, -en** countryside extensively cultivated by man

der **Kulturpolitiker, -** politician concerned with cultural affairs

kulturpolitisch referring to politics concerned with cultural affairs

das **Kulturzentrum, -zentren** cultural center

der **Kultusminister, -** cabinet minister in charge of education and cultural affairs

der **Kultus** cult, religious ceremonies

sich **kümmern (um)** to care for, care about

der **Kunde, -n** customer, client

die **Kundgebung, -en** demonstration, manifestation

kündigen to give notice, dismiss, resign

die **Kunst, ̈e** art, skill
die **Kunstakademie, -n** academy of fine arts, school of fine arts
der **Kunstdünger** artificial fertilizer
die **Kunstform, -en** art form
die **Kunstgeschichte** art history
das **Kunsthandwerk, -e** arts and crafts
die **Kunsthochschule, -n** school of fine arts
das **Kunstleben** cultural life
der **Künstler, -** artist
künstlerisch artistic
die **Künstlerkolonie, -n** artists' colony
künstlich artificial
das **Kunstmuseum, -museen** art museum
die **Kunstsammlung, -en** art collection
die **Kunstschule, -n** art school
die **Kunststadt, ̈e** city which is a center for the arts
das **Kupfer** copper
das **Kupferbergwerk, -e** copper mine
das **Kupfervorkommen, -** copper deposit
die **Kur, -en** cure, treatment in a spa
der **Kurfürst, -en** elector
der **Kurfürstentitel, -** title of an elector
der **Kurort, -e** spa, health-resort
der **Kurs, -e** course; class; rate of exchange
kurz short, brief
das **Kurzfilmfestival, -s** festival for short films
der **Kurzstreckenläufer, -** sprinter
kurzum in short

L

labil unstable
die **Laborübung, -en** lab course, practice in the lab
lachen to laugh
die **Lächerlichkeit, -en** ridiculousness
der **Laden, ̈** store, shop
das **Ladengeschäft, -e** retail store
die **Lage, -n** position, situation
das **Lager, -** camp; warehouse, stock
der **Laie, -n** layman
die **Lampe, -n** lamp
das **Land, ̈er** land, country
der **Landadel** landed gentry
der **Landarbeiter, -** agricultural laborer

der **Landbesitz** landed property, real estate
die **Landbevölkerung, -en** rural population
landen to land, disembark
der **Länderkampf, ̈e** competition of national teams
das **Länderparlament, -e** state parliament
die **Länderregierung, -en** state government
der **Landesfürst, -en** sovereign, ruler
die **Landeshauptstadt, ̈e** state capital
der **Landesherr, -en** ruler, sovereign
die **Landeskirche, -n** regional organization of the church (lutheran); official church of a country
die **Landessprache, -n** native language, vernacular
der **Landesteil, -e** province, part of the country
die **Landflucht** migration from the country to the cities
der **Landgraf, -en** landgrave
die **Landkarte, -n** map
ländlich rural, country-style
die **Landschaft, -en** landscape, scenery
landschaftlich referring to scenery
die **Landschaftsform, -en** form or type of landscape
der **Landsmann, -leute** compatriot, fellow countryman
die **Landsmannschaft, -en** association of people from the same region, type of fraternity
die **Landtagswahl, -en** election for state congress
der **Landtag, -e** state parliament, congress
der **Landwirt, -e** farmer, agriculturalist
die **Landwirtschaft** agriculture, farming
landwirtschaftlich agricultural
die **Landwirtschaftsausstellung, -en** agricultural exhibition
lang long, tall
lange a long time
der **Längengrad, -e** degree of longitude, meridian
längst long ago, long since
sich **langweilen** to be bored
lassen, ließ, gelassen to let, leave, permit, make
die **Last, -en** burden, load
der **Lastwagen, -** truck

das **Latein** Latin
lateinisch Latin
die **Lateinschule, -n** Latin School, school where Latin is taught
der **Laubwald, ˭er** forest of deciduous trees
der **Lauf, ˭e** course, run
die **Laufbahn, -en** career
laufen, lief, gelaufen to run; **auf dem Laufenden sein** to be informed (about the latest developments)
der **Läufer, -** runner, half-back (soccer)
launenhaft capricious, moody
laut loud, aloud, noisy
das **Lazarett, -e** military hospital
leben to live, be alive
das **Leben** life, existence
lebendig alive, lively, living
die **Lebensanschauung, -en** conception of life, philosophy of life
die **Lebensart, -en** life style, behavior, manners
die **Lebensbedingungen** (*pl.*) conditions of life
die **Lebensform, -en** type or way of life
die **Lebensgefahr, -en** danger of life
das **Lebensgefühl** vitality, vital consciousness
die **Lebensgewohnheit, -en** habit
die **Lebenshaltungskosten** (*pl.*) cost-of-living
die **Lebenskraft, ˭e** vital energy
der **Lebenskreis, -e** surroundings, environment
die **Lebenskunst** art of living
die **Lebensmittel** (*pl.*) food, groceries
das **Lebensmittelgeschäft, -e** grocery store
die **Lebensmöglichkeit, -en** possibility to exist, capacity to live
die **Lebensnotwendigkeit, -en** vital necessity, necessaries of life
der **Lebensrhythmus, -rythmen** rhythm of life
der **Lebensstandard, -s** standard of living
der **Lebensstil, -e** life style
die **Lebensverhältnisse** (*pl.*) living conditions
die **Lebensweise, -n** habits, manner of living
die **Lebenszeit, -en** lifetime

lebhaft lively
lediglich merely, solely, only
leer empty
legen to lay, put, place
die **Legende, -n** legend (particularly about saints)
legitim legitimate
das **Lehen, -** fief, fee
das **Lehenssystem, -e** feudal system
das **Lehrbuch, ˭er** textbook
die **Lehre, -n** teaching, doctrine, lesson; apprenticeship
lehren to teach, instruct
der **Lehrer, -** teacher
die **Lehr- und Lerngemeinschaft, -en** community of teachers and students (ideal of the reform movement of the early 20th century)
das **Lehrjahr, -e** year of apprenticeship, year of learning
der **Lehrling, -e** apprentice
die **Lehrlingsausbildung** training of apprentices
die **Lehrlingswerkstatt, ˭en** workshop for training apprentices
der **Lehrplan, ˭e** curriculum
der **Lehrstuhl, ˭e** professor's chair, professorship
das **Lehrsystem, -e** method of teaching, educational system
die **Lehrweise, -en** teaching method
die **Lehrzeit, -en** period of apprenticeship
die **Leibwache, -n** body guard
leicht light, easy, slight
die **Leichtathletik** athletics, track and field sports
leichtfaßlich popular, easily understood
leichtsinnig frivolous
das **Leid, -en** grief, sorrow, misfortune
das **Leiden** suffering
leiden, litt, gelitten to suffer, bear; **nicht leiden können** to dislike somebody
die **Leidenschaft, -en** passion
leidenschaftlich passionate
leihen to lend, borrow
leisten to achieve, accomplish, perform, produce; **sich etwas leisten** to afford something

die **Leistung, -en** achievement, accomplishment

die **Leistungsfähigkeit, -en** capacity, efficiency

der **Leistungssport** competitive sport

der **Leitartikel, -** leader, leading article, editorial

leiten to lead, guide, run, manage

der **Leninismus** Leninism

lenken to direct, drive, guide, rule

lernen to learn, study

die **Lerngemeinschaft, -en** study team (cf. *Lehr- und Lerngemeinschaft*)

lesen, las, gelesen to read

der **Leserbrief, -e** letter to the editor

das **Lesestück, -e** text (in a reader)

die **Lesung, -en** reading, recitation

Lettland Latvia

letzt last, final

leuchten to shine, beam, emit light

die **Leute** *(pl.)* people, persons

liberaldemokratisch liberal-democrat (party name in the DDR)

der **Liberale, -n** liberal

Libyen Libya

das **Licht, -er** light, candle

der **Lichteffekt, -e** light effect

der **Lichtmensch, -en** racially superior person, Aryan (Nazi-Germany)

lieben to love, like

der **Liebhaberverein, -e** club or association of amateurs

das **Liebeslied, -er** love song

der **Liebhaber, -** lover; amateur

die **Liebhaberei, -en** hobby, fancy

die **Liebhabergruppe, -n** group of amateurs, hobby club

die **Liebhabervereinigung, -en** amateur club, amateur society

der **Lieblingsautor, -en** favorite author

das **Lied, -er** song, tune

der **Liederabend, -e** *Lieder* recital evening

der **Liederdichter, -** song-writer

liefern to supply, furnish

liegen, lag, gelegen to lie, be situated

die **Linie, -n** line

link, links left

linksgerichtet leftist, with leftist tendencies

linksradikal radical leftist

das **Linnen** linen (cloth)

die **List, -en** cunning, trick

die **Liste, -n** list, roll

Litauen Lithuania

literarisch literary

die **Literatur, -en** literature

der **Literaturkritiker, -** literary critic

der **Literaturpreis, -e** literary prize or award

die **Literatursprache, -n** literary language

der **Literaturtheoretiker, -** literary theorist

der **Lizentiat, -en** licentiate, graduate

das **Lob** praise, eulogy

loben to praise, commend

locken to allure, attract, bait

locker loose, light

lockern to loosen, relax

sich **lockern** to relax

der **Lohn, ¨e** wage, reward, recompense

sich **lohnen** to be worth while

der **Lohnkampf, ¨e** struggle about wages, strike

das **Lokal, -e** pub, inn; locality

der **Lokalteil, -e** local news (newspaper)

die **Lokalzeitung, -en** local newspaper

lose loose

loswerden, wurde los, losgeworden to get rid of

das **Lösegeld, -er** ransom

lösen to loosen, untie

lossprechen, sprach los, losgesprochen to absolve, free

die **Lösung, -en** solution

der **Lößboden, ¨** loess (fine loam)

der **Lotse, -n** pilot

der **Löwe, -n** lion

die **Luft, ¨e** air, breeze

der **Luftangriff, -e** air raid

die **Luftbrücke** "air lift" (Berlin 1948–49)

die **Luftlinie, -n** airline

die **Luftschlacht, -en** air battle

die **Lüge, -n** lie, falsehood

die **Lungenkrankheit, -en** pulmonary disease

die **Lust, ¨e** pleasure, desire; **Lust haben (zu)** to have a mind to, feel like

lustig gay, merry
lutherisch Lutheran
der **Luxus** luxury
die **Luxusware, -n** fancy articles
der **Lyriker, -** lyric poet
das **Lyzeum, Lyzeen** highschool for girls

M

machen to make, do, produce
die **Macht, ⁒e** power
der **Machtfaktor, -en** power factor
mächtig powerful
machtlos powerless, weak
die **Machtübernahme** coming into power
(e.g. Hitler 1933)
das **Mädchenpensionat, -e** boarding school
for girls
die **Magd, ⁒e** female farmhand
der **Magister, -** master of arts (M.A.)
der **Maibaum, ⁒e** maypole
majestätisch majestic
die **Majestätsbeleidigung, -en** lese-maj-
esty, offense against the sovereign
malen to paint
das **Malen** painting
der **Maler, -** painter
die **Malerei, -en** painting, art of painting
die **Managerkrankheit** manager disease
manchmal sometimes
das **Mandat, -e** mandate
mangeln to be in want of
das **Manifest, -e** manifesto
manipulieren to manipulate
der **Mann, ⁒er** man; husband
das **Mannequin, -s** model, mannequin
der **Männerchor, ⁒e** men's choir
das **Männerheim, -e** home for single men
die **Männersache, -n** men's business
männlich masculine, male, manly
die **Mannschaft, -en** team, crew
der **Mannschaftssport** team sport
das **Manöver, -** manoeuvre
der **Mantel, ⁒** coat, overcoat
die **Mappe, -n** briefcase, portfolio, letter-
case
maritim maritime
die **Mark, -en** march, territorial border or
frontier

der **Markt, ⁒e** market (place)
der **Marktanteil, -e** share in the market
die **Marktforschung** marketing (research)
die **Marktlage, -n** market situation
das **Marktrecht, -e** market-privilege, right
of holding a market
die **Marktwirtschaft** market economy
Marokko Morocco
die **Marsch, -en** marsh, low grassland near
the North Sea
der **Marxismus** Marxism
die **Maschine, -n** machine, engine
die **Maschinenindustrie, -n** machine industry
das **Maskenfest, -e** masked ball, costume
party
das **Maß, -e** measure, proportion
die **Masse, -n** mass, multitude
die **Massendemonstration, -en** mass
demonstration
die **Massenorganisation, -en** mass organization
die **Massenpartei, -en** political party for the
masses, popular party
die **Massenveranstaltung, -en** mass meeting or rally
die **Maßnahme, -n** measure, provision
der **Maßstab, ⁒e** measure, scale
das **Maßsystem** system of measures
der **Materialismus** materialism
die **Mathematik** mathematics
der **Mathematiker, -** mathematician
der **Matrose, -n** seaman, sailor
die **Matura** final secondary school examination in Austria
die **Mauer, -n** wall
der **Maurer, -** mason, bricklayer
der **Mäzen, -e** Maecenas, donator of money,
sponsor
der **Mechaniker, -** mechanic
die **Medaille, -n** medal
das **Medikament, -e** medicine, drug, medication
die **Medizin, -en** medicine, medication
der **Mediziner, -** physician, medical student
medizinisch medical
das **Medizinstudium** medical studies
das **Meer, -e** sea, ocean
die **Mehrheit, -en** majority; plurality

die **Mehrheitswahl, -en** majority vote, election

die **Mehrzahl, -en** majority; plural

die **Meile, -n** mile

die **Meinung, -en** opinion, view

die **Meinungsbildung, -en** formation of opinion

die **Meinungsfreiheit** freedom of opinion, right of dissent

die **Meinungsverschiedenheit, -en** difference of opinions, disagreement

meistens usually, mostly

der **Meister, -** master, foreman, boss; champion

der **Meisterbrief, -e** diploma of a master in the trades

meistern to master

die **Meisterprüfung, -en** examination to become a master

die **Meisterschaft, -en** championship, mastery

das **Meisterwerk, -e** masterpiece, main work

die **Melancholie** melancholy

sich **melden** to report

melken, molk, gemolken to milk

die **Melodie, -n** melody, tune

der **Mensch, -en** man, human being

das **Menschenleben, -** human life, a man's lifetime

der **Menschentyp, -en** human type

der **Menschenverächter, -** cynic, misanthrope

die **Menschheit** mankind, humanity

die **Menschlichkeit, -en** humaneness, humanity

merken to note, perceive

die **Messe, -n** mass; trade fair

messen, maß, gemessen to measure

das **Meßinstrument, -e** instrument of measurement

die **Metallindustrie, -n** metallurgical industry

metaphysisch metaphysical

die **Methode, -n** method

mieten to rent, hire

die **Mietswohnung, -en** lodging, rented apartment, flat

die **Milchwirtschaft** dairy (industry)

das **Militär** military, army

die **Militärausrüstung, -en** military equipment

das **Militärbündnis, -se** military alliance

der **Militärdienst** military service

der **Militärgouverneur, -e** military governor

militärisch military

der **Militarismus,** militarism

das **Militärlager, -** military camp

die **Militärpolitik** military policy

die **Militärregierung, -en** military government

der **Militärstaat, -en** military state

die **Militärsteuer, -n** military tax

die **Militärverwaltung, -en** military administration

der **Millionär, -e** millionaire

die **Minderheit, -en** minority

das **Minderheitenproblem, -e** minority problem

mindestens at least

die **Mindestzahl, -en** minimum number or amount

das **Minenfeld, -er** mine field

der **Minister, -** cabinet minister, Secretary

das **Ministerium, Ministerien** ministry, Department

der **Ministerpräsident, -en** President of the Council, Prime Minister, head of the government, premier

der **Ministerrat** Cabinet Council

das **Minnelied, -er** minnesong

der **Minnesänger, -** minnesinger

die **Mischehe, -n** mixed marriage (racially or religiously)

die **Mischung, -en** mixture

mißachten to disregard, neglect

die **Mißachtung, -en** disregard, disrespect

mißbrauchen to misuse, abuse

der **Mißerfolg, -e** failure, fiasco

das **Mißfallen** dislike, disapproval

mißlingen, mißlang, mißlungen to fail, miscarry, flop

das **Mißtrauen** suspicion, distrust

das **Mißtrauensvotum** vote of no-confidence

mißtrauisch suspicious, sceptical, distrustful

der **Misthaufen, -** dung-hill
die **Mitarbeit** cooperation, collaboration
der **Mitbesitzer, -** joint owner, co-owner
mitbestimmen to co-determine
die **Mitbestimmung** co-determination
mitbringen, brachte mit, mitgebracht to bring along, bring
das **Mitglied, -er** member
die **Mitgliedschaft, -en** membership
das **Mitleid** pity, compassion
mitlesen, las mit, mitgelesen to read together with others or at the same time
mitmarschieren to march along
der **Mittagsschlaf** nap after lunchtime, siesta
die **Mitte, -n** middle, center
das **Mittel, -** means, expedient, remedy
das **Mittelalter** Middle Ages
Mittelamerika Central America
mitteldeutsch Middle German
Mitteldeutschland Central Germany (between north and south); name used in the Federal Republic for the DDR
Mitteleuropa Central Europe
das **Mittelgebirge, -** uplands; medium high mountain ranges of Central Germany
die **Mittelgebirgslandschaft, -en** scenery of *Mittelgebirge*
mittelgroß of medium size or height
mittelhochdeutsch Middle High German
mittelmäßig mediocre, indifferent
das **Mittelmeer** Mediterranean Sea
die **Mittelmeerküste, -n** Mediterranean coast
der **Mittelpunkt, -e** center, hub
die **Mittelpunktsschule, -n** central school for a rural district
der **Mittelschulabsolvent** graduate of the *Mittelschule*
die **Mittelschule, -n** type of secondary school not leading to the *Abitur*
der **Mittelschullehrer, -** teacher at a *Mittelschule*
das **Mittelseminar, -e** intermediate grade seminar
die **Mittelsperson, -en** mediator, go-between

der **Mittelstand, ̈e** middle class
der **Mittelstürmer, -** center forward (soccer)
die **Mitternacht** midnight
mittlerweile meanwhile
die **Möbel** (*pl.*) furniture
die **Möbelform, -en** design of furniture
die **Möbelherstellung** manufacture or production of furniture, cabinet making
die **Mode, -n** fashion
das **Modell, -e** model
modern modern, fashionable, up-to-date
die **Moderne** modern culture (early 20th century)
modernisieren to modernize
die **Modernisierung, -en** modernization
die **Modeschule, -n** fashion school
modisch fashionable
die **Möglichkeit, -en** possibility
die **Monarchie, -n** monarchy
monarchistisch monarchist
der **Monat, -e** month
monatlich monthly
der **Mönch, -e** monk
der **Mönchsorden, -** monastic order
das **Monopol, -e** monopoly
das **Moor, -e** swamp, marsh
die **Moorgegend, -en** marshy or swampy region
die **Moral** morality, morals, morale
moralisch moral, ethical
der **Mord, -e** murder
das **Morgengrauen** dawn
der **Motor, -en** engine, motor
das **Motorrad, ̈er** motor-cycle
das **Motorradrennen, -** motor-cycle race
müde tired, weary
die **Mühe, -n** trouble, pains
mühsam troublesome, difficult
mühselig troublesome, difficult
die **Mundart, -en** dialect
münden to flow into (river)
mündlich oral, verbal
die **Mündung, -en** river-mouth
das **Münster, -** cathedral
die **Münze, -n** coin
das **Münzrecht** right of coinage
das **Museum, Museen** museum
der **Museumsdirektor, -en** director of a museum

die **Musik** music
musikalisch musical
die **Musikaufnahme, -n** recording of music
der **Musiker, -** musician
die **Musikgruppe, -n** group of musicians, band, ensemble
das **Musikinstrument, -e** musical instrument
der **Musikverein, -e** musical society
musisch artistically talented, art-loving
das **Muster, -** model, pattern
das **Musterland, ⁚er** model country
die **Mustermesse, -n** sample fair, trade fair
mutig brave, courageous
die **Mutter, ⁚** mother
das **Mutterkreuz, -e** Nazi decoration for mothers with many children
mütterlich motherly
die **Mütze, -n** cap
der **Mystiker, -** mystic

N

nachahmen to imitate, copy
die **Nachahmung, -en** imitation
der **Nachbar, -n** neighbor
der **Nachbarkanton, -e** neighboring canton (states in Switzerland)
die **Nachbarschaft, -en** neighborhood
die **Nachbarstadt, ⁚e** neighboring city
der **Nachbarstamm, ⁚e** neighboring tribe
nachbilden to imitate, copy
der **Nachfolger, -** successor, follower
die **Nachfrage, -n** demand; inquiry
nachgeben, gab nach, nachgegeben to yield, give in
nachholen to recover, make up for
die **Nachkriegsgeneration, -en** post-war generation
der **Nachteil, -e** disadvantage
nachteilig disadvantageous, detrimental
das **Nachtlager, -** lodging or accommodation for the night
der **Nachwuchs** young generation; new growth
der **Nadelwald, ⁚er** coniferous forest, pine forest
die **Nähe** proximity, neighborhood

nahekommen, kam nahe, nahegekommen to come near, approximate, approach
nähen to sew
nahestehen, stand nahe, nahegestanden to stand near, be closely connected with, be close to
der **Nährstoff, -e** nutrient, nourishment
die **Nahrungsmittelindustrie, -n** food industry
naiv naive, ingenuous
der **Namenstag, -e** name day
nämlich namely, that is; same
der **Narr, -en** fool, jester
der **Nationalcharakter, -e** national character
der **Nationalfeiertag, -e** national holiday
die **Nationalhymne, -n** national anthem
der **Nationalismus** nationalism
der **Nationalitätenkampf, ⁚e** clash of nationalities living in the same country
das **Nationalitätenprinzip, -ien** right to self-determination, principle of each nationality having its own state
die **Nationalkultur, -en** national culture or civilization
der **Nationalökonom, -en** political economist
der **Nationalsozialismus** National Socialism
der **Nationalsozialist, -en** National Socialist
nationalsozialistisch National Socialist
die **Nationalsprache, -n** national language
der **Nationalstaat, -en** nation state, country inhabited by one nationality
die **Nationalversammlung, -en** National Assembly (1848 and 1919, for drafting a constitution)
die **Natur, -en** nature
der **Naturalismus** naturalism
die **Naturalleistung, -en** wages in kind
die **Naturallieferung, -en** payment in kind
die **Naturalwirtschaft** barter economy, economy based on exchange of goods
der **Naturdünger, -** dung, natural fertilizer
das **Naturerlebnis, -se** experience of nature, experience of natural beauty
das **Naturgefühl, -e** feeling for nature
die **Naturkunde** nature study

naturkundlich referring to nature study

natürlich natural, genuine; of course

die **Naturwissenschaft, -en** (natural) science

der **Naturwissenschaftler, -** scientist (natural sciences), student of natural sciences

naturwissenschaftlich referring to natural science

nebenbei by the way, incidentally; close by

der **Nebenberuf, -e** part-time job, side-line

nebeneinander side by side

der **Nebenerwerb, -e** additional income

das **Nebenfach, ⁝er** minor or subsidiary subject

der **Nebenfluß, ⁝sse** tributary, affluent

der **Neffe, -n** nephew

negativ negative

nehmen, nahm, genommen to take; receive

neigen (zu) to tend to, incline to

die **Neigung, -en** inclination; slope, incline

nennen, nannte, genannt to call, name

das **Nest, -er** nest, bed

das **Netz, -e** net, network

neu new, fresh

neuerdings recently

die **Neuerscheinung, -en** new or recent publication

die **Neuerung, -en** innovation

neugotisch neo-gothic

das **Neujahr** New Year

der **Neureiche, -n** nouveau riche

neuromanisch neo-romanesque

die **Neutralität, -en** neutrality

die **Nibelungensage** legend of the Nibelungs

die **Nichte, -n** niece

niederdeutsch Low German

die **Niederlage, -n** defeat

die **Niederlande** (*pl.*) Netherlands, Holland

sich **niederlassen, ließ nieder, niedergelassen** to set down, settle, establish oneself

die **Niederlassung, -en** settlement, establishment

der **Niederrhein** Lower Rhine (valley)

niedrig low, mean

das **Niemandsland** no man's land

nihilistisch nihilistic

der **Nikolaustag, -e** December 6, Saint Nicholas Day

nirgendwo nowhere

das **Niveau, -s** standard, level

der **Nobelpreis, -e** Nobel Prize

nominell nominal

die **Nonne, -n** nun

norddeutsch North German

der **Norddeutsche, -n** North German

Norddeutschland North Germany

der **Norden** north

nordisch northern, nordic

Norditalien Northern Italy

nördlich northern, northerly

nordöstlich north-east

der **Nordpol** North Pole

die **Nordsee** North Sea

die **Nordseeküste, -n** North Sea coast or shore

der **Nordwesten** north-west

Norwegen Norway

die **Not, ⁝e** difficulty, trouble, need, distress, danger

die **Note, -n** grade (school), note

notieren to note, make a note

nötig necessary

Notiz nehmen (von) to take notice, notice

notleidend suffering distress

die **Notverordnung, -en** emergency decree (Germany 1919–1933)

notwendig necessary

die **Notwendigkeit, -en** necessity

die **Notzeit, -en** period of distress

die **Novelle, -n** novella, novelette

nüchtern sober, calm, temperate

nutzen *or* **nützen** to use, utilize; **es nützt** it is of use

O

obendrein furthermore, over and above

der **Oberbefehlshaber, -** commander-in-chief

der **Oberbürgermeister, -** chief burgomaster, mayor

die **Oberhand bekommen** get the better, gain victory

das **Oberhaupt, ⁻er** chief, head
der **Oberherr, -en** sovereign, lord
oberitalienisch North Italian
die **Oberrealschule, -n** secondary school with emphasis on sciences and modern languages
oberrheinisch at or from the upper Rhine
die **Oberschicht, -en** upper class
oberschlesisch Upper Silesian
die **Oberschule, -n** secondary school
das **Oberseminar, -e** advanced seminar
das **Objekt, -e** object
die **Obrigkeit, -en** authorities, magistracy, government
der **Obrigkeitsstaat, -en** authoritarian state
der **Obstbau** fruit culture
der **Obstbauer, -n** fruit grower
der **Ochse, -n** ox
offen open, frank, outspoken
offenbar evident(ly), obvious
öffentlich public, open
die **Öffentlichkeit** public
offiziell official
der **Offizier, -e** officer (armed forces)
das **Öl, -e** oil, petrol
die **Ölleitung, -en** pipe line
die **Olympischen Spiele** *(pl.)* Olympic Games
die **Oper, -n** opera, opera house
die **Operette, -n** operetta
die **Opernfestspiele** *(pl.)* opera festival
das **Opfer, -** victim; sacrifice
opfern to sacrifice
sich **opfern (für)** to sacrifice oneself
opponieren to oppose, be in opposition
die **Oppositionspartei, -en** opposition party
der **Optimismus** optimism
optisch optical
das **Oratorium, Oratorien** oratorio
die **Orchestermusik** orchestra music
der **Orchestermusiker, -** orchestra musician, member of an orchestra
der **Orden, -** order; decoration
ordentlich orderly, regular, good; fairly
die **Ordnung, -en** order, arrangement
das **Organ, -e** organ, voice
die **Organisation, -en** organization

organisieren to organize
das **Orgelkonzert, -e** organ concert
der **Orient** Orient, Middle-East
orientalisch oriental
sich **orientieren** to get acquainted with, find one's way about, get informed
das **Orientierungskapitel, -** orientation chapter, introductory chapter
der **Ort, -e** place, locality, location
die **Orthographie** orthography
örtlich local, topical
die **Allgemeine Ortskrankenkasse** medical insurance (for lower income groups)
der **Osten** East, Orient
das **Osterei, -er** easter egg
der **Osterhase, -n** easter bunny
Ostern Easter
Österreich Austria
österreichisch Austrian
Osteuropa Eastern Europe
osteuropäisch Eastern European
die **Ostfront** eastern front
das **Ostgebiet, -e** eastern part of the country, eastern part of Germany taken over by Poland and Russia in 1945
die **Ostgrenze, -n** eastern border, frontier
östlich east of, eastern
die **Ostmark** Eastern March (name for Austria 1938–45), Eastern Mark (DDR)
die **Ostsee** Baltic Sea
die **Ostseeküste, -n** Baltic Sea shore or coast

P

der **Pädagoge, -n** pedagogue, educator
die **Pädagogik** pedagogics, methods of teaching
pädagogisch pedagogic(al)
die **Pädagogische Hochschule** Teacher Training College
das **Paddelboot, -e** paddle canoe
das **Paket, -e** parcel, package
der **Palast, ⁻e** palace
Palästina Palestine
der **Pantoffelheld, -en** henpecked husband, meek or submissive husband
das **Pantoffelkino, -s** nickname for television

die **Papptüte, -n** paper bag; cardboard cone

der **Papst, ⁐e** pope

päpstlich papal

die **Parade, -n** parade, review of armed forces

das **Paradies, -e** paradise

das **Parlament, -e** parliament

parlamentarisch parliamentary

die **Parodie, -n** parody

die **Partei, -en** (political) party

der **Parteichef, -s** party leader, party boss

der **Parteifunktionär, -e** party official, party functionary

parteigebunden owned by a party, closely connected with a party (e.g. a newspaper)

das **Parteiprogramm, -e** party program, platform

der **Parteitag, -e** annual meeting of a party

der **Partikularismus** particularism

der **Partisane, -n** guerrilla, irregular

die **Partitur, -en** score (music)

passen to fit, suit

das **Passionsspiel, -e** Passion play

passiv passive

das **Passiv** passive voice

das **Patentamt, ⁐er** patent office

patriarchalisch patriarchal

patriotisch patriotic

der **Patriotismus** patriotism

der **Patrizier, -** patrician

die **Patrizierfamilie, -n** patrician family

die **Paukuniversität, -en** university known for tough examinations, where students do a lot of cramming

der **Pauschalpreis, -e** flat rate, flat fee

der **Pazifik** Pacific Ocean

der **Pelz, -e** fur

die **Pelzindustrie, -n** fur industry

pendeln to commute; oscillate

das **Pendlerdorf, ⁐er** commuter village

die **Pension, -en** old-age pension; guest house

die **Pensionierung, -en** retirement

die **Pergamenthandschrift, -en** manuscript on parchment

die **Periode, -n** period

das **Personal** staff, personnel

persönlich personal, in person

die **Persönlichkeit, -en** personality

die **Pest** plague, pest

der **Pfadfinder, -** boy scout

der **Pfahlbau, -ten** lake dwelling

der **Pfarrberuf** ecclesiastical profession, ministry

der **Pfarrer, -** priest, pastor, vicar, minister

das **Pfarrhaus, ⁐er** parsonage, rectory

die **Pfarrstelle, -n** ministry of a church, benefice

der **Pfeffer** pepper

der **Pfeffersack, ⁐e** pepper bag (nickname for merchants)

das **Pferd, -e** horse

die **Pferdekutsche, -n** horse carriage

das **Pferderennen, -** horse racing

die **Pferdezucht** horse breeding

Pfingsten Whitsuntide, Pentecost Sunday

das **Pfingstfest** Whitsuntide

die **Pflanze, -n** plant

pflanzen to plant

pflegen to take care of, nurse, cultivate

die **Pflicht, -en** duty, obligation

das **Pflichtfach, ⁐er** required subject

pflichttreu dutiful

die **Pflichttreue** dutifulness

die **Phantasie, -n** imagination, phantasy, fancy

der **Philosoph, -en** philosopher

die **Philosophie, -n** philosophy

philosophisch philosophic

die **Physik** physics

der **Pilger, -** pilgrim

pilgern to go on a pilgrimage

das **Plakat, -e** poster, bill

der **Plan, ⁐e** plan, project, design

planen to plan

die **Planung, -en** planning

die **Plastik, -en** sculpture

der **Platz, ⁐e** place, seat

plötzlich suddenly, sudden

plündern to plunder, loot

der **Pole, -n** Pole

Polen Poland

die **Politik** politics, policy

politisch political

die **Polizei** police

die **Polizeiaktion, -en** police action

der **Polizeistaat, -en** police state
polnisch Polish
polytechnisch polytechnic
pompös pompous
das **Porträt, -s** portrait
das **Porzellan** china, porcelain
die **Porzellanindustrie, -n** porcelain industry
die **Porzellanmalerei** painting on china
positiv positive
die **Post** post, mail, letters
das **Postamt, ⁻er** post office
der **Posten, -** post, place, position; sentry
das **Postgeheimnis** mail secret
die **Pracht** splendor, magnificence
prächtig splendid, magnificent
die **Prachtstraße, -n** magnificent street or boulevard
prachtvoll splendid
prägen to stamp, coin
pragmatisch pragmatic
der **Praktikant, -en** assistant, probationer
das **Praktikum, Praktika** practice, training
praktisch practical
der **Präsident, -en** president
die **Praxis** practice
predigen to preach
der **Preis, -e** price, prize
preisen, pries, gepriesen to praise
das **Preistanzen** dancing competition (for a prize)
die **Presse** press
Preußen Prussia
der **Preußenkönig, -e** Prussian king, King of Prussia
preußisch Prussian
der **Priester, -** priest
die **Priesterausbildung** training for priesthood
der **Prinz, -en** prince
die **Prinzessin, -nen** princess
privat private
der **Privatdozent, -en** university lecturer without regular salary
die **Privatindustrie, -en** private industry
das **Privatinteresse, -n** private interest
das **Privatleben** private life
der **Privatmann, -leute** private person

der **Privatpatient, -en** patient who pays the treatment himself and not through a medical insurance
die **Privatschule, -n** private school
das **Privattheater, -** privately owned theater
der **Privatunterricht** private tuition, tutoring
das **Privileg, -ien** privilege
die **Probe, -n** rehearsal, audition, trial, sample
probieren to try out, sample, test
problematisch problematic
das **Produkt, -e** product
die **Produktion, -en** production, output
die **Produktionsplanung, -en** production planning
der **Produzent, -en** producer
produzieren to produce
die **Professur, -en** professorship
profitieren to profit
das **Programm, -e** program
der **Programmpunkt, -e** item of a program
proklamieren to proclaim
die **Promotion, -en** graduation (particularly Ph.D.), promotion
promovieren to graduate (to Ph.D.)
der **Propagandaminister** propaganda minister (Goebbels from 1933–45)
das **Propagandaplakat, -e** propaganda poster or billboard
prophezeien to prophesy
die **Prophezeiung, -en** prophecy
das **Proporz-System, -e** proportional system
das **Proseminar, -e** proseminar, introductory course
prosit cheers, your health
der **Prospekt, -e** pamphlet, folder
protestantisch Protestant
die **Provinz, -en** province
provisorisch temporary, provisional
der **Prozentsatz, ⁻e** percentage
der **Prozeß, -sse** trial, process, lawsuit
die **Prozession, -en** procession
prüde prudish
die **Prüfung, -en** examination, test
die **Prüfungsanforderungen** (*pl.*) examination requirements or standard

prunkvoll splendid, gorgeous
der **Psychiater, -** psychiatrist
der **Psychologe, -n** psychologist
das **Publikum** public, audience
die **Publizistik** press, journalism, mass-media
der **Punkt, -e** point, period
pünktlich punctual
der **Puter, -** turkey
der **Putsch, -e** putsch, riot, coup-d'état, uprising
der **Putschversuch, -e** attempt to seize the government

Q

der **Quadratkilometer, -** square kilometer
die **Quadratmeile, -n** square mile
quälen to torment, torture
qualifiziert qualified
die **Qualität, -en** quality
die **Quantentheorie** quantum theory
die **Quelle, -n** spring, source, fountain
quer cross, across
der **Querschnitt, -e** cross section

R

der **Rabatt, -e** discount
die **Rache** revenge, vengeance
radikal radical
der **Radiohörer, -** listener
das **Radrennen, -** cycling race
die **Radrundfahrt, -en** bicycle road race, bicycle trip
der **Rahmen, -** frame, scope
der **Rand, ¨er** edge, border, margin, rim
der **Ranzen, -** satchel, knapsack
rar rare
die **Rasse, -n** race
die **Rassenideologie, -n** racist ideology
der **Rat, ¨e** council, councillor; advice
das **Rathaus, ¨er** city hall, town hall
rationalistisch rationalistic
rationieren to ration
die **Rationierung, -en** rationing
rätselhaft mysterious, puzzling

der **Rattenfänger von Hameln** Pied Piper of Hameln
der **Raubritter, -** robber knight
der **Raubzug, ¨e** raid, predatory expedition
rauh rough, rugged, coarse
das **Realgymnasium, -gymnasien** Gymnasium (secondary school) with emphasis on modern languages
realistisch realistic
realpolitisch referring to politics based on realities of power
die **Realschule, -n** cf. *Mittelschule*
der **Rebell, -en** rebel
rebellieren to rebel
die **Rechenaufgabe, -n** problem in mathematics
die **Rechenkunst, ¨e** arithmetic
rechnen to count, calculate, reckon; **zu etwas rechnen** to rank with, count among
das **Rechnen** (simple) mathematics
recht right; **es ist recht** that is right, I agree to it
das **Recht, -e** right
rechtfertigen to justify, vindicate
rechts right, on the right
der **Rechtsanwalt, ¨e** lawyer, attorney
das **Rechtsanwaltsbüro, -s** office or firm of an attorney, law firm
der **Rechtsaußen, -** outside right (soccer)
die **Rechtschreibung** orthography
rechtsgerichtet with rightist tendencies
die **Rechtspartei, -en** party on the right
rechtsradikal radical rightist
der **Rechtsradikale, -n** radical rightist, radical reactionary
das **Rechtssystem, -e** legal system
die **Redaktion, -en** editorial staff or offices
das **Redaktionsgebäude, -** editorial office building
die **Rede, -n** speech, discourse
die **Redekunst, ¨e** rhetoric
reden to speak, talk, make a speech
der **Redner, -** speaker, orator
reduzieren to reduce
das **Referat, -e** oral report, paper
der **Referendar, -e** teacher or lawyer serving in professional training function
der **Reformator, -en** reformer (religion)

die **Reformbewegung, -en** reform movement

das **Reformkonzil, -ien** Reform Council (Roman Catholic Church)

die **Reformpädagogik** progressive pedagogics

der **Reformsozialismus** socialistic movement aiming at reforms within the parliamentary democracy (like German SPD)

die **Regel, -n** rule, regulation

regelmäßig regular

regeln to regulate, arrange

die **Regelung, -en** regulation, settlement

der **Regen, -** rain

regieren to rule, govern

die **Regierung, -en** government

der **Regierungschef, -s** head of government

die **Regierungsform, -en** form of government

das **Regierungsjahr, -e** year of rule or government

die **Regierungskrise, -n** governmental crisis

die **Regierungszeit, -en** reign, period of rule

die **Regionalliga, -ligen** regional league (semiprofessional league in soccer)

der **Regisseur, -e** stage or movie director

regnen to rain

regulär regular, official

reich rich

das **Reich, -e** empire, realm

reichen to reach, extend

die **Reichsacht** ban of the Reich (German Empire)

die **Reichsarmee** Imperial Army (before 1806)

die **Reichsfreiheit** privilege of being subject only to the emperor (e.g. cities)

der **Reichsführer, -** national leader (particularly of the Nazi organizations)

der **Reichsfürst, -en** prince of the Reich, ruler of a state belonging to the Reich

die **Reichsgründung** founding, proclamation of the new Reich (1871)

das **Reichskammergericht** Supreme Court of the Reich (until 1806)

der **Reichskanzler, -** Chancellor of the Reich, head of the Federal government (1871–1945)

die **Reichsmark** German monetary unit (until 1948)

die **Reichspolitik** politics of the Reich (federal level)

der **Reichspräsident, -en** President of the Reich (1919–1934)

die **Reichsregierung** government of the Reich

der **Reichsritter, -** Imperial Knight, knight of the Empire

das **Reichsrittergeschlecht, -er** family of imperial knights

die **Reichsstadt, ⁀e** (free) Imperial City

der **Reichstag, -e** Imperial Diet (until 1806), federal parliament (1871–1945)

die **Reichstagsfraktion, -en** parliamentary group in the Reichstag

die **Reichstagswahl, -en** election for the Reichstag

die **Reichswehr** German armed forces (until 1945)

der **Reichtum, ⁀er** wealth, riches

die **Reichsunmittelbarkeit** being subject only to the emperor

reif ripe, mature

die **Reihe, -n** row, series, file, range

die **Reihenfolge, -n** sequence, succession

rein pure, clean

reinigen to clean, cleanse

die **Reise, -n** trip, travel, journey, voyage

das **Reisebuch, ⁀er** travel book

das **Reisebüro, -s** travel agency

die **Reisegesellschaft, -en** travel agency, group of travellers

die **Reisegruppe, -n** group of travellers, tourist group

die **Reise-Industrie** tourist industry

das **Reiseland, ⁀er** tourist country

reisen to travel

der **Reisende, -n** traveller

der **Reiseplan, ⁀e** plan of the journey, itinerary

das **Reiseziel, -e** destination

reiten to ride, go on horseback

der **Reiter, -** horseman, rider

der **Reitsport** equestrian sport

der **Reiz, -e** attraction, charm

reizen to irritate, provoke, excite, attract

reizvoll charming, attractive

die **Reklame, -n** publicity, advertising, commercial

die **Reklamesendung, -en** commercial (television)

der **Rektor, -en** principal (elementary school), (elected) chancellor or president of a university

relativ relative

die **Relativitätstheorie** theory of relativity

die **Religionsausübung** worshipping

der **Religionsfriede** peace between religious parties

die **Religionsgemeinschaft, -en** religious society, community, organization

der **Religionskrieg, -e** religious war

der **Religionsunterricht** religious instruction

religiös religious

der **Renaissancestil** Renaissance style

rennen, rannte, gerannt to run, race

rentabel lucrative, profitable

die **Rentenmark** name of monetary unit in Germany (1924)

die **Reparationsleistung, -en** payment of reparations

die **Reparationszahlung, -en** payment of reparations

die **Reparatur, -en** repair

die **Reportage, -n** report written by a journalist

repräsentativ representative

die **Republik, -en** republic

die **Residenz, -en** residential town, residence of a prince

die **Residenzstadt, ⁝e** capital, town where the ruler resides

die **Resignation** (feeling of) resignation, submission

der **Respekt** respect, esteem

respektieren to respect

das **Ressentiment, -s** resentment

der **Rest, -e** rest, remainder

retten to save, rescue, preserve

reuig repentant

die **Revanche, -n** revenge

revolutionär revolutionary

der **Revolutionär, -e** revolutionary

der **Revolutionsversuch, -e** putsch, uprising, attempt to overthrow the government

die **Rezitation, -en** recitation

rhätoromanisch Romansch

das **Rheinland** Rhineland

die **Rheinlandschaft, -en** scenery of the Rhine valley

das **Rheinufer, -** bank of the Rhine river

sich **richten (gegen)** to be aimed at, oppose, turn against

sich **richten (nach)** to conform to, go by

der **Richter, -** judge

richtig right, correct

die **Richtlinie, -n** guideline, direction

die **Richtung, -en** direction, trend

das **Riesenrad, ⁝er** Ferris wheel

das **Rigorosum, Rigorosa** oral examination for a doctor's degree

die **Rinderzucht** cattle-breeding

das **Ringen** wrestling

der **Ritter, -** knight

das **Ritterheer, -e** army of knights

ritterlich chivalrous, knightly

der **Ritterorden, -** knightly order

das **Rittertum** chivalry

rituell ritual

der **Rivale, -n** rival

rivalisieren to rival

der **Roggen** rye

der **Rohstoff, -e** raw material

die **Rohstoffgrundlage, -n** natural resources

die **Rolle, -n** role, part; pulley; **eine Rolle spielen** to be of some importance, play a part

der **Roman, -e** novel

romanisch Romanesque (style), Romance (language)

die **Romantik** Romanticism

der **Romantiker, -** romanticist

romantisch romantic

der **Römer, -** Roman

die **Römerzeit** era of the Roman Empire

römisch Roman

römisch-katholisch Roman-Catholic

der **Rosenmontag** last Monday before Lent

xlix

rotblond auburn, light reddish (hair)

das **Rote Kreuz** Red Cross

die **Rübe, -n** turnip, beetroot

der **Rückblick, -e** retrospect

die **Rückfahrt, -en** return trip

die **Rücksicht, -en** consideration, respect, regard; **Rücksicht nehmen auf** have regard for, take into consideration

rückständig backward, in arrears

der **Rückzug, ̈e** retreat

das **Rudern** rowing

der **Ruderklub, -s** rowing club

der **Ruf, -e** reputation; call

rufen, rief, gerufen to call, shout

die **Ruhe** rest, calm, peace

die **Ruhepause, -n** lull, pause for a rest

ruhig calm, quiet

der **Ruhm** fame, glory

das **Ruhrgebiet** Ruhr District

die **Ruine, -n** ruin, ruined building

Rumänien Roumania

der **Rundfunk** radio broadcasting

die **Rundfunkanstalt, -en** radio corporation, broadcasting company, radio station

das **Rundfunkgremium, -gremien** (control) board of a radio station

der **Russe, -n** Russian

russisch Russian

Rußland Russia

die **Rute, -n** rod

S

die **Saalschlacht, -en** indoor brawl

das **Saarstatut** statute for the Saar district

die **Sachkenntnis, -se** experience, special knowledge

Sachsen Saxony

sächsisch Saxon

die **Sage, -n** legend, myth

die **Sagenfigur, -en** legendary figure

der **Sagenstoff, -e** legend, legendary story or plot

die **Säkularisierung, -en** secularization

das **Salz, -e** salt

das **Salzbergwerk, -e** salt mine

salzen to salt, pickle

der **Salzfahrer, -** salt trader

die **Salzstraße, -n** route for transporting salt

der **Salztransport, -e** transport of salt

die **Sammelausstellung, -en** collective exhibition (of a group of artists)

sammeln to collect, gather

die **Sammlung, -en** collection, concentration

die **Samtjacke, -n** velvet jacket

sämtlich altogether

sandig sandy

der **Sänger, -** singer

das **Sängerfest, -e** song festival

der **Sängerkrieg, -e** bards' contest, contest of the Minnesingers

der **Sängerwettkampf, ̈e** contest of the Minnesingers

sanieren to restore, reorganize, revitalize

die **Sanktion, -en** sanction

der **Sarg, ̈e** coffin, casket

der **Sattler, -** saddler

der **Satz, ̈e** sentence, clause, set (sport), movement (music)

der **Satzteil, -e** syntactic unit, sentence part

sauflustig fond of drinking

der **Schachzug, ̈e** move (in chess)

der **Schaden, ̈** damage

schädlich harmful, detrimental

schaffen, schuf, geschaffen to create, do

schaffen, schaffte, geschafft to achieve, finish, work; **sich etwas schaffen** procure

die **Schallplatte, -n** record, disk

scharf sharp, acute, hot

scharren to shuffle (with the feet)

schätzen to value, estimate, esteem

die **Schau, -en** show, exhibition; **zur Schau stellen** to exhibit, display, show

das **Schaufenster, -** shop window

der **Schauplatz, ̈e** scene

das **Schauspiel, -e** play, drama

der **Schauspieler, -** actor

der **Schauspielerstand** actors' profession

sich **scheiden (von)** to be separated from, be distinguished from

scheinen, schien, geschienen to seem, appear, shine

scheitern to fail, wreck, run aground

die **Scheu** shyness, timidity
scheuen to fear, shun
sich **scheuen (vor)** to be afraid of
die **Schicht, -en** social class; layer; shift
die **Schichtarbeit, -en** work in shifts
schicken to send
das **Schicksal, -e** destiny, fate
das **Schiff, -e** ship, boat, vessel
die **Schiffahrt** navigation
der **Schiffsbau** ship building
der **Schiffsverkehr** shipping traffic
das **Schilaufen** skiing
schildern to describe, sketch
das **Schimpfwort, ⸚er** insult, abusive word
die **Schiwanderung, -en** ski tour
die **Schlacht, -en** battle, fight
schlafen, schlief, geschlafen to sleep, be asleep
schlagen, schlug, geschlagen to beat, hit, strike
der **Schlager, -** hit, popular song
schlecht bad, wicked
Schlesien Silesia
schlesisch Silesian
schlichten: einen Streit schlichten to settle a fight, restore peace
schließen, schloß, geschlossen to close, shut; conclude; **Frieden schließen** make peace
schließlich final, finally, last
schlimm bad, sore, ill
das **Schlittenfahren** sleigh riding
das **Schloß, ⸚sser** castle; lock
die **Schloßkirche** church connected with a prince's castle
der **Schluß, ⸚sse** end, close; conclusion
das **Schlüsselwort, ⸚er** key-word
der **Schlußgewinn, -e** final prize
der **Schmied, -e** blacksmith
schmieden to forge
der **Schmuck** jewelry, ornament, finery
die **Schmuckanfertigung, -en** making of jewelry
schmücken to adorn
die **Schmuckindustrie** manufacture of jewelry, jewelry industry
die **Schmucksachen** (*pl.*) jewels, ornaments
der **Schnaps, ⸚e** liquor
der **Schnee** snow

der **Schneesturm, ⸚e** snowstorm
schnell fast, speedy, quick
das **Schnitzen** carving
die **Schokolade** chocolate
schon already
schön beautiful, pretty, handsome, fine
schonen to spare
der **Schöngeist, -er** bel esprit, wit
die **Schönheit, -en** beauty
die **Schöpfung, -en** creation
schrecklich terrible, frightful
schreiben, schrieb, geschrieben to write
die **Schrift, -en** writing, script, publication
der **Schriftführer, -** secretary (club)
der **Schriftsteller, -** writer, author
die **Schriftstellerei** writing, authorship, literary profession
die **Schriftstellerin, -nen** authoress
der **Schritt, -e** step, pace
die **Schuhmacherstraße** Shoemaker Street
die **Schulaufführung, -en** school performance (of a play)
der **Schulbau, -ten** school building
die **Schulbildung** education, schooling
die **Schule, -n** school
die **Schuld** guilt
die **Schulden** (*pl.*) debts
schuldig guilty
der **Schüler -** student, pupil, schoolboy
das **Schulgeld** tuition
das **Schulkonzert, -e** school concert
der **Schulmeister, -** schoolmaster, teacher
die **Schulpflicht** compulsory education
die **Schulpolitik** educational policy
der **Schulrat, ⸚e** school superintendent, inspector
die **Schulsachen** (*pl.*) things a student needs for school
das **Schulsystem, -e** school system
der **Schultag, -e** school day
der **Schultheiß, -en** mayor
die **Schultüte, -n** school bag (for the first school day)
der **Schultyp, -en** type of school
der **Schultyrann, -en** school tyrant, teacher who enforces a harsh discipline
das **Schulwesen** public instruction, school affairs

li

das **Schulzeugnis, -se** report card
der **Schutz** protection, shelter
 schützen protect, guard, shelter
der **Schützenverein, -e** rifle club
der **Schutzherr, -en** protector, patron
die **Schutzpatronin, -nen** patron saint
 schwach weak, faint, feeble
die **Schwäche, -n** weakness, faintness
 schwanken to stagger, vacillate, get off balance
 schwarz black
das **Schwarze Brett** bulletin board
 Schweden Sweden
 schwedisch Swedish
 schweigen, schwieg, geschwiegen to be silent
die **Schweinezucht** pig breeding
die **Schweiz** Switzerland
der **Schweizer, -** Swiss; dairyman
 schweizerisch Swiss
 schwer heavy, difficult, serious
 schwerfällig cumbersome, heavy, slow
die **Schwerindustrie, -n** heavy industry, steel industry
das **Schwert, -er** sword
der **Schwerverbrecher, -** felon, criminal who committed a felony
die **Schwester, -n** sister; nurse
die **Schwiegereltern** (*pl.*) parents-in-law
der **Schwiegersohn, ¨e** son-in-law
 schwierig difficult, hard
die **Schwierigkeit, -en** difficulty
das **Schwimmbad, ¨er** swimming pool
das **Schwimmen** swimming
 schwören, schwor, geschworen to take an oath, swear
das **Schwurgericht, -e** jury (trial)
das **Schwyzerdütsch** Swiss German (dialect)
das **Sechstagerennen, -** six-day cycling race
der **See, -n** lake
der **Seehafen, ¨** maritime port
die **Seele, -n** soul, mind
das **Seelenheil** salvation, spiritual welfare
der **Seemann, -leute** mariner, seaman, sailor
 seelisch psychic, psychological
die **Seelsorge** ministry
das **Seengebiet, -e** lake area

die **Seenplatte, -n** plain covered with lakes, lake area
der **Seeweg, -e** sea route
die **Segelfahrt, -en** sailing trip
der **Segelklub, -s** sailing club
der **Segler, -** yachtsman; sail boat
 sehen, sah, gesehen to see, perceive
sich **sehnen (nach)** to long for
die **Sehnsucht, ¨e** desire, longing, dream
die **Seife, -n** soap
die **Seite, -n** side; page
die **Sekretärin, -nen** secretary
der **Sekt** champagne
die **Sekte, -n** sect
 selbst self; even
die **Selbstbeherrschung** self-control
die **Selbstbesinnung** self-examination, reflection, meditation
die **Selbstbestimmung** self-determination
 selbstbewußt self-reliant, self-confident
das **Selbstbewußtsein** self-confidence, self-consciousness
das **Selbstgefühl** self-reliance
der **Selbstmord, -e** suicide
die **Selbstregierung** self-government, autonomy
das **Selbstvertrauen** self-confidence
die **Selbstverwaltung** self-government, autonomy
 selig blessed, happy
 selten seldom, rare, scarce
der **Senat, -e** senate (city government)
die **Sendereihe, -n** radio series
die **Sendung, -en** transmission; shipment
 sensationell sensational
die **Sentimentalität, -en** sentimentality
die **Separatistenbewegung, -en** separatist movement
 serbisch Serbian
die **Serie, -n** series
 setzen to put, set, place; **sich zur Ruhe setzen** retire
 sicher sure, secure, safe
die **Sicherheit, -en** security, certainty, safety
 sichern to protect, secure, guarantee
die **Sicherung, -en** protection, securing; fuse
 sichtbar visible, conspicuous
 siebenjährig seven year (old)

die **Siedlung, -en** settlement, suburban colony

der **Sieg, -e** victory
siegen to be victorious, conquer, win

der **Sieger, -** victor, winner

die **Siegermacht, ˑe** victorious power
siegreich victorious

das **Silber** silver

das **Silberbergwerk, -e** silver mine

die **Silberproduktion, -en** production or output of silver

Silvester New Year's Eve

die **Simonie** simony
singen, sang, gesungen to sing
sinken, sank, gesunken to sink, decline

der **Sinn, -e** sense, meaning, mind
sinnlos senseless, foolish

die **Sippe, -n** kin, clan

die **Sitte, -n** custom, habit, usage

der **Sitz, -e** seat, chair, residence
sitzen, saß, gesessen to sit, fit; **sitzen bleiben** to have to repeat a grade in school; remain seated

die **Sitzung, -en** meeting, session
Sizilien Sicily

der **Skandal, -e** scandal
Skandinavien Scandinavia

der **Skandinavier, -** Scandinavian

die **Skepsis** scepticism
skeptisch sceptical

der **Sklave, -n** slave

die **Skulptur, -en** sculpture
slawisch Slavic

der **Slowene, -n** Slovene

der **Sohn, ˑe** son

der **Soldat, -en** soldier

der **Soldatenrat, ˑe** soldiers' council (1918–19)

die **Soldatenstadt, ˑe** garrison town

der **Söldner, -** mercenary

die **Söldnertruppe, -n** army of mercenaries
solide solid

der **Solist, -en** soloist

der **Sommer, -** summer

die **Sommerferien** (pl.) summer vacation

die **Sommerfrische, -n** summer resort

der **Sommergast, ˑe** guest for the summer, summer tourist

das **Sommerschloß, ˑsser** summer castle

die **Sonate, -n** sonata

der **Sonderzug, ˑe** special train

die **Sonne, -n** sun
sonnenhungrig hungry for sunshine

die **Sonntagsruhe, -n** Sunday rest

die **Sonntagszeitung, -en** Sunday paper

das **Sonnwendfeuer, -** fire to celebrate solstice

die **Sorge, -n** care; problem, sorrow, concern
sorgen (für) to care for, provide for
sorgfältig careful

die **Sorte, -n** sort, kind, species
souverän sovereign

die **Souveränität, -en** sovereignty, independence
sowjetisch Soviet

die **Sowjetunion** Soviet Union

die **Sowjetzone** Soviet occupation zone (in Germany)
sozial social

die **Sozialabgaben** (pl.) fees for social services (university)

der **Sozialdemokrat, -en** social democrat
sozialdemokratisch social democrat

das **Sozialgesetz, -e** welfare law

die **Sozialgesetzgebung** welfare legislation

die **Sozialleistungen** (pl.) fringe benefits; family allowance

die **Sozialisierung, -en** socialization

der **Sozialismus** socialism

der **Sozialist, -en** socialist
sozialistisch socialist
sozialpolitisch referring to social or welfare policy

der **Sozialrevolutionär, -e** social revolutionary

die **Sozialwissenschaften** (pl.) social sciences
sozialwissenschaftlich referring to social sciences

der **Soziologe, -n** sociologist
sozusagen so to speak
spalten to split, divide

die **Spaltung, -en** separation, splitting, division
Spanien Spain
spanisch Spanish

die **Spannung, -en** tension, strain, voltage

sparen to save, economize

die Sparsamkeit, -en economy, thriftiness

spät late

spätestens at the latest

spätrömisch referring to the later period of the Roman Empire

die Spätschicht, -en late shift, night shift

der Spaziergang, ¨e walk, outing, promenade

der Spazierweg, -e walk, path for walking

die Speise, -n food, meal

sperren to blockade, barricade, close, stop

sich spezialisieren to specialize

spezialisiert specialized

der Spezialist, -en specialist, expert

sich spiegeln to be reflected

das Spiel, -e game, play

spielen to play, perform, gamble

die Spielerreihe, -n line of players (soccer)

der Spielfilm, -e feature film, movie

der Spielmann, -leute minstrel, streetplayer

der Spielplan, ¨e repertory

das Spielzeug, -e toy, plaything

spinnen, spann, gesponnen to spin; hatch

die Spitze, -n lace, point, top, tip

der Spitzname, -n nickname

die Splittergruppe, -n splinter group

die Splitterpartei, -en very small party

die Sportanlage, -n playing-ground, sports ground

die Sportart, -en kind of sport

die Sporteinrichtung, -en sport facilities

das Sportergebnis, -se sports news, outcome of sporting events

die Sportgruppe, -n group or team with interest in sport

der Sportklub, -s sport club

sportlich sportsman-like, athletic

die Sportnachricht, -en sport news

der Sportteil, - sports section (newspaper)

der Sportverein, -e sport club

der Spott mockery

die Sprache, -n language, tongue, speech

die Sprachform, -en linguistic form

das Sprachgebiet, -e area where a language is spoken

die Sprachgemeinschaft, -en all people speaking the same language

die Sprachgrenze, -n linguistic frontier

der Sprachkurs, -e language course

die Sprachschwierigkeiten (pl.) linguistic difficulties, difficulties to communicate because of the language

der Sprachwissenschaftler, - linguist, philologist

sprechen, sprach, gesprochen to speak, talk

der Sprecher, - speaker

der Spruch, ¨e saying, sentence, proverb

spüren to feel, perceive, track

der Staat, -en state, nation

der Staatenbund, ¨e confederation of independent states

das Staatensystem, -e political system; group of countries

staatlich national, public, referring to a state

die Staatsangehörigkeit, -en nationality, citizenship

der Staatsbürger, - citizen

die Staatsbürgerkunde civics

der Staatsdiener, - civil servant

der Staatsdienst, -e civil service

die Staatseinnahme, -n public revenues

das Staatsexamen, - or -examina final university examination qualifying for civil service careers

der Staatsfeind, -e public enemy

staatsfeindlich referring to a public enemy, being against the political system

die Staatsform, -en political system, constitution

das Staatsgebiet, -e territory of a state

die Staatsgewalt, -en executive power, supreme power

der Staatskanzler, - chancellor of the state, head of the government (Austria, 19th century)

die Staatskasse, -n treasury

die Staatskirche, -n state church, official church

der Staatsmann, ¨er statesman, politician

der **Staatsminister, -** Minister of State

das **Staatsoberhaupt, ∵er** head of the state, sovereign

die **Geheime Staatspolizei,** *short:* **Gestapo** secret police (1933–45)

die **Staatsprüfung, -en** cf. *Staatsexamen*

die **Staatsräson** reason of state, political necessity

der **Staatsrat** Privy Council, council of state

staatsrechtlich referring to public or constitutional law

das **Staatstheater, -** state (supported) theater

die **Staatsverwaltung, -en** administration of a state

stabil stable

sich **stabilisieren** to stabilize, become stable

die **Stabilität, -en** stability

der **Stacheldraht, ∵e** barbed wire

der **Stacheldrahtzaun, ∵e** barbed wire fence

die **Stadt, ∵e** city, town

die **Stadtanlage, -n** city, plan of the city

der **Stadtbewohner, -** inhabitant of a city, city dweller, townsman

das **Stadtbild** townscape, appearance of a city

der **Städtebau** city planning, building a city

der **Städtebund, ∵e** league of cities

die **Städteplanung, -en** city planning

das **Stadtgebiet, -e** city (area), township

städtisch urban, municipal

der **Stadtkern, -e** center of town

die **Stadtkultur, -en** urban civilization

das **Stadtparlament, -e** city council, city parliament

der **Stadtplan, ∵e** city map, plan according to which a city is built

der **Stadtrat, ∵e** city council, city councillor

die **Stadtregierung, -en** city government

die **Stadtrepublik, -en** city republic, city state

das **Stadtschloß, ∵sser** town palace, residence of a prince in town

der **Stadtstaat, -en** city state

das **Stadttheater, -** municipal theater

das **Stadttor, -e** city gate

das **Stadtzentrum, -zentren** center of town

die **Stahlindustrie, -n** steel industry

der **Stamm, ∵e** tribe, people, race; tree trunk

die **Stammburg, -en** family castle

stammen (von) to descend, originate from

stammen (aus) to be from

das **Stammland, ∵er** country of origin

der **Stand, ∵e** social class, estate of the empire; stand, position, condition

ständig permanent

das **Stapelrecht** marketing right of medieval town

stark strong, stout, violent

stärken to strengthen

die **Stärkung, -en** strengthening, refreshment

starr stiff, inflexible, rigid

der **Statistiker, -** statistician

statt instead of

stattfinden, fand statt, stattgefunden to take place, happen

der **Statthalter, -** governor

die **Stauferzeit** era of the Hohenstaufen dynasty, 12th and 13th centuries

der **Stausee, -n** reservoir, artificial lake

stehen, stand, gestanden to stand

steigen, stieg, gestiegen to rise, mount, climb

steil steep

der **Steinbruch, ∵e** quarry

die **Steinkohle, -n** pit-coal, coal

das **Steinkohlenbergwerk, -e** coal mine

das **Steinkohlevorkommen, -** occurrence of pit-coal

die **Steinplatte, -e** stone slab, table-top out of stone

die **Steinzeit, -en** stone age

die **Stelle, -n** place, spot, position, job

stellen place, put, set

das **Stellenangebot, -e** job offer

die **Stellung, -en** position, job, employment

der **Stellungskrieg, -e** trench warfare

sterben, starb, gestorben to die

die **Steuer, -n** tax, duty

die **Steuerbehörde, -n** revenue office

das **Sticken** embroidering

sticken to embroider

die **Stiefmutter, ∵** stepmother

stiften to donate, found

die **Stifterfigur, -en** sculpture of the founder

das **Stiftungsfest, -e** foundation festival, commemoration, annual convention of fraternities

der **Stil, -e** style

die **Stilistik** stylistics

still quiet, silent, calm

der **Stillstand** standstill, deadlock

stillvergnügt calm and serene, happy

die **Stilvorstellung, -en** idea, choice or concept of style

die **Stimme, -n** voice

stimmen to vote; tune

das **Stimmrecht, -e** right of voting

die **Stimmung, -en** mood, humor, atmosphere

das **Stipendium, Stipendien** fellowship, scholarship, stipend

die **Stirn, -en** forehead

der **Stoff, -e** fabric, material; subject, story

stolz proud

stören to trouble, disturb

stoßen, stieß, gestoßen to push, thrust, kick; **auf etwas stoßen** to come across, meet

strahlen to radiate, shine

stramm tight, disciplined

der **Strand, ∵e** beach

die **Straße, -n** street, road, highway

die **Straßenbahn, -en** street car, tramway

der **Straßenbahnwagen, -** tram car

die **Straßenbeleuchtung, -en** street lighting

der **Straßenkampf, ∵e** street fighting

der **Straßenname, -n** street name

das **Straßensystem, -e** highway system

die **Straßenverbindung, -en** street connection

der **Stratege, -n** strategist

sich **sträuben** to resist, oppose

streben (nach) aspire, struggle for

das **Streben** striving, endeavour, effort

die **Strecke, -n** stretch, distance; line

das **Streichquartett, -e** string quartet

der **Streik, -s** strike

streiken to strike

der **Streit, -e** quarrel, dispute, fight

sich **streiten, stritt, gestritten** to quarrel, argue, fight

die **Streitigkeit, -en** quarrel, difference

der **Streitpunkt, -e** matter, point in dispute

die **Streitschrift, -en** polemic or controversial writing, treatise or pamphlet

streitsüchtig quarrelsome

streng severe, rigorous, stern, strict

stricken to knit

strittig disputed, controversial, at issue

die **Strumpfindustrie, -n** hosiery industry

der **Studentenausweis, -e** student identity card

die **Studentengemeinde, -n** community of students belonging to one church, student parish

die **Studentengeneration, -en** generation of students

die **Studentengruppe, -n** student group, team, club

das **Studentenjahr, -e** college year of a student

das **Studentenleben** student life, university life

der **Studentenprotest, -e** protest or demonstration by students

das **Studententheater, -** student theater, student drama club

die **Studentenverbindung, -en** student association, fraternity

das **Studentenwohnheim, -e** dormitory

die **Studentenzeit** college days

die **Studentin, -nen** girl student, coed

studentisch student

das **Studienbuch, ∵er** record of courses taken by a student, transcript (in form of a booklet)

das **Studienfach, ∵er** subject of study

die **Studienfahrt, -en** excursion for studies or research

das **Studienkolleg, -ien** preparatory college for foreign students qualifying for university studies

der **Studienrat, ∵e** title of a tenured teacher in an *Oberschule*

die **Studienzeit, -en** time spent at a university, time spent to get a university degree

studieren to study, go to college

die **Studiobühne, -n** experimental theater

das **Studium, Studien** study, studies

die **Stufe, -n** step, degree, stage

das **Stufenland, ∵er** land rising in terraces

die **Stunde, -n** hour
der **Stundenlohn, ⁓e** wage by the hour
der **Stundenplan, ⁓e** schedule, time-table
der **Stürmer, -** forward (soccer)
die **Stürmerreihe, -n** line of (five) forwards (soccer)
stürzen to fall, tumble
sich **stützen (auf)** to rely on, lean upon, be based upon
suchen to search, seek, look for
Südamerika South America
süddeutsch South German
der **Süddeutsche** South German
Süddeutschland South Germany
der **Süden** south
südlich southern
der **Südosten** south-east
Südosteuropa South-East Europe
der **Südtiroler** southern Tirolese, German speaking inhabitant of the Italian part of the Tyrol
der **Südwesten** south-west
der **Suezkanal** Suez Canal
die **Sünde, -n** sin, offence
der **Sünder, -** sinner, culprit, delinquent
der **Superlativ, -e** superlative
der **Supermarkt, ⁓e** supermarket
die **Süßigkeiten** (*pl.*) sweets, candies
symbolisieren to symbolize
die **Symphonie, -n** symphony
das **Symphonieorchester, -** symphony orchestra
die **Synagoge, -n** synagogue
der **Syndikus, Syndizi** trustee, administrator

T

der **Tabak, -e** tobacco
die **Tafelmalerei, -en** painting on (wooden) panels
der **Tag, -e** day
tagen to meet, sit; dawn
der **Tagesausflug, ⁓e** one day excursion, outing
die **Tagesfrage, -n** topic of the day
der **Tageslauf** a day's schedule, course of a day
das **Tageslicht** daylight

die **Tageszeitung, -en** daily paper
täglich daily
die **Tagung, -en** meeting, convention
die **Taktik, -en** tactics
taktlos tactless
das **Tal, ⁓er** valley
das **Talent, -e** talent, gift
die **Tante, -n** aunt
die **Tantieme, -n** royalty, share in profits
tanzen to dance
die **Tanzmusik** dance music
das **Tanzorchester, -** dance orchestra, band
tapfer brave, valiant
der **Tarif, -e** tariff, wage scale
die **Tarifverhandlung, -en** negotiation of employers and union about wages and fringe benefits
das **Taschengeld** pocket money
die **Tat, -en** action, act, deed
tätig active
die **Tätigkeit, -en** activity
das **Tätigkeitsfeld, -er** field of activities
tatkräftig energetic, active
die **Tatsache, -n** fact, data
das **Tatsachenwissen** factual knowledge
tatsächlich in fact, actual, real
taufen to baptize
der **Taugenichts, -e** good-for-nothing
das **Tauschgeschäft, -e** bargain, exchange, barter deal
der **Tauschhandel** barter
Tausende (*pl.*) thousands
die **Technik, -en** technique, technology, technical skill
der **Techniker, -** technician, engineer
technisch technical, technological
die **Technische Hochschule** Technical College, College of Science and Engineering
der **Teil, -e** part, share, portion
teilen to divide, share
teilnehmen (an), nahm teil, teilgenommen to take part in, compete, participate
der **Teilnehmer, -** participant
der **Teilstaat, -en** state being part of a greater political unit
die **Teilung, -en** division, separation, sharing
teilweise partly, partial

das **Telefon, -e** telephone
die **Telefonnummer, -n** telephone number
die **Telefonseelsorge** ministry by telephone
die **Telegrafie** telegraphy
der **Teller, -** plate
der **Tempel, -** temple
die **Temperatur, -en** temperature
der **Temperaturunterschied, -e** difference in temperature
das **Tempo** speed, pace
die **Tendenz, -en** trend, tendency
terrorisieren to terrorize
das **Territorium, Territorien** territory
das **Testament, -e** testament, will
teuer dear, expensive
der **Teufel, -** devil
der **Textdichter, -** librettist, man who writes the lyrics for a song
die **Textilien** (*pl.*) textiles
die **Textilindustrie, -n** textile industry
das **Theater, -** theater, theater-building
die **Theateraufführung, -en** stage performance
die **Theaterfahrt, -en** trip to see a play
die **Theaterfestspiele** (*pl.*) theater festival
die **Theaterkultur** theater culture
die **Theaterstadt, ¨e** city with many theaters, city famous for its theaters
das **Theaterstück, -e** play
die **Theatertradition, -en** theater tradition
das **Thema, Themen** topic, theme, subject
der **Theologe, -n** theologian
die **Theologie** theology
der **Theologieprofessor, -en** professor of theology
der **Theoretiker, -** theoretician, theorist
theoretisch theoretical
die **Theorie, -n** theory
die **These, -n** thesis
der **Thron, -e** throne
der **Thronfolger, -** successor to the throne
tief deep, low, profound
die **Tiefebene, -n** plain, lowland
die **Tiefenpsychologie** depth psychology
das **Tiefland** lowland
tiefreligiös deeply religious
das **Tier, -e** animal
der **Tierarzt, ¨e** veterinarian
tierärztlich veterinary

der **Tisch, -e** table
der **Tischler, -** cabinet-maker, joiner
die **Tischplatte, -n** table top
das **Tischtennis** table tennis, ping-pong
der **Titel, -** title
die **Tochter, ¨** daughter
der **Tod, -e** death
das **Todeslager, -** death camp
der **Todfeind, -e** deadly enemy
todkrank dangerously or critically ill
die **Toleranz** tolerance
tolerieren to tolerate, endure
toll mad, extravagant
der **Ton, ¨e** sound, note, stress
das **Tonbandgerät, -e** tape recorder
der **Torwart, -e** goalkeeper (soccer)
der **Tote, -n** dead, dead person
töten to kill
der **Totensonntag** Memorial Day, Sunday before the 1st Advent Sunday devoted to the memory of the dead
der **Totentanz, ¨e** dance of death, dance macabre
der **Totschlag, ¨e** homicide, manslaughter
die **Tracht, -en** costume, dress
traditionell traditional, customary
traditionsreich rich in traditions
der **Träger, -** holder, carrier, bearer
die **Tragödie, -n** tragedy
der **Trainer, -** coach, trainer
transportieren to transport
der **Transportweg, -e** transport route
sich **trauen lassen** to get married
die **Trauer** mourning, sorrow
der **Trauertag, -e** day of mourning
der **Traum, ¨e** dream
träumen to dream
der **Trecker, -** tractor
treffen, traf, getroffen to meet, hit
treffend striking, appropriate
treiben, trieb, getrieben to practice, study; drive
trennen to divide, separate
die **Trennung, -en** separation
die **Treppe, -n** staircase, stairs
treten, trat, getreten to step, tread; **auf die Seite von jemandem treten** to side with
treu faithful, true

die **Treue** faithfulness, fidelity
der **Tribut, -e** tribute
trinken, trank, getrunken to drink
das **Trinkfest, -e** drinking festival
die **Trinkzeremonie, -n** drinking ceremony (student fraternities)
trocken dry, arid
trocknen to dry
der **Trost** comfort, consolation
trotzdem in spite of, nevertheless
trübe dull, sad, muddy
die **Truppe, -n** army, troop
tschechisch Czech
die **Tschechoslowakei** Czechoslovakia
tüchtig able, efficient
die **Tugend, -en** virtue
Tunesien Tunisia
der **Türke, -n** Turk
die **Türkei** Turkey
türkisch Turkish
der **Turm, ⁀e** tower, steeple
das **Turnen** gymnastics
die **Turnerschaft, -en** gymnastic club, type of student fraternity
das **Turnfest, -e** gymnastic competition or festival
das **Turnier, -e** jousting, tournament
der **Turnunterricht** physical education, instruction in gymnastics
der **Turnverein, -e** athletic club
der **Typ, -en** type
typisch typical
tyrannisch tyrannical

U

das **Übel, -** evil, mischief
übelnehmen, nahm übel, übelgenommen to resent, be offended
üben to practice, exercise
überall everywhere, throughout
übereinstimmen to agree, harmonize
überfallen, überfiel, überfallen to attack, hold up
überflüssig superfluous, redundant
überfüllen to cram, overcrowd
die **Überfüllung** overcrowding, overfilling

übergeben, übergab, übergeben to hand over, deliver
übergehen, ging über, übergegangen to change hands, pass over; proceed
der **Übergriff, -e** encroachment
überhaupt on the whole, generally
überladen, überlud, überladen to overload, overcharge
überladen (*adj.*) excessively ornate, florid, redundant
überlassen, überließ, überlassen to cede, leave (something) up to (somebody)
überleben, überlebte to survive
sich **überlegen** think over, reflect
der **Übermensch, -en** superman
übernachten to pass the night
übernehmen, übernahm, übernommen to take, take over
überparteilich non-partisan, not connected with a political party
überragend excellent, outstanding
überrascht surprised, astonished
die **Überraschung, -en** surprise
überschaubar limited, manageable
der **Überschuß, ⁀sse** surplus, excess
überschwemmen to flood, inundate, overflow
übersetzen to translate
der **Übersetzer, -** translator
die **Übersetzung, -en** translation
die **Überstunde, -n** overtime
überstürzt precipitate, hasty
die **Übertreibung, -en** exaggeration, overstatement
der **Übertritt, -e** conversion
überwachen to control, superintend, watch over
überwechseln to change to
überwiegen, überwog, überwogen to be preponderant
überwiegend preponderant, prevailing
überwinden, überwand, überwunden to overcome, conquer
überzeugen to convince
überzeugt convinced, ardent
die **Überzeugung, -en** conviction
üblich usual, customary
die **Übung, -en** exercise, practice, drill

das **Ufer, -** shore, bank
die **Uhr, -en** clock, watch; time
die **Uhrenindustrie, -n** watch industry
die **Uhrenstadt, ⁒e** city of watchmakers
umändern to change, alter
umbringen, brachte um, umgebracht to kill
der **Umbruch, ⁒e** drastic, revolutionary change; paging (newspaper)
der **Umfang** size, extent, circumference
umfangreich extensive, wide
umfassen to comprehend, include, embrace
umfassend extensive, comprehensive
die **Umgangsform, -en** manners
die **Umgangssprache, -n** everyday language, colloquial language
die **Umgebung, -en** surroundings, neighborhood
umgehen mit, ging um, umgegangen to deal with, handle, use
umgekehrt opposite, vice versa, the other way round
umgestalten to transform
umherreisen to travel around
umherziehen to gad about, wander
umkommen, kam um, umgekommen to die, perish, spoil
umliegend surrounding, adjacent
umorganisieren to reorganize
umreiten, umritt, umritten to ride around
umsetzen to transpose; **in die Praxis umsetzen** carry out, to realize an idea
die **Unsicherheit, -en** insecurity
umsiedeln to resettle
die **Umsiedlung, -en** resettlement
umsonst gratis, for nothing; in vain
der **Umstand, ⁒e** circumstance
sich **umstellen (auf)** to adapt oneself to
die **Umstellung, -en** transposition, adaptation, redistribution
umstoßen, stieß um, umgestoßen to overthrow, knock down, annul
umstritten controversial, disputed
der **Umsturz, ⁒e** overthrow, upset, revolution
umwälzend revolutionary

die **Umwälzung, -en** revolution, radical change
umziehen, zog um, umgezogen to move, change
der **Umzug, ⁒e** move (furniture); procession
unabhängig independent
die **Unabhängigkeit** independence
unakademisch unacademic, non-scholarly
unangenehm disagreeable, unpleasant
unbedeutend insignificant
unbedingt absolute, absolutely, by all means
unbegrenzt unlimited
unbehaglich uncomfortable, uneasy
unbekannt unknown
der **Unbekannte, -n** stranger, unknown person
unbekümmert careless, unconcerned
unbequem inconvenient
unbeschränkt absolute, unlimited
unbestechlich incorruptible
unblutig bloodless
undenkbar unthinkable, inconceivable
uneben uneven
unecht false, not genuine, artificial, phony
unehelich illegitimate
unehrlich dishonest
uneinheitlich diverse, not uniform, not clear
unerklärlich mysterious, inexplicable
unermüdlich indefatigable, incessant
unersetzlich irreplaceable, irreparable
unerträglich intolerable
unerwartet unexpected
unerwünscht unwished for
der **Unfall, ⁒e** accident
die **Unfallversicherung, -en** accident insurance
ungarisch Hungarian
Ungarn Hungary
ungebildet uneducated
ungeduldig impatient
ungefähr approximate, about, nearly
das **Ungeheuer, -** monster
ungeheuer huge, enormous, monstrous
ungelöst unsolved
ungerecht unjust

die **Ungerechtigkeit, -en** injustice
ungetreu unfaithful
ungezwungen easy, natural, spontaneous, unconstrained
unglaublich incredible
ungleich unequal
uniert united (church)
die **Universität, -en** university
der **Universitätsdozent, -en** university lecturer or instructor
der **Universitätsgrad, -e** academic degree
das **Universitätskrankenhaus, ∵er** university hospital
der **Universitätsprofessor, -en** university professor
die **Universitätsreform, -en** university reform
die **Universitätsstadt, ∵e** university town
die **Unmenge, -n** enormous quantity
die **Unmenschlichkeit, -en** inhumanity
unmittelbar immediate, immediately, direct
unmöglich impossible
unnatürlich unnatural
unnormal not normal
die **Unordnung, -en** disorder, confusion
unparteiisch impartial, unbiased
unpraktisch unpractical
unregelmäßig irregular
unreif immature
unrentabel unprofitable, unremunerative
die **Unruhe, -n** unrest, agitation
unruhig restless, uneasy
unsicher insecure, unsafe, unsteady
die **Unsicherheit, -en** insecurity, uncertainty
die **Untat, -en** monstrous crime
untätig passive, inactive, idle
untenstehend mentioned below
unterbrechen, unterbrach, unterbrochen to interrupt; stop over
unterbringen, brachte unter, untergebracht to lodge, place
unterdrücken to oppress, suppress, repress, put down
die **Unterdrückung, -en** oppression
unter(e) lower, inferior; under, below, among

untereinander among each other, mutually
der **Untergebene, -n** subordinate, underling
untergehen, ging unter, untergegangen to sink, perish; set
sich **unterhalten, unterhielt, unterhalten** to converse, talk to; enjoy oneself
die **Unterhaltungsmusik** light music, popular music
das **Unterhaltungsorchester, -** orchestra playing light music
die **Unterhaltungsseite, -n** entertainment page (newspaper)
die **Unterkunft, ∵e** lodging, accommodation
unterliegen, unterlag, unterlegen to succumb, be overcome, be defeated
der **Untermensch, -en** subhuman being
unternehmen, unternahm, unternommen to undertake
das **Unternehmen, -** expedition, enterprise, firm
der **Unteroffizier, -e** corporal
der **Unterricht** instruction, lessons
unterrichten to teach, instruct, give lessons
das **Unterrichtsministerium, -ministerien** department of education
unterscheiden, unterschied, unterschieden to distinguish, differ
der **Unterschied, -e** difference, distinction
unterschiedslos without any difference, indiscriminately
der **Untersekundaner, -** 10th grade student (secondary school)
unterstehen, unterstand, unterstanden to be subordinate to, be under the command of
unterstellen to place under, subordinate
unterstützen to support, aid, back
die **Unterstützung, -en** assistance, support, relief
die **Untersuchung, -en** investigation, examination, inquiry
der **Untertan, -en** subject
unterwegs on the way
unterwerfen, unterwarf, unterworfen to subjugate
unterzeichnen to sign

lxi

unverheiratet single, unmarried
unverletzt unharmed, unhurt
unvermeidlich inevitable
unvoreingenommen unbiassed
unvorstellbar unimaginable, unthinkable

das **Unwetter, -** stormy weather, thunderstorm
unwichtig unimportant
der **Unwille** indignation
unzufrieden dissatisfied, discontent
die **Unzufriedenheit, -en** dissatisfaction, discontent
unzuverlässig unreliable
die **Uraufführung, -en** first night, first performance
die **Urkantone** (*pl.*) first three Swiss cantons
der **Urlaub** leave, vacation
die **Urlaubslandschaft, -en** tourist region
die **Urlaubsreise, -n** vacation trip
die **Urlaubszeit, -en** vacation, vacation period
das **Urlaubsziel, -e** destination, place to spend the vacation
der **Ursprung, -e** origin
ursprünglich original, primitive
das **Urteil, -e** judgment, sentence

V

vage vague
der **Vater, ** father
das **Vaterland, er** fatherland, native country
der **Vatertag, -e** father's day
verabscheuen to detest, abhor
verabschieden to dismiss, give leave
verachten to despise
veraltet out of date, obsolete
verändern to change, vary
die **Veränderung, -en** change, alteration
veranlassen to cause
veranstalten to organize, arrange
die **Veranstaltung, -en** event, occasion
verantworten to be responsible
verantwortlich responsible
die **Verantwortung, -en** responsibility
verantwortungsvoll responsible

die **Verarbeitung, -en** manufacturing, workmanship
die **Verarbeitungsindustrie, -n** manufacture, chiefly consumer goods industries
verarmen to become poor, impoverish
verbessern to improve, correct
verbieten, verbot, verboten to prohibit, forbid
verbilligt reduced (price), cheaper
verbinden, verband, verbunden to connect, join, combine
die **Verbindung, -en** connection, union, association
die **Verbindungsstraße, -n** connecting route, highway
verbittert embittered
verboten forbidden, prohibited
das **Verbrechen, -** crime
verbreiten to spread, diffuse
verbreitet widespread, common
verbrennen, verbrannte, verbrannt to burn, cremate
der **Verbrennungsmotor, -en** internal combustion engine
verbringen, verbrachte, verbracht to spend, pass
verbummeln to idle away, waste time or money
sich **verbünden (mit)** to form an alliance, unite
der **Verbündete, -n** ally, confederate
der **Verdammte, -n** damned (soul)
verdanken to owe
verderben, verdarb, verdorben to spoil, perish, corrupt
verdienen to earn, merit, deserve
der **Verdienst, -e** salary, profit
das **Verdienst, -e** merit
sich **verdingen** to engage oneself, take a job
verdrängen to displace, push away
verehren to honor, venerate, worship
der **Verein, -e** society, association, club
vereinigen to unite, reconcile
vereinigt united
die **Vereinigung, -en** union, unification
das **Vereinsleben** social life in clubs
das **Vereinslokal, -e** restaurant or inn where a club has its regular meetings

der **Vereinsmeier, -** joiner, person active in club life

das **Vereinsregister, -** club registry

die **Vereinstradition, -en** tradition of a club; tradition of having clubs

verfahren, verfuhr, verfahren to proceed; bungle

verfallen, verfiel, verfallen to fall into disrepair; expire, become forfeited

verfassen to compose, write

die **Verfassung, -en** constitution, state, condition

die **Verfassungsreform, -en** constitutional reform

verfilmen to adapt to the screen, film

verfolgen to pursue, follow, persecute

die **Verfolgung, -en** persecution, pursuit

verfügbar available

die **Verfügung, -en** disposal; decree; availability; **zur Verfügung haben** have at one's disposal; **zur Verfügung stellen** place at one's disposal

verführerisch seductive

die **Vergangenheit, -en** past; past tense

vergänglich transitory, passing

die **Vergänglichkeit, -en** instability, transitoriness

vergeben, vergab, vergeben to award, confer; forgive, pardon

vergeblich in vain, fruitless

vergehen, verging, vergangen to pass away, fade

die **Vergessenheit** oblivion

der **Vergleich, -e** comparison; agreement

vergleichen, verglich, verglichen to compare

vergleichsweise comparatively, by way of comparison

sich **vergnügen** to enjoy oneself, take pleasure

der **Vergnügungsplatz, ⁝e** amusement park, e.g. the Prater in Vienna or Disneyland

vergrößern to enlarge, magnify

verhaften to arrest

sich **verhalten, verhielt, verhalten** to behave, conduct oneself

das **Verhalten** behavior, conduct

das **Verhältnis, -se** relation, ratio, proportion

verhältnismäßig comparatively, in proportion

die **Verhältniswahl, -en** election by proportional representation

das **Verhältniswahlrecht** election law providing for proportional representation

das **Verhältniswahlsystem** system of election by proportional representation

verhandeln to negotiate, deliberate, discuss

die **Verhandlung, -en** negotiation, discussion, proceedings, trial

sich **verheiraten** to marry

verheiratet sein to be married

verhelfen (zu), verhalf, verholfen to help to, procure

die **Verherrlichung, -en** glorification

verhindern to prevent

verhören to try, examine, hear

der **Verkauf, ⁝e** sale

der **Verkehrsknotenpunkt, -e** traffic junction

die **Verkehrslage, -n** traffic situation

verkehrsreich full of traffic, busy

der **Verkehrsweg, -e** traffic route

das **Verkehrszentrum, -zentren** traffic center, junction

verkleidet in disguise

sich **verkleinern** to diminish, get smaller

verknüpfen to connect, combine

sich **verkriechen, verkroch, verkrochen** to hide

verkrüppelt crippled

verkünden to proclaim, announce

der **Verlag, -e** publisher, publishing house

sich **verlagern** to shift

verlangen to demand, require, desire

verlängern to prolong, extend, lengthen

verlassen, verließ, verlassen to leave, abandon

sich **verlassen (auf)** to rely upon

verlaufen, verlief, verlaufen to pass, elapse

verletzen to hurt, injure; violate

verlieren, verlor, verloren to lose

der **Verlust, -e** loss

vermehren to increase, augment

vermeiden, vermied, vermieden to avoid

vermindern to diminish, reduce

vermischen to mix up, mingle

die **Vermischung, -en** mixture, mixing up

vermitteln to mediate, arrange

die **Vermittlerrolle, -n** role of a mediator

die **Vermittlung, -en** mediation, arrangement; telephone exchange

das **Vermögen, -** property; ability, power

vermutlich presumable

vernachlässigen to neglect

vernichten to destroy, annihilate

das **Vernichtungslager, -** death camp, extermination camp

die **Vernichtungsmethode, -n** method of extermination

die **Vernunft** reason

vernünftig reasonable, rational

veröffentlichen to publish

die **Verordnung, -en** ordinance, order, decree

verpassen to miss, lose, let slip

verpflanzen to transplant

sich **verpflichten (zu)** to engage or commit oneself

verpflichtet obliged

der **Verrat** treason

verraten, verriet, verraten to betray, give away

verrückt mad, crazy

die **Versammlungsfreiheit** freedom of assembling

verschaffen to procure

verschollen missing, presumed dead

sich **verschärfen** to intensify, add to

verschieben, verschob, verschoben to shift, postpone

verschieden different, several

die **Verschiedenheit, -en** difference, diversity, variation

verschiedenartig of a different kind, heterogeneous

verschlechtern to worsen, deteriorate

verschlossen reserved; closed

verschweigen, verschwieg, verschwiegen to conceal, keep secret

verschwinden, verschwand, verschwunden to disappear, vanish

der **Verschwörer, -** conspirator

die **Verschwörung, -en** conspiracy

das **Versepos, -epen** verse epic

die **Verserzählung, -en** narrative in verse

versetzen to transpose, remove

versöhnen to reconcile

versorgen to provide, supply

verspätet tardy, belated

versperren to bar, block

verspotten to deride, mock

versprechen, versprach, versprochen to promise

das **Versprechen, -** promise

die **Verstaatlichung, -en** nationalization

der **Verstand** understanding, reason, intelligence

sich **verständigen** to communicate, come to an understanding

die **Verständigung, -en** agreement, communication

der **Verständigungsfriede** peace by arrangement, by compromise

die **Verständigungspolitik** policy of understanding, policy based on mutual agreement

verständlich comprehensible, clear

das **Verständnis, -se** comprehension, understanding

verstärken to reinforce, strengthen, amplify

verstecken to hide

verstehen, verstand, verstanden to understand, comprehend

versuchen to try, attempt

vertauschen to exchange

verteidigen to defend

der **Verteidiger, -** defender; full back (soccer); defense attorney

vertiefen to deepen

sich **vertiefen** to deepen, widen; become absorbed in

der **Vertrag, ⸚e** treaty, contract

der **Vertragsspieler, -** semi-professional soccer player

das **Vertrauen** confidence

das **Vertrauensverhältnis, -se** relation of trust or mutual confidence

vertreiben, vertrieb, vertrieben to expel, banish, drive away vertreten, vertrat, vertreten to represent, substitute, advocate

der **Vertreter, -** representative, substitute, advocate, commercial traveller

die **Vertretung, -en** representation, substitution

der **Vertriebene, -n** expellee

verursachen to cause

verurteilen to sentence, condemn

vervollständigen to complete

verwachsen deformed

verwalten to administer, manage

die **Verwaltung, -en** administration, management

der **Verwaltungsangestellte, -n** administrative employee, civil servant

der **Verwaltungsbezirk, -e** administrative district

der **Verwaltungschef, -s** head of administration

der **Verwaltungsdienst, -e** administrative service, civil service

die **Verwaltungsgebühr, -en** fee for administrative services

die **Verwaltungssprache, -n** administrative language

verwandeln to transform, change

verwandt related, congenial, allied

der **Verwandte, -n** relative

die **Verwandtschaft, -en** relatives, relationship, affinity

die **Verwandtschaftsbeziehung, -en** kinship relation

der **Verwandtschaftsgrad, -e** degree of relationship, affinity

verweigern to refuse, deny

die **Verwendung, -en** use, employment

verwickelt intricate, complicated

verwirklichen to implement, realize, come to pass

die **Verwirrung, -en** confusion, entanglement

verwundert astonished

verzichten (auf) to renounce, resign

verzweifeln to despair

der **Vetter, -n** cousin

das **Vieh** cattle, beast

das **Viehfutter** forage, food for cattle, fodder

die **Viehzucht** stock farming, cattle breeding

vielfach manifold

die **Vielfalt** variety, multiplicity

vielseitig many-sided, versatile

vielleicht perhaps

die **Vielseitigkeit, -en** versatility

der **Vielvölkerstaat** multiethnical state (Austria before 1918)

das **Viertel, -** quarter

die **Viertelstunde, -n** quarter of an hour

das **Visum, Visen** visa

die. **Vitalität** energy, vitality

die **Vogelkunde** ornithology

das **Volk, ̈er** people, nation

der **Völkerbund** League of Nations

die **Völkerwanderungszeit** period of migration of (Germanic) peoples

die **Volksabstimmung, -en** plebiscite

der **Volksaufstand, ̈e** insurrection, popular uprising

das **Volksbildungswerk, -e** organization for adult education

der **Volksbrauch, ̈e** popular or national custom

die **Volksbühne, -n** inexpensive theater subscription; popular theater

der **Volksdeutsche, -n** ethnic German, member of a German speaking minority

die **Volksdichtung, -en** popular poetry

das **Volksfest, -e** public festival, fun fair

der **Volksheld, -en** popular hero

die **Volkshochschule, -n** adult education courses, University Extension

die **Volkskammer** parliament of the DDR

die **Volkskammerwahl, -en** election for the *Volkskammer*

die **Volkskirche, -n** popular church, church of the people

die **Volkskunst, ̈e** popular art

das **Volkslied, -er** folk song

das **Volksmärchen, -** popular fairy tale

die **Volksmusik** folk music

die **Volksmusikgruppe, -n** folk music group

die **Volkspartei, -en** people's party

die **Volksregierung, -en** democracy, popular government

die **Volksschule, -n** elementary school

der **Volksschullehrer, -** elementary school teacher

die **Volksschullehrerausbildung** training of elementary school teachers

der **Volkssport** popular sport, sport for the masses

das **Volkstheater, -** popular theater

die **Volkstracht, -en** traditional costume

volkstümlich popular

die **Volksvertretung, -en** representation of the people, parliament

der **Volkswirt, -e** economist

die **Volkswirtschaft, -en** economics; national economy

voll full

vollenden to complete, finish

vollendet perfect, finished

die **Vollendung, -en** finishing, perfection

völlig entire, complete

vollkommen perfect, accomplished

vollständig complete

vollziehen, vollzog, vollzogen to execute, perform

der **Volontär, -e** volunteer, unpaid or little paid assistant

der **Vorarbeiter, -** foreman

voraussagen to prophecy, predict

die **Voraussetzung, -en** premise, condition, presupposition

vorbei along, past, over

vorbereiten to prepare; **sich vorbereiten (auf)** to prepare oneself for, get ready for

die **Vorbereitung, -en** preparation

der **Vorbereitungskurs, -e** preparatory course

das **Vorbild, -er** model, standard

vorbildlich model, representative

die **Vorbildung** education, preparatory training

vorchristlich pre-Christian

vordringen, drang vor, vorgedrungen to advance, gain ground

vorerst first of all, for the time being, so far

der **Vorfahre, -n** ancestor

vorführen to present, perform

die **Vorführung, -en** presentation, performance

der **Vorgang, -̈e** occurrence, event

vorgehen, ging vor, vorgegangen to advance, take action, proceed

der **Vorgesetzte, -n** superior, boss

vorhanden present, existing, at hand

vorherrschen to prevail, predominate

die **Vorherrschaft, -en** predominance, hegemony

vorig former, previous

vorindustriell pre-industrial

vorkommen, kam vor, vorgekommen to happen, occur, to be found

das **Vorkommen, -** occurrence

vorladen, lud vor, vorgeladen to summon

die **Vorlage, -n** pattern, copy; pass (soccer)

vorläufig preliminary, provisional

vorlegen to put before, propose, produce

vorlesen, las vor, vorgelesen to read aloud to others

die **Vorlesung, -en** lecture

das **Vorlesungsverzeichnis, -se** university catalogue

die **Vormachtstellung** hegemony

der **Vormund, -̈er** guardian

der **Vorname, -n** first name

der **Vorort, -e** suburb

das **Vorrecht, -e** privilege, prerogative

vorschieben, schob vor, vorgeschoben to push forward

der **Vorschlag, -̈e** proposition, proposal, offer

vorschlagen, schlug vor, vorgeschlagen to propose

vorschreiben, schrieb vor, vorgeschrieben to prescribe, order

die **Vorschrift, -en** direction, regulation, rule

die **Vorsehung** providence

die **Vorsicht** caution

vorsichtig cautious

der **Vorsitz, -e** chair, presidency

der **Vorsitzende, -n** president, chairman

das **Vorstadtkino, -s** suburban movie theater

der **Vorstand, ⁓e** executive committee, board of directors

vorstellen: sich etwas vorstellen to imagine

die **Vorstellung, -en** idea, notion; presentation, performance

der **Vorteil, -e** advantage

vorteilhaft advantageous

der **Vortrag, ⁓e** lecture, report, recitation

vortragen, trug vor, vorgetragen to recite, lecture, report

der **Vortragsabend, -e** evening lecture, recitation

vorüber by, past, over

vorübergehend transitory, temporary

das **Vorurteil, -e** prejudice

der **Vorwand, ⁓e** pretext

vorwiegend preponderant, mostly

vorzeitig premature, anticipated

vorziehen, zog vor, vorgezogen to prefer

der **Vorzug, ⁓e** preference, merit, advantage

W

wachsen, wuchs, gewachsen to grow, increase

der **Wachtturm, ⁓e** watchtower

die **Waffe, -n** weapon, arm

wagen to dare, risk

der **Wagen, -** carriage, cart, car

die **Wahl, -en** election, choice

das **Wahlamt, ⁓er** elective office, office of an elector

wählen to elect, choose, dial (telephone)

der **Wähler, -** voter

der **Wahlgang, ⁓e** ballot

das **Wahlgesetz, -e** law regulating elections

der **Wahlkampf, ⁓e** contest, election campaign

der **Wahlkreis, -e** electoral district, ward, constituency

der **Wahlsieg, -e** election victory

das **Wahlsystem, -e** electoral system

wahnsinnig insane, mad, lunatic

wahren to preserve, protect, take care of

die **Wahrhaftigkeit, -en** sincerity, veracity

die **Wahrheit, -en** truth

wahrheitsgetreu in accordance with truth, truly

wahrscheinlich probable, likely

die **Währung, -en** currency

die **Währungsreform, -en** currency reform, monetary reform (particularly devaluation 1948)

das **Währungssystem, -e** monetary system or standard

der **Wald, ⁓er** forest, wood

das **Waldgebirge, -** wooded mountains

das **Waldland, ⁓er** woodlands, wooded countryside

der **Wallfahrtsort, -e** place of pilgrimage

die **Wand, ⁓e** wall, partition

sich **wandeln** to change, turn into

die **Wanderbewegung, -en** youth movement emphasizing nature hikes

der **Wanderer, -** hiker, traveller on foot, wanderer

die **Wanderlust** desire to see the world, joy in hiking

wandern to hike, travel on foot, walk (long distances)

die **Wanderschaft** traveling, hiking, wandering as a traveling journeyman

die **Wandertruppe, -n** traveling theater troupe

die **Wanderung, -en** hike, excursion on foot

der **Wanderverein, -e** hikers' club

der **Wandervogel, ⁓** migratory bird; name for members of a German youth movement (early 20th century)

der **Wanderweg, -e** hiking trail

die **Wandmalerei, -en** mural painting

die **Ware, -n** commodity, article, product

das **Warenhaus, ⁓er** department store

die **Warmluftheizung, -en** hot air heating

das **Wartburgfest** festival and student demonstration at the Wartburg (1817)

warten to wait

das **Wasser, -** *or* ⁓ water

die **Wasserkraft, ⁓e** water power

das **Wasserkraftwerk, -e** hydro-electric plant

die **Wasserleitung, -en** water main, aqueduct

der **Wassersport** aquatics, water sports

der **Wasserweg, -e** waterway

das **Wattenmeer, -e** shallow sea (covered only at high tide)

weben to weave

das **Weben** weaving

wechseln to change, alternate, exchange

der **Weg, -e** way, route, path, walk

wegen because of

weglassen, ließ weg, weggelassen to omit, leave out

die **Wegmarkierung, -en** marking of a trail

wegnehmen, nahm weg, weggenommen to take away, seize

sich **wehren (gegen)** to defend oneself

weiblich feminine, female, womanly

sich **weigern** to refuse

die **Weigerung, -en** refusal

weihen to consecrate, ordain, devote

der **Weihnachtsabend, -e** Christmas Eve

der **Weihnachtsbaum, ∵e** Christmas tree

das **Weihnachtsfest, -e** Christmas

die **Weihnachtsgans, ∵e** goose eaten at Christmas

das **Weihnachtslied, -er** Christmas carol

der **Weihnachtsmann, ∵er** Santa Claus, Father Christmas

der **Wein, -e** wine, vine

der **Weinbau** winegrowing, viticulture

der **Weinbauer, -n** winegrower

das **Weinbaugebiet, -e** winegrowing region

die **Weinernte, -n** vintage

das **Weinfest, -e** wine festival, festival celebrating the vintage

die **Weintraube, -n** bunch of grapes, grape

der **Weise, -n** sage, wise man

die **Weise, -n** manner, way, means

die **Weisheit, -en** wisdom

weit distant, far, wide

weitdenkend farsighted

die **Weiterbildung** continuing education, development

weiterführen to carry on

weitergehen, ging weiter, weitergegangen to continue, go on, walk on

weitgehend vast, predominantly

weithin far off, over a vast area

der **Weizen** wheat

die **Welle, -n** wave

welsch speaking a Romance language, particularly French or Italian

die **Welt, -en** world

die **Weltanschauung, -en** world view, ideology, conception of life

weltbekannt world-famous

der **Weltbürger, -** cosmopolite

weltfremd ignorant of the realities of life, quixotic

der **Weltfriede** universal peace

weltgeschichtlich referring to world history or universal history

der **Welthandel** world trade, international trade

die **Weltherrschaft** world hegemony, domination over the world

der **Weltkrieg, -e** world war

weltlich secular, mundane, lay

die **Weltmacht, ∵e** world power

der **Weltmarkt** international market

weltoffen open to new ideas (particularly to those from other countries)

die **Weltpolitik** world politics, ambitious politics of a world power

das **Weltreich, -e** universal power, empire

die **Weltreise, -n** trip around the world

der **Weltruhm** world fame

der **Werbefilm, -e** commercial, film for advertising

werden, wurde, geworden to become, grow

werfen, warf, geworfen to throw, cast

die **Werft, -en** dockyard

das **Werk, -e** work; mechanism; factory, plant

die **Werkstatt, ∵en** workshop

der **Werkstudent, -en** working student

die **Werkswohnung, -en** apartment (or house) owned by a firm and leased to an employee

das **Werkzeug, -e** tool, instrument

der **Wert, -e** value, worth

wertvoll valuable, precious

wesentlich substantial, essential

westdeutsch West-German

der **Westdeutsche, -n** West German

Westdeutschland West Germany

der **Westen** west

die **Westgrenze, -n** western frontier or border

westlich western, westerly

wetten to bet, wager

der **Wettkampf, ⸚e** contest, competition

wichtig important

der **Widerstand, ⸚e** resistance, opposition

widersprechen, widersprach, widersprochen contradict, oppose

widerrufen, widerrief, widerrufen repeal, revoke, retract

der **Widerspruch, ⸚e** contradiction, opposition

die **Wiederaufrüstung, -en** rearmament

wiederherstellen to restore, rehabilitate

wiedertreffen, traf wieder, wiedergetroffen to meet (again)

wiedervereinigen to reunite

die **Wiedervereinigung, -en** reunification

der **Wienerwald** Vienna Woods

die **Wiese, -n** meadow

der **Wiederentdecker, -** rediscoverer

wiederholen to repeat

die **Wiederkehr** return, recurrence

der **Wiedertäufer, -** anabaptist

die **Wiederwahl, -en** re-election

die **Wiege, -n** cradle

wieviel how much

der **Wille** will

die **Willenskraft** will-power, strong will

der **Winkel, -** corner, angle

die **Winterbeschäftigung, -en** occupation during the winter

die **Winterspiele** (*pl.*) Winter Games (Olympic Games)

der **Wintersport** winter sports

der **Wintersportplatz, ⸚e** winter resort, place for winter sports

wirken to work, operate, have effect

wirklich real, true, actual

die **Wirklichkeit** reality

wirksam effective, efficient

die **Wirksamkeit** efficiency

wirkungsvoll effective

die **Wirtschaft, -en** economy, housekeeping; inn, pub

wirtschaftlich economic, economical

der **Wirtschaftsbetrieb, -e** economic unit, plant

der **Wirtschaftsblock, ⸚e** economic block

der **Wirtschaftsdirektor, -en** director of economics

der **Wirtschaftsexperte, -n** economic expert

die **Wirtschaftsgemeinschaft, -en** economic union

die **Wirtschaftskrise, -n** economic crisis

der **Wirtschaftsminister, -** minister of economics

die **Wirtschaftsordnung, -en** economic system

der **Wirtschaftspartner, -** economic partner

die **Wirtschaftsplanung, -en** economic planning

die **Wirtschaftspolitik** economic policy

der **Wirtschaftsraum, ⸚e** unit of economic geography, economic district

das **Wirtschaftssystem, -e** economic system

das **Wirtschaftswunder, -** economic miracle (especially West Germany after 1948)

das **Wirtshaus, ⸚er** inn, pub

wissen, wußte, gewußt to know

das **Wissen** knowledge

die **Wissenschaft, -en** knowledge, science

der **Wissenschaftler, -** scholar, scientist

wissenschaftlich scientific

das **Wissensgebiet, -e** field of knowledge

die **Witwe, -n** widow

die **Woche, -n** week

das **Wochenende, -n** week-end

die **Wochenendausgabe, -n** week-end edition (newspaper)

wochenlang for weeks

die **Wochenzeitung, -en** weekly paper

wohl probably, perhaps, I presume; well

wohlgefällig agreeable, complacent

wohlhabend wealthy, well-to-do

der **Wohlstand** prosperity, comfort

der **Wohnbezirk, -e** residential district

wohnen to live, reside

das **Wohnhaus, ⸚er** house, dwelling, apartment house

der **Wohnort, -e** residence

die **Wohnung, -en** apartment

die **Wohnungseinrichtung, -en** furniture, furnishings

die **Wohnungsmiete, -n** rent for an apartment

die **Wohnungszulage, -n** allowance for rent (in addition to a basic salary)

der **Wohnwagen, -** house trailer

das **Wohnzimmer, -** living room

wollen to want to, be willing, wish, intend

das **Wort, -e** *or* **-̈er** word, expression

die **Wortgeschichte, -n** word history

wortkarg taciturn

der **Wortschatz** vocabulary

das **Wunder, -** miracle, wonder

das **Wunderhorn, -̈er** magic horn, enchanted horn; **des Knaben Wunderhorn** the Youth's Magic Horn (anthology of folk-songs)

das **Wunderkind, -er** child prodigy

sich **wundern (über)** wonder at, be surprised at

der **Wunsch, -̈e** wish, desire

der **Wunschzettel, -** list of wishes (for a birthday or Christmas)

die **Würde, -n** dignity, honor, propriety

die **Würdigung, -en** appreciation, eulogy

die **Wurst, -̈e** sausage

Württemberg Wurtemberg

würzen to spice, season

die **Wüste, -n** desert, waste land

Z

die **Zahl, -en** number, figure

zahlen to pay

der **Zahltag, -e** pay-day

der **Zar, -en** czar

die **Zarin, -nen** czarina

die **Zauberflöte, -n** magic flute

das **Zehntel, -** tenth

das **Zeichen, -** sign, indication, mark

zeichnen to draw, sketch, design

das **Zeichnen** drawing

zeigen to show

die **Zeit, -en** time, period, term; tense; **eine Zeitlang** for some time

das **Zeitalter, -** age, era, epoch

die **Zeitdifferenz, -en** time difference

die **Zeiteinteilung, -en** division of time

der **Zeitgenosse, -n** contemporary

die **Zeitschrift, -en** periodical, magazine

die **Zeitung, -en** newspaper

der **Zeitungsjunge, -n** newspaper boy, newsboy

der **Zeitungskönig, -e** newspaper king, newspaper tycoon

der **Zeitungsleser, -** newspaper reader

der **Zeitungsverleger, -** newspaper publisher

zeitweise for a certain period of time, occasionally

das **Zelt, -e** tent

die **Zensur, -en** censorship, grade (school)

zentral central

zentralisieren to centralize

die **Zentralverwaltung, -en** central administration

das **Zentrum, Zentren** center

zerbrechen, zerbrach, zerbrochen to break (to pieces)

die **Zeremonie, -n** ceremony

zerfallen, zerfiel, zerfallen decay, fall into ruin

die **Zerrissenheit, -en** pessimism, confusion, torn condition

zersetzen to disintegrate

zersplittern to split up, disperse

zerstören to destroy

zeugen to testify, witness

das **Zeughaus, -̈er** arsenal

das **Zeugnis, -se** report card, evidence, certificate, diploma

das **Ziegeldach, -̈er** tiled roof

ziehen, zog, gezogen pull, draw; cultivate, breed

das **Ziel, -e** aim, destination, target, goal

ziemlich tolerable, fair, rather

die **Zigarette, -n** cigarette

der **Zigeuner, -** gipsy

das **Zimmer, -** room

der **Zimmermann, -leute** carpenter

das **Zimmertheater, -** theater in a room

zittern to shake, tremble

zivil civil

die **Zivilbevölkerung, -en** civilian population

die **Zivilehe, -n** civil marriage

das **Zivilleben** life as a civilian (as opposed to military life)

die **Zivilregierung, -en** civil government

zögern to hesitate, delay

das **Zölibat, -e** celibacy

der **Zoll, ⁓e** custom, duty; inch

der **Zollbeamte, -n** customs officer

die **Zollunion, -en** customs union

der **Zollverein, -e** customs union (19th century)

der **Zopf, ⁓e** tress, pigtail

der **Zorn** anger

zornig angry

züchten to breed, grow

der **Zucker** sugar

die **Zuckerrübe, -n** sugar beet

zuende finished, over

die **Zufahrtsstraße, -n** approach, road connection

zufällig by chance, accidental, incidental

die **Zuflucht** refuge, shelter, recourse

die **Zufluchtsstätte, -n** asylum, place of refuge

zufrieden content, satisfied

der **Zugang, ⁓e** access, admittance

zugänglich accessible

zugleich at the same time, together with

zugrunde gehen to be ruined, be destroyed

zugunsten for the benefit of

die **Zukunft** future

zukünftig future

der **Zukunftstraum, ⁓e** dream of the future, utopia

die **Zulage, -n** raise, increase, fringe benefits

zulassen, ließ zu, zugelassen to admit, allow, license

zumuten to be exacting

die **Zuneigung, -en** affection

die **Zunft, ⁓e** guild, corporation

sich **zurechtfinden, fand zurecht, zurechtgefunden** to find one's way

zurückbleiben, blieb zurück, zurückgeblieben to remain behind

zurückerobern to reconquer

zurückhaltend reserved, shy

zurückkehren to return

zurücktreten, trat zurück, zurückgetreten to resign

sich **zurückziehen, zog zurück, zurückgezogen** to withdraw, retire

zurückgezogen retired, secluded

zusammen together

die **Zusammenarbeit** cooperation

zusammenbrechen, brach zusammen, zusammengebrochen to break down, collapse

zusammenbringen, brachte zusammen, zusammengebracht to collect, bring together

zusammenfassen to comprehend, collect, summarize

sich **zusammenfinden, fand zusammen, zusammengefunden** to meet, come together

zusammengehören to belong together

zusammenhalten, hielt zusammen, zusammengehalten to cling together, hold together

der **Zusammenhang, ⁓e** connection, context

zusammenhängen, hing zusammen, zusammengehangen to be connected, cohere

zusammenkommen, kam zusammen, zusammengekommen to meet, assemble, come together

die **Zusammenkunft, ⁓e** meeting

zusammenleben to live together

das **Zusammenleben** living together, companionship, cohabitation

sich **zusammenschließen (zu), schloß zusammen, zusammengeschlossen** to unite, combine, join

zusammenstellen to put together, make up

der **Zusammenstoß, ⁓e** collision, encounter

zusammenstoßen, stieß zusammen, zusammengestoßen to collide, run into, join forces with

zusammentreffen, traf zusammen, zusammengetroffen to meet, concur, coincide

das **Zusammentreffen** meeting, coincidence

zusammentreten, trat zusammen, zusammengetreten to meet, combine

lxxi

zusammenwachsen, wuchs zusammen, zusammengewachsen to grow together

zusätzlich additional

der Zuschauer, - spectator

die Zuschauerzahl, -en number of spectators

zuschreiben, schrieb zu, zugeschrieben to ascribe, attribute to

der Zuschuß, ¨sse allowance, contribution, subsidy

der Zustand, ¨e condition, state

zustande kommen to come about

zustehen, stand zu, zugestanden to be due to

die Zustimmung, -en consent

zutrauen to credit (a person with something)

zutreffen, traf zu, zugetroffen to come true, prove right

zuverlässig reliable, dependable

der Zuwanderer, - immigrant

sich zuwenden to turn to

der Zwang, ¨e compulsion, constraint, force, repression

zwar indeed, no doubt

der Zweck, -e object, aim, purpose

zweierlei of two kinds

der Zweifel, - doubt; ohne Zweifel sure, without any doubt

der Zweifrontenkrieg, -e war on two fronts

der Zweig, -e branch, twig

zweisprachig bilingual

die Zweiteilung, -en division into two parts, bipartition

zweitens second, in the second place

zwiespältig discrepant, divided, ambivalent

zwingen, zwang, gezwungen force, constrain

zwischendurch in between, at intervals, through

die Zwischenprüfung, -en intermediate examination

die Zwölftonmusik dodecaphonic or serialistic music, twelve-tone music, atonal music

Notes on Illustrations

Courtesy German Information Center, New York: title page (Mainz, Holzschnitt 1518), pp. 30, 32, 38, 46 (Kupferstich aus der Werkstätte von Lucas Cranach dem Älteren, 1520), 60, 87, 89, 97, 98 (Ebert in Weimar), 100, 115, 121, 122, 123, 124, 125, 127, 143-*Bottom*, 150, 152, 163 (Universität München), 169, 175, 178, 184, 187, 190, 191 (Müngersdorfer Kampfbahn, Köln), 195, 201 (Thomas Mann-Ausstellung, Darmstadt), 211, 212, 218 (Bundestag), 223, 232, 236. — Renate Spitzbart: title page (Rhein-Main-Flughafen Frankfurt, Theatiner Passage in München), p. vii (Salzburg). — Landesbildstelle Württemberg: pp. 1 (Weinberg), 3, 8, 17, 21, 22, 26, 28, 31, 41, 42, 43, 45, 50, 53, 54, 57, 62 (Friedrich II.), 64, 69, 71, 75, 77, 78, 79 (Nationalversammlung in Frankfurt), 80, 82, 85-*Right*, 90, 95, 107, 111, 114, 116, 117, 137, 143-*Top* (Bauernfamilie 1937), 152, 153, 159, 162, 180, 190, 202 (Teil aus Richard Wagners Partitur ,,Die Meistersinger"), 209, 228-*Left* (Auferstehungskirche, Stuttgart), 246. — Photo Jan Lukas: pp. 1 (Am Rhein), 9, 11, 127, 130, 149, 154, 171-*Left*, 196 (Campingplatz Penzberg, Bayern), 228-*Right* (Wieskirche). — Courtesy L'Erma di Bretschneider: p. 12 (Markus-Säule in Rom). — Courtesy Städt. Verkehrsamt Detmold: p. 13. — Courtesy Bildarchiv der Österreichischen Nationalbibliothek: p. 18. — Courtesy Prints Division, The New York Public Library, Astor, Lenox and Tilden Foundations: pp. 36/37, 85-*Left*. — Deutsche Fotothek Dresden: pp. 47, 68, 234 (Leipzig). — Courtesy New York Public Library: pp. 51, 61. — Courtesy Peggy Brown: p. 92. — Madeline Winkler-Betzendahl: p. 103. — Courtesy German Tourist Information Office, New York: p. 134. — Courtesy Landesbildstelle Berlin: p. 136. — Foto Krautwasser, Stuttgart: pp. 138, 156 (Am ersten Schultag), 168, 171-*Right*, 195, 214, 216. — Courtesy Presse- und Informationsamt der Bundesregierung, Bundesbildstelle, Bonn: p. 200. — Tiroler Kunstverlag Chizzali: p. 243-*Top* (Innsbruck). — Cosy-Verlag, Salzburg: p. 243-*Bottom* (Salzburg). — Courtesy Stadtverkehrsbüro Salzburg: p. 250. — Courtesy Swiss National Tourist Office, New York: 251 (Edelweiß, Vierwaldstättersee), 252, 254, 256.

COVER ILLUSTRATIONS

Bauhaus-Siegel, 1922
von Oskar Schlemmer
Bauhaus-Archiv, Darmstadt

Martin Luthers Siegel

Signets der ersten Buchdrucker in Deutschland

Johann Schäffler
Ulm und Freising
1492-1501

Johann Petrejus
Nürnberg
1524-1550

Erhard Reuwich
Mainz
1486

Wolfgang Stöckel
Leipzig und Dresden
1495-1539

NOTES ON ILLUSTRATIONS